Alfred Breitenbach

Das „wahrhaft goldene Athen"
Die Auseinandersetzung griechischer Kirchenväter mit der Metropole heidnisch-antiker Kultur

Theophaneia

Beiträge zur Religions- und Kirchengeschichte des Altertums
Begründet von Franz Joseph Dölger und Theodor Klauser
Fortgeführt von Ernst Dassmann
In Verbindung mit dem F. J. Dölger-Institut
herausgegeben von Georg Schöllgen

Band 37

Athen wird spätestens seit dem fünften Jahrhundert v. Chr. als Metropole der griechischen Kultur gefeiert. Die Auseinandersetzung der Kirchenväter mit dieser heidnisch-antiken Kultur kristallisiert sich daher in ihrer Bewertung Athens. Manche christliche Äußerungen der ersten Jahrhunderte zeugen noch von einer erheblichen Bildungsskepsis; in der Spätantike dagegen verstärkt sich bei griechischen Kirchenvätern das Bedürfnis und durch die politische Entwicklung auch die Notwendigkeit nach Integration der griechischen Kultur, also des eigenen kulturellen Erbes, in die christlich werdende Gesellschaft. Eusebius von Caesarea versteht sich ausdrücklich als Grieche und als Christ und stellt mit diesem Selbstverständnis die Welt- und universale Kulturgeschichte dar. Die Kappadokier Gregor von Nazianz und Basilius von Caesarea sind Angehörige der Oberschicht und stammen aus christlichen Familien. Sie müssen sich anderen, bildungsskeptischen Christen gegenüber mit ihrer eigenen, mit der Chiffre und der Stadt Athen verbundenen Biographie auseinandersetzen; sie bekräftigen aber Heiden gegenüber zugleich ihren intellektuellen Anspruch, der auf in Athen erworbener Bildung gründet. So bahnen die Christen des dritten und vierten Jahrhunderts auf unterschiedliche Weise den Weg zu einer radikalen christlichen Neubewertung der „Bildungsstätte Griechenlands". Sie kann von der „Gegenspielerin Jerusalems" zu einer „goldenen Stadt" werden, wenn man ihre historische und kulturelle Bedeutung aus der richtigen, das heißt jetzt christlichen, Perspektive sieht und ihre Schätze zu bergen und zu nutzen versteht.

Alfred Breitenbach, geboren 1972 in Koblenz, studierte Griechische und Lateinische Philologie und Katholische Theologie in Trier und Freiburg im Breisgau. Nach Tätigkeiten als Wissenschaftlicher Angestellter an den Universitäten Trier und Konstanz arbeitet er seit August 2001 als Klassischer Philologe am Franz Joseph Dölger-Institut zur Erforschung der Spätantike in Bonn.

Alfred Breitenbach

Das „wahrhaft goldene Athen“

Die Auseinandersetzung griechischer Kirchenväter mit der Metropole heidnisch-antiker Kultur

PHILO

Die Arbeit des F. J. Dölger-Instituts wird vom Bundesministerium für Bildung und Forschung und dem Land Nordrhein-Westfalen gefördert.

Gedruckt mit Unterstützung der Richard und Anne-Liese Gielen-Leyendecker-Stiftung

D 385

Bibliografische Information der Deutschen Bibliothek
Die Deutsche Bibliothek verzeichnet diese Publikation in der Deutschen Nationalbibliografie; detaillierte bibliografische Angaben sind im Internet über
http://dnb.ddb.de abrufbar.

www.philo-verlag.de

Druck und Bindung: Druckerei Steinmeier, Nördlingen
ISBN 3-8257-0355-X

Meiner Mutter

und dem Andenken meines Vaters

INHALTSVERZEICHNIS

VORWORT

Die vorliegende Arbeit ist im Wintersemester 2001/2002 vom Fachbereich II (Sprach- und Literaturwissenschaften) der Universität Trier als Dissertation angenommen worden.

Auf dem Weg zu diesem Buch haben mich viele Menschen unterstützt. In den verschiedenen Phasen seiner Entstehung habe ich durch zahlreiche anregende Gespräche und Diskussionen, durch wohlwollende Kritik, durch Anfragen und Hinweise unschätzbare Hilfe erfahren, und für diese Unterstützung bin ich zu großem Dank verpflichtet.

An erster Stelle möchte ich meinen Doktorvater, Professor Dr. Georg Wöhrle, nennen. Er hat meine Arbeit begleitet und gefördert, stets ein offenes Ohr für all meine Fragen gehabt und mich mit vielfältigen wertvollen Ratschlägen bedacht. Professor Dr. Ulrich Eigler gilt mein Dank nicht nur dafür, dass er die Arbeit als Zweitkorrektor begutachtet hat; er war es auch, der mein Interesse für eine intensive Beschäftigung mit der Literatur der christlichen Spätantike geweckt und so den Weg zu dieser Arbeit mit bereitet hat.

Herzlich danken möchte ich allen, die mein Leben, mein Studium und meine Arbeit mit fachlichem Rat und mit Freundschaft begleitet haben, unter ihnen besonders Daniel Adler, Claudia von Behren, Norbert Dörner und Dr. Oliver Hellmann. Achim Budde sei gedankt für lange und spannende Diskussionen, Dr. Gregor Staab für langjährige Freundschaft und kompetente Hilfe.

Zuletzt haben sich Gerhard Rexin und vor allem Heidi Hein der mühevollen Aufgabe des Korrekturlesens dieser anlässlich der Drucklegung leicht überarbeiteten Textfassung unterzogen; ihnen möchte ich für ihre Hilfe und Geduld danken.

Professor Dr. Georg Schöllgen sei mein aufrichtiger Dank für die Aufnahme der Arbeit in die Reihe „Theophaneia“ sowie für viele wichtige Anregungen und große Hilfsbereitschaft gesagt; er und die Mitarbeiter des Franz Joseph Dölger-Institutes zur Erforschung der Spätantike in Bonn haben durch die angenehme Arbeitsatmosphäre, die ich in den vergangenen Jahren genießen konnte, in nicht unerheblicher Weise zum Entstehen dieses Bandes beigetragen.

Auch für finanzielle Unterstützung und für das Vertrauen, das daraus spricht, möchte ich danken: Die Studienstiftung des deutschen Volkes hat mir ein Promotionsstipendium gewährt, die Richard und Anne-Liese Gielen-Leyendecker-Stiftung die erforderlichen Druckkosten übernommen und dadurch den letzten Abschnitt auf dem Weg zum Buch geebnet.

Worte des Dankes für meine Eltern zu finden, fällt mir schwer. Die Widmung des Buches an sie mag schwach andeuten, wie sehr mein Herz ihnen verbunden ist.

Bonn, im Mai 2003 Alfred Breitenbach

1 EINLEITUNG

1. 1 DIE POSITIVE CHIFFRE: EIN LOBLIED AUF ATHEN

Ξυνελών τε λέγω τήν τε πᾶσαν πόλιν τῆς Ἑλλάδος παίδευσιν εἶναι. – „Zusammenfassend möchte ich sagen, dass die ganze Stadt eine Bildungsstätte für Griechenland ist.“ So lässt Thukydides in der *Geschichte des Peloponnesischen Krieges* (2, 41, 1) den Staatsmann Perikles über Athen sprechen. Und einige Jahre später erklärt der Redner Isokrates in seinem *Panegyrikos* (*or.* 4, 50): Τοσοῦτον δ' ἀπολέλοιπεν ἡ πόλις ἡμῶν περὶ τὸ φρονεῖν καὶ λέγειν τοὺς ἄλλους ἀνθρώπους, ὥσθ' οἱ ταύτης μαθηταὶ τῶν ἄλλων διδάσκαλοι γεγόνασιν. – „So sehr hat unsere Stadt die anderen Menschen im Denken und Reden übertroffen, dass die Schüler unserer Stadt die Lehrer der anderen geworden sind.“

Diese beiden Aussagen stammen von Athenern. Sie machen zum einen deutlich, welch ungeheure Hochachtung der Bildung entgegengebracht wurde. Auf Bildung war man stolz. Und sie lassen zweitens erkennen, wie sehr die Athener sich schon damals, im fünften und vierten Jahrhundert v. Chr., als die unangefochtenen Repräsentanten dieser Bildung betrachteten. Athen als Kulturmetropole – das ist hier mehr als ein lokalpatriotischer Reflex. Es markiert den Beginn einer Entwicklung, an deren Ende die Stadt im gesamten Römischen Reich zum Inbegriff griechischer Kultur und Bildung werden wird. Diese Chiffre brannte sich so nachhaltig in das Bewusstsein der Antike ein, dass sie auch dann noch lebendig blieb, als die Stadt ihre herausragende Bedeutung schon längst eingebüßt hatte.

Oft und ausführlich wurde dieses Athenbild literarisch verarbeitet. Und weil sich die Stadt in diesen Werken ungetrübt positiv präsentierte, können solche Texte einfachhin als „Athenlob“, *laudes Athenarum*, bezeichnet und zusammengefasst werden. Das Athenlob nimmt, auf einer Tradition des Städtelobs aufbauend, seinen Anfang in der klassischen griechischen Literatur, und zwar vornehmlich in Werken von Athenern; zu nennen sind etwa die Leichenreden des Perikles / Thukydides, Platons, des Lysias und des Demosthenes, die Lobreden auf Athen aus der Feder des Isokrates und Teile der klassischen Tragödie, die sich oft veranlasst sieht, die Vorzüge Athens enkomiastisch zu preisen.

Der Ruhm Athens verbreitete sich weit. Auch ein Römer, der etwas auf seine Bildung hielt, ging zur Zeit der 'goldenen Latinität' nach Athen.[1] Noch über ein halbes Jahrtausend nach Isokrates konnte der Redner Ailios Aristeides – nicht einmal ein Athener – in den damals vorgezeichneten Bahnen eine monumentale Lobrede auf Athen halten, einen neuen *Panathenaikos*, und auch der spätantike Rhetor Himerios hat eine in dieser Tradition stehende Rede verfasst, die die traditionellen Topoi des Athenlobes verarbeitet.

Kaiser Hadrian machte Athen im zweiten Jahrhundert zum Sitz des neu geschaffenen Panhellenion.[2] Im vierten Jahrhundert gar richtete Kaiser Julian einen Brief an den Rat und das Volk von Athen; er sieht in dieser Stadt und ihrer Vergangenheit das Modell für eine Restauration nach 'klassischen' Maßstäben.[3] Bis tief in die Spätantike hinein galt Athen als Ausdruck des Griechentums, ja antiker Bildung schlechthin. Sowohl literarisch als auch kulturell spiegelt sich an und in Athen das Bild der griechischen Kultur.

1. 2 DIE NEGATIVE CHIFFRE: GEGENSPIELERIN JERUSALEMS

Als sich am Rande des Reiches und im Nährboden des hellenisierten Judentums das Christentum formiert, da schauen die Anhänger dieser neuen Lehre mit großer Skepsis nach Athen. Für sie ist die Stadt vor allem eines: heidnisch. Und als Chiffre steht sie dann für eine Bildung, die von den heidnischen Religionen, ihren Kulten und ihren Themen völlig durchdrungen und darum wertlos und nachgerade gefährlich ist. Die wenig schmeichelhafte Charakterisierung der Athener in der *Apostelgeschichte* konnte als Aufhänger solcher Ressentiments gegen die Ikone heidnischer Bildung dienen.

Wie die frühen Christen die Chiffre 'Athen' wohl formal rezipieren und doch inhaltlich in ihr gerades Gegenteil verkehren, zeigt die selbstbewusste Frage Tertullians: *Quid ergo Athenis et Hierosolymis?* – „Was hat Athen mit Jerusalem zu tun?" (*praescr.* 7, 8f.). Mit dieser Antithese macht Tertullian klar, dass das hehre Bildungsideal der Antike für ihn alles andere als erstrebenswert ist. Der Christ schaut statt dessen hinauf zum himmlischen Jerusalem, dessen geistlicher Bürger er ist und von wo er sein Heil erwartet. Und wer sich die auserwählten Apostel zum Vorbild nimmt, die auch ohne 'große' Bildung zur Wahrheit gefunden haben, der kann auf die Bildung der Griechen, auf Rhetorik und Philosophie, getrost verzichten. Athen symbolisiert eine götzendienerische Schein-Weisheit, der nun Jerusalem als Symbol für das göttliche Heil und die wahre Weisheit gegenübersteht. Und der Christ weiß, wo er hingehört.

1 Zum Athenbild Ciceros vgl. Boyancé (1973/74); unten S. 135f.
2 Vgl. Boatwright (2000) 144-157; Willers (1990).
3 Vgl. Bregman (1997); Caltabiano (1974).

Teile dieser Extremposition werden als Topoi auch von anderen kirchlichen Schriftstellern vertreten. So wird für Klemens von Alexandrien dadurch, dass der Logos in die Welt gekommen ist, die bisher übliche Unterweisung, symbolisiert in „Athen und Griechenland", überflüssig. Vielmehr ist jetzt „alles zu Athen und Griechenland geworden", weil der neue Lehrer, Christus, die Menschen in jeder Hinsicht unterweist. Auch der Syrer Tatian wendet sich demonstrativ von den Schulen in Rom und Athen ab und der „barbarischen Philosophie" zu.[4] Diese Kritik an Athen ist, wie gesagt, ein Topos. Gerade jene Kirchenväter, in deren Werken wir bildungsfeindliche Tendenzen verspüren, haben selbst die klassische Bildung in reinster Form genossen. Das Werk des Klemens von Alexandrien etwa ist, wie man gesagt hat, „der Höhepunkt der Hellenisierung des Christentums."[5]

Die Notwendigkeit der Identitätsfindung ist wohl das Movens einer – zumindest äußerlichen – Ablehnung der griechischen Bildung und Kultur und damit auch jener Stadt, die wie keine andere für diese Bildung steht. Daher konzentrieren die frühchristlichen Apologeten ihre Abwehr paganer Anfragen und Vorwürfe zuweilen in einer Abwehr Athens.

1. 3 DIE NEUE SITUATION: EULEN NACH JERUSALEM

Solange man mit Athen und seiner Bildung tatsächlich nichts zu schaffen hatte, war das leicht. Seit dem dritten Jahrhundert aber zeichnet sich ein folgenschwerer Wandel ab: Die christliche Frontstellung gegen Bildung und Kultur der römisch-griechischen Gesellschaft weicht in dem Maße auf, wie sich immer mehr Gebildete zum Christentum bekehren und sich immer mehr Christen eine gehobene Ausbildung erwerben. Für einen genialen Geist wie Origenes ist gewiss nicht die Bildung selbst das Schlimme, sondern der Inhalt, der mit ihren Mitteln vertreten wird. Wenn er eines seiner Werke ausdrücklich als Erwiderung auf einen Philosophen verstanden wissen will, dann bedeutet das eben auch, dass er sich dessen Thesen auf gleichem intellektuellen Niveau stellen möchte. Dass Origenes in der Welt der Bildung zu Hause ist, will er selbst gar nicht leugnen. Für ihn steht fest, dass sich das Christentum auch auf diesem Feld behaupten und sich diese Mittel zunutze machen kann.

Was sich hier vorbereitet, gelangt mit Konstantin zum Durchbruch. Als die maßgebliche Religion des Reiches[6] durchdringt das Christentum nun in steigen-

4 Zu diesen Äußerungen des Klemens und Tatians vgl. unten S. 139 Anm. 77.

5 Dihle (1966) 748; vgl. Klein (1997) 163-165.

6 Es steht allerdings außer Zweifel, dass sich auch die pagane Religion noch lange hielt und verbreitet war. Brown (1995) 163-187 stellt eindrucksvoll dar, wie die Christen selbst das Bild vom Christentum als der beherrschenden Religion geprägt und eine „Ideologie des Schweigens" über die immer noch vorhandene und verbreitete pagane Kultur etabliert haben; vgl. Brown (1995) 166.

dem Maße auch die Eliten in der Politik, in der Administration, im öffentlichen Leben[7] – und in der Bildung. Die Oberschicht hat natürlich die Praxis der Ausbildung an den berühmten Hochschulen des Reiches nie aufgegeben. Gewissermaßen bleiben ihre Angehörigen Athener, auch wenn sie nun geistlich in Jerusalem zu Hause sind. Sie lesen mit ihren Kindern Psalmen und schicken sie zum Studieren nach Athen. Das ist bildlich, aber auch real zu verstehen, denn unter den Zentren des Ostens, in denen die klassische Bildung gelehrt wird, ragt neben Alexandria und Konstantinopel noch immer Athen heraus. Zu den bekannten Rhetoren Athens in dieser Zeit zählt unter anderen Himerios; die Akademie in Athen wird noch im fünften Jahrhundert von den neuplatonischen Philosophen Proklos und Marinos geleitet. Athen zieht Lehrer und Schüler, die Söhne wohlhabender Familien, aus allen Gegenden des östlichen Reichsteils an. Auch viele Christen tragen nun keine Bedenken mehr, sich griechische Bildung, Rhetorik und Philosophie anzueignen und das Zentrum der griechischen Kultur selbst aufzusuchen.

So sind schließlich Schüler Athens auch zu Lehrern der Kirche geworden. Sie haben sich die Bildungsmetropole Athen erobert. Und zugleich eroberten sie die Chiffre.

1. 4 DIE AUFGABE: VERMITTLUNG ZWEIER PERSPEKTIVEN

Alle hier behandelten christlichen Autoren haben Elemente des alten, heidnischen Athenbildes übernommen und verbreiten es weiter. Das ist neu in kirchlichen Kreisen und nur bei jenen Vordenkern zu erwarten, die die Vorzüge einer guten Ausbildung selbst kennen und schätzen gelernt haben. Diese versöhnliche Haltung prallt jedoch auf das alte Feindbild, das das Denken der meisten Christen noch immer bestimmt. War nicht dieses Athen eine Hochburg der verabscheuten heidnischen Religion? Hatten nicht Athene und Poseidon um Athen gestritten? War nicht der Apostel Paulus die Richtschnur dafür, was man von dieser Stadt zu halten hat?

So ganz falsch waren die alten Vorwürfe ja nicht. Noch standen jene Götzenbilder aufrecht, die einstmals den heftigen Zorn des Apostels erregten. Aber offenbar war es manchen Theologen inzwischen gelungen, an den Errungenschaften griechischer Kultur teilzuhaben, ohne durch deren heidnische Prägung den christlichen Glauben gefährdet zu sehen. So wie sie zwischen dem Nützlichen und dem Unnützen im realen Athen zu unterscheiden gelernt hatten, so war auch die Chiffre 'Athen' ambivalent geworden. Sie konnte symbolisch für Gutes und für Schlechtes stehen. Diese Differenzierung gedanklich zu leisten und literarisch zu vermitteln, war die Aufgabe, vor der diese 'Bürger zweier Welten' standen.

7 Zum Einfluss der lokalen Provinz-Eliten auf die kaiserliche Politik vgl. Brown (1995) 11-50.

Dieser Prozess soll in der vorliegenden Studie in zwei Hauptteilen und einem Ausblick untersucht werden. Die Chiffre 'Athen' ist zwar nur ein einzelner Aspekt der facettenreichen Auseinandersetzung des Christentums mit der antiken Kultur. Aber sie ist ein Aspekt, der schon in der Vorstellung der damaligen Menschen stellvertretend für das Ganze stand. Im Umgang der christlichen Autoren mit Athen kommt deshalb exemplarisch und repräsentativ zum Ausdruck, welche Einstellung sie zur griechisch-römischen Kultur insgesamt haben.

1. 4. 1 Athen in der Geschichte – ein Problem

Wissenschaftliche Auseinandersetzung mit Heiden auf der einen Seite, eine apokalyptische Verfolgungssituation auf der anderen Seite führen zu den ersten christlichen Geschichtswerken, die uns erhalten sind. Eine heidnische Anfrage über die Ursprünge des Christentums[8] und die Antwort mit Hilfe des Altersbeweises, der sowohl von Heiden als auch von Christen herangezogen wurde, ließen bei Eusebius von Caesarea die Idee einer Weltgeschichte mit christlicher Perspektive aufkommen; das Vorhaben wurde auch durch in den Verfolgungen geschürte Ängste vor dem Weltende motiviert, denen entgegengetreten werden sollte. Diese historische Arbeit, aber ebenso die *Praeparatio Evangelica*, ein kulturhistorisches Werk mit christlicher Perspektive, das sich mit der Frage nach den Wurzeln des Christentums und seinen Beziehungen zu anderen religiösen Strömungen auseinandersetzt, versuchen, neben der historischen Dimension auch die geistige Herkunft der Christen zu ergründen.

Zwischen Apologetik und Akzeptanz des Christentums entstehen so die ersten systematischen Werke, die das Christentum als Ziel einer welt- und kulturgeschichtlichen Entwicklung beschreiben. Hier kann und muss der Autor den kultur- und geistesgeschichtlichen Weg von den ersten Anfängen bis hin zum Christentum nachzeichnen. Er beginnt dabei mit dem Mythos und den ersten Formen des Götterglaubens. Dabei stellt sich das Problem, dass dem Verfasser als Ergebnis das Christentum wichtig ist, dass aber auf dem Weg dahin die Geschichte des Juden- und des Christentums welt- und geistesgeschichtlich wenig Einfluss hat. So müssen die Völker, Kulturen und Ereignisse, die die Geschichte tatsächlich geprägt haben, auf das Christentum hingeordnet und im Lichte einer Entwicklung zum Christentum hin interpretiert werden.

Dies tut Eusebius von Caesarea. In seiner *Chronik* und in der *Praeparatio Evangelica* wird sich zeigen, dass er Athen, sowohl dem historisch-politischen Komplex als auch der geistes- und kulturgeschichtlich bedeutsamen Stadt, eine Etappe auf dem Weg zur Erlösung zuweist, indem er das klassische Athenbild völlig neu

[8] Zu Porphyrios' christenfeindlicher Schrift und deren Einfluss auf die Entstehung der *Chronik* des Eusebius vgl. Burgess (1997) 489; unten S. 34 mit Anm. 56.

konzipiert und konstruiert. So trägt er durch eine Neuordnung der Elemente des Athenlobes und der christlichen Athenkritik vielleicht ungewollt, aber mittelbar dazu bei, eine Akzeptanz der Chiffre Athen durch die Christen der Spätantike zu erleichtern.

1. 4. 2 Leben mit der eigenen Vergangenheit

Es ist in der Spätantike ein verbreitetes Phänomen, dass Angehörige der Oberschicht ihre Laufbahn ändern: Obwohl die Ausbildung an Hochschulorten zum Beruf eines Staatsbeamten oder Rhetors qualifizieren sollte, entscheiden sie sich für das Amt eines kirchlichen Würdenträgers; im Westen lassen sich als bekannte Beispiele Ambrosius und Augustinus nennen. Auch im Osten gab es 'geistige Athener': Aus vornehmen christlichen Familien stammend, begeben sie sich ohne zu zögern auf die Reise zu den Studienzentren ihrer Zeit. Sie verdienen umso mehr den Namen eines Atheners, als sie sich auf diesen Reisen auch in Athen selbst aufhalten. Man trifft dort auf Standesgenossen, die zum Teil aus derselben Provinz stammen. Erfolgt nach dem Studium, das auf eine staatliche Karriere ausgerichtet ist, ein deutlich markierter Übertritt zum Christentum, bieten sich solche Mitglieder der Oberschicht für die kirchliche Führungselite an. Denn nicht selten sind die ehemaligen Kommilitonen jetzt Verhandlungspartner bei Angelegenheiten, die die Kirche betreffen. Dann erweist es sich als vorteilhaft, wenn man auf gleicher geistiger Augenhöhe sprechen kann;[9] und die Rhetorik auch der Spätantike bedient sich, wenn es sich nicht um einen spezifisch christlichen Kontext handelt, der *Exempla* aus der heidnischen Geschichte und Mythologie oder des Rückgriffs auf die Literatur der klassischen Epoche. Bei keiner anderen Gruppe griechischer Kirchenväter der Spätantike lässt sich das so gut nachvollziehen wie bei den drei großen Kappadokiern.

Doch Verhandlung, Korrespondenz und Reden vor gebildeten Standesgenossen sind nur eine Seite der Medaille. Denn im Christentum der Spätantike gibt es auch noch Strömungen, die Athen weiterhin ablehnen, sei es im Anknüpfen an ein älteres christliches Athenbild, sei es als Ausdruck einer geistigen oder Bildungsaskese, wie sie im Westen durch Hieronymus exemplarisch repräsentiert wird. Auf der anderen Seite gibt es die Notwendigkeit, die Aussagen der Schrift über Athen auszulegen bzw. sich in der Auslegung, aber auch in der Bewertung Athens in eine christliche Tradition eingebunden zu wissen, jedenfalls nicht in einen Konflikt mit dieser Tradition zu geraten.

Die Auseinandersetzung mit dem überkommenen Athenbild erschöpft sich im Fall der beiden Kappadokier Basilius von Caesarea und Gregor von Nazianz, die

[9] Brown (1995) 46f. exemplifiziert dies an der Bedeutung der Rhetorik.

in Athen studiert haben, also nicht darin, dass sie ein abstraktes, aus einer Fülle von Topoi zusammengesetztes Bild Athens verarbeiten und an christliche Bedingungen anpassen müssen, sondern sie müssen sich mit ihrem eigenen Verhältnis zu der Chiffre Athen, d. h. mit der eigenen Vergangenheit auseinander setzen. Die Transformation des klassischen Athenbildes geht hier einher mit einer Diskussion über die eigene Lebensgeschichte und geistige Herkunft, und sie geht einher mit einer Rechtfertigung der Vita eines gebildeten Christen der Oberschicht, aus der sich, wie im Fall der Kappadokier, die Bischöfe dieser Zeit rekrutierten. Die Neuartigkeit, die diese Situation bedeutet, wird rein äußerlich auch durch neue literarische Formen sichtbar: Mit Gregor von Nazianz beginnt wenigstens die poetische Autobiographie. Auf die vorliegende Fragestellung bezogen, deutet der apologetische Charakter, den diese Autobiographie vielfach hat, inhaltlich auf eine intensive Auseinandersetzung mit herrschenden Meinungen über den Komplex Athen und auf die Präsentation des eigenen Athenbildes hin.

1. 4. 3 Ein greifbares Ergebnis

Die Spätantike ist eine Umbruchzeit; das machen die hier allgemein geschilderten Entwicklungen deutlich, die sich in neuen literarischen Formen und neuen Lebensentwürfen manifestieren. Sie äußern sich im Ostteil des Römischen Reiches auch durch einen neuen Umgang mit Athen, mit der eigenen griechischen Vergangenheit.

In einer Umbruchzeit ist manches ungewiss, vor allem, welche Entwicklungen sich als beständig und prägend erweisen. Einen Ausschnitt der Spätantike im Osten zu betrachten, kann nur ein Schlaglicht auf eine Konzeption und einen Prozess werfen, die sich möglicherweise wieder entscheidend wandeln.

Daher soll ein reales Ergebnis vorgestellt werden, das aus der spätantiken Umbruchszeit hervorgeht: In einem Ausblick wird das Augenmerk auf das christlich gewordene Athen des zwölften Jahrhunderts gelenkt, und zwar aus der Perspektive des Michael von Chonai, eines Metropoliten der vormaligen Metropole heidnisch-antiker Kultur. Seine Werke können zeigen, ob und wenn ja, welche Tendenzen der Spätantike für das christliche Athenbild im Osten wegweisend waren.

1. 5 ZUSAMMENFASSUNG: APOLOGIE ATHENS

In der Systematik der Welt- und Geistesgeschichte Eusebs besteht die Notwendigkeit, Athen einen Platz zuzuweisen. In der Vita der Kappadokier hat Athen bereits seinen Platz, den sie aber nicht selten begründen oder verteidigen müssen; zumindest müssen sie einen angemessenen Umgang mit ihm finden.

Für diese neuen Aufgaben, denen sich die Christen im vierten Jahrhundert erstmals stellen, brauchen sie ein neues Konzept von Athen, der Chiffre und der realen Stadt. Das Konzept, das sie entwickeln, beinhaltet Elemente des klassischen Athenbildes, d. h. des Athenlobes, und es beinhaltet auch Elemente des älteren christlichen Athenbildes, d. h. der Athenkritik. Schließlich fließen weitere Elemente ein, die auf das Bedürfnis nach Systematisierung oder auf die eigene Biographie zurückgehen.

Oben wurde gesagt, Athen, d. h. hier: griechische Bildung wurde im Christentum an christlichen Ansprüchen gemessen. Für die systematischen Schriften des Eusebius von Caesarea gilt aber auch: Das Christentum misst sich an Athen, tritt in Konkurrenz mit Athen. Die Apologetik des Eusebius von Caesarea verwirft Athen nicht als irrelevant, ganz im Gegenteil: In der Weltgeschichte konkurriert ganz Griechenland, symbolisiert in der Chiffre Athen, mit den Ursprüngen der christlichen Religion. Für die Kulturgeschichte der Welt gilt: Athen ist Ursprung der griechischen Kultur, aber in dieser griechischen Kultur konnte auch das Christentum Fuß fassen.

Die Kappadokier können kaum noch als Apologeten bezeichnet werden.[10] Sie leben aber in zwei Welten: Die eine ist die der ihnen gleich gesinnten Oberschicht, eine Gruppe von 'geistigen Athenern'. Die andere ist die christliche Welt, die den Inhalt der Chiffre 'Athen' mit Berufung auf die Schrift oder in der Bildungsaskese mancher christlicher Strömungen ablehnt. Für die kappadokischen Kirchenväter besteht also die Notwendigkeit, Athen so zu gestalten, dass es in die Vita eines christlichen Bischofs des vierten Jahrhunderts passt.

Eine christliche Athenkritik ist bei Eusebius von Caesarea und den beiden Kappadokiern nicht mehr uneingeschränkt möglich. Vielmehr zeichnet sich eine Entwicklung ab, die Extrempositionen wie der Tertullians entgegenzuwirken versucht und die hinführt zu einem für Griechen weniger belastenden Bild Athens. Eine Apologie Athens beginnt: Athen ist auch eine Bildungsstätte für das christliche Griechenland, und die geistigen Schüler Athens werden zu kanonisierten Vorbildern, die einen Mittelweg zwischen den beiden Welten gewählt haben, zwischen Jerusalem und Athen.

[10] Apologetische Schriftstellerei findet sich allenfalls in der Auseinandersetzung mit der Politik des Apostaten Julian.

2 VOM LOB ZUM SINNBILD – DER WANDEL DES ATHEN-REPERTOIRES

2. 1 TEXTE UND TOPOI

„Denn nicht sah ich jemals solche Männer und werde sie nicht sehen, / Wie den Peirithoos und den Dryas, den Hirten der Völker, / Und den Kaineus, den Exadios und den gottgleichen Polyphemos / Und Theseus, den Aigeus-Sohn, Unsterblichen vergleichbar“ (*Ilias* 1, 262-265 in der Übersetzung Schadewaldts). Mit diesen Worten, die dem Pylier Nestor ‘süßer als Honig’ von der Zunge fließen, beschreibt er eine Generation von Menschen, die besser waren als diejenigen, die in der *Ilias* auftreten, besser vor allem als Achill und Agamemnon, die um eine Kriegsgefangene streiten: Diese früheren Männer haben in ihrem Kampf gegen die Kentauren Taten vollbracht, die bereits zur Zeit des *Ilias*-Dichters besungen werden. Die Worte, die Theseus beschreiben, bilden gewissermaßen ein frühes Athenlob: Der König Athens gehört zu den Menschen, die in der griechischen Nationaldichtung als Vorbilder für die Helden des Epos benannt werden. Aber die *Ilias*-Fassung, die wir kennen, ist zum Teil in Athen entstanden: Hat also Homer, wie wir den *Ilias*-Dichter nennen, die Athener so gelobt und deren König unter die tapfersten Menschen gerechnet? Oder waren es die Athener selbst, die bei der Herstellung eines Rezitationstextes in der Zeit des Peisistratos[1] die Gelegenheit nutzten und hier und da ein paar Verse einstreuten, die auch Athen und seine Geschichte lobend erwähnen? Man weiß es nicht, hat es aber vermutet. Dass man die zitierten Worte über Theseus auch im pseudohesiodeischen *Scutum* (182) liest, der Vers aber in den Homer-Scholien nicht behandelt ist, hat ebenfalls zu kontroversen Urteilen geführt.[2] Das Schicksal, als späte Interpolationen verdächtigt zu werden, teilt der Vers mit nahezu allen Äußerungen der homerischen Dichtungen, die mit Athen in irgendeiner Verbindung stehen.[3] Denn man hat dort vielfach Themen gefunden, die später Teile einer Athenpanegyrik werden, etwa wenn im

[1] Vgl. zur umstrittenen Diskussion Pfeiffer (1978) 21-24 mit den einschlägigen Quellen.

[2] Vgl. Wilamowitz (1884) 260; Muehll (1952) 24 Anm. 29; Leaf (1971) 1, 23; Kirk (1985) 80; Latacz / Nünlist / Stoevesandt (2000) 108. Die Scholien haben Anmerkungen zu *Il.* 1, 264 und dann wieder zu *Il.* 1, 266-268 (vgl. 1, 83f. Erbse).

[3] Z. B. *Il.* 2, 546-558 (Athen im Schiffskatalog); 4, 326-328. 338 (die Athener in der Heerschau); 13, 195-198. 685-693; 15, 332-338; *Od.* 3, 276-283. 306-308; 7, 78-81; 11, 321-325. 602-604. 630f.

Schiffskatalog der *Ilias* (2, 548) Erechtheus als erdgeboren bezeichnet wird, was man mit dem Anspruch der Athener, autochthon zu sein, erklärt hat. Oder dass ebenfalls im Schiffskatalog keine anderen Städte Attikas genannt werden – ein Zeichen für bereits vorhandenen Synoikismos? – und der Text politische Ansprüche der Athener auf Salamis bekräftigen könnte.

Ein Grund für Zweifel an der Ursprünglichkeit der Homer-Stellen, die Athen oder seine Geschichte berühren, war also, dass darin enthaltene Aussagen in der Literatur der klassischen Zeit zu Topoi des Athenlobes wurden. Diese Topoi finden sich verstreut in Texten beinahe jeder Gattung, in Epos, Lyrik und Tragödie, in der Geschichtsschreibung und in Reden. Sie finden sich in der klassischen Zeit konzentriert in Texten, die ausdrücklich die Stadt Athen und die Athener loben wollen, also in Epitaphien (Leichenreden) und zwei Reden des Isokrates, dem *Panegyrikos* und dem Alterswerk *Panathenaikos*, und in Teilen der attischen Tragödie. In späterer Zeit wird das Repertoire, das sich in all diesen Texten herausbildet, in der literarischen Gattung des Städtelobs[4] verarbeitet.

Dieses Repertoire, mit dem Athen in der Antike charakterisiert, beschrieben und gepriesen wird, ist weitgehend erschlossen; Arbeiten, die die unterschiedlichen Topoi des Athenlobes zusammengetragen haben, werden im Folgenden vorgestellt. Diese Übersicht über Forschungen zu Athen in der Literatur, zu einem literarischen Athenbild, wird zum einen den Fundus aufzeigen, aus dem die Kirchenväter schöpfen konnten, wenn sie sich über Athen äußern, sie kann aber gleichzeitig erhellen, welche Vorarbeiten zur Auseinandersetzung griechischer Kirchenväter mit Athen bereits geleistet sind. Die klassischen Athen-Topoi sind bei ihrer ersten Erwähnung gesperrt.

[4] Vgl. dazu Pernot (1993), und zwar zum Städtelob in der klassischen Zeit, und das heißt fast ausschließlich zum Epitaphios in Athen (der eben ein Athen- bzw. Athener-Lob ist), 1, 24, im Hellenismus 1, 45, in der Kaiserzeit 1, 79-82.

2. 2 ATHENLOB

„Man kann ohne Übertreibung behaupten, daß in den gesamten 55 Reden des Aristides auch nicht ein einziger selbständiger Gedanke enthalten ist.“ So äußert sich Hermann Baumgart, der 1874 „Aelius Aristides als Repräsentant der sophistischen Rhetorik des 2. Jahrhunderts der Kaiserzeit“ untersucht;[1] noch 1918 zitiert ihn Wilhelm Gernentz in einem Werk über die *Laudes Romae*.[2]

Baumgart und Gernentz sind ihrerseits Repräsentanten einer Zeit philologischer Forschung, die einen engen Begriff von Selbständigkeit hatte und gleichzeitig einen Hang zu dezidierten Urteilen. Beides führte dazu, vor allem nach den Ursprüngen von Gedanken und Motiven zu suchen und so der Originalität im Sinne des 'ersten Auftretens' einen großen Stellenwert einzuräumen, gleichzeitig aber die Verarbeitung, Variation, Neukontextualisierung und so auch Neubewertung dieser einmal entwickelten Motive und Gedanken von vornherein geringer zu schätzen und mit (nicht selten subjektiven) Urteilen zu diskreditieren. Diese Tendenz erkennt man an der zitierten Beurteilung des Ailios Aristeides und so mittelbar der Zweiten Sophistik insgesamt. Sie spiegelt sich aber auch in der Quellenauswahl und Fragestellung der wissenschaftlichen Arbeiten zum Athenbild in der antiken Literatur wider.

Bei der Untersuchung Athens in der antiken Literatur hat sich die Forschung zu Beginn des 20. Jahrhunderts weitgehend auf die klassische Epoche beschränkt. Innerhalb von zehn Jahren sind drei Arbeiten erschienen, die das 'Athenlob' im engeren Sinn zum Thema haben; sie sollen zunächst vorgestellt werden. Im Zentrum dieser Arbeiten stehen die attischen Redner, die drei großen Tragiker und Platons *Menexenos* sowie die Entwicklung und Verarbeitung verschiedener Topoi, die für Athen charakteristisch werden sollten, durch die genannten Autoren und andere einschlägige Texte.[3] Der gescholtene Ailios Aristeides etwa, dessen *Panathenai-*

1 Baumgart (1874) 39.

2 Gernentz (1918) 4 Anm. 3.

3 Unter den Reden stehen stets die Epitaphien im Vordergrund. Solche sind erhalten von oder unter dem Namen des Perikles (bei Thukydides 2, 35-46), Gorgias, Lysias (2. Rede), Platon (*Menexenos*), Hypereides (6. Rede) und Demosthenes (60. Rede); thematisch verwandt damit sind der *Panegyrikos* und der *Panathenaikos* des Isokrates und der *Panathenaikos* des Ailios Aristeides. Zur Verwandtschaft dieser Reden des Isokrates und des Ailios Aristeides mit der Gattung der Leichenrede vgl. Loraux (1986) 252-262. In den erhaltenen Dramen der drei großen Tragiker finden sich sehr häufig Themen des Athenlobes wieder, selbst wenn Athen nicht Schauplatz der Handlung ist. Am eindrucksvollsten dürfte das Athenlob im sophokleischen *Oidipus auf Kolonos* dargestellt sein (vgl. unten S. 251f.); doch auch in den euripideischen *Hilfesuchenden* (*Supplices*; vgl. z. B. Verse 409-455), der *Medea* (Schauplatz: Korinth; vgl. z. B. Verse 824-850) oder den *Herakliden* (Schauplatz: Marathon) spielen bestimmte Aspekte des Athenlobes eine große Rolle; vgl. Butts (1947) *passim*. Im platonischen *Menexenos* gibt Sokrates einen Epitaphios wieder, den Aspasia, die zweite Frau des Perikles, vor ihm

kos die (zumindest quantitativ) größte erhaltene Lobrede auf Athen ist, dient nur gelegentlich als Vergleichspunkt, spätantike heidnische und christliche Autoren finden höchstens am Rande Erwähnung.

1) Die früheste Arbeit, die sich ausführlicher dem klassischen Athenlob widmet, trägt den Titel „De Athenarum gloria et gloriositate Atheniensium.“[4] Wie der erste Teil des Titels zum Ausdruck bringt, setzt die Abhandlung sich zum Ziel, Themen vorzustellen, die den Ruhm Athens bei antiken Schriftstellern ausmachen. Mit dem zweiten Teil seines Titels drückt der Verfasser, Kasimir von Morawski, aus, dass er auch solche Themen präsentieren will, die die Athener entweder zu Unrecht ihrer Lokalgeschichte und -mythologie einverleibt haben[5] und / oder die in einer derart gehäuften Form in verschiedenen Gattungen der griechischen Literatur bis zur Klassik aufgetreten sind, dass sie zu ‘Allgemeinplätzen’ des Athenlobes werden konnten.

Den Rahmen der Arbeit Morawskis bilden eine Vorgeschichte und ein Ausblick: Die ersten Kapitel[6] behandeln Athenlob und -kritik durch Solon[7], die Frage der peisistratischen Homer-Redaktion[8] sowie den Preis der Stadt Athen durch Lyriker, insbesondere Pindar.[9] Die römische Übernahme gewisser Topoi bildet den Schwerpunkt der Schlusskapitel,[10] und zwar zunächst die Verwendung einiger aus den Leichenreden in Athen bekannter *loci communes* bei Cicero und dann das Erscheinen bestimmter Epitheta für Rom, die im Athenlob bereits Athen beigegeben wurden, in der römischen Literatur. Den Hauptteil der Arbeit prägen weitgehend die ‘klassischen’ attischen Autoren, nämlich die attischen Redner, die drei großen Tragiker und Platon mit seinem *Menexenos*.

Redner und Tragiker reagierten, so Morawski, auf die gestiegene Bedeutung Athens in der Mittelmeerwelt und entwickelten und verarbeiteten die klassischen Themen der Leichenrede; dabei fundierten sie die historischen Ereignisse mit mythischen Hintergründen und Traditionen,[11] teilweise auch lediglich, um eine Ab-

‘improvisiert’ habe (vgl. 236a/b); zur Diskussion, ob der *Menexenos* von Platon stammt, vgl. Tsitsiridis (1998) 21-41.

4 Morawski (1905).

5 Vgl. Morawski (1905) 3f.

6 Morawski (1905) Kap. 1 und 2 (2-8).

7 Lob: z. B. Sol. *Frg.* 4 West^2; Kritik: z. B. *Frg.* 11 West^2.

8 Siehe oben S. 9f.

9 Hier sei der *locus classicus* (Pi. *Frg.* 76 Mähler) zitiert: Ὦ λιπαραὶ καὶ ἰοστέφανοι καὶ ἀοίδιμοι, / Ἑλλάδος ἔρεισμα, κλειναὶ Ἀθᾶναι, δαιμόνιον πτολίεθρον („Gesegnetes, veilchenumhegtes, oft besungnes, / Ruhmwürd’ges Athen, Hellas’ Bollwerk, du gottbegnadete Stadt!“ Übersetzung Wolde).

10 Morawski (1905) Kap. 9 und 10 (36-40).

11 Vgl. Morawski (1905): „Cum igitur inter belli discrimina Athenae exstitissent reliquae Graeciae propugnaculum, Athenienses vero inclaruissent tamquam Helladis σωτῆρες, inde manavit, ut etiam in fabulosa Graeciae historia eaedem partes tribuerentur Athenis.“

wechslung in der Darstellung der oft behandelten Topoi zu erreichen.[12] Im *Menexenos* Platons sieht Morawski Spott über das Athenlob der zeitgenössischen Literatur;[13] dem Spott des kaiserzeitlichen Lukian über die Begeisterung der Athener für das Schwelgen in der vergangenen Größe[14] schließt sich der Verfasser freimütig an.[15] Er selbst zitiert zweimal das Wort des Aristophanes von den ῥημάτια μαγειρικά[16] und betont: „Nemo vero disertius populum inanibus vocibus infatuatum descripsit quam Plato in Menexeno."[17] Obwohl Morawski gelegentlich auf die Unterschiede der einzelnen klassischen Autoren hinweist[18] und punktuell auch den Blick auf das Nachleben des 'Athenlobes' in der Kaiserzeit weitet,[19] kann die prinzipiell enge Eingrenzung auf die Themen der Leichenreden und deren Variation bei den verschiedenen Rednern sowie Tragikern und Historikern ebensowenig verborgen bleiben wie das Fehlen der Frage nach den Motiven für die Präferenz oder jeweilige Variation der Topoi bei den einzelnen Autoren.

2) Wie Morawski will sich auch Ernst Pflugmacher in seiner Dissertation „Locorum communium specimen" mit der Entwicklung von Allgemeinplätzen befassen.[20] Nachdem er einleitend Gemeinsamkeiten (thematisch und verbal) bei attischen Rednern aufgezeigt hat,[21] geht er im Hauptteil seiner Arbeit auf einzelne Aspekte des Athenlobes bei diesen Rednern ein, besonders in ihren Epitaphien und

[12] Vgl. Morawski (1905) 9: „Nam in materia admodum trita tractanda non erat ita facile auditorum animos intentos tenere, nisi narratio aliqua novitate rerum aut saltem verborum populo blandiretur."

[13] Morawski (1905) 16f. Vgl. Pl. *Mx.* 235c 6f.; 236c 8f.

[14] Morawski (1905) 38f. Vgl. Luc. *Rh.Pr.* 18.

[15] Vgl. Morawski (1905) 39: „grandia vero nomina quae iterum iterumque repetebantur amabili quadam insania corripiebant animos. Quem morem sive morbum nemo profecto depinxit ingeniosius, quam acerrimus sui aevi censor et castigator Lucianus." Insgesamt scheint der Verfasser für die Mentalität, der die Gattung des Athenlobes entsprungen ist, und in der Folge auch für die Athenlob-Literatur der Antike wenig übrig zu haben. Bereits 3 sagt er (mit Bezug auf Sol. *Frg.* 11, 6 West^2): „Quod adiectivum χαῦνος eum hominem notat, qui vasto oris hiatu adstans omnes ineptias nimia cum credulitate et securitate excipit, blandas novitates, quae modo auriculas eius oblectent, aucupatur, quique rumorum et eius generis deliciarum inanitate repletus rempublicam aggreditur gubernandam, ut tumorem suum simul exhibeat et stuporem. Itaque iam initio historiae, ut ita dicam in cunis ipsis Athenarum, deprehendimus illud vitium, quod procedentibus annis latius serpens tantas edidit ruinas [...] Χαῦνοι erant Athenienses iam tempore Solonis, χαυνοπολίτας irrisit Aristophanes [...]".

[16] Morawski (1905) 6 und 39. Vgl. Ar. *Eq.* 216.

[17] Morawski (1905) 40.

[18] Vgl. z. B. Morawski (1905) 15f.

[19] Vgl. Morawski (1905) 23 Anm. 2: Gregor von Nazianz; 24f.: Ailios Aristeides, Libanios; 25 Anm. 2: Philon von Alexandrien; 39 Anm. 1: Synesios. Der aus dem 1. Jh. v.Chr. stammende Diodoros kann nicht als Beispiel angeführt werden, denn von ihm sagt Morawski (1905) 32, er sei ein Schriftsteller, „qui Ephorum studiosissime expilavit". Daher wolle er ihn in Ermangelung des Originals, nämlich des Ephoros, zitieren.

[20] Pflugmacher (1909).

[21] Pflugmacher (1909) bes. 10-17; er nennt vor allem im Hinblick auf die Epitaphien in Athen und den isokrateischen *Panegyrikos* u. a. Antithesen wie σῶμα – ψυχή und λόγος – ἔργον.

den 'Athen-Reden' des Isokrates, und stellt die Formulierungen der einzelnen Autoren einander gegenüber, angefangen bei ihren Aussagen zur Autochthonie (d. h. der Überzeugung der Athener, schon immer in Attika gelebt zu haben und nicht durch Wanderungen in dieses Gebiet gelangt zu sein), über die Bemerkungen zur Gunst der Götter gegenüber der Stadt (versinnbildlicht z. B. im Streit der Athene und des Poseidon), zur Frömmigkeit, zu den Kolonien, der Staatsverfassung, den τέχναι, dem συνοικισμός sowie zu Gastfreundschaft, Handel, Philosophie und Beredsamkeit, Wohlstand, Zuflucht bis hin zu den im Athenlob vielfach als historisch suggerierten Mythen um Adrastos,[22] die Herakliden[23] und Amazonen[24] sowie zu den damit zusammenhängenden Kriegen und zu den (historischen) Perserkriegen.[25] Dabei wird wiederholt das Problem der Abhängigkeit der einzelnen Verfasser voneinander diskutiert – eine Frage, die sich bei einem als 'Allgemeinplatz' erkannten Bereich eigentlich so nicht stellen sollte. Eine Diskussion der Entwicklung mit den dazugehörigen Implikationen wird den einzelnen Themenfeldern nur selten[26] beigefügt.[27] Auch eine Differenzierung zwischen Leichenreden und z. B. dem *Panegyrikos* des Isokrates fehlt, nicht dagegen eine gelegentliche, mitunter eigenwillige Charakterisierung der behandelten Schriftsteller.[28]

3) Fünf Jahre nach dieser Arbeit hat sich Otto Schröder[29] zum Ziel gesetzt, die Untersuchung Pflugmachers zu erweitern. Auf dessen Erträgen aufbauend, will er die Entwicklung der einzelnen Aspekte des Athenlobes, vor allem in der Tragödie, bis zu ihrer Form in den erhaltenen Leichenreden darstellen. Ergebnis seiner Untersuchung soll die Beantwortung der Frage sein, „quomodo laudes Athenarum in tragoediis Graecis excultae sint quaeque necessitudo in urbe laudanda intercedat

[22] Auf Bitten des Adrastos haben die Athener die Leichen der Argiver, die mit Polyneikes im Kampf um Theben gefallen waren, von Theben nach Athen transportiert und bei Eleusis bestattet.

[23] Die Kinder des Herakles wurden von dem Widersacher ihres Vaters, Eurystheus, verfolgt und fanden in Athen Zuflucht.

[24] Theseus hatte die Amazone Antiope geraubt; daraufhin unternahmen die Amazonen einen Rachefeldzug gegen Athen.

[25] Zu den diversen Kriegen stellt Pflugmacher (1909) 43 fest, dass bereits Aristoteles und Cicero sie als Allgemeinplätze erkannt hatten.

[26] Vgl. Pflugmacher (1909) 31. 36.

[27] Nachdem Pflugmacher (1909) 19 zur Autochthonie Isoc. 4, 24f. und 4, 63 sowie Thuc. 2, 36 zitiert hat, bemerkt er: „Isocrates hunc locum non tamen ex Thucydidis epitaphio quam ex Platonis aut Lysiae vel potius ex utriusque fonte hausisse videtur. Uterque enim non solum fabulam de autochthonia Atheniensium narrat, sed etiam patriam cum matre non aliter quam Isocrates comparat." und fügt Pl. *Mx.* 237b und Lys. 2, 17 an.

[28] Pflugmacher (1909) 20 wird die Komposition des *Panegyrikos* als abweichend von der der Leichenreden hervorgehoben, ohne die unterschiedlichen Absichten der Werke zu berücksichtigen. Isokrates wird ebd. als „homo vaniloquus" bezeichnet.

[29] Schröder (1914); seine Arbeit trägt den Titel „De laudibus Athenarum a poetis tragicis et ab oratoribus epidicticis excultis".

inter tragicos et oratores epidicticos."[30] Die Arbeit ist in zwei Teile untergliedert, die den zwei folgenden Strategien („duplicem rationem"[31]) des Athenlobes entsprechen sollen: Zunächst will Schröder die Teile des Athenlobes untersuchen, die 'einheimische', d. h. lokal-attische Erzählungen und attische Besonderheiten im eigentlichen Sinn behandeln („propriae fabulae Atticae virtutesque illustrarentur"[32]), anschließend solche Teile, die, sozusagen unterstützend, bei der Entwicklung des Athenlobes „von außen hinzugenommen wurden" („fabulae extrinsecus adsciscerentur ad laudem urbis augendam"[33]).

Die Reihe der 'attischen Themen' wird eröffnet mit der Autochthonie, die von Homer an (*Il.* 2, 548) über Herodot (7, 161) bis zu Thukydides und den anderen Epitaphien stets zu den Themen des Athenlobes gehört habe,[34] aber zunächst nur auf die Könige Athens, dann erst im *Erechtheus* des Euripides (*Frg.* 360 Nauck^2) und den *Wespen* des Aristophanes (1076) auf alle Athener bezogen worden sei. Als Vorbild nimmt Schröder mit Hinweis auf Herodot (7, 161) frühere Epitaphien an. Aus den attischen Mythen wählt Schröder anschließend zwei Komplexe aus, die Erzählungen von T h e s e u s und das Lob der T o c h t e r d e s E r e c h t h e u s, die durch ihre freiwillige Opferung den Sieg ihres Vaters über den Eleusiner Eumolpos ermöglichte. Dabei weist er zunächst auf den Wandel der Wertschätzung des Herakles und des Theseus hin, der vor allem in den συγκρίσεις des Euripides (*Hercules*) und des Isokrates (*Helena*) deutlich werde: Bei früheren Autoren sei die Bedeutung des Herakles hervorgehoben worden;[35] mit der Zeit habe die attische Tradition (bes. Isoc. *or.* 10, 24f.) Theseus' Leistungen höher eingeschätzt, denn dessen Werke (Hilfestellung, Aufnahme Fremder und Schutzsuchender) dienten anderen Menschen und besonders dem Volk von Athen, die Arbeiten des Herakles hingegen nutzten, wenn überhaupt, nur Herakles selbst. Die positiven Eigenschaften und Handlungen des Theseus (Frömmigkeit, S c h o n u n g b e s i e g t e r F e i n d e usw.) werden dann auf Athen und die Athener übertragen.[36] Andere mythische Erzählungen, so Schröder, würden nicht zum Lob der Athener

[30] Schröder (1914) 4.
[31] Schröder (1914) 5.
[32] Schröder (1914) 5.
[33] Schröder (1914) 5.
[34] Schröder (1914) 5f. Die Homer-Stelle (vgl. oben S. 9f.) wird allerdings als Ergebnis peisistratischer Redaktion angesehen („haec verba quamvis sexto saeculo interpolata esse verisimillimum sit"). Dort (*Il.* 2, 548) heißt es von dem mythischen König Athens, Erechtheus, die Erde habe ihn geboren (ὅν [...] τέκε δὲ ζείδωρος ἄρουρα). An der genannten Herodot-Stelle behauptet der Gesandte Athens in den Verhandlungen mit dem Tyrannen von Sizilien, Gelon, die Athener seien das älteste Volk und hätten niemals den Wohnort gewechselt (Hdt. 7, 161, 3: ἀρχαιότατον μὲν ἔθνος παρεχόμενοι, μοῦνοι δὲ ἐόντες οὐ μετανάσται Ἑλλήνων).
[35] Schröder (1914) führt 12 (mit Anm. 2 u. 3) die Hilfe des Herakles im Krieg gegen die Amazonen sowie die Rettung des Theseus aus dem Hades an.
[36] Schröder (1914) 14-16.

oder ihres Charakters selbst, sondern mehr zur Entwicklung einer (größeren) mythischen Geschichte Athens angeführt[37] – mit Ausnahme eben der Opferung der Tochter des Erechtheus, die wie die in den Leichenreden Gefeierten ihr Leben für die Stadt ließ und deren Tat mit der Auszeichnung εὔκλεια versehen werden könne. Anschließend steht die Liebe der Götter zu Athen und die daraus erwachsende Begünstigung in der Entwicklung verschiedener Kulturgüter im Vordergrund: die hervorragende Beschaffenheit des Landes, der Ackerbau und dessen Weitergabe an die anderen Völker, der Olivenbaum, die Pferdezucht, der Schiffbau, die Mysterien (der Demeter), Gericht und Gesetze, Weisheit und Philosophie.[38] Nicht mehr mythischen Charakter hat die demokratische Verfassung der Stadt, ein Topos, der bei Aischylos (*Perser* 241f.) erstmals belegt sei, sowie die damit verbundene Freiheitsthematik (ἐλευθερία). Die von den Rednern stets gelobten Kriegstaten, besonders im Perserkrieg, werden in der aischyleischen Tragödie, die über diesen Krieg handelt, ebenso hervorgehoben wie die Bestrafung der Hybris des Xerxes durch den Sieg der Athener; Schröder nimmt[39] erneut an, dass hier eine Verbindung zu zeitgenössischen Epitaphien möglich sei.

Die zweite 'Kategorie' der Themen des Athenlobes fasst solche zusammen, die der neu gewonnenen Stellung Athens im fünften Jahrhundert Rechnung tragen sollen und, aus allen Teilen Griechenlands entlehnt, mit Athen in Verbindung gebracht werden, also im Gegensatz zu den erstgenannten Themen – so Schröder – nicht genuin attisch sind. Hier nennt auch Schröder an erster Stelle Homers Darstellung des Menestheus, die Herodot und Thukydides erwähnen, sowie die Behandlung der Theseus-Söhne Akamas und Demophon[40] bei den Tragikern, was nach Schröder ausschließlich einer späteren, mit den Peisistratiden einsetzenden Entwicklung zuzuschreiben sei. Aus den Erfolgen der Perserkriege sei dementsprechend die Tendenz erwachsen, Athen als Zuflucht und Asyl für Hilfesuchende sowie als Rächer ungerecht Behandelter zu präsentieren. Dies habe zu einer Übertragung der Heraklidengeschichte von Marathon nach Athen geführt, zur Ausformung der Sage um die Bestattung der in Theben gefallenen Argiver sowie zu den Erzählungen von den nach Athen fliehen-

37 Vgl. Schröder (1914) 17: „Ceteri praeter Theseum mythi Attici proprii minus enarrabantur ad ipsorum Atheniensium mores laudandos quam ad propriam Atheniensium historiam fabulosam constituendam."

38 Schröder (1914) 23f. wird auch die 'Erfindung' der Weisheit (*doctrina*, σοφία) auf die Götter zurückgeführt: „quae laus, qua Athenienses inter Graecos sapientia primi esse dicebantur, ab Euripide aeque atque omnes reliquae laudes ad deorum beneficia revocantur". Schröder 24 verweist auf E. *Med.* 830-834, wo Athen als Geburtsort der Pierischen Musen gepriesen wird.

39 Schröder (1914) 31.

40 Die Theseussöhne Akamas und Demophon werden seit der *Iliupersis* als Teilnehmer am Trojanischen Krieg genannt.

den mythischen Gestalten Orestes, Medea und Oidipus[41] und dem nach Athen 'eingeladenen' Herakles.[42] Ebenso hätten die Athener aus den für sie siegreichen Perserkriegen die Erzählungen von der Abwehr feindlicher Einfälle in mythischer Zeit entwickelt, namentlich im Kampf gegen die Amazonen und gegen die Thraker unter Eumolpos.[43] Zuletzt geht Schröder auf das Lob ein, das auf die Herrschaft Athens über andere Städte zurückgeht, nämlich die Behauptung, diese Städte und Inseln seien Kolonien Athens, ja ganz Griechenland habe seinen Ursprung in Athen. Ein Anhang handelt über die Entstehungszeit der Leichenrede in Athen.

Die ältere Forschung über das Athenbild in der antiken Literatur[44] hat sich also vorwiegend eine Zusammenstellung der Themen der attischen Leichenrede zum Ziel gesetzt. Man hat in dieser Grundlagenarbeit versucht, die Entstehungszeit der Topoi des Athenlobes herauszufinden und diese teils bei Herodot, teils in der Tragödie, teils in nicht erhaltenen Zwischenstufen angesetzt. Gelegentlich wird auch die Übertragung von Topoi des Athenlobes auf Rom beschrieben.

So verdienstvoll diese Arbeiten sind: Man vermisst eine Perspektive, die die einzelnen antiken Schriftsteller in ihrer Eigenart berücksichtigt, denn die 'Allgemeinplätze' bei den Rednern und Tragikern werden meist unter dem Gesichtspunkt untersucht, wer was von wem 'übernommen' habe, wobei man oft ein 'abgeschrieben' mitlesen kann. Die Frage, welche Gründe bei dem einen oder anderen antiken Autor zu der jeweiligen Zusammenstellung oder Variation der Topoi geführt haben, bleibt in den genannten Arbeiten offen.[45]

Parallel zu den Arbeiten des frühen 20. Jahrhunderts über die Allgemeinplätze des Athenlobes begann man auch, Motivsammlungen z. B. für *Exempla* in Reden zusammenzustellen,[46] die sich an den rhetorischen Lehrbüchern der Antike orientierten. Diese Lehrbücher waren seit Aristoteles entstanden[47] und im Hellenismus

41 Orestes flieht zum Areopag in Athen, nachdem er seine Mutter Klytaimnestra und deren Liebhaber Aigisthos umgebracht hat. Medea sucht beim athenischen König Aigeus Schutz, nachdem sie die ihrem Geliebten Iason als Ehefrau versprochene Tochter des Königs von Korinth, Glauke, und ihre eigenen von Iason gezeugten Kinder umgebracht hat. Oidipus geht nach Athen, weil er die Blutschande, die er mit seiner Mutter begangen hatte, erkannte und daraufhin Theben verlassen musste.

42 Nach E. *HF* 1326-1337 schenkt Theseus die ihm geweihten Kultstätten Herakles; damit wird die große Zahl an Herakles-Kulten in Attika gegenüber der geringen Zahl an Kulten des Lokalheroen Theseus erklärt.

43 Zu Eumolpos als Führer der Thraker oder der Eleusiner gegen Athen vgl. Schröder (1914) 63f.

44 Die Formulierung ist eigentlich für die drei genannten Arbeiten unzutreffend, da die Zielsetzung, wie gesehen, anders war: Sie beschränken sich weitgehend auf die klassische Zeit.

45 Vgl. dazu Loraux (1986).

46 Als ein Beispiel für derartige Motivsammlungen, die auch für *Exempla* aus der Geschichte Athens immer noch hilfreich sind, sei Kohl (1915) genannt.

47 Vgl. Fuhrmann (1984) 31-41.

und der Zweiten Sophistik weitergeführt worden. Für den Lobpreis von Städten war ein Autor des späten dritten Jahrhunderts n. Chr. einschlägig, Menander Rhetor.[48]

Ferner entstanden nach dem Werk Otto Schröders (1914) über die *laudes Athenarum* Arbeiten mit ähnlich lautenden Titeln über Rom und Italien.[49] Dabei fanden auch griechische Schriftsteller Berücksichtigung wie z. B. der kaiserzeitliche Redner Ailios Aristeides; die traditionelle Geringschätzung gegenüber diesen späten Griechen ist allerdings geblieben.[50] So orientiert sich auch ein etwas später erschienenes Werk zwar in seiner Einordnung bestimmter Topoi an der kaiserzeitlichen Rhetorik Menanders, behandelt aber das Städtelob hauptsächlich in der älteren griechischen Dichtung.[51]

48 Text mit engl. Übersetzung und Kommentar: Russel / Wilson (1981).

49 Gernentz (1918); Bauck (1919), später auch für Konstantinopel: Fenster (1968).

50 Zur Beurteilung des Ailios Aristeides in der älteren Forschung vgl. oben S. 11f.; unten S. 19 Anm. 1.

51 Kienzle (1936). Vgl. auch Van Hook (1934) über Athenlob in der Tragödie, und die ausführliche Darstellung von Butts (1947) über Athenlob im Schauspiel der klassischen Zeit (Aischylos, Sophokles, Euripides, Aristophanes).

2. 3 DAS ATHENBILD DER 'RÖMERZEIT'

In jüngeren Arbeiten geht man dazu über, auch die Zeit nach der Klassik daraufhin zu untersuchen, inwieweit sich das Bild von Athen vom klassischen Athenlob unterscheidet. Diese Entwicklung trägt einer allgemeinen Tendenz Rechnung, die Literatur der Kaiserzeit und der Spätantike nicht mehr als minderwertig zu betrachten,[1] sondern die literarischen Werke dieser Epochen in ihrer Eigenheit, Funktion und Bedeutung für die zeitgenössische Gesellschaft zu verstehen und herauszustellen.[2]

Hans Herter ist der erste, der ausdrücklich einen allgemeinen Überblick über Athen in einer späteren Phase der antiken Literaturgeschichte geben will.[3] Im Mittelpunkt steht für ihn nicht mehr die Frage, wie einzelne Aspekte des Athenlobes voneinander abhängen oder wann sie erstmals zu verzeichnen sind. Herter fragt vielmehr danach, was überhaupt noch von Athen und dem Athenbild der Klassik in der Römerzeit übrig war.

Ausgehend von einem der Seneca zugeschriebenen Epigramme,[4] gibt Herter zunächst Eindrücke von Athen wieder, die sich in schriftlichen Zeugnissen nachklassischer Zeit niederschlagen, und zwar vor allem von Nicht-Athenern. Dementsprechend werden auch Reiseschilderungen herangezogen: die des Strabon / Hegesias, des Herakleides (Kritikos oder Kretikos) und auch Äußerungen des Römers Cicero. All das wird unter den *vestigia famae*[5] subsumiert – vor allem die Bauwerke zeugten diesen Quellen zufolge von der vergangenen Größe. Das sei zwar, worauf Herter hinweist, eine Vorschrift für das Städtelob nach dem Lehrbuch Menanders, doch gleichzeitig auch eine (reale) Rückbesinnung „auf die Größe der Vergangenheit."[6] Andererseits lenke die Literatur vor allem der Zweiten

1 Schmitz (1997) 10 Anm. 3 zitiert als Beispiel für eine solche Sichtweise Wilamowitz aus seiner Literaturgeschichte (Ulrich von Wilamowitz-Moellendorff, Die griechische Literatur des Altertums. Leipzig ³1912 [jetzt Ndr. Stuttgart, Leipzig 1995]). Pausanias gilt Wilamowitz als „eines der bezeichnendsten, also auch unerquicklichsten Zeugnisse einer kernfaulen Zeit" (238); über Ailios Aristeides merkt Wilamowitz an, er sei „der vorzüglichste Vertreter der ganzen Zeit, weil ihre Krankhaftigkeit in ihm ebenso kulminiert wie ihre Kunst" (240).

2 Vgl. in jüngerer Zeit z. B. Schmitz (1997).

3 Herter (1975); sein Aufsatz trägt den Titel „Athen im Bilde der Römerzeit. Zu einem Epigramm Senecas."

4 *Epigr.* 20 Prato = Anth. Lat. 1, 1, 407 Shackleton Bailey. Ausgangspunkt für Herter ist ein textkritisches Problem. Der Text der von Herter (1975) diskutierten Verse (3f.) lautet (in der von ihm vorgeschlagenen Version): *'Hasne dei' dices 'caelo petiere relicto? / Regnaque partitis hic fuit urna deis?'* („Du wirst sagen: 'Hierhin sollen die Götter gegangen sein, nachdem sie den Himmel verlassen hatten? Hier soll die Urne aufgestellt gewesen sein, als die Götter die Reiche unter sich auslosten?'") Es handelt sich um „enttäuschte Fragen" eines „Fremden, der Athen besucht" (Herter [1975] 514).

5 Herter (1975) 517 Anm. 19.

6 Herter (1975) 519; dies gilt auch deshalb, weil es sich um unterschiedliche literarische Gat-

Sophistik[7] (Athenaios aus Naukratis), doch auch schon der *Reisebericht* des Herakleides den Blick auf das, was eben nicht der Größe der Vergangenheit entspricht: das 'heruntergekommene' Athen, das sich ebenfalls im Stadtbild äußert. In dieses Lied auf die einst, aber eben bloß einst große Stadt stimmen nach Herter die Zeugnisse des Servius Sulpicius (Cic. *fam.* 4, 5, 4), Livius (45, 27, 5), Ovid (*met.* 15, 424-430) und Dion Chrysostomos (31, 160) ein, denen etwas später Synesios und viel später Michael Choniates folgen sollten. Gleichwohl finden sich immer wieder vereinzelte Lobreden, besonders auf das weiterhin geschätzte Bildungswesen der Stadt (Gregor von Nazianz, Julian Apostata). Mit dem versuchten Nachweis der Echtheit des zu Beginn seines Aufsatzes besprochenen Epigramms hat Herter abschließend einen weiteren Autor gefunden, der Athens einstige Größe bewundert, den gegenwärtigen Zustand aber bedauert: Seneca.

tungen und vor allem nicht um explizit epideiktische Literatur handelt (wie z. B. in der von Herter angeführten Stelle Cic. *fin.* 5, 5).

[7] Vgl. unten S. 22 Anm. 8.

2. 4 ATHEN ALS SINNBILD UND TRAUM

Zu Beginn der neunziger Jahre des 20. Jahrhunderts schließlich rückt auch die spätantike christliche Literatur und ihr Athenbild verstärkt in das Blickfeld der Forschung.

Einen generellen und äußerst hilfreichen Überblick über die Themen, die in der Antike mit der Stadt und dem Schlagwort 'Athen' verbunden waren, bietet der Artikel über Athen als Sinnbild von Dieter Lau im Reallexikon für Antike und Christentum.[1] Der Anlage dieses Lexikons folgend, ist der Artikel in die Abschnitte 'nichtchristlich' und 'christlich' unterteilt, was die Kontinuität oder Diskontinuität einzelner Aspekte leicht verschleiern kann; gleichwohl ist diese umfangreiche Sammlung und Systematisierung der einschlägigen Stellen, die eine Charakterisierung der Stadt und ihrer Bewohner zeigen, von größtem Wert auch für die hier unternommene Untersuchung. Es ist bemerkenswert, dass das Lemma erst in die Supplementreihe des Reallexikons Aufnahme fand.[2]

Der Topos 'Liebe der Götter zu Athen' in der Literatur der *klassischen Zeit* ist das erste Thema, dem sich Lau zuwendet. Dabei zieht er nicht die Redner heran, sondern zeigt vielmehr die Entwicklung dieser „Idee" in den verschiedenen Literaturgattungen auf: in der frühen griechischen Dichtung, der Tragödie, der Geschichtsschreibung und bei Platon. Die Redner sind gleichsam als Verarbeiter der bereits vorhandenen Vorstellungen[3] nur am Rande erwähnt.

Die Abwehr der Perser führe zunächst bei dem Historiker Herodot zur Ausbildung des Freiheitsgedankens, der ebenfalls bei den Rednern (und im platonischen *Menexenos*) aufgegriffen und ausgedehnt werde. Die Tragiker seien es dann und anschließend der Historiker Thukydides, die entsprechend der Freiheit der Polis Athen auch die Freiheit des Einzelnen betonten und ebenso die demokratische Ordnung, die Platon teils im fiktiven,[4] teils im realen Athen verwirklicht sehe. In diesen Zusammenhang stellt Lau auch die durch Aischylos geprägte Auffassung, Athen sei Ursprung des Rechts und der Gesetze; sie werde von den übrigen Tragikern, von Platon, Thukydides und den Rednern variiert.

Nach der Behandlung Athens als Sinnbild politisch-militärischer Macht, das im Gefolge der Perserkriege sowie aus der Führungsrolle im delisch-attischen Seebund entstanden sei, wird die Philanthropie als eine der „ältesten der mit

1 Lau (1985).

2 Im ersten Band des RAC fehlt das Stichwort; im zweiten Band (1954) findet sich 1271 der Verweis auf einen Artikel „Graecia", der nicht erscheinen sollte.

3 Lau (1985) 641.

4 Lau (1985) 642: „Das für Platon aufgrund seiner Erfahrungen [...] in der Realität der Gegenwart verlorene Athen [...] wird als Alt- und Ur-Athen der fernen Vergangenheit bzw. des historischen Mythos wiedergewonnen."

Athen verbundenen Ideen"[5] besprochen, wobei erneut die Entstehung und früheste Erwähnung in Lyrik und Tragödie sowie bei Herodot anzusiedeln sei, die, wie in der Folge auch Thukydides und die Redner, Athen als Zuflucht für die Schutzsuchenden der Mythen und später als Spenderin kultureller Neuerungen beschrieben, was bereits zu den kulturellen und die Bildung betreffenden Charakterzügen Athens in der klassischen griechischen Literatur überleitet. In diesem Kontext sind die 'Erfindungen' Athens thematisiert, die vor allem durch die Athen lobenden Lieder der Tragödie sowie die Epitaphien und mit diesem Genus verwandte Beispiele epideiktischer Rede hervorgehoben würden. Die Ausbildung der „zentralen" Idee von Athen nicht nur als Sitz, sondern als Ursprung der Weisheit, Bildung und der einzelnen Künste im vierten Jahrhundert v. Chr. – Platon schreibt auch dies göttlicher Fügung zu[6] – führe dazu, in Athen und seinen Bewohnern das Griechentum an sich verkörpert zu sehen.

Im *Hellenismus* würden Teile dieser Vorstellungen, insbesondere die mit den Bereichen Kultur und Bildung, Liebe der Götter sowie Philanthropie zusammenhängenden Topoi, ausgebreitet oder konkretisiert.[7] Gleichzeitig sei aber zu erkennen, dass man die in der klassischen Zeit grundgelegten Ansprüche des Athenlobes auch im Hellenismus mit den historischen Ereignissen der vergangenen Blütezeit in Verbindung bringe und begründe.

Die *kaiserzeitliche Literatur* und in ihr vor allem die Redner und Schriftsteller der Zweiten Sophistik[8] übernähmen ebenfalls die Topoi der vorangegangenen Jahrhunderte; dabei orientierten sie sich zwar meistenteils an der vergangenen Größe Athens, machten aber in einzelnen Punkten des Athenlobes deren Relevanz für ihre Gegenwart deutlich (etwa wenn die Philanthropie, symbolisiert im 'Altar des Mitleids', mit Gladiatorenspielen als „Entartungserscheinungen der Gegenwart"[9] kontrastiert würden).

In der *Spätantike* stehe vor allem die Bildung im Vordergrund des Athenlobes der Rhetoren wie Libanios, der wie andere Heiden in dem noch weitgehend heidnischen Athen einen wertvollen Kontrast zum sich ausbreitenden Christentum sehe; ebenfalls kontrastierend zum Christentum wird etwa von Julian die Philanthropie der Athener herausgestellt. Die Gegenüberstellung der griechischen

5 Lau (1985) 643.
6 Vgl. Pl. *Ti.* 24c 5-d 3.
7 Vgl. als Einzeluntersuchung Gaiser (1968).
8 Unter 'Zweite Sophistik' wird hier die heidnische Literatur des 2. und 3. Jh. n. Chr. verstanden, die sich durch ein neu erwachtes Interesse an der Rhetorik der klassischen Antike auszeichnet. In ihr sind daher nicht nur Redner wie Dion Chrysostomos, sondern auch Vertreter anderer Gattungen zusammengefasst (z. B. Philostratos mit seinen *Sophistenviten*, Athenaios von Naukratis mit seinem *Gelehrtenmahl*, aber auch der Römer Aulus Gellius mit seinen gelehrten *Attischen Nächten*).
9 Lau (1985) 650.

mit der römischen Welt geschehe zuweilen durch die beiden Städte Rom und Athen, deren Charakteristika sozusagen in der Antithese ἀρχή und λόγοι kulminierten.

Bei den *Römern* stehe schon früh Athen sinnbildlich für ganz Griechenland; viele gebildete Römer gingen zur Ausbildung dorthin, denn für sie sei Athen gleichbedeutend mit Ursprung und Blüte geistiger Errungenschaften: der Rede, des Dramas und der Philosophie. Gleichzeitig akzeptierten sie den Anspruch Athens auf die Erfindung zahlreicher kultureller Erträge. Während es nicht verwundert, dass politische Attribute Athens von den Römern wenig rezipiert werden und auch insgesamt auf den Niedergang der Stadt hingewiesen wird, sei auch eine moralische Kritik in der Gegenüberstellung Athen – Rom im Hinblick auf Charakterzüge (*licentia* „Freizügigkeit" – *severitas* „Strenge"[10]) sowie auf einzelne Aspekte geistiger Strömungen (z. B. Epikureismus) greifbar.

Die *christliche* Umdeutung der seit der klassischen Zeit positiv belegten Attribute Athens beginne in der *Apostelgeschichte*, wo nun beispielsweise nicht mehr Rhetorik und Liebe der Götter, sondern Geschwätzigkeit und Götterwahn Charakteristika der Athener seien.[11] Athen sei es, das Sokrates hingerichtet habe. Andererseits sei in der griechischen christlichen Literatur eine Zweiteilung zu verzeichnen, die Lau allerdings weniger deutlich kenntlich gemacht hat: Die bereits in der *Apostelgeschichte* erfolgte Umdeutung werde in der Folge im Osten fortgeführt und ausgeweitet, gleichzeitig seien aber vereinzelt, z. B. bei Gregor von Nazianz, positive Äußerungen zu vernehmen. Ähnlich gestaltet sich das Bild bei den Christen der westlichen Reichshälfte.

Herbert Hunger hat 1990[12] die Frage gestellt, wie die Ausprägung eines Bildes von Athen, Konstantinopel und Rom in der Spätantike vor sich gegangen ist. Für Athen greift er zunächst auf die bekannten Zitate aus Pindar und Thukydides zurück und geht über Kaiser Julian, die Redner Libanios und Himerios und Gregor von Nazianz zu dem noch späteren Historiker Olympiodoros, dem Christen Asterios von Amasea und dem Dichter Pamprepios aus Panopolis über. Dem bei diesen wiedergegebenen positiven Athenbild, das Hunger mit einem 'Traum' gleichsetzt, der die Größe Athens ausmalt, wird die Realität anhand der Äußerungen des Synesios in seiner Korrespondenz gegenübergestellt, der die ihm

10 Lau (1985) 650.

11 Eine Untersuchung der Rezeption der Athen-Episode in der *Apostelgeschichte* (vgl. dazu auch unten Kapitel 4. 2. 3) dürfte aber ergeben, dass Lau (1985) 656f. ihre Bedeutung für die frühchristliche Literatur überbewertet, wenn man nicht die Schriften des Johannes Chrysostomus und darunter seinen Kommentar zur *Apostelgeschichte* unangemessen stark gewichten will.

12 Hunger (1990); sein Beitrag trägt den Titel „Athen in Byzanz. Traum und Realität."

bekannten lobenden Berichte über Athen bei einem Besuch vor Ort nicht bestätigt findet: Im Gegenteil sei er aufs Schwerste enttäuscht.[13] Nach dem Ende des vierten Jahrhunderts würden immer mehr Bestandteile des Traumes 'Athen' nach Konstantinopel verlagert: zunächst rein materiell mit der Übertragung berühmter Kunstdenkmäler, dann aber auch ideell mit der Vorstellung von den Sieben Weisen.[14] Die politische Bedeutung schwinde immer mehr, und Johannes Geometres (2. Hälfte 10. Jh.) spreche Athen in seinen Epigrammen ausdrücklich ab, überhaupt auf etwas stolz sein zu können außer auf die Vergangenheit. Und selbst diese vergangenen Leistungen seien, so Johannes Geometres, mit der gegenwärtigen Stellung Konstantinopels nicht vergleichbar. Hunger führt weiterhin aus, die Kleriker des 12. und 13. Jahrhunderts hätten ein ähnliches Bild von Athen: Auch sie stellten das blühende antike Athen dem verarmten und nicht attraktiven zeitgenössischen Athen gegenüber, so z. B. Georgios Tornikes (12. Jh.) und Michael Choniates. Dieser klage nicht nur über den wirtschaftlichen Verfall, sondern auch über den kulturellen: Er sei zum Barbar geworden, seit er in Athen angekommen ist.

[13] Vgl. dazu unten Kapitel 5.

[14] Vgl. Hunger (1990) 48. Damit sind Verfasser von Theosophien gemeint, Schriften, die „Prophezeiungen über die Trinität und über wichtige Ereignisse der Heilsgeschichte heidnischen Philosophen in den Mund [legten]". Die Verfasser gaben sich entweder die Namen der ursprünglichen Sieben Weisen oder bekannter Athener der klassischen Zeit (wie Thukydides oder Platon).

2. 5 DIE DOPPELTE NACHZÜGLERIN: ATHEN IN DER SPÄTANTIKE

Das literarische Athen der Spätantike ist nicht nur in der historischen Dimension ein später Ausläufer der traditionellen, klassischen Athenkonstruktion, es ist auch das Stiefkind der Forschung. Denn am Beginn der philologischen Aufarbeitung des Athenbildes in der antiken Literatur stand die Suche nach dem Ursprung seiner Topoi und nach der besten Darstellung dieser Allgemeinplätze. Lange hat sich die Philologie fast vollständig auf die frühen Phasen der griechischen Literatur konzentriert. Fragerichtung und Quellenauswahl entsprachen gänzlich der Tendenz der Zeit bis zur Mitte des vergangenen Jahrhunderts.

Zwar hat sich bis zum Ende des 20. Jahrhunderts das Spektrum an berücksichtigten Quellen auf die gesamte Antike und bis in die byzantinische Zeit geweitet. Es sind auch verdienstvolle Überblicksstudien entstanden, die das Material bestimmter Epochen, etwa der 'Römerzeit' oder der byzantinischen, zusammentragen und systematisieren. Anders als jenen Autoren, die zum klassischen Kanon der griechischen Literatur gehören, wurde jedoch bislang keinem einzigen griechischen Autor der Spätantike eine Einzelstudie gewidmet.[1]

Gerade die tiefen Umwälzungen, die diese Epoche durch die Verbreitung des Christentums erlebt hat, hätte jedoch neue Ergebnisse versprochen. Denn in der Spätantike hat der christliche Glaube die Haltung zur Metropole heidnischer Kultur tief gespalten: Auf der einen Seite stehen die Christen, deren Athenbild und -konstruktion in der folgenden Untersuchung ausführlich analysiert werden soll. Auf der anderen Seite stehen die Heiden.

Diese späten Zeugen nahezu ungetrübten Athenlobes tragen Namen wie Himerios, Libanios, Themistios, Eunapios oder auch Kaiser Julian. Sie alle stehen in Kontinuität zur überkommenen Athen-Topik[2] der klassischen heidnischen Literatur. Meist werden deren Muster schlicht rezipiert oder kompiliert; manchmal findet aber auch eine neue Interpretation, eine Ergänzung und vor allem eine Neukontextualisierung statt. Eine intensive Aufarbeitung dieses Themenfeldes steht noch aus. Dabei müsste gewiss die konkrete Aussageabsicht der Autoren ebenso berücksichtigt werden wie die Gattung des jeweiligen Textes. Für eine Einordnung und Bewertung von Texten ist es ein erheblicher Unterschied, ob sie sich et-

[1] Für Autoren früherer Epochen liegen solche Arbeiten vor, z. B. Butts (1947): Drama; Kleinknecht (1940): Herodot; Loraux (1986): Leichenrede; Goossens (1962): Euripides; Thomson (1957): Aischylos; Oudot (1992): griechischer Roman; Follet (1994) und Oudot-Lutz (1994): Lukian; Perrin (1994): Herakleides Kretikos / Kritikos.

[2] Die entsprechenden Belege hat Lau in seinem Beitrag über Athen als Sinnbild zusammengestellt; vgl. Lau (1985) 648-652.

wa wie die Deklamationen ausdrücklich in den klassischen Bahnen bewegen, ob sie politische Ziele verfolgen (Julians *Brief an die Athener*), oder ob eine kritische Literaturgeschichte vorliegt (Eunapios).[3]

Der wichtigste Unterschied zur klassischen Zeit aber kommt in diesen Texten selbst gar nicht zur Sprache: Das Heidentum ist im 4. Jahrhundert nicht mehr die unangefochtene gesellschaftliche Größe, und keine noch so treue Wiedergabe althergebrachter Topoi kann diesen Rahmenbedingungen entfliehen. Wenn auch das Athenlob rein äußerlich auf den alten Pfaden schreitet, so hat es doch angesichts des gesellschaftlichen Wandels immer einen leicht apologetischen und beharrlichen Unterton.

Gerade auch aufgrund dieser Wechselbeziehung sind die heidnischen Texte der Spätantike eine unentbehrliche Vergleichsgröße für die Untersuchung des christlichen Athenbildes. Sie lassen erkennen, dass die alten Topoi abseits der christlichen Polemik mit leichten Modifikationen noch lange lebendig bleiben konnten. Im Verlauf der folgenden Untersuchung werden also die heidnischen Autoren der Spätantike stets als wichtige Vergleichsgröße herangezogen, um die Verarbeitung von Gedanken und Themen bei christlichen Autoren besser bewerten zu können.

Allerdings muss der Vergleich wiederum auf die Textgattungen Rücksicht nehmen. Manche im Heidentum erscheinenden Gattungen wurden bis zu der hier interessierenden Zeit von christlichen Autoren noch nicht aufgegriffen (Literaturgeschichte), andere sind uns von den besprochenen Autoren nicht erhalten (Deklamationen); wieder andere entstanden mit dem Christentum neu (christliche Weltchronik, christliche apologetische Literatur, poetische Autobiographie), und man sucht sie bei den heidnischen Schriftstellern vergeblich.

Auf anderen Feldern gibt es hingegen Berührungspunkte, die einen Vergleich vielversprechend erscheinen lassen, etwa in der Korrespondenz der christlichen Schriftsteller mit Nichtchristen (Sophisten, Beamte). Es zeigt sich, dass gerade hier die Christen ihre sonst verfolgte Linie verlassen.[4] Von besonderem Interesse wird ferner sein, wie die Erfahrung Athen, also der Aufenthalt in dieser Stadt, bei Nichtchristen und Christen motiviert ist und empfunden wird.

Immer wieder wird sich zeigen, dass sich auch die christlichen Autoren der enormen Bedeutung und Ausstrahlung Athens nicht gänzlich entziehen konnten. Ihre größte Herausforderung bestand genau darin, diese unleugbare und auch durchaus geschätzte Realität mit der Skepsis und den Vorbehalten ihrer gläubigen Identität zu vermitteln.

[3] Vgl. zu Eunapios unten S. 143.
[4] Vgl. unten Kapitel 4. 2. 1. 4.

3 EUSEBIUS VON CAESAREA: ATHEN – LEITBILD UND FEINDBILD

3. 1 WELTGESCHICHTE UND KIRCHENGESCHICHTE – DIE BEDEUTUNG ATHENS IN DEN HISTORISCHEN WERKEN DES EUSEBIUS VON CAESAREA

Dieser Abschnitt behandelt zwei Werke des Eusebius von Caesarea, die *Chronik* und die *Kirchengeschichte*. Nach einer Einordnung der *Chronik* in ihren literaturgeschichtlichen Kontext sollen das Vorwort des Eusebius zu dieser Schrift und die Χρονικοὶ Κανόνες dahingehend untersucht werden, ob sich eine bestimmte Konstruktion von Athen nachweisen lässt. Dieselbe Untersuchung erfolgt auch für die *Kirchengeschichte*; dabei beschränkt sich die literaturgeschichtliche Einordnung auf kurze Anmerkungen. Ein Exkurs trägt ergänzend literarische und archäologische Zeugnisse für eine christliche Gemeinde in Athen in den ersten vier Jahrhunderten zusammen, um die Angaben der Kirchengeschichte einordnen zu können.

3. 1. 1 Die Chronik *des Eusebius von Caesarea – Einleitendes*

Zwei Werke des Eusebius von Caesarea (ca. 260-340) können als weitgehend historisch oder historiographisch bezeichnet werden: die *Chronik* und die *Kirchengeschichte*. Die beiden Werke haben unterschiedliche Zielsetzungen: Die *Chronik* will die Weltgeschichte darstellen, die *Kirchengeschichte* die Geschichte der christlichen Kirche. Die Einordnung als 'historische' Werke reicht jedoch zumindest für die *Chronik* als Charakterisierung nicht aus. Dies soll im Folgenden anhand einer kurzen Übersicht über die Gestaltung dieser Schrift durch Eusebius sowie über die Entwicklung der Gattung bis zur christlichen Spätantike gezeigt werden.

Die *Chronik* besteht aus zwei Teilen.[1] Im ersten Teil, der nur in einer armenischen Fassung erhalten ist, sind die Königslisten von Völkern der Antike zusam-

[1] Zur komplizierten Überlieferungsgeschichte und der Entstehung der heutigen Textfassungen vgl. die ausführliche Darstellung von Mosshammer (1979) 29-83. Eine armenische Version enthält beide Teile der *Chronik* (die ersten 343 Jahre der Κανόνες fehlen, ebenso der Schluss). Hieronymus hat nur den zweiten Teil, die Χρονικοὶ Κανόνες übertragen, das Vorwort des Eusebius spricht allerdings von einem *prior libellus* (8, 8 Helm [*praef. Eus.*]); daneben gibt es auch eine syrische Überlieferung (Mosshammer [1979] 42f. mit 322 Anm. 23; 50f.; Karst [1911] LII-LIV; eine syrische Epitome ist Dionysios von Tell-Mahre zuge-

mengestellt. In der vorliegenden Arbeit wird nur der zweite Teil der *Chronik*, die Χρονικοὶ Κανόνες,[2] behandelt und als *Chronik* bezeichnet. Dieser zweite Teil, der u. a. in einer durch Hieronymus übersetzten und ergänzten Fassung überliefert ist,[3] wird durch ein Vorwort eingeleitet. Anschließend sind die historisch und kulturgeschichtlich bedeutenden Ereignisse der einzelnen Völker der Antike tabellarisch nebeneinander gestellt. Diese tabellarische Aufstellung ist zeitlich geordnet; sie beginnt bei der Geburt Abrahams und endet zu Lebzeiten des Eusebius (im Jahr 325/326[4]); Hieronymus hat die *Chronik* bis zum Jahr 378 fortgeführt.

Zu Recht ist auf die Akribie hingewiesen worden, mit der Eusebius sein Material für die *Chronik* gesammelt und ausgewertet hat.[5] Auch ist die innovative Tabellenform[6] eine Erleichterung für den Leser; die Tabelle ermöglicht zudem eine

schrieben; Übersetzung: J.-B. Chabot, Incerti Auctoris Chronicon Pseudo-Dionysianum vulgo dictum. Louvain 1949 [CSCO 121, Scriptores Syri 66 = Ser. 3 Bd. 1]). Die ältesten Codices, die die Übersetzung der *Chronik* durch Hieronymus überliefern, bilden die Grundlage für die maßgebliche Ausgabe durch Helm (1956), die im Folgenden zitiert wird; sie spiegelt insbesondere die Anordnung der Tabellen, die Verteilung der *spatia historica* und der Herrscherlisten hervorragend wieder (vgl. Mosshammer [1979] 61-63. 65). Für die Ermittlung des Wortlautes der Eintragungen kann die armenische Version, die in deutscher Übersetzung (allerdings in einem abweichenden Format) von Karst (1911) publiziert wurde, dienen, denn sie hat natürlich nicht die Ergänzungen des Hieronymus überliefert. Gleichzeitig können zur Rekonstruktion des griechischen Textes die *Ecloga chronographica* des Georgios Synkellos (s. unten S. 34 Anm. 52), das *Chronicon paschale* (PG 92) und die Anonyme *Chronik* einer Handschrift aus Madrid (sog. Anonymus Matritensis, hrsg. von Adolf Bauer, Leipzig 1909) herangezogen werden; vgl. Helm (1956) XXVIf. – Im Folgenden werden bei Angaben aus der Hieronymus-Übersetzung der *Chronik* Seite und Zeile der Ausgabe Helms, das in dieser Ausgabe errechnete Jahr relativ zur Geburt Christi sowie das Jahr seit der Geburt Abrahams bzw. ab Beginn der Olympiadenzählung die entsprechende Olympiade angezeigt. Bei Angaben aus der armenischen Übersetzung werden die Seite der Ausgabe Karsts, das Jahr seit der Geburt Abrahams und ab Beginn der Olympiadenzählung die entsprechende Olympiade genannt. Im Register findet man für die Angaben aus der Hieronymus-Übersetzung Seite und Zeile der Helmschen Ausgabe und das Jahr vor bzw. nach Christi Geburt, für die Angaben der armenischen Übersetzung die Seite der Karst-Ausgabe und das Jahr seit der Geburt Abrahams. – Im Folgenden (einschließlich des Registers) werden die Texte der verschiedenen Übersetzungen Eusebius zugewiesen. Eindeutige Ergänzungen des Hieronymus werden im Register mit einem *Asteriskos versehen.

2 Χρονικοὶ κανόνες καὶ ἐπιτομὴ παντοδαπῆς ἱστορίας Ἑλλήνων τε καὶ βαρβάρων. Vgl. *ecl. proph.* 1 (PG 22, 1024).

3 Die in frühen Codices der *Chronik* des Hieronymus überlieferte Form – die frühesten Handschriften werden mitunter in das 5. Jh. datiert – gilt als nahe am Original des Eusebius; vgl. Mosshammer (1979) 49. 67-73.

4 Vgl. 231, 12f. Helm (Olymp. 276, 2 = 326 n. Chr.); der letzte Eintrag behandelt die Vicennalienfeier Konstantins. Da Eusebius auf die *Chronik* in Werken hinweist, die mit Sicherheit vor dem Jahr 325 verfasst sind, geht man davon aus, dass es zwei Editionen dieses Werkes gab; ausführliche Diskussion bei Burgess (1997).

5 Vgl. Croke (1982) 196.

6 Vgl. Helm (1924); Oppel (1937) 66-68; Ohme (2001) 16f. Die Erfindung der Tabellenform einerseits, die allenthalben geübte Praxis, Hieronymus / Eusebius zur Datierung der Ereignisse heranzuziehen andererseits, mag die Einschätzung Lendles (1992) 259 relativieren, der, die christliche Chronographie von Africanus bis Synkellos zusammenfassend, sagt: „Daß kei-

direkte Gegenüberstellung der geschichtlichen Ereignisse in den verschiedenen Völkern und Kulturen. Doch ist diese Form der Präsentation und das Unternehmen insgesamt nicht allein durch historisch-wissenschaftliches Interesse begründet. Die *Chronik* hat auch eine apologetische Funktion.[7] Wenn die Geschichte von Völkern direkt gegenübergestellt wird, liegt als Zielsetzung ein Vergleich nahe. In der *Chronik* will Eusebius die Geschichte des Volkes, aus dem das Christentum hervorgegangen ist, mit der Geschichte der anderen Völker der antiken Welt vergleichen, und man darf erwarten, dass er, wohl fundiert und durch Vergleichsmaterial begründet, das Alter der jüdisch-hebräischen Kultur hervorheben wird.[8] Nicht zuletzt deshalb gilt Eusebius bereits in der Antike als der Erfinder der *christlichen* Weltchronik und wird als solcher von Augustinus und Hieronymus gelobt und benutzt.[9] Neben der apologetischen Zielsetzung kann eine innerkirchliche Kontroverse um die Datierung des Weltendes[10] und Datierungsversuche biblischer Geschichte durch heidnische Autoren[11] die Abfassung der *Chronik* mit motiviert und beeinflusst haben.

Synchronismen (d. h. Parallelisierungen von Ereignissen in verschiedenen Regionen oder bei verschiedenen Völkern), wie sie in besonderer Weise die Tabellenform herbeiführt, sind nicht für die christliche, sondern generell für Chronographie als Teil der antiken Geschichtsschreibung[12] charakteristisch. Als Beispiel für diese Technik ist die *Chronik* des Apollodoros von Athen[13] hervorzuheben, dessen Synchronismen vielleicht pythagoreischen Ursprungs sind, jedenfalls nicht zwangsläufig das Ergebnis von Quellenforschung, sondern vielleicht auch von Systematisierung.[14] Ein weiteres Merkmal der *Chronik* des Eusebius und antiker

ne dieser kompilierten Weltchroniken einen ernstzunehmenden und originellen Beitrag zur Erforschung der Geschichte darstellt, bedarf kaum der Erwähnung."

7 Vgl. Fiedrowicz (2000) 89; Kofsky (2000) 38-40; Frede (1999) 224; Burgess (1999) 66-74; Burgess (1997) 489-495 mit Anm. 48. Anders Barnes (1981) 113; Laurin (1954) 106-113. Zur Schwierigkeit einer Definition der 'Gattung' Apologetik vgl. Edwards u. a. (1999).

8 Zur Entstehung des Vergleichs der griechischen mit der jüdisch-hebräischen Geschichte vgl. Croke (1983) 116-131.

9 Croke (1982) 197f.; vgl. Aug. *civ.* 18, 8 (CCL 48, 598f.).

10 Unten S. 32f. Winkelmann (1992) 16 Anm. 15 sieht in der Absage an den Chiliasmus den „Hauptimpuls für das chronographische Unternehmen Eusebs." Ähnlich, quasi als *argumentum e silentio*, schon Landes (1988) 149f.

11 Unten S. 34 mit Anm. 56 zu Porphyrios.

12 Die Geschichtsschreibung selbst bedient sich oft genug der Synchronismen, so etwa Diodorus Siculus; vgl. Lendle (1992) 243.

13 Vgl. Mosshammer (1979) 113-127 und Mosshammer (1976). Grundlegend zur *Chronik* des Apollodoros: Jacoby (1902) bes. 39-59.

14 Mosshammer (1976) führt die synchronistische Einteilung in die Lebensjahre 25, 40 und 64 (exemplarisch an den drei großen Tragikern und den Philosophen Anaximander, Anaximenes und Pythagoras ausgeführt) und die zwischen diesen Lebensjahren bestehende (mathematische) Relation (5 x 5, 5 x 8, 8 x 8; 25/40 = 40/64, d. i. $a^2/ab = ab/b^2$) auf Pythagoras zurück. Zweifel daran äußert Mansfeld (1983) 203f. Zu „'kommentierten' Synchronismen" bei Timaios von Tauromenion vgl. Lendle (1992) 217.

Chronographie insgesamt ist das Ansetzen bestimmter Fixpunkte[15] oder Epochenjahre,[16] also bestimmter Einschnitte in der Geschichte,[17] die aufgrund ihrer überragenden Bedeutung in vielen Quellen vermerkt waren und so eine zeitliche Einordnung z. B. von Personen ermöglichten.

Die Quellen der Chronisten waren vielfältig. Für die früheste Geschichte mussten sie auf Königs-, Ephoren- oder Archontenlisten zurückgreifen;[18] ferner stand ihnen die Literatur zur Verfügung, also Vorgänger auf dem Gebiet der Geschichtsschreibung, aber auch Erwähnungen bestimmter Synchronismen oder zeitlich genau fixierter Ereignisse bei Dichtern oder anderen Schriftstellern.

Die Texte der Chroniken vor Eusebius waren noch nicht in der Tabellenform angeordnet. Sie erhoben aber zum großen Teil auch keinen literarischen Anspruch.[19] Einzelne hingegen wie Apollodoros in seiner bereits erwähnten *Chronik*[20] oder Hellanikos von Lesbos in den *Karneoniken* versuchten, den Faktenreichtum dieser Werke durch eine metrische Präsentation, d. h. als Lehrgedicht in Jamben, einprägsamer zu vermitteln.[21] Die Gestalt der Chroniken ist also nicht einheitlich, und Eusebius hat mit der Erfindung der Tabellenform zu den bestehenden eine weitere Art der Darstellung hinzugefügt.

Für die *Chronik* des Eusebius ist ein weiterer Punkt von besonderer Bedeutung, der auch die Zielsetzung dieses Werks verdeutlicht: der universale Ansatz. Die Vorgänger in der Chronographie in vorchristlicher Zeit haben ihr Augenmerk vornehmlich auf den eigenen Kulturkreis gelenkt.[22] Das *Marmor Parium* beispielsweise, eine Marmorchronik aus Paros (aufgestellt 264/63 v. Chr.), trägt trotz seines prinzipiell örtlich nicht festgelegten Ansatzes Züge, die eine Orientierung an attischer Lokalgeschichtsschreibung erkennen lassen.[23] Hellanikos von Lesbos hat zweien seiner Werke gleich Titel gegeben, die eine lokale Einschränkung nahele-

[15] Jacoby (1902) 39.

[16] Brincken (1957) 51.

[17] Jacoby (1902) 41 nennt als Beispiele den „fall Troias, die rückkehr der Herakliden, die besiedelung Ioniens, die einsetzung der olympischen feier." Zu den von Eusebius als einschneidend betrachteten Ereignissen vgl. unten Kapitel 3. 1. 2. 2.

[18] Zur Entstehung solcher Listen in Griechenland (Athen und Sparta) seit dem 5. Jh. v. Chr. vgl. Croke (1983) 117f.; Mosshammer (1979) 86-91. Zu anderen Kulturen vgl. Freydank (1999) 624f. mit Literatur. Zum Gebrauch dieser Listen für die Abfassung von Chroniken vgl. Lendle (1992) 277-281. Zur Gestalt solcher Listen siehe Bickerman (1980) 62-79; Samuel (1972) 189-248 (Griechenland). 249-276 (Rom).

[19] Vgl. Winkelmann (1991a) 730 u. a. über die (beispielhaft genannten) Chronographen Hippias, Kastor und Phlegon, den Atthidographen Philochoros und die Christen Julius Africanus und Hippolytos.

[20] FGrHist 244 F 1-87. Vgl. Jacoby (1902) 61. Zu Lehrgedichten in jambischen Trimetern Effe (1977) 184-187 (zu Apollodoros 185-187 mit Anm. 2).

[21] FGrHist 4 F 85f. (vgl. F 85a = Ath. 14, 37, 635e [4, 403 Kaibel]: ἔν τε τοῖς ἐμμέτροις Καρνεονίκαις). Zu Hellanikos vgl. Lendle (1992) 69.

[22] Vgl. Brincken (1957) 44.

[23] Vgl. Jacoby (1904) XI-XVIII; FGrHist 239.

gen: *Atthis*[24] und *Karneoniken*.[25] Seine *Herapriesterinnen* sind zwar „die erste vollständige panhellenische Chronik,“[26] verlassen aber folglich den griechischen Kulturkreis nicht.[27] Auch für das chronographische Werk des Eratosthenes aus Kyrene ist schon früh erkannt worden, dass es sich ausschließlich mit griechischer Chronologie beschäftigt.[28] Die Atthidographen sind eine speziell lokalgeschichtlich orientierte Gruppe von Schriftstellern.[29] Erst die spätere Chronographie öffnet sich anderen Kulturkreisen und bezieht sie in noch vorwiegend ‘national’ geprägte Werke ein,[30] so beispielsweise Kastor von Rhodos in seinen *Chronika*.[31] Die derart lokal geprägte Chronographie wurde von Angehörigen anderer Kulturkreise wie Manethon[32] oder Berossos[33] mitentwickelt oder adaptiert.[34]

Die jüdische und hebräische Literatur konnte eine solche Chronographie aber auch zur Selbstbehauptung gegenüber den Vorwürfen der Gegner des Judentums nutzen.[35] Jüdische Historiker[36] sahen sich nämlich genötigt, das Alter ihrer Kultur hervorzuheben. Fehlende Erwähnungen des Volkes der Juden außerhalb der Bibel führten in der Polemik seiner Gegner[37] zu der Annahme (oder Behauptung), sie

24 FGrHist 4 F 38-49.

25 Zu den chronographischen Werken des Hellanikos vgl. Lendle (1992) 69-71. Die Titel *Karneoniken* (Sieger an den Karneen, einem Fest in Sparta) und *Herapriesterinnen* deuten bereits an, dass hier mit Hilfe von listenartiger Aufstellung eine Orientierungshilfe für die griechische Geschichte an die Hand gegeben werden soll.

26 Lendle (1992) 71; FGrHist 4 F 74-84.

27 Lendle (1992) 71: „Hellanikos war der erste griechische ‘Universalhistoriker’“, vgl. Meister (1998) 296. Die Beschäftigung des Hellanikos mit Ethnographie, Mythographie und Chronographie mag dieses Urteil rechtfertigen; ob Hellanikos allerdings aus seinem ethnographischen Fundus für die ‘panhellenische’ Chronik Nutzen gezogen hat, also Parallelen zwischen griechischer und nichtgriechischer Geschichte gezogen hat, muss anscheinend offen bleiben. Zum Problem der Abgrenzung von Ethnographie und Historiographie vgl. Sterling (1992) 114f. (zu Berossos).

28 Niese (1888) 102. FGrHist 241 F 1-3.

29 Vgl. Rhodes (1990). Zu attischer Geschichtsschreibung vgl. Jacoby (1949).

30 Vgl. Alonso-Núñez (1990).

31 FGrHist 250 F 1-19. Seine Bedeutung unterstreicht Winkelmann (1991b) 64.

32 3. Jh. v. Chr.; zu seinem Werk Αἰγυπτιακά („Geschichte Ägyptens“; FGrHist 609 F 1-12) vgl. Sterling (1992) 117-135 und Mendels (1990).

33 4. Jh. v. Chr.; zu den Βαβυλωνιακά oder Χαλδαϊκά („Über Babylonien“ / „Über Chaldaia“; FGrHist 680 F 1-14) und zur Chronologie bei Berossos vgl. Sterling (1992) 104-117; Schnabel (1923) 185-210; ausführliche Darstellung der *Babyloniaka* bei Burstein (1978).

34 Zu Abhängigkeiten, Einflüssen und Wechselwirkungen zwischen diesen beiden nicht-griechischen und den griechischen Chronographen sowie das Entstehen einer ‘cosmopolitan chronography’ vgl. Muhlberger (1990) 10f.

35 Einen Überblick über die Entwicklung früher Chroniken bietet Croke (1990).

36 Texte bei Holladay (1983).

37 Eine umfassende Quellensammlung über die Erwähnung von Juden in paganer Literatur ist bei Stern (1980) und Stern (1974) zusammengestellt. Relevant für den hier behandelten Zusammenhang sind u. a. Lysimachos (Stern [1974] 382-388) und Apion (Stern [1974] 389-416). Noch Origenes muss sich gegen Kelsos verteidigen, der auf das Alter der autochthonen Athener pocht, die auch Beweise für diesen Anspruch anführten, vgl. Orig. *Cels*. 4, 36 (GCS Orig. 1, 306f.).

seien eine junge religiöse Gruppe.[38] Dagegen brachten jüdische Geschichtsschreiber vor allem biblische Zeugnisse vor und konnten mit Hilfe der dort gegebenen zeitlichen Anhaltspunkte im Gegenzug die griechische Kultur als jung einordnen. Dabei wurde auch die historische Überlieferung selbst geltend gemacht, die bei den Griechen so lückenhaft sei, dass selbst die Athener, ihre berühmtesten Geschichtsschreiber, sich in Bezug auf entscheidende historische Ereignisse widersprächen.[39]

Hier soll als herausragendster Vertreter dieser Gruppe der jüdische Historiker Flavius Josephus erwähnt sein, der sowohl mit seinen *Jüdischen Altertümern* als auch besonders mit seiner Schrift *Gegen Apion*[40] ein Musterbeispiel der sogenannten apologetischen Geschichtsschreibung darstellt, die allerdings keinen chronographischen Anspruch erhebt. Wie der Charakter der christlichen Apologie mit dieser Schrift des Josephus übereinstimmt, kann daran erkannt werden, dass man gesagt hat, „*Contra Apionem* hätte der Archetyp christlicher Apologie sein können,“[41] und Josephus' Werk als „Modell für christliche apologetische Literatur“ bezeichnet hat.[42]

Eusebius standen aber nicht nur heidnisch-griechische Chroniken und jüdische apologetische Schriften als Vorbilder oder Vorgänger zur Verfügung, es hatte sich auch bereits eine christliche Chronographie entwickelt.[43]

Der früheste Vertreter dieser Gattung ist Sextus Julius Africanus (ca. 160-240). Dessen *Chronik* beginnt mit der Schöpfung; ihr Ende um 221 gilt gleichzeitig als Datum der Abfassung.[44] Charakteristisch für dieses chronographische

38 Zu solchen Vorwürfen vgl. z. B. Pilhofer (1990) 194.

39 Vgl. Josephus *Ap.* 1, 21: Οὐ γὰρ μόνον παρὰ τοῖς ἄλλοις Ἕλλησιν ἠμελήθη τὰ περὶ τὰς ἀναγραφάς, ἀλλ' οὐδὲ παρὰ τοῖς Ἀθηναίοις, οὓς αὐτόχθονας εἶναι λέγουσιν καὶ παιδείας ἐπιμελεῖς, οὐδὲν τοιοῦτον εὑρίσκεται γενόμενον („Denn nicht nur die anderen Griechen haben es versäumt, historische Aufzeichnungen anzufertigen: Nicht einmal bei den Athenern, die man doch 'autochthon' nennt und die 'Hüter der Bildung,' findet man etwas Derartiges.“); dieses Zitat auch bei Eusebius *PE* 10, 7, 17, 1-4.

40 Vgl. dazu Feldman / Levison (1996) und darin bes. den Beitrag von Droge (1996); Pilhofer (1990) 193-206; zu Josephus als Quelle des Eusebius vgl. Winkelmann (1991b) 64-68.

41 Droge (1996) 115.

42 Hardwick (1996) 370.

43 Vgl. Winkelmann (1991b) 69-88; Momigliano (1964) 83f. Allgemein zu Weltchroniken in der Spätantike vgl. Hofmann (1997) 418-428.

44 Die Literatur zur *Chronik* des Africanus ist nicht umfangreich. Das auch heute noch gültige Standardwerk ist Gelzer (1898). Eine Zusammenstellung der Fragmente findet sich bei Routh (1846) 238-309 (Kommentar 357-509), zusammenfassend Winkelmann (2001) 512-514 (Lit. 517f.) Eine Neuausgabe der Fragmentsammlung des italienischen Philologen Leopardi (19. Jh.) hat Moreschini besorgt (Leopardi / Moreschini [1997]). Vgl. auch Inglebert (1996) 63-65 und ausführlicher zur *Chronik* Brincken (1957) 50-54. Über die Urgeschichte bei den christlichen Chronographen, also auch bei Julius Africanus und Eusebius, handelt Adler (1989). – Eine neue kritische Edition der Fragmente aus der *Chronik* des Julius Africanus wird von Martin Wallraff (Jena) vorbereitet.

Werk ist seine Ausrichtung auf ein datierbares Weltende;[45] diese als Chiliasmus bezeichnete eschatologische Orientierung an alt- und neutestamentlichen Zeitangaben[46] hatte eine pastorale Funktion, insofern sie die Naherwartung der Parusie einschränken konnte, die von christlichen Schriftstellern unter dem Eindruck der staatlich angeordneten Verfolgungen verkündet wurde.[47]

Nicht lange nach Africanus ist Hippolytos von Rom (ca. 170-235) als christlicher Chronograph aufgetreten, der noch vor seinem Tod eine *Chronik* als συναγωγὴ χρόνων καὶ ἐτῶν ἀπὸ κτίσεως κόσμου ἕως τῆς ἐνεστώσης ἡμέρας[48] („Zusammenstellung der Zeiten und Jahre von der Erschaffung der Welt bis auf den gegenwärtigen Tag") herausgab. Hippolytos hat sich also in der Anlage seiner *Chronik* Africanus angeschlossen, nachdem er seine chiliastische Geschichtsauffassung bereits zuvor im *Kommentar zum Buch Daniel* sowie in seiner Schrift *Über Christus und über den Antichristen* dargelegt hatte.[49]

Zusammenfassend lässt sich Eusebius' *Chronik* in einer Tradition historischer Werke, der paganen und auch christlichen Chronik-Literatur, sowie in einer apologetischen Tradition, der antipaganen jüdischen Literatur mit der Tendenz des Altersbeweises, lokalisieren. Das Projekt einer komparativen tabellarischen Weltchronik führt diese beiden Traditionslinien zusammen.

Apologetik mit Hilfe des Altersbeweises will ja nicht nur das Alter eines Volkes an sich erweisen, sondern postuliert die Entwicklung von Kulturgütern oder Erkenntnissen, die der ganzen Menschheit zugute kommen, durch das favorisierte ältere Volk; dies führt zwangsläufig zu einer Konkurrenz der vom Verfasser favorisierten Kultur mit anderen Kulturen, die traditionell in gewissen Bereichen die Rolle des πρῶτος εὑρετής für sich beanspruchen. Wie oben[50] gesehen, sind es nicht wenige Bereiche, in denen gerade das Athenlob für die Polis Athen einen solchen Anspruch erhebt. Eusebius kennt Schriften, die ausdrücklich das Athenlob zum Thema haben; seine Vertrautheit mit dem platonischen Œuvre garantiert eine Kenntnis des *Menexenos*; seine Orientierung an Vorbildern in der Ge-

45 Über Vorformen der Berechnung des Weltendes u. a. bei Theophilos von Antiochien vgl. Schwarte (1966) 120-122 mit Anm. 6.

46 Zur Sache sowie den Vertretern dieser Richtung vgl. Frank (1996) 163f. (Literatur 165). Zum chiliastischen Charakter der *Chronik* des Africanus vgl. Schwarte (1966) 148-152; Brincken (1957) 50f.; Gelzer (1898) 1, 24f. Vor allem das Psalmwort, vor Gott seien 1000 Jahre wie ein Tag (Ps. 90, 4) und die Schöpfungsgeschichte mit den sechs Schöpfungstagen und dem einen Ruhetag (Gen. 1, 1-2, 3) führten zu einer Einteilung der Weltgeschichte in Chiliaden: Nach 6000 Jahren beginnt die 1000jährige Herrschaft Christi (der 'eschatologische Sabbat'), dessen Geburt auf das Jahr 5500 berechnet wird.

47 Eusebius nennt *h. e.* 6, 7 einen Judas als Vertreter dieser Gruppe. Vgl. auch Brincken (1957) 50 mit Anm. 5. Zu Vorläufern der Endzeit-Berechnungen vgl. Kötting (1958) bes. 126-130, zum Weiterleben Podskalsky (1981).

48 Hippolytos *Chronik* 1 (GCS Hipp. 4, 6, 4f. Helm^2).

49 Vgl. Dunbar (1983). Zu Hippolytos siehe auch Inglebert (1996) 61-63 und 65-67.

50 Kapitel 2. 2-2. 4.

schichtsschreibung ist ein Beleg für die Kenntnis dieser Werke, darunter etwa des thukydideischen bzw. perikleischen Epitaphios. Da ist es von geringerer Bedeutung, dass seine Kenntnis der klassischen Tragiker „aus zweiter Hand“[51] ist: Eine Auseinandersetzung mit dem Athenlob und darin enthaltenen kulturellen Ansprüchen kann und muss Eusebius unter den genannten Bedingungen leisten.

3. 1. 2 Athen und Jerusalem – Parallelen zwischen der jüdisch-hebräischen Geschichte und der Geschichte Athens

3. 1. 2. 1 Das Vorwort zu den Χρονικοὶ Κανόνες

Der Anlass: Die Datierung des Moses. Die allenthalben zutage tretende Unsicherheit hinsichtlich einer Datierung von Personen, die für die Geschichte des Juden- und Christentums von herausragender Bedeutung sind, bewegen Eusebius von Caesarea, seine Χρονικοὶ Κανόνες zusammenzustellen. In ihnen, so das Vorwort, will er die „Wahrheit“ herausfinden (*necessarium duxi veritatem diligentius persequi*).[52] Dazu hat er zunächst in einem ersten, den Κανόνες vorgeschalteten Buch[53] „gleichsam als Grundlage für ein künftiges Werk [d. h.: die Κανόνες] die Zeiten aller Könige vorher zusammengestellt.“[54] Die dort nacheinander verzeichneten Königslisten stellt er in dem zweiten Buch, der *Chronik*, einander gegenüber (*contra se invicem ponens*).[55]

Paradebeispiel für die strittige Datierung einer Person und gleichzeitig auch Angelpunkt für eine Chronographie der Heilsgeschichte ist dabei die Gestalt des Moses. Dessen Datierung durch den Neuplatoniker Porphyrios in seiner polemischen Schrift Κατὰ Χριστιανῶν war möglicherweise der entscheidende Anlass für die Abfassung der *Chronik*.[56]

51 Zu Eusebius’ Vertrautheit mit der griechischen Literatur vgl. Moreau (1966) 1081f.

52 Eus. *Chr.* 8, 7f. Helm (*praef. Eus.*); Sync. 73, 24f. Mosshammer: Ἐγὼ δὲ περὶ πολλοῦ τὸν ἀληθῆ λόγον τιμώμενος καὶ τὸ ἀκριβὲς ἀνιχνεῦσαι διὰ σπουδῆς προὐθέμην. – Griechische Zitate aus Eusebius’ *Chronik* sind u. a. bei dem byzantinischen Chronographen Georgios Synkellos erhalten, der im 8./9. Jh. lebte und schrieb. Über sein Leben und Werk vgl. Gelzer (1898) 2, 189. Eine neue Ausgabe liegt mit Mosshammer (1984) vor, deren Seite und Zeile angegeben sind. Zu vielen Stellen aus der *Chronik* des Eusebius ist der Testimonienapparat in der Ausgabe Helms (1956) 279-455 eine sehr hilfreiche Ergänzung.

53 Vgl. oben S. 27f.

54 Eus. *Chr.* 8, 9-11 Helm: *quasi quandam materiam futuro operi omnium mihi regum tempora praenotavi, Chaldaeorum, Assyriorum [...].* Vgl. Sync. 73, 26f. Mosshammer: Ὕλας ἐκπορίζων ἐμαυτῷ χρόνων ἀναγραφὰς συνελεξάμην παντοιάς, βασιλείας τε Χαλδαίων, Ἀσσυρίων [...].

55 Eus. *Chr.* 8, 17 Helm (*praef. Eus.*); Sync. 74, 1f. Mosshammer: ἀντιπαραθεὶς ἐκ παραλλήλου.

56 Burgess (1997) 488f. mit Anm. 43. Es ist allerdings problematisch, dass Eusebius’ Datierung Moses später ansetzt, als es Porphyrios getan hat; vgl. Burgess (1997) 488 Anm. 41. Goulet (1977) 142-153 will nachweisen, dass Eusebius Porphyrios bewusst missverstanden hat.

„Homer und Moses“. Die Behandlung des Moses hatte bereits bei den hellenistischen Juden in ihrer speziellen Diaspora-Situation eine Konzentration auf bestimmte Themen erfahren.[57] So steht beispielsweise im Aristeas-Brief (2. Jh. v. Chr.) und bei Flavius Josephus Moses „als der erste der Gesetzgeber“ im Vordergrund.[58] Ferner muss die Gestalt des Moses gegen eine verzerrte Darstellung ägyptischer Historiker[59] verteidigt und die biblische Erzählung als wahr herausgearbeitet werden, wie dies beispielsweise der ägyptische Jude Artapanos (3. Jh. v. Chr.) tut.[60] Die von seinem Werk erhaltenen Fragmente sowie die Zeugnisse anderer jüdischer Autoren lassen erkennen, dass neben der genannten Rolle als Gesetzgeber weitere kulturelle Errungenschaften Moses als dem πρῶτος εὑρετής zugeschrieben werden.[61]

Pagane Autoren[62] konzentrieren sich vorwiegend auf die beiden Themen der Führerschaft beim Auszug aus Ägypten und der Stellung als Gesetzgeber.[63] Im Zentrum ihrer Auseinandersetzung mit Moses und der Reaktion der Juden und Christen darauf steht der Altersbeweis. Vor allem die Griechen stellen dem „ersten Gesetzgeber“ Moses ihren ersten Schriftsteller Homer entgegen,[64] und Tatian beispielsweise akzeptiert diese Gegenüberstellung, sieht er doch in Homer und Moses Repräsentanten, ὅροι, der jeweiligen Kultur.[65] Die Juden und später die Christen betrachten die frühesten Schriftsteller der Griechen, Homer und Hesiod (so der alexandrinische Jude Aristobulos im 2. Jh. v. Chr.[66]) und sogar Orpheus (so Artapanos), hingegen nur als Epigonen mosaischer Dichtung und die berühmtesten Denker der Griechen, allen voran Platon, als Produkte mosaischer Weisheit (so Justin der Märtyrer). Diese Weisheit des Moses haben sich die griechischen Denker, so die jüdische und später die christliche Argumentation, teilweise dadurch erworben, dass sie nach Ägypten gereist und dort mit mosaischem Schrifttum in Kontakt gekommen sind.

Eine neue Datierung. Für wie wichtig Eusebius Moses, diese zentrale Figur des Alten Testaments, erachtet, wird daran deutlich, dass er seine Vorrede zu den Χρονικοὶ Κανόνες mit den Worten beginnt:

57 Vgl. zum Folgenden Vermès (1963).
58 Vgl. Vermès (1963) 63.
59 Vgl. Gager (1972) 18-24.
60 Ein Auszug aus Artapanos ist bei Eusebius *PE* 9, 27 überliefert.
61 Vgl. Pilhofer (1990) 158f.; Thraede (1962) 1243-1246.
62 Einen „Überblick über die paganen Autoren [...], die Mose überhaupt erwähnen,“ (3. Jh. v. Chr.-2. Jh. n. Chr.) gibt Pilhofer (1990) 214f.
63 Gager (1972) 21f. Zu Moses als Gesetzgeber bei heidnischen Schriftstellern Gager (1972) 25-112, als Führer im Auszug aus Ägypten Gager (1972) 113-133.
64 Zu dieser Gegenüberstellung und zum Folgenden vgl. Pépin (1955). Einschlägig für diesen Zusammenhang: Pilhofer (1990) und Droge (1989).
65 Tat. *orat.* 31 (PTS 43, 57-59).
66 Zu Datierung und Herkunft des Aristobulos vgl. Holladay (1995) 43-75, bes. 72-75.

Moysen gentis Hebraeae, qui primus omnium prophetarum ante adventum Dñi salvatoris divinas leges sacris litteris explicavit, Inachi fuisse temporibus eruditissimi viri tradiderunt [...].

„Dass Moses vom Geschlecht der Hebräer, der als erster aller Propheten vor der Ankunft des Herrn, des Erlösers, göttliche Gesetze in heiligen Schriften dargelegt hat, zur Zeit des Inachos lebte, haben sehr gelehrte Männer überliefert [...].“[67]

Die Datierung des Moses in die Zeit des Inachos,[68] die gelehrte Männer vorgenommen haben, ist, wie Eusebius im Folgenden zeigt, nicht einheitlich bezeugt; daher hat er eigene Nachforschungen angestellt. Zwei Ergebnisse stellt Eusebius heraus: Das erste hat traditionell-apologetische Funktion, denn er hat bestätigt gefunden, dass die hebräische Kultur älter ist als die griechische; das zweite ist ein innovatives und hat Bedeutung für innerchristliche Datierungsmodelle, insofern Eusebius eine neue Datierung des Moses relativ zur griechischen Geschichte vornimmt und so gleichzeitig Stellung zu bisherigen Berechnungen bezieht:

Nam Moyses, licet iunior supra dictis [sc. Abraham, Israel, Inacho] sit, ab omnibus tamen, quos Graeci antiquissimos putant, senior deprehenditur, Homero scilicet et Hesiodo Troianoque bello, ac multo superius Hercule, Musaeo, Lino, Chirone, Orfeo, Castore, Polluce, Aescolapio, Libero, Mercurio, Apolline et ceteris dis gentium sacrisque uel vatibus, ipsius quoque Iovis gestis, quem Graecia in arce divinitatis conlocavit. Hos, inquam, omnes, quos enumeravimus, etiam post Cecropem Difyen, primum Atticae regem, fuisse convincimus. Cecropem autem praesens historia Moysi coaetaneum ostendet [...].

„Denn mag Moses auch jünger als die oben Genannten [Abraham, Israel, Inachos] sein, so ist er doch älter als alle, die die Griechen für uralt halten: Ich meine natürlich als Homer und Hesiod und der Trojanische Krieg, und viel älter als Herakles, Musaios, Linos, Chiron, Orpheus, Kastor, Polydeikes, Asklepios, Dionysos, Hermes, Apollon und die übrigen heidnischen Götter, Kulte und Dichter, ja älter als die Taten des Zeus selbst, den Griechenland zum Götterfürsten gemacht hat. Ich behaupte auch beweisen zu können, dass alle Genannten erst nach Kekrops, dem Diphyes, dem ersten König Attikas, in Erscheinung getreten sind. Denn die vorliegende Darstellung wird zeigen, dass Kekrops ein Zeitgenosse des Moses war [...].“[69]

[67] Eus. *Chr.* 7, 11-14 Helm (*praef. Eus.*); Sync. 73, 12-15 Mosshammer: Μωυσέα γένος Ἑβραῖον, προφητῶν ἁπάντων πρῶτον, ἀμφὶ τοῦ σωτῆρος ἡμῶν, λέγω δὲ τοῦ Χριστοῦ, ἀμφί τε τῆς τῶν ἐθνῶν δι᾽ αὐτοῦ θεογνωσίας χρησμοὺς καὶ λόγια θεῖα γραφῇ παραδεδωκότα, τοῖς χρόνοις ἀκμάσαι κατὰ Ἴναχον εἰρήκασιν ἄνδρες ἐν παιδεύσει γνώριμοι [...].

[68] Vgl. FGrHist 611 (Ptolemaios von Mendes) F 1.

[69] Eus. *Chr.* 9, 11-10, 2 Helm (*praef. Eus.*); Sync. 74, 11-20 Mosshammer: [...] Μωυσέα δέ, φιλαλήθως εἰπεῖν, τούτων μὲν νεώτερον, τῶν δὲ παρ᾽ Ἕλλησιν ἀρχαιολογουμένων ἁπάντων πρεσβύτατον, Ὁμήρου λέγω καὶ Ἡσιόδου, καὶ αὐτῶν γε τῶν Τρωικῶν, καὶ ἔτι Διοσκούρων, Ἀσκληπιοῦ, Διονύσου, ἡρώων τε πάντων, Ἑρμοῦ τε καὶ Ἀπόλλωνος, τῶν τε λοιπῶν παρ᾽ Ἕλλησι θεῶν, μυστηρίων τε καὶ τελετῶν, Διός τε αὐτοῦ πράξεων τῶν παρ᾽ Ἕλλησιν μνημονευομένων· τούτων γὰρ ἁπάντων τὴν ἱστορίαν

Es schließen sich detaillierte Berechnungen an, die die neue These, die Gleichzeitigkeit des Moses mit Kekrops beweisen sollen. Die Ausführlichkeit der Berechnungen nimmt Rücksicht auf das Ergebnis, denn diese Gleichzeitigkeit bedeutet eine zeitliche Annäherung der beiden Kulturen. Im Anschluss an die Berechnungen kann Eusebius jedoch nicht umhin, seine These als gesichertes Ergebnis zu wiederholen. Da nunmehr klar ist, dass Moses und Kekrops zeitgleich lebten, scheint es Eusebius auch angezeigt, den Zeitgenossen des ersten biblischen Gesetzgebers näher zu charakterisieren:

Itaque sine ulla ambiguitate Moyses et Cecrops, qui primus Atheniensium rex fuit, isdem fuere temporibus. Porro iste est Cecrops Difyes indigena, sub quo primum in arce oliva orta est et Atheniensium urbs ex Minervae appellatione sortita nomen. Hic primus omnium Iovem appellavit et simulacra repperit, aram statuit, victimas immolavit nequaquam istius modi rebus in Graecia umquam visis. Cetera quoque, quae aput Graecos mira iactantur, posteriora Cecropis annis deprehendentur, si autem Cecropis, consequenter et Moysi, qui cum Cecrope fuit.

„Daher lebten ohne irgendeinen Zweifel Moses und Kekrops, der erste König der Athener, gleichzeitig. Außerdem ist es dieser Kekrops Diphyes, der Erdgeborene, unter dem erstmals auf der Burg ein Olivenbaum wuchs und die Stadt der Athener ihren Namen von Athene erhielt. Dieser rief erstmals Zeus an und erfand Kultbilder, errichtete einen Altar und opferte Tiere, was überhaupt noch nicht in Griechenland geschehen war. Auch erkennt man jetzt, dass die anderen Wundergeschichten, die die Griechen erzählen, sich nach den Jahren des Kekrops abspielen; und wenn nach Kekrops, dann natürlich auch nach Moses, der zur selben Zeit lebte.“[70]

Wenn Eusebius die Datierungsversuche seiner Vorgänger – *eruditissimi viri* – fehlerhaft und sich widersprechend nennt und als sein Bestreben angibt, „der Wahrheit sorgfältiger nachzugehen,“ stellt er sich in eine lange Tradition der Geschichtsschreibung, zu deren frühesten Vertretern der milesische Logograph Hekataios zählt, der bereits im 6./5. Jh. v.Chr. seine eigene Darstellung von anderen mangelhaften Berichten seiner Vorgänger absetzt.[71]

νεωτέραν τῆς Κέκροπος ἡλικίας παῖδες Ἑλλήνων παραδιδόασι. Μωυσέα δὲ ἡ παροῦσα συνεξέτασις τῶν χρόνων γενέσθαι κατὰ Κέκροπα τὸν διφυῆ, ὃν πρῶτόν φασι τῆς Ἀττικῆς βασιλεῦσαι, συνίστησι πρὸ τῶν Ἰλιακῶν ἀμφὶ τὰ τν´ ἔτη. Angekündigt bereits im ersten Teil, der *Chronographia*, vgl. armen. *Chr.* 86, 14-19 Karst: „Könige der Athener: Der erste, Kekrôps Diphyes, 5 Jahre. […] Unter diesem ward auch Môses bei den Ebräern erkannt, was zu <seiner> Zeit wir beweisen werden.“

70 Eus. *Chr.* 12, 5-17 Helm (*praef. Eus.*); vgl. Sync. 179, 9-14 Mosshammer: Κέκροψ ὁ διφυής […] οὗτος ἀπὸ τῆς Ἀθηνᾶς τὴν πόλιν Ἀθήνας ὠνόμασεν. ἐπὶ αὐτοῦ ἡ ἐν τῇ ἀκροπόλει ἐλαία πρώτως ἐφύη. […] οὗτος πρῶτος βοῦν ἐθυσίασε καὶ Ζῆνα προσηγόρευσεν, ὥς τινες.

71 FGrHist 1 (Hekataios von Milet) F 1a: Ἑκαταῖος ὁ Μιλήσιος ὧδε μυθεῖται· τάδε γράφω, ὥς μοι δοκεῖ ἀλήθεια εἶναι· οἱ γὰρ Ἑλλήνων λόγοι πολλοί τε καὶ γελοῖοι, ὡς ἐμοὶ φαίνονται, εἰσίν („Hekataios aus Milet erzählt so: Ich schreibe dies, wie es mir wahr zu

Eusebius hat zwei Topoi der Geschichtsschreibung übernommen, die man bereits bei diesem frühen Historiker nachweisen kann: das Streben nach Wahrheit und den Hinweis auf die seiner Ansicht nach unzutreffende Darstellung der früheren Vertreter der von ihm angegangenen Literaturgattung.[72] Eusebius ist seinen Vorgängern gegenüber freilich nicht so schroff wie Hekataios, denn zu ihnen zählen auch Christen. Diese 'Schonung' ist mit dem großen Zusammenhalt unter den Christen in der Entstehungszeit der Κανόνες, die von Verfolgungen geprägt war, zu erklären;[73] sie zeigt sich auch in der Bezeichnung so verschiedener Persönlichkeiten wie Klemens von Alexandrien und Julius Africanus, die zum alexandrinischen Umfeld zu zählen sind, sowie dem Enkratiten und damit Häretiker Tatian[74] als *nostri*.

Dieser Zusammenhalt ist dennoch kein Grund für Eusebius, die Ergebnisse seiner Vorgänger unbesehen zu übernehmen, denn sein eigenes ist neu: der Erweis, dass Kekrops und Moses Zeitgenossen waren.[75]

Eusebius nennt die Historiker, denen er mit einer zeitlichen Gleichsetzung von Moses und Kekrops widerspricht: die Christen Klemens von Alexandria, Julius Africanus und Tatian, die Juden Josephus und Justus und den Heiden Porphyrios.[76] Mit Ausnahme des jüdischen Historikers Justus von Tiberias (1. Jh. n. Chr.) zitiert Eusebius auch in der *Praeparatio Evangelica* all diese Autoren, die sich mit dem Alter oder der Datierung des Moses beschäftigt haben, nachdem er dort ebenfalls seine eigene Berechnung vorausgeschickt hat. Anders als in der *Chronik*[77] will Eusebius durch den Nachweis des Alters des Moses in der *Praeparatio* die kulturelle Abhängigkeit der Griechen von den Hebräern darlegen.

sein scheint; die Erzählungen der Griechen sind nämlich meines Erachtens vielfältig und nicht ernst zu nehmen."). Vgl. Thuc. 1, 20-22.

72 Vgl. Pilhofer (1990) 27. Mit Gattung ist hier Historiographie insgesamt, nicht speziell die Chronographie gemeint.

73 Zur Datierung der Κανόνες vgl. Burgess (1997), bes. 495-497, der eine Abfassungszeit um die Jahre 308 bis 311 ermittelt.

74 Vgl. dazu Eus. *h. e.* 4, 29f.; *Chr.* 206, 13f. Helm (Olymp. 237, 4 = 172 n. Chr.): *Tatianus haereticus agnoscitur, a quo Encratitae* („Der Häretiker Tatian tritt auf, aus dem die Enkratiten hervorgehen.").

75 Vgl. dazu Adler (1992) 472.

76 Vgl. dazu Goulet (1977) 142-153.

77 Über die Absicht, die der *Chronik* zugrunde liegt, vgl. Sirinelli (1961) 36-38. („Il crée [...] une nouvelle perspective historique, en rassemblant une gerbe de chronologies dont chaque élément peut immédiatement recevoir sa référence par rapport au temps privilégié de l'histoire du peuple élu." [37]). Sirinelli (1961) 38-41 betont die Unterschiede des Eusebius zu seinen Vorgängern Julius Africanus und Hippolytos von Rom: die Abkehr von einer eschatologischen Ausrichtung der christlichen Geschichtsschreibung, wie sie seine dem Chiliasmus verhafteten Vorgänger in ihren Werken demonstrieren; die Ablehnung Adams als Ausgangspunkt einer Geschichtsschreibung; der Beginn der Geschichte mit Abraham, in dessen Zeit die Hebräer zu einem Volk und so mit anderen Völkern vergleichbar werden.

Unter den Zitaten in der *Praeparatio Evangelica* ragt jedoch eines durch eine besondere Nuance hervor, die auch für die Beurteilung der Synchronismen in der *Chronik* von Bedeutung ist: Die Berechnung des Julius Africanus ergibt eine Gleichzeitigkeit des Auszugs der Hebräer aus Ägypten und der Sintflut zur Zeit des Ogygos.[78] Africanus formuliert dies so:

Οὐκοῦν τῶν χιλίων καὶ εἴκοσιν ἐτῶν, τῶν μέχρι πρώτης Ὀλυμπιάδος ἀπὸ Μωσέως τε καὶ Ὠγύγου ἐκκειμένων, πρώτῳ μὲν ἔτει τὸ Πάσχα καὶ τῶν Ἑβραίων ἔξοδος ἡ ἀπ' Αἰγύπτου, ἐν δὲ τῇ Ἀττικῇ ὁ ἐπὶ Ὠγύγου γίνεται κατακλυσμός· καὶ κατὰ λόγον· τῶν γὰρ Αἰγυπτίων ὀργῇ θεοῦ χαλάζαις τε καὶ χειμῶσι μαστιζομένων εἰκὸς ἦν μέρη τινὰ συμπάσχειν τῆς γῆς, ὅτε γε Ἀθηναίους τῶν αὐτῶν Αἰγυπτίοις ἀπολαύειν εἰκὸς ἦν, ἀποίκους ἐκείνων ὑπονοουμένους, ὥς φασιν ἄλλοι τε καὶ ἐν τῷ Τρικαράνῳ Θεόπομπος.

„Im ersten Jahr der 1020 Jahre also von Moses und Ogygos bis zur ersten Olympiade finden das Pascha und der Auszug der Hebräer aus Ägypten und in Attika die Sintflut zur Zeit des Ogygos statt, und das ist schlüssig, denn als die Ägypter durch den Zorn Gottes mit Hagel und Sturm gezüchtigt wurden, litten natürlich irgendwelche Teile der Erde mit. Dass die Athener dasselbe erleiden wie die Ägypter, ist deshalb vernünftig, weil sie als Kolonisten der Ägypter angesehen werden, was unter anderen vor allem Theopompos in seinem *Trikaranos*[79] sagt."[80]

Bemerkenswert ist, dass hier eine Gleichzeitigkeit über die bloße Berechnung hinaus weitergehend begründet wird: Was den Ägyptern widerfährt, hat Auswirkungen auf andere Teile der Erde. Dass es die Athener trifft, ist für Africanus nachvollziehbar: Sie haben ihren Ursprung in Ägypten, sind also eigentlich Ägypter.[81]

Sind die Athener auch für Eusebius ägyptischen Ursprungs, wie es Theopompos (4. Jh. v. Chr.) behauptet haben soll? Eine Aussage, die der des Africanus über den Ursprung der Athener vergleichbar wäre, findet man bei Eusebius nicht. Für Kekrops überliefert allerdings auch die *Chronik* eine mögliche Verbindung zu Ägypten: Eusebius untersucht in den Κανόνες die Bedeutung des Beinamens Diphyes (διφυής). Eine mögliche Erklärung ist seine Körpergröße (*ob longitudinem*

[78] Unter Ogygos soll eine große Sintflut stattgefunden haben. Die attische Geschichtsschreibung hat seinen Wirkungsbereich in Attika angesiedelt (vgl. FGrHist 328 [Philochoros] F 92), es gibt aber auch andere Lokaltraditionen (Theben) sowie die Identifizierung mit einem Titanen. Ausführlich zu Ogygos in der Chronographie Caduff (1986) 159-168; zu Ogygos bei christlichen Autoren ebd. 166-168. Zur folgenden Synchronisierung ebd. 167 mit Anm. 54; 183f. Zu Ogygos und Attika ebd. 174-176.

[79] Pausanias (6, 18, 5) schreibt dieses Werk dem Anaximenes von Lampsakos zu. Vgl. Flower (1994) 21-23 und Josephus *Ap.* 1, 221, wo dasselbe Werk als Τριπολιτικός bezeichnet wird.

[80] Eus. *PE* 10, 10, 21f.

[81] Vgl. dazu FGrHist 72 (Anaximenes von Lampsakos) F 20a; F 20b (= Procl. *in Ti.* 21e [1, 97, 27 Diehl]); Orig. *Cels.* 5, 29 (GCS Orig. 2, 29f.).

corporis), eine zweite berücksichtigt seine Herkunft: „Er war ja Ägypter“ und beherrschte zwei Sprachen, Griechisch und Ägyptisch.[82]

Auch Diodorus Siculus (1. Jh. v. Chr.) hat eine Tradition überliefert, der zufolge die Athener mit Ägypten in Verbindung stehen. Die Ägypter behaupten, so Diodorus im ersten Buch seiner *Bibliothek*, Kolonien in der gesamten bewohnten Welt eingerichtet zu haben. Als Beispiele werden Babylon und Argos genannt sowie an dritter Stelle die Athener, die „Kolonisten der aus Ägypten stammenden Saïten“ seien.[83] Es werden Beweise angeführt: Bei Ägyptern und Griechen sei das Wort für ‘Stadt’ (ἄστυ) gleich, und die Einteilung der Gesellschaft in drei Klassen finde sich ebenfalls in beiden Kulturen. Außerdem seien einige der Führer der Athener Ägypter gewesen, Petes, der Vater des Menestheus, beispielsweise oder auch Erechtheus, außerdem die Geschlechter der Eumolpiden und Keryken (diese Geschlechter stellten traditionell Mysterienpriester in Eleusis[84]). Über Petes sagen die Ägypter nach Diodor:

Τὸν γὰρ Πέτην τὸν πατέρα Μενεσθέως τοῦ στρατεύσαντος εἰς Τροίαν φανερῶς Αἰγύπτιον ὑπάρξαντα τυχεῖν ὕστερον Ἀθήνησι πολιτείας τε καὶ βασιλείας. Διφυοῦς δ᾽ αὐτοῦ γεγονότος, τοὺς μὲν Ἀθηναίους μὴ δύνασθαι κατὰ τὴν ἰδίαν ὑπόστασιν ἀποδοῦναι περὶ τῆς φύσεως ταύτης τὰς ἀληθεῖς αἰτίας, ἐν μέσῳ κειμένου πᾶσιν ὅτι δυοῖν πολιτειῶν μετασχών, Ἑλληνικῆς καὶ βαρβάρου, διφυὴς ἐνομίσθη, τὸ μὲν ἔχων μέ-

„Denn Petes, der Vater des Menestheus, der nach Troja gezogen war, sei eindeutig Ägypter gewesen und habe später in Athen Bürgerrecht und Königsherrschaft erhalten. ‘Mit zwei Naturen’ sei er gewesen; die Athener hätten aber, ihrer Gesinnung entsprechend, über diese Natur nicht die wahren Gründe angeben können, obwohl es doch allen offensichtlich ist: Weil er an zwei Staaten teilhat, an einem griechischen und einem barbarischen. Er wurde daher

[82] Eus. *Chr.* 41b, 20-23 Helm (ab Abr. 466 = 1551 v. Chr.): *Dicebatur autem Difyes sive ob longitudinem corporis sive idcirco, quod, cum esset Aegyptius, utramque linguam sciebat* („Man nannte ihn ‘Diphyes’ [‘mit zwei Naturen’], entweder wegen seiner Körpergröße oder weil er beide Sprachen beherrschte – er war ja Ägypter.“); vgl. Sync. 179, 10f. Mosshammer: Διὰ μῆκος σώματος οὕτω καλούμενος, ὥς φησιν Φιλόχορος, ἢ ὅτι Αἰγύπτιος ὢν τὰς δύο γλώσσας ἠπίστατο. In der armenischen Übersetzung (159 Karst) folgt nach dem Jahr 460 ab Abr. eine Unterbrechung der vorhandenen Spalten. In dem folgenden Text sind vier separate Einträge der lateinischen Übersetzung verbunden, wobei der relevante Teil lautet „Er [sc. Kekrops] wird geheißen ‘Doppelwüchsiger’ entweder wegen seiner Körperlänge, oder weil er, da er ein Egypter war, die beiden Sprachen kannte.“ Anschließend beginnt die Spalte der Athener Könige. Vgl. zur Zweigestaltigkeit des Kekrops auch Dem. 60, 30 mit der Begründung, Kekrops sei halb Mensch, halb Tier, und unten S. 44 Anm. 103.

[83] D. S. 1, 28, 4: Καὶ τοὺς Ἀθηναίους δέ φασιν ἀποίκους εἶναι Σαϊτῶν τῶν ἐξ Αἰγύπτου („Auch die Athener, behaupten sie, sind Kolonisten der aus Ägypten stammenden Saïten.“). Vernière / Bertrac (1993) weisen 195 Anm. 6 (zu 66 ad loc.) darauf hin, dass Diodorus selbst 5, 57, 5 „die entgegengesetzte Überlieferung erzählt, die Sais zu einer Kolonie Athens macht.“ Saïs liegt im westl. Delta am Nilarm von Rosette (Jansen-Winkeln [2001]). Die Verbindungen zwischen Athen werden verstärkt durch die Tatsache, dass Saïs ein Kultzentrum der Göttin Neith ist, die mit Athene gleichgesetzt wird (ebd.).

[84] Vgl. z. B. Eun. *VS* 7, 3 über den Mysterienpriester, der ihn, Eunapios selbst, in die Mysterien eingeführt hat.

ρος θηρίου, τὸ δὲ ἀνθρώπου.	für 'mit zwei Naturen' ausgestattet gehalten, weil er teils Tier, teils Mensch gewesen sein soll."[85]

Offensichtlich sind die Übereinstimmungen, aber auch die Unterschiede zu Eusebius und Africanus / Theopompos; insbesondere fällt auf, dass in der von Diodor überlieferten Tradition eine gegen Athen gerichtete Propaganda mitzuschwingen scheint. Entstanden sind literarisch greifbare Überlegungen hinsichtlich der Abstammung der Athener von Ägypten wahrscheinlich mit der Interpretation von Platons *Timaios* (21e 1-7).[86] Bei Diodor wird die Aussage von den 'zwei Naturen' auf Petes (in der *Ilias* Peteôs) bezogen, dessen Name tatsächlich ägyptisch sein kann.[87] Im Hinblick auf die breite Überlieferung, die das Attribut διφυής sonst dem Kekrops beigibt, wird man sich der Ansicht anschließen, dass bei Diodor ein Überlieferungsfehler vorliegt und ein Textstück über Kekrops ausgefallen ist.[88]

Mehr als eine Datierung. Der Synchronismus Kekrops – Moses und das oben genannte Africanus-Fragment werfen zwei Fragen auf:

1. Welche Auswirkungen haben die Synchronismen des Eusebius für seine Darstellung und so für sein Geschichtsbild?

2. Kennt (und nennt) auch Eusebius ähnliche Begründungen für gleichzeitige Ereignisse oder Personen?

Ad 1: Man hat über das Ergebnis des Eusebius gesagt: „Le synchronisme *Moïse = Cécrops* n'est que la réponse scientifique à une vieille querelle d'apologètes. La civilisation religieuse et artistique des Grecs est postérieure à Moïse."[89] Dies ist zutreffend. Eusebius will das in der *Chronik* und der *Praeparatio* nachweisen, und er stellt sich bewusst in die Reihe seiner Vorgänger in der christlichen Geschichtsschreibung. Ebenso zutreffend ist aber, aus Sicht der frühen Christen, die Aussage „en décalant les synchronismes, il a restreint dangereusement la marge d'antériorité de la civilisation hébraïque,"[90] denn Eusebius hat den jüngeren Kekrops und nicht den älteren Ogygos in der Zeit des Moses angesetzt. Dies hat zur

[85] D. S. 1, 28, 6f. Über Erechtheus erzählt Diodor 1, 29, 1-3, er habe, aus Ägypten kommend, das während einer weltweiten Dürre als einziges Land davon verschont gewesen sei, Athen mit Getreide versorgt, sei deswegen zum König gemacht worden und habe den eleusinischen Kult eingerichtet.

[86] Dort heißt es von den Bewohnern der Stadt Saïs, sie seien „Freunde Athens" (φιλαθήναιοι) und „auf irgendeine Weise mit den Athenern verwandt" (καί τινα τρόπον οἰκεῖοι τῶνδε). Vgl. Burton (1972) 11 und 121.

[87] Burton (1972) 122.

[88] So auch Burton (1972) 122; dagegen Vernière / Bertrac (1993) 196 Anm. 4, die eine Textverderbnis ablehnen, gleichzeitig aber zu Petes bemerken: „ni sa venue à Athènes ni sa 'double nature' ne sont attestés pas ailleurs."

[89] Sirinelli (1961) 101.

[90] Sirinelli (1961) 101.

Folge, dass der Abstand zwischen dem Entstehen der hebräischen und dem der griechischen Kultur verringert wird.[91]

Eusebius hat diese zeitliche Einordnung in zweifacher Hinsicht begründet: An erster Stelle steht die ausführliche Berechnung, die sozusagen wissenschaftlichen Anfragen standhalten kann. Allerdings untermauert Eusebius, speziell in der frühen *Chronik*,[92] seinen Synchronismus mit Aspekten, die über die Datierung hinausgehen, denn die Parallelisierung Moses – Kekrops bleibt bei Eusebius nicht auf der zeitlichen Ebene stehen: Sie führt auch zu einer vergleichbaren Einordnung der beiden Personen in die kulturelle Entwicklung der jeweiligen Völker.[93]

So haben etwa die kultischen Entwicklungen, die Kekrops zugeschrieben werden, teilweise Parallelen in der Gestalt des Moses. An erster Stelle ist hier der Gottesname zu nennen. Kekrops hat als erster von allen Zeus angerufen (*appellavit*), und es war doch Moses, dem der Heiligen Schrift zufolge Gott als erstem seinen Namen offenbart hat.[94] Dass auch Eusebius der Gestalt des Moses eine entscheidende Bedeutung für Namensgebungen beimisst, wird deutlich, wenn man Äußerungen der *Kirchengeschichte* hinzuzieht. Dort wird im dritten Kapitel des ersten Buches das Alter der Namen 'Jesus' und 'Christus' hervorgehoben. Moses ist der erste, der die Würde des Namens 'Christus' erkannt hat und deshalb diesen Namen den Hohenpriestern beigegeben hat.[95] Ferner hat er den Namen 'Jesus' erfunden und vergeben.[96]

Wenn Kekrops außerdem die 'Erfindung' von Kultbildern, Altar und Opferhandlungen zugeschrieben wird, so ist dies eine Parallele zu dem, was später in den Κανόνες gesagt wird: Dass nämlich Moses das Priestertum mit der Einsetzung des Aaron geschaffen habe. Ferner kann man mit Rücksicht auf den christlichen Hintergrund auch darauf hinweisen, dass Moses derjenige war, der sozusagen als erste offizielle Opferhandlung das erste Paschalamm schlachten ließ, eine

[91] Es hat vielleicht auch zur Folge, dass die griechische *Chronik* des Eusebius verloren ist.

[92] Vgl. Winkelmann (1991b) 35.

[93] Moses wird von Eusebius auch als Vergleich für den Kaiser Konstantin herangezogen: *Vita Const.* 1, 12 u. ö. Vgl. Cameron / Hall (1999) 192f., Hollerich (1989) und Becker (1910).

[94] *Ex.* 3, 13-15.

[95] Vgl. *h. e.* 1, 3, 2: Σεπτὸν ὡς ἔνι μάλιστα καὶ ἔνδοξον τὸ Χριστοῦ ὄνομα πρῶτος αὐτὸς γνωρίσας Μωυσῆς […] („Moses selbst hatte als erster erkannt, dass der Name 'Christus' der heiligste und ruhmvollste ist […].").

[96] Vgl. *h. e.* 1, 3, 3: Ὁ δὲ αὐτὸς καὶ τὴν τοῦ Ἰησοῦ προσηγορίαν εὖ μάλα πνεύματι θείῳ προϊδών […] οὔποτε γοῦν πρότερον ἐκφωνηθὲν εἰς ἀνθρώπους, πρὶν ἢ Μωυσεῖ γνωσθῆναι, τὸ τοῦ Ἰησοῦ πρόσρημα τούτῳ Μωυσῆς πρώτῳ καὶ μόνῳ περιτίθησιν, ὃν […] ἔγνω μετὰ τὴν αὐτοῦ τελευτὴν διαδεξόμενον τὴν κατὰ πάντων ἀρχήν („Derselbe [sc. Moses] wusste auch durch den göttlichen Geist den Namen 'Jesus' sehr gut voraus […]. Bevor Moses ihn erkannt hatte, war er nämlich bei den Menschen nicht ausgesprochen worden, und Moses vergab den Beinamen 'Jesus' erstmals und allein demjenigen, von dem er wusste, dass er nach seinem [eigenen] Tod die Führung des Volkes übernehmen werde."). Zur Bedeutung des Namens u. a. für Moses, Platon und Eusebius vgl. Doergens (1915) 39f.

Feier, die nach dem Auszug aus Ägypten beibehalten wurde und im letzten Abendmahl sowie in der Kreuzigung und Auferstehung Jesu aus christlicher Sicht ihre Vollendung erfahren hat.[97]

Die Niederschrift der Gesetze Gottes durch Moses, die gleich in den ersten Sätzen der Einleitung erwähnt wird, findet sich in ähnlicher Form noch einmal in den Κανόνες. Die (im Schriftbild hervorgehobene[98]) Eintragung über den Auszug aus Ägypten lautet dort:

Hebraeorum Moyses octogensimum annum agens dux itineris ex Aegypto Hebraeorum gentis efficitur legem eis in heremo tradens per ann XL.

„Bei den Hebräern: Moses wird in seinem 80. Lebensjahr der Führer für den Marsch des Volkes der Hebräer aus Ägypten und übergibt ihnen in der Wüste das Gesetz 40 Jahre lang."[99]

Auf der gegenüberliegenden Seite, die in dieser Zeit noch ausschließlich nicht-biblische Geschichte behandelt (und daher an dieser Stelle relativ dicht beschrieben ist), liest man folgenden Eintrag:

Arios pagos nomen iudicii constitutum.

„Der Ares-Hügel erhielt seinen Namen und eine Gerichtsstätte entstand dort."[100]

Es wird kein Zufall sein, dass diese beiden Ereignisse, die biblische Gesetzgebung durch Moses und die Entstehung der Gerichtsstätte des Areopag, in die gleiche Zeit fallen. Darüber hinaus dürften sich die Leser des Eusebius auch der zahlreichen anderen kulturellen und darunter auch legislativen Errungenschaften bewusst sein, die dem Kekrops zugesprochen werden.

Daher sei nur am Rande darauf hingewiesen, dass man über das von Eusebius Erwähnte hinaus weitere und weitergehende Parallelen nennen kann, die einen Hintergrund für die bei Eusebius vorliegende Parallelisierung erahnen lassen. So werden dem Kekrops von manchen – zumindest teilweise Eusebius sicher bekann-

[97] Zum Pascha in Ägypten und dem Auftrag, dieses Fest weiter zu feiern: *Ex.* 12; zur Verbindung von letztem Abendmahl und Pascha vgl. z. B. *Ev. Joh.* 13, 1-20. Zum Paschalamm Christus vgl. z. B. Meliton von Sardes (2. Jh.) *pass.* 2f. mit Z. 17f. (SC 123, 60).

[98] Zur Gestaltung der Κανόνες siehe unten S. 46-48.

[99] Eus. *Chr.* 43a, 13-17 Hebr. Helm (ab Abr. 505 = 1512 v. Chr.). In der armenischen Übersetzung sind an dieser Stelle Einträge, die bei Hieronymus im *spatium historicum* stehen, verbunden; der dadurch längere Text steht zentral; durch diesen ‘Einschnitt’ in den Jahresfluss kann die Überschrift der Hebräer-Spalte von ‘Knechtschaft in Egiptos’ zu ‘Moses Heerführer’ geändert werden. Die Verbindung des oben zitierten Eintrags mit den drei Einträgen a) *Moyses in Sina monte divino fruitur aspectu*, b) *CCCCXXX · ann · repromissionis* und c) *LXXX · annus Moysi* lautet im Armenischen (161 Karst [ab Abr. 505]): „430. Jahr der Verheißung Gottes an Abraham, da im 80. Jahre stehend Môses der Gottesoffenbarung auf dem Berge gewürdigt ward, derselbe auch Heerführer des Auszuges aus Egiptos dem Volke der Ebräer, und mit diesen in der Wüste Jahre 40 […]." Es folgt als erster Eintrag nach diesem Einschnitt die Angabe der Areopag-Gründung.

[100] Vgl. unten S. 44f. Anm. 110.

ten – Quellen auch die ‘Erfindung’ der Schrift,[101] die Fixierung von Gesetzen[102] und die Einführung für das Zusammenleben der Gemeinde relevanter bzw. moralischer Richtlinien[103] zugeschrieben. Parallel dazu wird die Erfindung des Alphabets auch als Verdienst des Moses dargestellt.[104] Darüber hinaus fand zur Zeit des Kekrops der Wettstreit Poseidons mit Athene um den ‘Besitz’ Athens statt.[105]

Zuletzt sei ein Blick auf die weiteren Ereignisse zur Zeit des Kekrops geworfen: Ein Ölbaum ist erstmals auf der Akropolis gewachsen, der sich auch später noch im Erechtheion befand,[106] und die Stadt wurde in dieser Zeit nach dem Namen der Göttin benannt. Von Moses wird in Eusebius’ *Kirchengeschichte* gesagt, er habe den ersten Hohenpriester eingesetzt, und die Hohenpriester seien mit einem besonderen Öl gesalbt worden.[107] Diese für sich genommen unscheinbare Parallele darf im Blick auf die Summe der Übereinstimmungen wohl auch als bewusst gesetzt interpretiert werden.

Zur Verdeutlichung sollen die Aussagen über Moses und über Kekrops zusammengestellt werden:

Kekrops	Moses
(1) Kekrops war der erste König Attikas (*primum Atticae regem*) bzw. der Athener (*primus Atheniensium rex*).[108]	(1) Moses ist der Führer der Hebräer aus Ägypten.
(2) Zur Zeit des Kekrops wuchs erstmals ein Olivenbaum in Athen, und zu seiner Zeit erhielt Athen seinen Namen nach der Göttin Athene (*sub quo primum in arce oliva orta est et Atheniensium urbs ex Minervae appellatione sortita nomen*).	(2) Moses salbt Aaron; Gott offenbart zuerst Moses den Gottesnamen; Moses nennt erstmals den Namen Jesus.
(3) Zur Zeit des Kekrops entsteht der Areopag: *Arios pagos nomen iudicii constitutum*[109] („Der Ares-Hügel wurde genannt und eine Gerichtsstätte entstand dort.“[110]).	(3) Moses war der erste, der göttliches Gesetz aufzeichnete.[111]

101 Tac. *Ann.* 11, 14.
102 FGrHist 328 (Philochoros) F 96.
103 Beerdigung: Cic. *leg.* 2, 63, Volkszählung: FGrHist 328 (Philochoros) F 95, Einehe: Iust. 2, 6, 7; Klearchos von Soloi (*Frg.* 73 Wehrli²), der mit der Abschaffung der Einehe auch den Beinamen διφυής erklärt: οὐκ εἰδότων τῶν προτέρων διὰ τὸ πλῆθος τὸν πατέρα („da die Leute vorher aufgrund der Menge [sc. von Männern, mit denen eine Frau Geschlechtsverkehr hatte] nicht wussten, wer ihr Vater ist“).
104 Eupolemos bei Eus. *PE* 9, 26, 1.
105 Zu Kekrops vgl. Kron (1976) 84-87.
106 Vgl. Paus. 1, 27, 2. Zur Bedeutung des Ölbaums für Athen vgl. Detienne (1970).
107 Eus. *h. e.* 1, 3, 7.
108 Vgl. Jacoby (1949) 217.
109 Der Hinweis in den Κανόνες *Chr.* 43b, 20-22 Helm (ab Abr. 507 = 1510 v. Chr.).

(4) Kekrops war der erste, der bestimmte Formen des religiösen Kultes einführte (*hic primus omnium Iovem appellavit et simulacra repperit*).[112]

(4) Zur Zeit des Moses wurde der erste Priester eingesetzt, sein Bruder Aaron (*Primus aput Hebraeos pontifex constitutus est Aaron, frater Moysi*).[113]

Ad 2: Die Antwort auf die zweite oben gestellte Frage, ob nämlich Eusebius eine ähnliche Begründung für Synchronismen im Stil des Africanus angibt, ergibt sich teilweise aus der ausgedehnten Parallelisierung Kekrops – Moses:

Africanus hatte gesagt, dass es selbstverständlich sei, wenn Ereignisse in einem bestimmten Land sich auch auf andere Teile der Erde auswirkten. Bei Eusebius findet sich zwar keine explizite derartige Begründung, da er aber die Worte des Africanus unkommentiert zitiert, muss man annehmen, dass dessen Überlegungen keine Einzelmeinung waren und auch von Lesern der *Chronik* auf dieses Werk angewendet werden konnten. Ob vergleichbare Parallelen in anderen historischen Phasen zu erkennen sind, muss an den Κανόνες untersucht werden. Die Parallelisierung der das Vorwort prägenden Gestalten Kekrops und Moses zumindest legen das nahe. Denn wenn negative Ereignisse in einem Volk, die auch noch durch direkten göttlichen Einfluss eintreten, Auswirkungen auf andere Kulturen haben, dann können sich auch positive Ereignisse, gerade wenn sie typologischen Charakter haben, in der Entwicklung anderer Völker niederschlagen. So erklärt Eusebius in der *Kirchengeschichte*, alle Anordnungen, die Moses traf, seien „Typen (Abbilder) himmlischer Dinge und Symbole und geheimnisvolle Vorbilder."[114] Die christliche Deutung dieser Symbolik führt er selbst kurz darauf aus; vielleicht haben aber in seinem Geschichtsbild diese Typen und Vorbilder auch Auswirkungen auf andere Gebiete der Erde oder wenigstens Parallelen dort gehabt, vielleicht auf das Athen unter Kekrops. Schließlich charakterisiert Eusebius seine Κανόνες in der später erschienenen *Praeparatio Evangelica*, speziell was den Altersbeweis

[110] So ist wohl die verkürzte lateinische Formulierung in Anlehnung an die bei Synkellos (179, 27 Mosshammer) genannte Parallelstelle (Ἄρειος πάγος ἐκλήθη καὶ δικαστήριον κατέστη) zu verstehen; vgl. Eus. armen. *Chr.* 161 Karst (ab Abr. 506): „Der Ar<e>os Pagos ward genannt." Diese historische Einordnung findet sich nach Jacoby (1949) 121 bei allen Atthidographen.

[111] Der Text oben S. 36.

[112] Der vollständige Text oben S. 37.

[113] Dieser Hinweis findet sich in den Κανόνες *Chr.* 43a, 24-26 Helm (ab Abr. 510 = 1507 v. Chr.); vgl. armen. *Chr.* 161 Karst (ab Abr. 511): „Als erster bei den Ebräern führte das Hohepriestertum Aharon, Bruder des Môses." Genau genommen findet dieses Ereignis im ersten Jahr des zweiten Königs von Athen, Kranaos, statt; da jedoch das letzte Jahr eines Königs mit dem ersten Jahr seines Nachfolgers in eins fällt, kann man dieses Ereignis auch Kekrops zurechnen.

[114] Eus. *h. e.* 1, 3, 2: τύπους οὐρανίων καὶ σύμβολα μυστηριώδεις τε εἰκόνας (Übersetzung Haeuser).

und die Datierung des Moses angeht, als innovativ im Verhältnis zu seinen Vorgängern.[115]

3. 1. 2. 2 Die Χρονικοὶ Κανόνες

Eine Änderung auf ganzer Linie. Die Κανόνες sind geprägt von verschiedenen, besonders stark gewichteten Einschnitten in die Geschichte, die sich auch auf die Gestalt der Kanon-Tabelle auswirken.[116] Zwei dieser Einschnitte haben zunächst eine entscheidende Bedeutung für die *Chronik*, lassen zum anderen aber auch symptomatisch erkennen, welche Rolle Eusebius Athen in seinen Κανόνες zuschreibt.

1) Mit der ersten Olympiade[117] beginnt eine durchgehende Olympiadenzählung:[118] Der Beginn der durchgehenden Olympiadenzählung ist deshalb von besonderem Gewicht, weil Eusebius jetzt Geschichtsschreibung im eigentlichen Sinn beginnen lässt.[119] Dass hier der Athener Aischylos als direkter Bezugspunkt genannt wird,[120] ist auffallend. Eusebius standen ja die Königslisten der von ihm berücksichtigten Völker sowie die Liste der Olympioniken zur Verfügung. So führt er zwar in derselben Zeile auch die Datierung des Hebräerkönigs nach Africanus (sowie ein Zitat des Africanus, in dem noch einmal der Athener Aischylos als Be-

[115] Eus. *PE* 10, 9, 2: Κἀγὼ δὲ καινοτέραν παρὰ τοὺς εἰρημένους ὀδεύσας ταύτῃ χρήσομαι τῇ μεθόδῳ („Ich will im Gegensatz zu den Genannten einen neuen Weg beschreiten und gehe folgendermaßen vor."). Vgl. dazu Mosshammer (1979) 33f.

[116] Zum Problem der Textgestaltung in den Handschriften vgl. Mosshammer (1979) 29-83, hier bes. 67-73. Allgemein über die *Chronographia* (den ersten Teil der *Chronik* des Eusebius) und die Gestalt der Kanones in der *Chronik* auch Foakes-Jackson (1933) 142-149.

[117] Eus. *Chr.* 86, 6-10 Helm (ab Abr. 1241 = 776 v. Chr.); vgl. armen. *Chr.* 180 Karst (ab Abr. 1240).

[118] In der Ausgabe Helms (1956) 86 bis zum Ende der *Chronik*, in der Karsts 180 bis zum Ende.

[119] Eus. *Chr.* 86a, 16-18 Helm (vor ab Abr. 1241 = Olymp. 1, 1 = 776 v. Chr.): *Ab hoc tempore Graeca de temporibus historia vera creditur. Nam ante hoc, ut cuique visum est, diversas sententias protulerunt* („Ab jetzt kann man der griechischen Chronologie glauben. Denn vorher haben sie Widersprüchliches gesagt, jeder, wie es ihm passte."). Der Armenier hat erneut eine Unterbrechung der Spalten vorgenommen, in der verschiedene Angaben, die offenbar in Hieronymus' Vorlage getrennt aufgeführt wurden, vereinigt sind. Der entscheidende Passus lautet (181 Karst, nach ab Abr. 1240): „[...] und von jener Zeit ab erscheint der Griechen Zeitberechnung zuverlässig; denn vor diesem traf ein jeder einer so, wie ihm beliebte, Entscheid." Vgl. Anonym. Matr. 23, 5-8 Bauer: ἀπὸ οὖν τοῦ χρόνου τούτου τὰ Ἑλλήνων χρονογραφίας ἀκριβοῦς <ἀναγραφῆς> τετυχηκέναι δοκεῖ· τὰ γὰρ πρὸ αὐτῶν ὡς ἑκάστῳ φίλον ἦν ἀπεφήνα<ν>το. Zu Eratosthenes, Apollodoros und Varro vgl. Adler (1989), zu Ephoros Jacoby (1902) 11.

[120] Eus. *Chr.* 86a, 9f. Helm (vor Olymp. 1, 1 = 776 v. Chr.): *Secundo anno Aeschyli Atheniensium iudicis prima olympias acta, in qua Coroebus Eliensis extitit victor* („Im zweiten Jahr der Regierung des Aischylos über die Athener wurde die erste Olympiade veranstaltet. Dort siegte Koroibos aus Elis."). Zur armen. *Chr.* vgl. die vorige Anm. Der Athener Aischylos erscheint hier mehrfach; die relevante Textpassage lautet (181 Karst [nach Olymp. 1, 1 = 1240 ab Abr.]): „Unter dem Athenerfürsten Eschilos, in seinem zweiten Jahre, ward die erste Olympias veranstaltet, in welcher siegte im Stadion Kuribos der Helier."

zugspunkt genannt ist[121]) und den ägyptischen Herrscher an; die von der Formulierung her[122] enge Verknüpfung der ersten Olympiade mit dem Athener Aischylos unterscheidet sich jedoch von den anderen genannten Eintragungen zu dieser Zeit und kann nur bedingt mit der Einheit der Eintragungen des griechischen Kulturraums begründet werden, also etwa dadurch dass Eusebius den Beginn der griechischen Olympiadenzählung auch speziell durch einen Griechen habe datiert wissen wollen. Diese Erklärung ist deshalb unzureichend, weil Eusebius diesem Ereignis eine so große Bedeutung eben für die Geschichtsschreibung und deren Glaubwürdigkeit generell (und das heißt auch weltweit) gibt.

2) Mit dem zweiten Jahr der Regierung des Dareios ändert sich das Erscheinungsbild der Κανόνες insgesamt:[123] Das zweite Jahr der Regierung des Dareios führt von einer zweiseitigen zu einer einseitigen Jahreszählung. Bisher erstreckte sich die Darstellung der Ereignisse oder Personen eines Jahres oder Zeitraumes über zwei Seiten. Auf jeder Seite befanden sich an den Rändern die Jahresangaben (Jahreszählung ab Abraham und seit der ersten Olympiade die Olympiadenzählung) und die Herrscherlisten. Zwischen diesen Zeitangaben war das sogenannte *spatium historicum*, in dem wichtige Ereignisse eingetragen wurden, und zwar im linken *spatium historicum* die biblische, im rechten die übrige Geschichte. Ab dem zweiten Jahr der Regierung des Dareios findet sich zwar die gleiche Anordnung, aber nur noch auf einer Seite, wobei nun biblische und Profangeschichte untereinander stehen. Diese neue Anordnung hat verschiedene Gründe:[124] Der entscheidende Teil der biblischen Geschichte endet mit dem Ausgang der Babylonischen Gefangenschaft; der Sieg des Kambyses über die Ägypter beendet deren eigenständige Geschichte; mit dem Ende der Königsherrschaft in Rom ist auch dort eine Herrscherliste nicht verfügbar.[125] Die beiden bestehenden Herrscherlisten

[121] *Chr.* 86b, 12-18 Helm (vor Olymp. 1, 1 = 776 v. Chr.); armen. *Chr.* 181 Karst (nach Olymp. 1, 1 = 1240 ab Abr.).

[122] Vgl. mit dem lateinischen Text Anm. 120 die in derselben Zeile befindlichen Eintragungen Eus. *Chr.* 86b, 7-10 Helm: *Primam Olympiadem Africanus temporibus Ioatham regis Hebraeorum fuisse scribit* („Nach Africanus fand die erste Olympiade zur Zeit des Hebräerkönigs Joatham statt.") und ebd. *Bocchoris Aegyptiis iura constituit. Sub quo agnus locutus est* („Bokchoris schuf den Ägyptern Gesetze. Unter seiner Herrschaft hat ein Lamm gesprochen."). In der armenischen Übersetzung ist nur das Africanus-Zitat genannt, nicht die zusammenfassende Datierung des Hebräerkönigs. Dort ist der Eintrag über den Ägypter Bokchoris (180 Karst [ab Abr. 1239]: „Bokchoris setzte den Egyptern Gesetze. Unter welchem, so wird berichtet, das Lamm gesprochen habe.") aus dem Zusammenhang der ersten Olympiade gelöst und vorgezogen, das Ende der Königsherrschaft in Korinth (im Lateinischen 2 Jahre früher) und ein Eintrag über Sparta (lat.: *Lacedaemoniorum reges defecerunt*, armen.: „Bis hierher haben der Lakedämonier Gesetze geherrscht") dagegen einbezogen.

[123] In der Ausgabe Helms (1956) 106 bis zum Ende der *Chronik*, vgl. dazu Mosshammer (1979) 71f.

[124] Vgl. Mosshammer (1979) 71f.

[125] Man liest ab hier als 'Überrest' einer Herrscherliste nur noch den Eintrag *Romanorum consules* („römische Konsuln").

sind zunächst die der Perser und der Makedonen; daher reicht ab jetzt das *spatium historicum* einer Seite aus, während früher noch durch die zahlreichen Königs- und Herrscherlisten sowie die Trennung in biblische und profane Geschichte ein linkes und ein rechtes *spatium historicum* nötig waren.[126]

Für den vorliegenden Zusammenhang ist aber eine inhaltliche Besonderheit wichtig, die bereits Alden A. Mosshammer 1979 bemerkt und für die hypothetische Rekonstruktion des griechischen Originals nutzbar gemacht hat. Er schreibt: „Interestingly enough, the first notice in the new format is on the tyrannicides Harmodius and Aristogeiton. This entry, since it seems purposely dated several years too early to bring it into synchronism with the epochal year, is a further indication that the change in format was in the Greek, the liberation of Athens being synchronized with that of Israel."[127] Der erste Eintrag nach dem Ende der *Iudaeorum captivitas* ist also der über den Tyrannenmord durch Harmodios und Aristogeiton.[128]

Der Eintrag über diesen Tyrannenmord gibt nicht die 'Ur-Form' des Ereignisses wieder, sondern eine ausgestaltete Version:[129]

‹H›armodius et Aristogiton Hipparchum tyrannum interfecerunt et L‹e›aena meretrix amica eorum, cum tormentis cogeretur ut socios proderet, linguam suam mordicus amputavit.

„Harmodios und Aritogeiton haben den Tyrannen Hipparchos getötet, und ihre Freundin, die Dirne Leaina, hat sich die Zunge abgebissen, als sie unter Folter gezwungen werden sollte, ihre Gefährten zu verraten."[130]

[126] Zeitweise finden sich neun solcher Listen gleichzeitig sowie die Zählung der Jahre ab Abraham, vgl. *Chr.* 85f. Helm. Vgl. ebenso Helm (1956) XXXIV, der im Hinblick auf die zurückgehende Zahl der Herrscherlisten sagt: „Es muß jedem klar sein, daß da bei einer Verteilung über zwei Seiten jede Übersicht über die Zugehörigkeit zu den Jahren verlorengehen würde. Dazu kommt, daß der eigentliche apologetische Zweck der Arbeit erreicht ist und daß die jüdische Geschichte von hier ab ihren selbständigen, vor allem ihren sakralen Charakter verliert." Einen Eindruck von der intendierten Anordnung der *Chronik* können fotografische Reproduktionen der ältesten Codices vermitteln: Fotheringham (1905) bietet den Oxonienensis (O), Traube (1902) den (nur in Blättern, die auf drei Orte verstreut sind, erhaltenen) Floriacensis (S). Die armenische Übersetzung hat die zweiseitige Form nicht überliefert und daher auch keinen Wandel im Aufbau der *Chronik* nach diesem Einschnitt.

[127] Mosshammer (1979) 72.

[128] Es folgen ein Eintrag über den Abschluss des Tempelbaus und zwei Notizen über die Römer (Vertreibung der römischen Könige und Beginn der Konsulate in Rom). Die erste dieser beiden Notizen ist nach dem Herausgeber Helm möglicherweise von Hieronymus verändert worden.

[129] Zur Entwicklung der Harmodios-und-Aristogeiton-Erzählung vgl. Hirsch (1926).

[130] Eus. *Chr.* 106, 1-7 Helm (Olymp. 65, 2 = 520 v. Chr.). Vgl. Sync. 285, 14-16 Mosshammer: Ἁρμόδιος καὶ Ἀριστογείτων ἀνεῖλον Ἵππαρχον τύραννον, καθ' οὓς Λέαινα ἡ ἑταίρα ὑπ' αὐτῶν ἐταζομένη κατειπεῖν τοὺς συνωμότας τὴν ἑαυτῆς ἀπέτρισε γλῶτταν. Armen. *Chr.* 190 Karst (ab Abr. 1498 = Olymp. 65, 3): „Armodios und Aristogiton töteten den Iparchos, den Gewaltherrscher; unter Bezug derer Leaena, die Dirne, von denselben gezwungen über ihre Mitverschworenen auszusagen, von selbst sich die Zunge ausschnitt."

Die vorliegende Fassung ist bei den Kirchenvätern, soweit sie überhaupt dieses Beispiel anführen, verbreitet. Dabei wird meist die Dirne Leaina wegen ihrer Bereitschaft, die Folter zu ertragen, hervorgehoben,[131] weil es als bemerkenswert gilt, dass eine Frau solchen Mut beweist.

So verwendet auch Klemens von Alexandrien diese Geschichte im vierten Buch seiner *Teppiche*:[132] Er will anhand von Beispielen klar machen, dass eine Aufopferung für andere als Zeichen der Vollkommenheit (τελειότης) in Glauben und geistiger Disziplin eben keine spezifisch männliche Eigenschaft ist. Als erstes Beispiel für vorbildliche Tapferkeit unter den Heiden nennt Klemens Leaina:

Ἦ γὰρ οὐχὶ καὶ βασάνους ἤνεγκεν ἀνδρείως Λέαινα ἡ Ἀττική; συνειδυῖα αὕτη τοῖς ἀμφὶ τὸν Ἁρμόδιον καὶ Ἀριστογείτονα τὴν κατὰ Ἱππάρχου ἐπιβουλὴν οὐδ' ὁπωστιοῦν ἐξεῖπεν εὖ μάλα στρεβλουμένη.

„Denn hat nicht auch auch Leaina aus Attika tapfer Foltern ertragen? Mitwisserin des von Harmodios und Aristogeiton verübten Anschlags auf Hipparchos, hat sie doch unter der furchtbaren Folter nichts gesagt."[133]

Klemens hatte zuvor bereits zwei an Tapferkeit herausragende Frauen in der Geschichte des Volkes Israel genannt: Judith und Esther. Die Geschichte von Judith gibt er mit wenigen Worten wieder: Sie habe mit ihrem mutigen Einsatz für die Vaterstadt ihre Vollkommenheit unter Beweis gestellt und daher die Hilfe Gottes erfahren. Esther habe Israel durch ihr selbstloses Einschreiten im Kampf aus der Tyrannei befreit.

Auch Eusebius nennt die tapferen Frauen Judith und Esther in seiner *Chronik* und versucht, sie zeitlich einzuordnen: Er erwähnt Judith in der Zeit des Kambyses (530-522 v. Chr.), der der Regierung des Dareios vorausgeht, mit den Worten:

Cambysen aiunt ab Hebraeis secundum Nabuchodonosor vocari, sub quo Iudith historia conscribitur.

„Man sagt, Kambyses werde von den Hebräern ein zweiter Nebukadnezar[134] genannt. Unter ihm wurde die Geschichte von Judith geschrieben."[135]

[131] Tertullian gebraucht dieses Beispiel dreimal: *mart.* 4, 7; *nat.* 1, 18, 4; *apol.* 50, 8 (CCL 1, 7. 37. 170). Bei Laktanz *inst.* 1, 20, 3 (CSEL 19, 72) ist Leaina bereits selbst die Tyrannenmörderin. Eine vergleichbare Gestalt ist Timycha, eine Anhängerin des Pythagoras; vgl. Iamb. *VP* 189-195 (104-107 Deubner; Quelle: Hippobotos und Neanthes) und dazu Ziegler (1937). Zum Motiv des sinnvollen Schweigens, aber auch der Empfehlung, „die Zunge mit den Zähnen notfalls zu zerbeißen," um keine Sünde zu begehen, vgl. Ingenkamp (1978) 836 mit Hinweis auf Chrys. *catech.* 1, 4 (= 1, 18 [SC 366, 150]).

[132] Clem. *str.* 4, 118, 1-119, 3 (GCS Clem. 2, 300f.).

[133] Clem. *str.* 4, 120, 2 (GCS Clem. 2, 301).

[134] Unter Nebukadnezar begann die Babylonische Gefangenschaft.

[135] Eus. *Chr.* 104a, 12-15 Helm (eingetragen Olymp. 62, 3 = 530 v. Chr.); armen. *Chr.* 189 Karst (eingetragen zum Herrschaftsantritt des Kambyses bei ab Abr. 1487 = Olymp. 62, 4): „Von Kambyses heißt es, bei den Ebräern werde er der 'zweite Nabuchodonosor' genannt; unter welchem der Juden Geschichte geschehen sei." Vgl. *Chron. pasch.*: PG 92, 356C. Die-

Auf der gegenüberliegenden Seite, die die nicht-biblische Geschichte erzählt, liest man, dass Hipparchos und Hippias in Athen als Tyrannen herrschen.[136] Es folgt der Einschub, in dem die Befreiung Israels aus Babylon dargestellt wird, und anschließend die Befreiung Athens von der Tyrannis.

Die Nennung Judiths an dieser Stelle ist merkwürdig. Ihre Geschichte[137] spielt zur Zeit Nebukadnezars (604-562 v. Chr.).[138] Eusebius erwähnt sie aber nicht zur Zeit des Nebukadnezar, sondern wenige Jahre vor Dareios und dem Ende der Babylonischen Gefangenschaft, zur Zeit des Kambyses, der als zweiter Nebukadnezar gelten soll.[139] Er kennzeichnet diesen Eintrag zwar als unsicher (*aiunt* „man sagt"), gibt aber hinsichtlich des Wahrheitsgehaltes keine Wertung ab und setzt sich mit dieser Frage nicht weiter auseinander[140] – ein erneutes Indiz für eine thematische Konzentration um die Befreiung Israels aus der Babylonischen Gefangenschaft: Denn wie Harmodios und Aristogeiton Hipparchos töten und Athen von der Tyrannis befreien, so ermordet Judith den Feldherrn Holofernes und ermöglicht so den Sieg ihrer Heimatstadt über die Belagerer.

Zu der tapferen Esther merkt Eusebius im ersten Jahr der Regierung des Perserkönigs Artaxerxes an:

Sub hoc rege mihi videtur historia, quae in Esther libro continetur, expleta. Ipse quippe est, qui ab Hebraeis Asuerus et a LXX interpretibus Artaxerxes vocatur.

„Unter diesem König scheint sich mir die Geschichte ereignet zu haben, die im Buch Esther enthalten ist. Er wird nämlich von den Hebräern Asueros, von den 70 Übersetzern Artaxerxes genannt."[141]

Die Seite, auf der sich dieser Eintrag findet, ist eng beschrieben. Doch der Inhalt ist relativ einhellig: Beherrschendes Thema ist die Tyrannis. Bereits der Eintrag vor der Esther-Notiz behandelt die Herrschaft des Dionysios auf Sizilien. Der

ser Eintrag ist ein Beispiel dafür, dass manche Ereignisse einem größeren Zeitraum zugeordnet werden und nicht einem spezifischen Jahr, vgl. Mosshammer (1979) 57.

136 Eus. *Chr.* 104b, 15f. Helm (Olymp. 63, 1 = 528 v. Chr.): *Hipparchus et Hippias Athenis tyrannidem exercent.* Armen. *Chr.* 189 Karst (1489 ab Abr. = Olymp. 63, 2): „Iparchos und Ipias waren als Gewaltherrscher der Athener erkannt."

137 Das nach 150 v. Chr. verfasste Judith-Buch erzählt keine historische Begebenheit, vgl. Ego (1998) mit Literatur.

138 Vgl. Jdt. 1, 1.

139 Eusebius gibt hier offensichtlich eine Anmerkung des Africanus wieder: Vgl. Sync. 282, 19-21 Mosshammer.

140 Im Judith-Buch werden historische Personen falsch zugeordnet: Holofernes, den Judith enthauptet, wird als Feldherr Nebukadnezars genannt. Er „war in Wirklichkeit der Feldherr des Perserkönigs Artaxerxes III."; Ego (1998).

141 Eus. *Chr.* 117, 1-8 Helm (eingetragen Olymp. 93, 4 = 405 v. Chr.); Sync. 306, 20-22 Mosshammer: Κατὰ τοῦτόν μοι δοκεῖ ἡ κατὰ τὴν Ἐσθὴρ ἱστορία, εἰ δὴ αὐτός ἐστιν ὁ παρὰ μὲν Ἑβραίοις Ἀσούηρος, παρὰ δὲ τοῖς ο᾽ ἑρμηνευταῖς Ἀρταξέρξης. Armen. *Chr.* 195 Karst (eingetragen vor ab Abr. 1612 = Olymp. 94, 1): „Unter diesem scheint gewesen zu sein der Esther Geschichte, die von den Juden erzählt wird; falls es derselbe sein sollte, der bei den Ebräern Aršavir genannt wird und nach der Siebziger-Übersetzung Artašes heißt."

nächste gilt demselben Thema. Dann folgt ein Hinweis auf die Tyrannis der 30 in Athen,[142] wenig später (dazwischen stehen Hinweise auf Isokrates, eine ägyptische Dynastie, den Tod Demokrits, die Ermordung des Alkibiades und den Inhalt der *Anabasis* Xenophons) folgt das Ende der Tyrannis in Athen.[143]

Auch in diesem Fall ist der Eintrag an der betreffenden Stelle eine mehr oder weniger gefühlsmäßige Entscheidung des Eusebius, denn andere zeitliche Einordnungen der Esther-Geschichte sind ihm durchaus bekannt. Eine fehlende Erwähnung bei Esra gibt er an einer anderen Stelle als Begründung dafür an, in dem Artaxerxes des Esther-Buches nicht Artaxerxes Longimanus zu sehen.[144]

Eusebius war offensichtlich bestrebt, die Ereignisse in Athen, die mit einer Tyrannenherrschaft und deren Sturz zusammenhängen, mit vergleichbaren Ereignissen in der jüdisch-hebräischen Geschichte in zeitlichen Einklang zu bringen.

Vorerst lässt sich zusammenfassend sagen, dass das Ende der Babylonischen Gefangenschaft einen grundlegenden Wandel in der Darstellung des Eusebius mit sich bringt und dass Eusebius dieses besondere Ereignis inhaltlich dadurch untermauert, dass er auch in der Geschichte Athens ein besonderes Ereignis in dieselbe Zeit verlegt. Ferner scheint er sich bei Unsicherheiten in der Datierung für eine inhaltliche Kongruenz von Ereignissen in der jüdischen Geschichte und der Geschichte Athens zu entscheiden.

Indizien für eine Parallelisierung. In den Κανόνες sind über die besprochenen zwei wichtigen Einschnitte hinaus weitere Ereignisse unter anderem durch die Schriftgröße hervorgehoben, ohne dass sie eine Änderung in der gesamten Form

[142] Eus. *Chr.* 117, 11f. Helm (Olymp. 94, 3 = 402 v. Chr.): *Athenienses sustinent tyrannidem* („Die Athener leben unter der Tyrannis.“); armen. *Chr.* 195 Karst (ab Abr. 1616 = Olymp. 95, 1): „Die Athener erlitten Gewalt.“

[143] Eus. *Chr.* 117, 22 Helm (Olymp. 95, 1 = 400 v. Chr.): *Tyranni Athenis oppressi* („Die Tyrannen in Athen wurden gestürzt.“); armen. *Chr.* 195 Karst (ab Abr. 1618 = Olymp. 95, 3): „Abgeschafft wurden die Gewaltherrscher der Athener.“

[144] Eus. *Chr.* 110, 22-26 Helm (eingetragen Olymp. 79, 1 = 455 v. Chr.) zu „Artaxerxes, der Longimanus mit Beinamen genannt wird“: *Ea, quae de Esther et Mardochaeo scripta sunt, quidam adfirmant sub hoc rege gesta. Quod ego non puto. Numquam enim Ezras de Esther siluisset, qui scribit hoc tempore Ezram et Neemiam reversos ex Babylone et ea deinceps consecuta, quae ab his gesta referuntur* („Was über Esther und Mardochaios geschrieben steht, wollen manche unter diesem König geschehen wissen. Ich glaube das nicht, denn Esra, der schreibt, Esra und Nehemia seien zu dieser Zeit aus Babylon zurückgekehrt, und auch das Übrige der Reihe nach erzählt, was von ihnen verrichtet worden sein soll, hätte niemals über Esther geschwiegen.“). Vgl. Sync. 298, 24-26 Mosshammer: Τὰ κατὰ τὴν Ἐσθὴρ καὶ Μαρδοχαῖόν φασί τινες. ἐγὼ δὲ οὐ πείθομαι· οὐκ ἂν γὰρ ἐσιώπησε τὰς κατ᾽ αὐτὴν πράξεις ἡ τοῦ Ἔσδρα γραφή. Armen. *Chr.* 192 Karst (eingetragen ab Abr. 1553 = Olymp. 79, 2): „Der Esther und des Murthche Dinge geben einige unter diesem an. Ich jedoch gebe es nicht zu. Denn nicht würde deren Taten verschweigen das Buch Ezr, welches unter diesem erzählt des Ezr und Neemia Auszug aus Babelon und die von ihnen geschehenen Werke, die in demselben Buche berichtet werden.“

der *Chronik* mit sich bringen.[145] Die Betrachtung dieser Eintragungen kann erweisen, ob Eusebius auch in anderen, durch optische Signale als bedeutend qualifizierten Zusammenhängen die Geschichte der Hebräer / Juden mit der Geschichte Athens parallelisiert.

1) Aus der herkömmlichen Gestaltung ragt als erster Eintrag der Auszug der Hebräer aus Ägypten hervor. Dieser fand zur Zeit des Athenerkönigs Kekrops statt, ebenso die Einsetzung Aarons, des Bruders des Moses, als erster Priester.[146] Die Angaben über Kekrops und Moses ragen vor allem deshalb hervor, weil sie die an Text umfangreichsten Eintragungen in Königs- bzw. Herrscherlisten seit Beginn der *Chronik* sind.[147]

2) Der zweite große Einschnitt ist die Einnahme Trojas; sie beansprucht mehr als eine Doppelseite.[148] Dort finden sich in zwei Zeilen parallele Einträge. Die erste Zeile beinhaltet auf der linken Seite eine Zeitangabe,[149] auf der rechten Seite folgenden Text:

Menestheus moritur in Melo regrediens a Troia. Post quem Athenis regnavit Demophon.	„Menestheus stirbt während der Rückkehr aus Troja auf Melos. Nach ihm regierte Demophon in Athen."[150]

[145] Vgl. Johannes K. Fotheringham im Vorwort seiner Ausgabe XXIII: „Non modo coloribus sed etiam magnitudine litterarum variantur Canones. Grandes et parvas sollertissime distinguunt *OSF*, minore cura *PNQ*: vestigia talis discriminis inveniuntur apud *ABDC*." Helm (1956) XXII meint, die variierende Größe der Schrift im ersten Teil der *Chronik* bis zum zweiten Jahr des Dareios sei ausschließlich auf die „Raumverteilung" zurückzuführen, d. h.: Stand etwa durch das Ende einer Königsliste, das ausführlicher kommentiert wird, im *spatium historicum* mehr Platz zur Verfügung, habe der Schreiber eine größere Schrift verwendet. Das scheint deshalb unwahrscheinlich, weil keine einheitliche Linie auszumachen ist: Wo mehr Platz zur Verfügung steht, wird auch die kleine Schrift verwendet (z. B. 41a, 19-21 Helm); der Herrschaftsantritt Davids wird in der Königsliste der Hebräer und auch im *spatium historicum* in großer Schrift erwähnt (67a, 16-23); große Buchstaben finden sich ausschließlich für Eintragungen der Hebräer; auch in einer einzeiligen Eintragung ist die Schrift größer (67a, 26 Helm).

[146] S. oben S. 45f.

[147] Die Bedeutung der Eintragungen kann auch in der armenischen Übersetzung gegengeprüft werden, denn sie unterbricht in beiden Fällen den Tabellenfluss durch eine durchgehende Textzeile.

[148] Dass die Einnahme Trojas *mehr* als eine Doppelseite an Platz beansprucht, mag aber auch mit dem unterschiedlichen Format in griechischen und lateinischen Handschriften zusammenhängen. Vgl. Mosshammer (1979) 73: „The chief difference in chronographic format between Eusebius and Jerome in both portions of the *Chronicle* is the pagination. Eusebius' autograph probably had the 30 to 35 lines common among Greek manuscripts of the time" und dagegen 76: „Jerome and a few of the extant manuscripts used 26 lines for the chronographic exhibition."

[149] Eus. *Chr.* 60a, 24-26 Helm (nach ab Abr. 835 = 1182 v. Chr.): *A captivitate Troiae usque ad primam olympiadem fiunt anni CCCCVI* („Von der Einnahme Trojas bis zur ersten Olympiade sind es 406 Jahre."). Armen. *Chr.* 171 Karst (ab Abr. 835): „Von Ilions Einnahme bis zur ersten Olympiade: Jahre 405." Der Eintrag in der armenischen *Chronik* ist aus der unmittelbar folgenden Unterbrechung der Tabelle herausgezogen.

[150] Eus. *Chr.* 60b, 25f. Helm (nach ab Abr. 835 = 1182 v. Chr.). Vgl. Apollod. *Epit.* 6, 15^{b} (My-

In der zweiten Zeile kann man auf der linken Seite erneut eine Zeitangabe lesen, die verschiedene Berechnungen gegenüberstellt; auf der rechten Seite stehen zwei Einträge, von denen der erste folgendermaßen lautet:

A primo anno Cecropis, qui primus aput Atticam regnavit, usque ad captivitatem Troiae et usque ad XXIII annum Menesthei, cuius Homerus meminit, conputantur anni CCCLXXV. Similiter a XXXV anno aetatis Moysi fiunt anni CCCLXXV.

„Vom ersten Jahr des Kekrops, der als erster in Attika herrschte, bis zur Einnahme Trojas und bis zum 23. Jahr des Menestheus, den Homer erwähnt, werden 375 Jahre gezählt. Ebenso sind es 375 Jahre vom 35. Lebensjahr des Moses an.“[151]

Der zweite Eintrag zu diesem Ereignis behandelt Ägypten, wo sich nach dem Trojanischen Krieg Menelaos und Helena aufgehalten haben sollen.[152]

Das Ende des Trojanischen Krieges wird offensichtlich weitgehend mittels der Athenischen Königsliste historisch eingeordnet. Darüber hinaus finden sich mythologische Angaben sowohl über den Athener Menestheus als auch über andere Beteiligte am Trojanischen Krieg, die über eine rein chronographische Quelle hinausweisen. Gleichzeitig weist Eusebius noch einmal auf seine richtige Berechnung des Synchronismus Moses – Kekrops hin.

Für die folgenden Teile der Κανόνες ist zu berücksichtigen, dass Hieronymus in seinem Vorwort die Einnahme Trojas auch für sich selbst als Einschnitt genom-

thographi Graeci 1, 219) = Schol. Lyc. *Alexandra* 911 (2, 293 Scheer): Μετὰ δὲ τὴν Ἰλίου πόρθησιν Μενεσθεὺς Φείδιππός τε καὶ Ἄντιφος καὶ οἱ Ἐλεφήνορος καὶ Φιλοκτήτης μέχρι Μίμαντος κοινῇ ἔπλευσαν. εἶτα Μενεσθεὺς μὲν εἰς Μῆλον ἐλθὼν βασιλεύει, τοῦ ἐκεῖ βασιλέως Πολυάνακτος τελευτήσαντος („Nach der Zerstörung Trojas segelten Menestheus, Pheidippos, Antiphos, Elephenor und Philoktet gemeinsam bis Mimas. Dann ging Menestheus nach Melos und herrschte als König, nachdem der dortige König Polyanax gestorben war.“). Die armenische *Chronik* überliefert diesen Eintrag nicht. Zu Menestheus in der antiken Literatur vgl. Page (1972) 173-175 Anm. 79. Über die einhellige Datierung des Trojanischen Krieges zur Zeit des Menestheus bei den Atthidographen vgl. Jacoby (1949) 121.

151 Eus. *Chr.* 61b, 2-13 Helm (nach ab Abr. 835 = 1182 v. Chr.); die armen. *Chr.* 171 Karst (nach ab Abr. 835) verbindet die oben erwähnten Zeitangaben mit diesem Eintrag, der dann folgendermaßen lautet: „Und vom ersten Jahre des Kekrops, des ersten Königs der Attikäer, bis zur Zerstörung Trôjas und zum dreiundzwanzigsten Jahre des Menestheus, dessen Homeros gedenkt, sammeln sich 376 Jahre. Ebensoviel auch vom fünfunddreißigsten des Môses bis zum vorliegenden Jahre, 376 Jahre.“

152 Eus. *Chr.* 61b, 2-13 Helm (nach ab Abr. 835 = 1182 v. Chr.): *Thuoris rex Aegypti ab Homero Polybus vocatur, maritus Alcandrae, cuius meminit in Odyssia dicens post Troiae captivitatem Menelaum et Helenam ad eum revertisse* („Der Ägypterkönig Thuoris, der Gemahl der Alkandra, wird von Homer Polybos genannt; er erwähnt ihn in der Odyssee, als er erzählt, Menelaos und Helena seien nach der Einnahme Trojas bei ihm eingekehrt.“); bezeichnend genug, dass die armenische *Chronik* (171 Karst [ab Abr. 829]) auch diesen Eintrag aus dem die Tabelle unterbrechenden Text herausgezogen hat: „Th<u>ôris der Egypter-König wird von Homeros Polibos genannt, der Gemahl der Alkandra; er erwähnt seiner in der Odyssee: bei ihm sei, sagt er, nach der Zerstörung <Troias Menelaos mit Elene irrfahrend gelandet>.“ – Der „Ägypterkönig“ Thuoris ist die Königin Tausret; vgl. Schneider (1994). Zur Gleichsetzung Thuoris – Polybos siehe Kenner (1952).

men hat. Bis zu diesem Zeitpunkt, so schreibt er, habe er ausschließlich übersetzt (*pura Graeca translatio est*[153]). Von jetzt an habe er sehr viele Einträge hinzugefügt oder zum bestehenden Text ergänzt (*nunc addita, nunc admixta sunt plurima*[154]).

3) In der linken, also eigentlich biblischer Geschichte vorbehaltenen Spalte, findet sich unmittelbar vor dem Ende der Königsliste der Sikyonier zunächst ein Auszug aus Kastors Königsliste (*de Sicyoniorum regno* „über die Königsherrschaft der Sikyonier“);[155] parallel steht im *spatium historicum* für profane Geschichte, also rechts, ein Auszug aus Kastors Königsliste der Athener (*de regno Atheniensium* „über die Königsherrschaft der Athener“).[156] Anschließend endet die Reihe der Sikyonier-Könige. Der Eintrag am Ende dieser Königsliste[157] – sie war von der ersten Seite der *Chronik* an vorhanden – fällt durch den längeren Text mit den größeren Buchstaben ins Auge, die bei neu einsetzenden Königen üblich sind. Erneut steht auch im ‘profanen’ *spatium historicum* ein Eintrag zu den Athener Königen, diesmal eine von Eusebius selbst stammende Anmerkung darüber, dass die Herrschaft der Erechthiden zu Ende sei und die Regierung nun auf ein anderes Geschlecht übergehe.[158] Über das Nötige und auch Übliche hinaus ist hier eine Parallele hergestellt worden: Das Ende einer von Beginn der *Chronik* an vorhandenen Königsliste wird offensichtlich in einen Zusammenhang gebracht mit dem Wechsel der Herrschaft in Athen. Dabei reicht es Eusebius nicht aus einen Eintrag über die Athener zu machen, sondern er parallelisiert sogar zusätzlich noch mit zwei Zitaten aus derselben Quelle (Kastor). Offenbar ist ihm die Geschichte Athens nicht nur für die Geschichte der Juden bzw. Hebräer, sondern für die Weltgeschichte generell ein Leitfaden und eine Orientierungshilfe.

[153] Eus. *Chr.* 6, 16f. Helm (*praef. Hieron.*).

[154] Eus. *Chr.* 6, 18f. Helm (*praef. Hieron.*).

[155] Eus. *Chr.* 64a, 13-26 Helm (ab Abr. 880 = 1137 v. Chr.); armen. *Chr.* 173 Karst (nach ab Abr. 888): „Kastôrs, des Zeitenschreibers, über das Sik<y>onier-Reich.“

[156] Eus. *Chr.* 64b, 15-26 Helm (ab Abr. 880 = 1137 v. Chr.); armen. *Chr.* 173 Karst (nach ab Abr. 889): „Kastôrs, des Zeitenschreibers, über das Athener-Reich.“

[157] Eus. *Chr.* 65a, 2-9 Helm (ab Abr. 888 = 1129 v. Chr.): *Reges Sicyonis defecerunt qui regnaverunt ann DCCCCLXII post quos sacerdotes Carni constituti sunt* („Die Sikyonier-Könige endeten; sie haben 962 Jahre geherrscht. Nach ihnen wurden die Priester des Carnus eingesetzt.“); armen. *Chr.* 173 Karst (ab Abr. 885): „Sik<y>ons Könige hörten auf, bestanden habend 958 Jahre. Worauf keine Könige mehr wahren, sondern die Priester des Karnios.“

[158] Eus. *Chr.* 65b, 2-13 Helm (ab Abr. 889 = 1128 v. Chr.): *Erecthidarum imperio destructo Atticorum principum regnum ad aliut genus translatum est* („Nach der Zerschlagung der Herrschaft der Erechthiden, attischer Fürsten, ist die Herrschaft auf ein anderes Geschlecht übertragen worden […]“; es folgt ein Aition über die Entstehung des Festes der Apaturien); armen. *Chr.* 173 Karst (nach ab Abr. 889, vor dem Zitat aus Kastor über die Athener, oben Anm. 156): „Der Erechthiden Reich endigte; und der Attischen Könige Herrschaft ging auf ein anderes Geschlecht über […].“

4) Eine weitere, nur wenig später folgende Hervorhebung im *spatium historicum* auf der linken Seite *(Profetabat Samuhel.* „Der Prophet Samuel tritt auf.“[159]) bleibt ohne Parallelen in den übrigen Spalten. Ihr voran geht die Notiz, Saul sei der erste König der Hebräer aus dem Stamm Benjamin. Bald darauf (und im Kontext der eben genannten Hervorhebung über das Auftreten des Propheten Samuel) folgen zwei zusammenhängende markierte Einträge, die den Herrschaftsbeginn des Königs David und die zu dieser Zeit lebenden Priester und Propheten nennen. Die Erwähnung Davids ist ergänzt durch eine weitere Angabe, nämlich dass er der erste aus dem Stamm Juda ist, der über die Hebräer herrscht.[160] Auf der gegenüberliegenden (rechten) Seite werden gleichzeitig einige Ereignisse aus der Geschichte Athens genannt;[161] bemerkenswerter aber ist die Tatsache, dass die Spalte der Herrscher in Athen durch folgenden Eintrag hervorgehoben wird:

Post quem [sc. Codrum] principes, quos mors finiebat, quorum primus Medon Codri filius ann XX.

„Nach ihm [sc. dem letzten König Kodros] Herrscher, die mit dem Tod endeten, deren erster Medon war, der Sohn des Kodros, der 20 Jahre herrschte.“[162]

Ein zweiter Wechsel in der Herrschaftsstruktur in Athen dient offensichtlich als Anhalts- oder Orientierungspunkt für einen anderen Herrschaftswechsel, diesmal für den Dynastiewechsel in Israel.[163]

5) Eine herausragende Stellung nimmt anschließend der durch Salomo initiierte Beginn des Tempelbaus in Jerusalem ein. Der durch die Schriftgröße hervorgeho-

159 Eus. *Chr.* 65a, 24 Helm (ab Abr. 907 = 1110 v. Chr.); fehlt in armen. *Chr.*

160 Eus. *Chr.* 67a, 20-23 Helm (ab Abr. 941 = 1076 v. Chr.): *David primus ex tribu Iuda regnat aput Hebraeos* („David regiert als erster aus dem Stamm Juda bei den Hebräern.“); fehlt in armen. *Chr.*

161 Eus. *Chr.* 67b, 5f. Helm (ab Abr. 932 = 1085 v. Chr.): *Iones profugi Athenas se contulerunt* („Die Ioner waren auf der Flucht und begaben sich nach Athen.“); 10f. (ab Abr. 937 = 1080 v. Chr.) und 68b, 3-5 (ab Abr. 940 = 1070 v. Chr.): *Peloponnenses contra Athenas dimicant* („Die Peloponneser kämpfen gegen Athen.“); 6-14 (ab Abr. 949 = 1068 v. Chr.): *Codrus iuxta responsum se ipsum morti tradens interimitur bello Peloponnensiaco. In quo Erecthidarum regnum destructum est, quod CCCCLXXXVII ann. perseveraverat* („Kodros überantwortet sich nach dem Orakel selbst dem Tod und wird im Krieg gegen die Peloponneser dahingerafft. Dadurch wird die Herrschaft der Erechthiden zerstört, die 487 Jahre währte.“). Armen. *Chr.* 175 Karst (ab Abr. 928): „Zweitens herrschten die Pelasger zur See, 85 Jahre“; ebd. (ab Abr. 936): „Die Peleponesier zogen gegen die Athener zu Felde“; ebd. (ab Abr. 947): „Kodros starb, sich selbst dem Tode preisgebend wegen einer Offenbarung, in dem die Peleponesier gegen die Athener zu Felde rückten; womit zu Ende ging der Erechthiden Reich, sich erstreckend auf 158 Jahre.“

162 Eus. *Chr.* 68a, 1-4 Helm (nach ab Abr. 947 = 1070 v. Chr.); armen. *Chr.* 175 Karst (nicht in der Herrschertabelle, sondern im *spatium historicum* zu ab Abr. 947 [siehe vorigen Anm.]): „Nach Kodros zu Athen Fürsten auf Lebenszeit; deren erster Medon des Kodros, Jahre 20.“

163 In der armenischen Übersetzung wird ein solcher Einschnitt nicht deutlich; sie hat dagegen (174 Karst nach ab Abr. 915) Überlegungen über die Lebenszeit des Homer hervorgehoben, die in Hieronymus' Übersetzung im linken *spatium historicum* stehen (66a, 9-26 Helm [ab Abr. 913 = 1104 v. Chr.]).

bene Text[164] zieht sich über beide Spalten. Vor diesem besonderen Eintrag findet sich im rechten *spatium historicum* eine Notiz über die Ionische Wanderung.[165] Das Bemerkenswerte daran: Die ionische Wanderung, eine Kolonisationsbewegung nach Kleinasien, wurde nach den meisten antiken Quellen auf eine Initiative Athens zurückgeführt,[166] die Eusebius zufolge auch Ioner genannt werden.[167]

6) Eine kurze, aber gleichwohl hervorgehobene Eintragung über drei Propheten[168] bleibt ohne für den vorliegenden Zusammenhang relevante Parallele im Umfeld, ebenso die folgende[169] Eintragung über das Ende der Königsliste der Assyrer und den Beginn der Königsliste der Meder (Perser);[170] für diesen Einschnitt wird jedoch als Bezugspunkt der Archon in Athen angegeben.[171]

7) Die erste Gefangenschaft Israels ist ein weiterer Einschnitt in der Darstellung.[172] Sie ist mit keinem Ereignis parallelisiert, wenn man davon absieht, dass

164 Eus. *Chr.* 70a, 2-6 und 70b, 2-5 Helm (nach ab Abr. 984 = 1033 v. Chr.): *Solomon templum in Hierosolymis aedificare coepit consummavitque opus ann VIII. colligitur autem omne tempus a Moyse et egressu Israhelis ex Aegypto usque ad praesentem annum anni CCCCLXXX ut regnorum liber tertius testimonio est* („Salomo begann den Tempelbau in Jerusalem und vollendete das Werk in acht Jahren. Die ganze Zeit von Moses und dem Auszug Israels aus Ägypten bis zu diesem Jahr beträgt 480 Jahre, wofür das dritte Buch der Könige Zeugnis gibt."). In der armen. *Chr.* ist dieser Eintrag ebenfalls auf das rechte und linke *spatium historicum* verteilt, allerdings in unverbundenen Einträgen und nicht als Einschnitt; 176 Karst (ab Abr. 984): „Solomon begann den Tempel Jerusalems zu bauen; und er ward vollendet in 8 Jahren" und ebd. (ab Abr. 988): „Es sammeln sich im ganzen die Zeiten von Môses und dem Auszug aus Egiptos bis zum achten Jahre Solomons, welches vorliegt, und zu des Tempels Erbauung, wie im dritten Kapitel des Königtums steht, auf 480 Jahre."

165 Eus. *Chr.* 69b, 24-26 (ab Abr. 981 = 1036 v. Chr.): *Ionica emigratio, in qua quidam Homerum fuisse scribunt* („Die ionische Wanderung, an der manchen Schriftstellern zufolge Homer teilgenommen hat."); armen. *Chr.* 176 Karst (ab Abr. 980): „Der Ionier Wanderung, unter welchen auch den Homeros einige angeben."

166 Vgl. Deger-Jalkotzy (1999). Als antike Quellen vgl. z. B. Thuc. 1, 2, 6; Isoc. 4, 35f.; 12, 43f.

167 Eus. *Chr.* 52b, 21f. Helm (ab Abr. 684 = 1333 v. Chr.) *Ion vir fortis ex suo vocabulo Athenienses Iones vocavit* („Ion, ein tapferer Mann, nannte die Athener von seinem Namen her Ioner"); armen. *Chr.* 167 Karst (ab Abr. 685): „Iôn, gewesener Feldherr der Athener, nannte nach seinem Namen die Athener Ionier."

168 Eus. *Chr.* 71a, 2-5 Helm (ab Abr. 1008 = 1019 v. Chr.): *Profetabant Sadoc, Achias Selonites, Sameas* („Die Propheten Sadok, Achias Selonites, Sameas"); armen. *Chr.* 176 Karst (ab Abr. 996, nicht hervorgehoben): „Es prophezeiten bei den Ebräern Sadôk, Achia der Silonier und Sameas."

169 Armen. *Chr.* 177 Karst (nach ab Abr. 1020) hat den Tod Salomos und die Reichsteilung in Israel durch eine Unterbrechung der Tabelle hervorgehoben; vgl. Eus. *Chr.* 72a, 4-17 Helm (ab Abr. 1020 = 997 v. Chr.).

170 Eus. *Chr.* 83a, 7-10 Helm (nach ab Abr. 1197 = 820 v. Chr.); fehlt in armen. *Chr.* (die Handschriften der armenischen Übersetzung haben hier eine Lacuna von 2 Seiten; vgl. 179 Karst am Ende).

171 Eus. *Chr.* 83a, 1-4 Helm (eingetragen ab Abr. 1192 = 825 v. Chr.) : *Thespieo Arifronis filio Athenis regnante Assyriorum imperium deletum est* („Als Thespieus, der Sohn des Ariphron, in Athen herrschte, wurde das Assyrerreich zerstört.").

172 Eus. *Chr.* 88a/b, 22-26 Helm (nach Olymp. 8, 2 = 747 v. Chr.); armen. *Chr.* 182 Karst (nach ab Abr. 1270).

Meder (Perser), Chaldäer und Assyrer in dieses historische Ereignis verwickelt sind.[173]

8) Diesem Einschnitt folgt einige Jahre später[174] die Einnahme Jerusalems und damit verbunden die Notiz *Iudaea gens capitur* („Das jüdische Volk wird gefangen genommen.").[175] Vor diesem Ereignis sind zwei Notizen über Athen vermerkt: zunächst die Entsühnung Athens durch Epimenides, die nach einer versuchten Tyrannis nötig geworden war,[176] anschließend die Gesetzgebung Solons. Der Eintrag über die Einnahme Jerusalems selbst ist auch in einem Zitat aus den *Stromateis* des Klemens von Alexandrien durch den Archon in Athen, Phainippos, datiert.[177]

9) Es folgt nach 70 Jahren[178] das oben behandelte zweite Jahr des Dareios und anschließend die Befreiung Athens von der Tyrannis.[179]

10) Lediglich eine weitere Eintragung ist in unserem Zusammenhang von Bedeutung, nämlich die von der Geburt des Sokrates und dem Beginn des Peloponnesischen Krieges eingerahmte Hervorhebung der Befestigung Jerusalems durch Nehemia.[180]

Von jetzt an verschwinden Parallelen zwischen der Geschichte des Volkes der Hebräer / Juden und der Geschichte Athens, die den oben beobachteten vergleichbar sind. Dies geschieht nicht zufällig, sondern ist bedingt durch die Beschaffenheit

[173] Eus. *Chr.* 88b, 8-13 Helm (Olymp. 6, 4 = 753 v. Chr.) steht aber ein Eintrag, dass nunmehr auch die lebenslange Amtszeit der Archonten ein Ende findet und durch eine zehnjährige ersetzt wird; in armen. *Chr.* 182 Karst (ab Abr. 1264 = Olymp. 7, 1) steht die entsprechende Angabe direkt vor dem folgenden Eintrag über die Gefangenschaft Israels.

[174] Zwischenzeitlich ist die Herrscherliste in Athen abgebrochen: Eus. *Chr.* 93a, 12-21 Helm (Olymp. 24, 1 = 684 v. Chr.), als Unterbrechung der Tabelle in armen. *Chr.* 184 Karst (ab Abr. 1333 = Olymp. 24, 2).

[175] Eus. *Chr.* 99a, 24-26; 100a/b, 1-18 (Olymp. 47, 2 = 591 v. Chr.); armen. *Chr.* 187 Karst (1426 ab Abr. = Olymp. 47, 3).

[176] Eus. *Chr.* 99b, 14f. Helm (Olymp. 46, 1 = 597 v. Chr.): *Epimenides Athenas emundavit*; armen. *Chr.* 187 Karst (ab Abr. 1423 = Olymp. 46, 4): „Epimenides zerstörte Athen" (vgl. zum Missverständnis des Armeniers, der wohl καθαίρει mit καθαιρεῖ verwechselte, Mosshammer [1979] 52f.). Der Athener Kylon hatte die Akropolis besetzt und wollte eine Tyrannis in Athen errichten. Bei der Niederschlagung dieses Unternehmens wurden Anhänger des Kylon getötet, die am Altar der Athena Polias Zuflucht gesucht hatten. Epimenides konnte Athen von diesem (sog. kylonischen) Frevel durch neue Opferriten entsühnen.

[177] Hier dürfte auch von Bedeutung sein, dass der Eintrag, der der Einnahme Jerusalems folgt, die Zerstörung der Monarchie in Korinth behandelt: Eus. *Chr.* 100b, 22f. Helm (Olymp. 48, 1 = 588 v. Chr.); armen. *Chr.* 187 Karst (ab Abr. 1433 = Olymp. 48, 2).

[178] In der armenischen *Chronik* unterbrechen drei Ereignisse um den Perserkönig Kyros, der die Gefangenschaft der Hebräer lockerte und den Beginn des Tempelbaus zuließ, den Fluss der Tabelle, vgl. 188-190 Karst (ab Abr. 1457; 1470; 1496 = Olymp. 55, 2; 58, 3; 65, 1).

[179] An diese Begebenheiten schließt sich auch kurz darauf die Vertreibung der Könige aus Rom an.

[180] Eus. *Chr.* 114, 10-24 Helm (Olymp. 86, 4 - 87, 1 = 433-432 v. Chr.); armen. *Chr.* 194 Karst (ab Abr. 1584 = Olymp. 87, 1; der Eintrag über Sokrates fehlt). Der Armenier hatte überdies bereits einen Eintrag über Nehemia wenige Jahre vorher hervorgehoben, vgl. 193 Karst (1572 ab Abr. = Olymp. 84, 1).

der jüdisch-hebräischen Geschichte, die nun ihre Eigenständigkeit und so auch ihre Darstellung in den kanonischen Büchern verloren hat.[181]

Es dürfte deutlich geworden sein, dass die Geschichte Athens über lange Zeit hin und gerade bei besonderen Einschnitten sowohl im Volk der Juden als auch in anderen Kulturen für Eusebius als ein Vergleichspunkt dient. Wenn ein herausragendes Ereignis stattfindet, wird im gleichen Zeitraum auch ein bedeutendes Ereignis aus der Geschichte Athens angeführt oder auffallend breit kommentiert.

Im vorliegenden Zusammenhang wurde keine genaue Datierung oder Überprüfung der Ereignisse angestrebt; auch die Richtigkeit der Einordnungen des Eusebius wurde keiner eigenen Untersuchung unterzogen, denn Ausgangspunkt waren eine bereits festgestellte unkorrekte Einordnung zur Erstellung eines Synchronismus[182] (Harmodios und Aristogeiton) sowie eine über die Datierung hinausgehende Parallelisierung schon im Vorwort der *Chronik* (Moses und Kekrops). Bei der Untersuchung einiger Passagen in der *Chronik* hat sich diese Tendenz bestätigt, und zwar nicht ausschließlich bei Datierungen, die für Eusebius eindeutig waren. Eröffnete sich ihm eine Wahlmöglichkeit (wie im Fall der Ereignisse um Judith und Esther), war die Geschichte Athens für seine Entscheidung ausschlaggebend. Ungeachtet der Tatsache, dass Richtlinien des Eusebius für seine Chronologie die Königsliste bzw. Archontenliste Athens und vorhandene Chroniken waren, muss man die Geschichte Athens als Leitfaden für den Teil seiner *Chronik* ansehen, in dem die jüdische Geschichte eigenständig war und die Geschichte Athens weltpolitische Bedeutung hatte.

3. 1. 2. 3 Eine Charakterisierung der Athener in der *Chronik*?

Die Leitbildfunktion Athens für die anderen Kulturen reißt allmählich ab, und auch die Geschichte Athens steht nicht mehr im Blickpunkt des Interesses, da Athen selbst vor allem politisch nur noch eine untergeordnete Rolle spielt. Der seit dem Ende des Peloponnesischen Krieges zunehmenden Bedeutungslosigkeit Athens steht die größer werdende Rolle des Römischen Reiches gegenüber, und allmählich verdrängen die Ereignisse im Westen diejenigen des griechischen Kulturraumes.

Es ist daher bemerkenswert, dass Beat Näf in einem Aufsatz über die Rezeption der attischen Demokratie in der Kaiserzeit[183] den Eintrag der *Chronik* anführen kann:

[181] Vgl. Helm (1956) XXXIV: „Die kanonischen Bücher hören allmählich auf, noch als Quelle zu dienen […], und die jüdische Geschichte ist hinfort aufs engste mit der griechischen und römischen, der sie ursprünglich gegenübergestellt wurde, verbunden und von ihr nicht mehr zu sondern."

[182] Zur Bedeutung der Synchronismen vgl. Harl (1962) 525.

[183] Näf (1998).

Hadrianus Atheniensibus leges petentibus ex Draconis et Solonis reliquorumque libris iura composuit.

„Hadrian ordnete auf Antrag der Athener das Recht, indem er sich auf die Bücher Drakons, Solons und anderer stützte."[184]

Sicherlich ist es auf den ersten Blick nicht verwunderlich, dass gerade im Zusammenhang der Herrschaft Hadrians mehrfach Athen und die Geschenke und Wohltaten erwähnt werden, die dieser Stadt von Hadrian zugedacht wurden, neben Zweckbauten auch eine Bibliothek; selbstverständlich wird auch Heidnisches damit verbunden, vor allem die eleusinischen Mysterien.[185] Auch dass (mindestens) einer der wenigen bekannten Christen aus Athen[186] sich bei diesem Kaiser für seinen Glauben einsetzt, ist insofern zu erwarten. Merkwürdig ist der Eintrag allerdings, weil Hadrian auf Antrag der Athener die Gesetze von Athenern erlässt. Doch, und darauf weist ebenfalls Näf hin, dass Hadrian sich in die Tradition berühmter Athener stellt, ist für diesen Herrscher geradezu charakteristisch. Bemerkenswert ist ferner, dass es ursprünglich die Athener waren, die den Römern die Gesetze gaben.[187] Solon war schon im Zusammenhang seiner authentischen Gesetzgebung eigens erwähnt worden und hat auch sonst in der christlichen Spätantike eine positive Rezeption gefunden.[188]

[184] Eus. *Chr.* 198, 17-19 Helm (Übersetzung Näf [1998] 565; Olymp. 225, 1 = 121 n. Chr.); vgl. Sync. 426, 19-21 Mosshammer: Ὁ αὐτὸς Ἀθηναίοις ἀξιώσασιν ἐκ τῶν Δράκοντος καὶ Σόλωνος νόμους ἐπισυνέταξε, χειμάσας εἰς Ἀθήνας καὶ μυηθεὶς τὰ Ἐλευσίνια καὶ γεφυρώσας Ἐλευσῖνα κατακλυσθεῖσαν ὑπὸ Κηφισοῦ ποταμοῦ. Vgl. armen. *Chr.* 220 Karst (ab Abr. 2138 = Olymp. 225, 3): „Adrianos stellte für die Athener, die ein Bittgesuch an ihn gerichtet hatten, Gesetze aus Drakon und aus Solon und aus anderen zusammen."

[185] Eus. *Chr.* 198, 20-22 Helm (Olymp. 225, 3 = 123 n. Chr.) / armen. *Chr.* 220 Karst (ab Abr. 2137 = Olymp. 225, 2): eine Brücke über den Kephisos und die Überwinterung in Athen. *Chr.* 199, 5f. Helm (Olymp. 226, 1 = 125 n. Chr.) / armen. *Chr.* 220 Karst (ab Abr. 2140 = Olymp. 226, 1): Einweihung in die eleusinischen Mysterien und Geschenke an Athen. *Chr.* 200, 15f. Helm (Olymp. 227, 3 = 131 n. Chr.) / armen. *Chr.* 220 Karst (ab Abr. 2145 = Olymp. 227, 2): Überwinterung in Athen und Besuch in Eleusis. *Chr.* 200, 17-19 Helm (Olymp. 227, 4 = 132 n. Chr.) / armen. *Chr.* 220 Karst (ab Abr. 2145 = Olymp. 227, 2): Hadrian schenkt Athen viele Gebäude, darunter die Bibliothek, und stiftet einen Agon. Vgl. das Synkellos-Zitat in der vorigen Anmerkung, das diese Einträge des Eusebius zusammenfasst. Zum historischen Hintergrund vgl. Boatwright (2000) 14-157; Kienast (1993) 206-219; Willers (1990).

[186] Eus. *Chr.* 199, 7 Helm (Olymp. 226, 1 = 125 n. Chr.) / armen. *Chr.* 220 Karst (nach ab Abr. 2141 = Olymp. 226, 2 als Unterbrechung der Tabelle) erwähnt, dass Aristides von Athen und Quadratus Bittschriften an Hadrian richteten. Zur Frage, ob der hier genannte Quadratus mit dem Bischof von Athen dieses Namens gleichzusetzen ist, vgl. die Literatur bei Fischer (1993) 269 Anm. 6. Siehe auch unten S. 67 Anm. 223.

[187] Vgl. Eus. *Chr.* 112, 12-14 Helm (Olymp. 82, 1 = 452 v. Chr.): *Romani per legatos ab Atheniensibus iura petierunt, ex quibus XII tabulae conscriptae* („Durch Legaten forderten die Römer von den Athenern Gesetze, aus denen dann die zwölf Tafeln geschrieben wurden."); der Eintrag fehlt in armen. *Chr.*

[188] Eus. *Chr.* 99b, 18-21 Helm (Olymp. 46, 3 = 594 v. Chr.): *Solon Draconis legibus antiquatis extra eas, quae ad sanguinem pertinebant, sua iura constituit* („Nachdem die Gesetze des Drakon außer denjenigen, die die Todesstrafe betreffen, verworfen worden waren, vefasste Solon seine Gesetze."); vgl. armen. *Chr.* 187 Karst (1424 ab Abr. = Olymp. 47, 2): „Solon

Die historische Begebenheit, von der der Eintrag über Hadrian und die Gesetzgebung der Athener spricht, lässt sich nicht im Detail analysieren.[189] Die Gesetzgebertätigkeit des Athen-Liebhabers Hadrian wird durch die Charakterisierung der Athener, repräsentiert durch Drakon und Solon als den Archegeten der Gesetzgebung, beschrieben.

Neben dem Eintrag über die Gesetzgebung Hadrians ist eine frühere Angabe für eine mögliche Charakterisierung der Athener in der *Chronik* von Bedeutung: Als Demetrios von Phaleron durch Demetrios Poliorketes aus Athen vertrieben wurde und in Ägypten Zuflucht fand, soll er dort, so Eusebius, von Ptolemaios die Demokratie für die Athener zurückgefordert haben.[190] Der Zusatz über die Rückforderung der Demokratie findet sich zumindest in den von Helm angegebenen Parallelstellen nicht. Auch der Eintrag, der die Einnahme Athens durch Antigonos Gonatas (gest. 239) erwähnt, ist geprägt von einem Athen-Topos: Den Athenern wird von Antigonos die Freiheit zurückgegeben.[191]

Es ist unter diesen Gesichtspunkten bezeichnend, dass die letzte Erwähnung Athens[192] in der *Chronik* ein Opfer behandelt: Dem Lucius Caesar (= Commodus) erscheint, als er in Athen opfert, ein Blitz (*ignis*), der sich vom Westen nach Osten zieht.[193]

setzte Gesetze und hob die des Drakon auf, außer den phönikischen." Zur Rezeption Solons in der Spätantike vgl. Opelt (1980).

189 Vgl. Näf (1998) 565: „Hadrian tat viel für Athen. Dabei trat er auch als Gesetzgeber auf. [...] Euseb brachte Hadrian deshalb mit den berühmten athenischen Gesetzgebern in Verbindung." Vgl. auch die Testimonien bei Helm (1956) ad loc. (416). Dort sind lediglich die oben S. 59 Anm. 184 angeführte Synkellos-Stelle und Nikephoros (8./9. Jh.) angegeben. Follet (1976) 118 erwähnt eine Angabe des Pausanias (1, 29, 6), die Kleisthenes als Urheber der zeitgenössischen Phylenordnung angibt. Vgl. Kienast (1993) 206 mit Anm. 93 (Lit.).

190 Eus. *Chr.* 127, 3- 6 Helm (Olymp. 118, 1 = 308 v. Chr.): *Demetrius Falereus ad Ptolemaeum veniens impetravit, ut Atheniensibus democratia redderetur* („Demetrios von Phaleron kam zu Ptolemaios und erreichte, dass den Athenern die Freiheit zurückgegeben wurde."); armen. *Chr.* 199 Karst (1711 ab Abr. = Olymp. 118, 4): „Demetrios der Phalerier kam zu Ptolemeos, der den Athenern die Demokratie gewährte." Vgl. aber Str. 9, 1, 20 und dazu Larsen (1954) 9f.

191 Eus. *Chr.* 131, 20f. Helm (Olymp. 131, 1 = 256 v. Chr.): *Antigonus Atheniensibus reddidit libertatem*; armen. *Chr.* 201 Karst (1760 ab Abr. = Olymp. 131, 1): „Antigonos gab den Athenern abermals die Freiheit." Zum historischen Ereignis vgl. Plu. *Demetr.* 8 und Habicht (1995) 74f.

192 Eus. *Chr.* 242, 24-243, 2 Helm (Olymp. 285, 2 = 363 n. Chr.) über den (christlichen? siehe u. S. 148) Sophisten Prohairesios ist nach Helm ein Eintrag des Hieronymus.

193 Eus. *Chr.* 204, 13-15 Helm (Olymp. 235, 2 = 162 n. Chr.): *Lucio Caesari Athenis sacrificanti ignis in caelo ab occidente in orientem ferri visus* („Als Lucius Caesar in Athen opferte, erschien ihm am Himmel ein Blitz, der von Westen nach Osten wanderte."); Sync. 430, 10f. Mosshammer: Λούκιος Καῖσαρ ἱερουργῶν ἐν Ἀθήναις εἶδε πῦρ ἀπὸ δυσμῶν εἰς ἀνατολὴν κατ' οὐρανὸν φερόμενον. Armen. *Chr.* 222 Karst (ab Abr. 2177 = Olymp. 235, 2): „Während Lukios Kaisr zu Athen den Tempel baute, erschien Feuer am Himmel von Sonnenuntergang gen Aufgang hin leuchtend." Vgl. zu diesem Motiv Kertsch (1979), bes. 166f. zum Blitz als Motiv der Schnelligkeit und Vergänglichkeit.

Die wenigen Einträge, die Athen in der Zeit nach dem Peloponnesischen Krieg direkt erwähnen, sind offenbar geprägt von Topoi des traditionellen Athenlobes: die Freiheitsthematik gehört seit Herodot zu den Gemeinplätzen der *laudes Athenarum*,[194] die Demokratie wird vor allem in den Dramen des Euripides thematisiert.[195] Die Gesetzgebung war bereits bei Eusebius selbst zum zentralen Thema geworden, als er von Kekrops sprach und von dessen Einrichtung des Areopag.[196] Der größere, ja der athenische Gesetzgeber schlechthin ist Solon. Bildung ist der Gemeinplatz des Athenlobes, der für sich beanspruchen kann, am längsten seine Entsprechung auch in der Realität gehabt zu haben. Als ein Reflex der Bedeutung, die Bildung in Athen hatte, und der Rolle, die Athen für die kaiserzeitliche (und auch spätantike) Bildung spielte, kann die Einrichtung der Hadriansbibliothek gelten.[197] Schließlich ist der Topos der Liebe der Götter zu Athen, der Frömmigkeit der Athener oder christlich gewendet des heidnischen Aberglaubens in der Opferzeremonie des letzten Eintrags zu Athen sichtbar.

Andere Teile des klassischen Athenlobes finden sich bereits in früheren Eintragungen der *Chronik*, etwa der Synoikismos des Theseus, verbunden mit der Kritik an den Athenern, sie hätten Theseus anschließend durch Scherbengericht aus Athen verbannt,[198] und eine Andeutung der späteren Seemacht Athens.[199]

3. 1. 2. 4 Zwischenergebnisse

Mit Eusebius wird ein Autor auf sein Athenbild hin geprüft, der in der *Chronik* einen erklärt wissenschaftlich-rezeptiven Umgang mit historiographischem und li-

[194] Vgl. Lau (1985) 641; oben S. 16. Möglicherweise gehört auch der Widerstand Athens gegen römische Herrschaft hierher, den Eus. *Chr.* 170, 22-24 Helm (Olymp. 197, 1 = 9 n. Chr.) erwähnt; vgl. Sync. 385, 24 Mosshammer; armen. *Chr.* 212 Karst (Olymp. 198, 2 = ab Abr. 2029); vgl. Kienast (1993) 203-205.

[195] Vgl. Lau (1985) 641f.; oben S. 16 auch zu Aischylos.

[196] Zur Rechtsprechung in Athen als Topos und zur Rolle des Areopag in diesem Kontext (etwa bei der Flucht des Orestes) vgl. Lau (1985) 642f.

[197] Zur Bildung der Athener vgl. auch Markellos von Ankyra bei Eus. *Marcell.* 1, 3 (Marcell. *Frg.* 23 Vinzent); zu dem Sprichwort ἢ τέθνηκεν ἢ διδάσκει γράμματα, das dort mit Bezug auf die Niederlage auf Sizilien und die kriegsgefangenen Athener erwähnt wird, vgl. Leutsch / Schneidewin (1839) 88 (Zenobius IV 17).

[198] Eus. *Chr.* 58b, 17-21 Helm (ab Abr. 797 = 1220 v. Chr.): *Theseus cum Athenienses prius per regionem dispersos in unam civitatem congregasset, ignominiose eiectus est per signa testarum, eandem legem primus ipse constituens* („Nachdem Theseus zuerst die Athener, die auf das Gebiet verstreut waren, zu einer Gemeinde zusammengeführt hatte, wurde er auf schändliche Weise durch das Scherbengericht verbannt, er, der selbst als erster dieses Gesetz aufstellte"); armen. *Chr.* 170 Karst (ab Abr. 800): „Theseus sammelte als Erster die Athener, die über das Land hin zerstreuten, in eine Stadt; und er ward durch das Scherbengericht [zum Tode] verurteilt, und hatte selbst zuerst dieses Gesetz gegeben."

[199] Eus. *Chr.* 87b, 4f. Helm (Olymp. 2, 2 = 771 v. Chr.): *Athenis primum trieres navigavit Aminocleo cursum dirigente* („In Athen fuhr unter Leitung des Aminokleos erstmals eine Triere"); fehlt in armen. *Chr.*

terarischem Material wählt. Die Untersuchung des Athenbildes in diesem Werk hat folgende Zwischenergebnisse hervorgebracht:

1) Mit ihrem ersten König Kekrops hat die Stadt Athen zunächst eine entscheidende Bedeutung für die Datierung der biblischen Schlüsselgestalt Moses. Beide Personen werden nicht nur durch die zeitliche Parallele angenähert, sondern auch durch äquivalente kulturelle Leistungen und Entwicklungen für das jeweilige Volk, das sie repräsentieren.

2) Die mit dem Synchronismus Moses – Kekrops begonnene Parallelisierung von Ereignissen der jüdisch-hebräischen und der griechischen Geschichte setzt sich dahingehend fort, dass Athen durch weitere Synchronismen eine Leitbild- oder zumindest Leitfadenfunktion für andere Kulturen und vor allem für das Volk der Juden erhält, aus dem die Christen hervorgegangen sind. Im Zuge der Entwicklung der römischen Weltherrschaft, die einhergeht mit einem Nachlassen der Bedeutung Athens, geht diese Funktion verloren.

3) Einige Eintragungen in der *Chronik* des Eusebius reflektieren mit ihren Topoi eine Rezeption des klassischen Athenlobes, wobei die Themen Freiheit, Demokratie und Bildung im Vordergrund stehen.

Es entspricht dem Charakter der *Chronik*, dass Eusebius keine offenen persönlichen Bewertungen über Athen oder dessen Rolle abgibt. Dies hätte die historische Objektivität seines Werkes beeinträchtigt, das sich als wissenschaftliche Arbeit gibt und auf heidnische Werke reagiert. Tatsächlich trägt dieses Unternehmen einer vergleichenden Chronographie jedoch apologetische Züge und hat auch zum Ziel, ein qualitatives Gefälle von Hebräern / Juden / Christen zu Heiden herzustellen bzw. zu festigen.

Eusebius' wissenschaftlich-historische Arbeit am Themenkomplex Athen im Rahmen seiner Weltchronik hat dieser Stadt einen bedeutenden, ja in der engen Verknüpfung mit dem Judentum / Christentum entscheidenden Platz eingeräumt. Diese wissenschaftlich-historische Arbeit ist darüber hinaus durchsetzt mit Topoi des Athenlobes und belegt dadurch auch die Rezeption literarischer Texte dieses Inhalts.

3. 1. 3 Die Geschichte der Kirche und Athen: Berührungspunkte

Sowohl weltgeschichtlich als auch besonders im Blick auf die Geschichte des Volkes, aus dem die Christen hervorgegangen sind, hat Eusebius Athen eine bedeutende Funktion in Teilen seiner *Chronik* zugewiesen. Macht sich Eusebius auch für die Geschichte der Kirche Athen in ähnlicher Weise 'nutzbar' oder erhält diese Stadt eine veränderte oder in irgendeiner Weise besondere Funktion? Diese Frage soll eine Untersuchung der *Kirchengeschichte* des Eusebius beantworten.

3. 1. 3. 1 Die *Kirchengeschichte* als historisches Werk

Thema ist jetzt nicht mehr die politische Weltgeschichte, sondern die Kirchengeschichte. Die *Chronik* wurde mit gewissen Abstrichen unter die historischen Werke des Eusebius eingeordnet; dabei fand auch die Tatsache Berücksichtigung, dass Eusebius sich in eine chronographische Tradition stellen konnte und Arbeitsweisen sowie Methoden übernahm, die diese Einordnung rechtfertigten.

Eusebius von Caesarea – der Vater der Kirchengeschichte:[200] Mit diesem Titel, den man Eusebius beigelegt hat, wird deutlich, dass Eusebius eine neue literarische Gattung ins Leben gerufen hat und sich mit seiner *Kirchengeschichte* ausdrücklich von der traditionellen Geschichtsschreibung absetzt. Doch die Arbeitsweise in der *Kirchengeschichte*, die „neue Kombination von Vorgaben der klassischen Historiographie mit theologischen Anliegen des christlichen Geschichtsdenkens,“[201] erlaubt es, auch dieses Werk im Hinblick auf die erheblichen Anteile an der traditionellen Historiographie zu den vorwiegend historischen Arbeiten des Eusebius zu zählen.[202]

Was Eusebius an der Kirchengeschichte interessiert, hat er im ersten Kapitel seines gleichnamigen Werkes beschrieben:[203] Als „Generalthema“ werden die „Nachfolger der Apostel“ genannt (τὰς τῶν ἱερῶν ἀποστόλων διαδοχάς), als „Leitthemen“ die „großen Ereignisse der Kirchengeschichte“, „treffliche führende Männer und Vorsteher in den angesehensten Gemeinden“, ferner große Prediger und christliche Schriftsteller, Häretiker, das Schicksal der Juden bzw. des jüdischen Volkes, die Angriffe der Heiden und die Märtyrer.[204]

Im Folgenden soll zunächst eine Bestandsaufnahme über Athen in der *Kirchengeschichte* des Eusebius unternommen werden. Anschließend wird eine knappe Übersicht über die Fakten versucht, die insgesamt aus der Zeit bis zur Abfassung der *Kirchengeschichte* des Eusebius über die Kirche in Athen bekannt sind, um die Darstellung des Eusebius und den Stellenwert, den er der Gemeinde von Athen einräumt, zu beurteilen.

[200] Vgl. z. B. den Titel des Buches von Winkelmann (1991b).
[201] Wallraff (1999) 480.
[202] Vgl. zur *Kirchengeschichte* u. a. auch Timpe (1989) und Markus (1975); Momigliano (1964) 89-92 betont gerade den (beabsichtigten) Unterschied zur herkömmlichen Geschichtsschreibung. Einen kurzen Abriss über den historischen Hintergrund der *Kirchengeschichte* gibt Grant (1975) 414f.
[203] Die Bezeichnungen „General-“ und „Leitthema“ bei Winkelmann (1991b) 106 bzw. 108 und bei Leppin (1996) 26.
[204] Eus. *h. e.* 1, 1, 1f.

3. 1. 3. 2 Athen in der *Kirchengeschichte*

Eusebius erwähnt zweimal die Gestalt des Dionysios Areopagita. Dabei verweist er auf die *Apostelgeschichte*, wo von diesem gesagt ist, er sei in Athen von Paulus zum Christentum bekehrt worden.

1) In einer ersten Notiz, in der der Areopagite zu den „Begleitern" des Paulus (ἀκόλουθοι) gezählt wird, heißt es:

Ἐπὶ τούτοις καὶ τὸν Ἀρεοπαγίτην ἐκεῖνον, Διονύσιος ὄνομα αὐτῷ, ὃν ἐν ταῖς Πράξεσι μετὰ τὴν ἐν Ἀρείῳ πάγῳ πρὸς Ἀθηναίους Παύλου δημηγορίαν πρῶτον πιστεῦσαι ἀνέγραψεν ὁ Λουκᾶς, τῆς ἐν Ἀθήναις ἐκκλησίας πρῶτον ἐπίσκοπον ἀρχαίων τις ἕτερος Διονύσιος, τῆς Κορινθίων παροικίας ποιμήν, γεγονέναι ἱστορεῖ.

„Außerdem soll auch jener Areopagite namens Dionysios, von dem Lukas in der *Apostelgeschichte* schreibt, er habe nach der Predigt des Paulus auf dem Areopag als erster zum Glauben gefunden, der erste Bischof der Kirche in Athen gewesen sein; so erzählt es von den Alten ein anderer Dionysios, der Hirt der Gemeinschaft der Korinther."[205]

2) Den Bericht des Dionysios, des Bischofs von Korinth, über den gleichnamigen Areopagiten gibt Eusebius an einer anderen Stelle noch ausführlicher wieder, wo er sich mit dem 'Hirten der Gemeinschaft der Korinther' eingehender beschäftigt. Von besonderem Interesse sind in diesem Zusammenhang die *Briefe* des Dionysios, des Bischofs von Korinth, und unter ihnen der *Brief an die Athener*, den Eusebius mit den folgenden Worten umschreibt:

Ἡ δὲ πρὸς Ἀθηναίους διεγερτικὴ πίστεως καὶ τῆς κατὰ τὸ εὐαγγέλιον πολιτείας, ἧς ὀλιγωρήσαντας ἐλέγχει ὡς ἂν μικροῦ δεῖν ἀποστάντας τοῦ λόγου ἐξ οὗπερ τὸν προεστῶτα αὐτῶν Πούπλιον μαρτυρῆσαι κατὰ τοὺς τότε συνέβη διωγμούς. Κοδράτου δὲ μετὰ τὸν μαρτυρήσαντα Πούπλιον καταστάντος αὐτῶν ἐπισκόπου μέμνηται, ἐπιμαρτυρῶν ὡς διὰ τῆς αὐτοῦ σπουδῆς ἐπισυναχθέντων καὶ τῆς πίστεως ἀναζωπύρησιν εἰληχότων· δηλοῖ δ' ἐπὶ τούτοις ὡς Διονύσιος ὁ Ἀρεοπαγίτης ὑπὸ τοῦ ἀποστόλου Παύλου προτραπεὶς ἐπὶ τὴν πίστιν κατὰ τὰ ἐν ταῖς Πράξεσι δεδηλωμένα, πρῶτος τῆς Ἀθήνησι παροικίας τὴν ἐπισκοπὴν ἐγκεχείριστο.

„Der *Brief an die Athener* soll Glauben hervorbringen und ein Leben nach dem Evangelium. Sie hätten dieses vernachlässigt, wirft er ihnen vor, und sie seien beinahe von der Lehre abgefallen, seit Publios, der ihnen vorgestanden hatte, das Martyrium erlitten hatte zur Zeit der damals stattfindenden Verfolgungen. Er erwähnt auch Quadratus, der nach dem Märtyrer Publios ihr Bischof geworden war, und bezeugt, dass sie durch dessen Eifer zusammengeführt worden seien und eine Glaubensstärkung erfahren hätten. Er erklärt ferner, dass Dionysios der Areopagite, der von dem Apostel Paulus nach dem Bericht der *Apostelgeschichte* zum Glauben bekehrt worden war, als erster das Bischofsamt der Gemeinschaft in Athen übertragen bekam."[206]

[205] Eus. *h. e.* 3, 4, 10.
[206] Eus. *h. e.* 4, 23, 2f.

Dies sind die einzigen Angaben, die sich in Eusebius' *Kirchengeschichte* über die Athener Christengemeinde und deren Geschichte und Vorsteher finden.[207] Eusebius hat seine Kenntnis über das christliche Athen offensichtlich vorwiegend aus der *Apostelgeschichte* und dem *Brief* des Dionysios *an die Athener* gewonnen.

Über Dionysios von Korinth sind wenige Details bekannt. Die Informationen über ihn stammen von Eusebius und aus Quellen, die auf Eusebius zurückgehen (Hieronymus' *de viris illustribus*).[208] Seine Lebenszeit wird um das Jahr 170 angesetzt; die bei Eusebius erhaltenen Fragmente seiner „katholischen *Briefe*" vermitteln „nicht den Eindruck, als ob Dionysios die damals übliche rhetorische Schulung genossen hätte."[209] Seine *Briefe* und das von Eusebius über sie Berichtete wird als authentisch angesehen. Stellt man in Rechnung, dass insgesamt nur wenige Zeugnisse über eine frühe Christengemeinde in Athen überliefert sind,[210] wird die Bedeutung dieser literarischen Quelle deutlich. Die Anordnung der *Briefe* – in der spärlichen Literatur über diese Werke wird stets von einer Briefsammlung gesprochen – ist noch nicht geklärt. Geographische, zeitliche oder inhaltliche Gesichtspunkte können im Vordergrund stehen. Dass an erster Stelle der *Brief an die Gemeinde von Lakedaimon* und an zweiter Stelle der *an die Gemeinde von Athen* steht, kann mehrere Gründe haben. Einerseits mag dem Bischof von Korinth für die Gemeinden in Achaia eine Aufsichtsfunktion zugekommen sein.[211] Doch dürfte ein Leser dieser beiden Briefe oder der Darstellung des Eusebius in ähnlicher Weise voller Verwunderung gewesen sein, wie noch ein Forscher des frühen 20. Jahrhunderts, und zwar darüber, dass gerade in diesen beiden Städten Christengemeinden in so früher Zeit bezeugt sind.[212] In dem *Brief an die Athener* werden vor allem drei Themen behandelt:[213] Zunächst tadelt der Verfasser die mangelnde Standhaftigkeit der Athener in ihrem Glauben, dann spricht er die nach dem Tod des Märtyrerbischofs Publios entstandene Spaltung in der Gemeinde an und weist schließlich darauf hin, dass die Reihe der Athener Bischöfe auf den von

[207] Man kann noch auf einen Auszug aus einer Schrift des Meliton von Sardes an den römischen Kaiser Mark Aurel hinweisen. Darin wird eine Anordnung des Antoninus Pius erwähnt, der Anweisungen an die „Bewohner von Larissa, von Thessalonike, von Athen und an alle Hellenen" gibt, den Christen „gegenüber keine neue Methode einzuschlagen" (Eus. *h. e.* 4, 26, 10). Vgl. zu dieser Stelle jetzt den Kommentar in Guyot / Klein (1993) 1, 429f. (= Anmerkungen zum Text 1, 222-225). Zum „Christenreskript" des Antoninus Pius vgl. Freudenberger (1967), zur Vorlage des Meliton ebd. 13.

[208] Hier. *vir. ill.* 27 (122 Ceresa-Gastaldo). Vgl. Hamm (2002); Rist (1997).

[209] Kühnert (1979) 273.

[210] Vgl. das folgende Kapitel.

[211] Harnack (1926) 79 Anm. 6.

[212] Ebd. 38: „Lazedämon und Athen! Wer kann es ohne innere Bewegung lesen, daß bereits um das Jahr 170 in den beiden alten ruhmvollen Städten christliche Gemeinden bestanden haben!"

[213] Zu den historischen Hintergründen für die in diesem Brief geschilderten Vorgänge vgl. Nautin (1961) 18f.

Paulus bekehrten Dionysios Areopagita zurückgeht. Eine über das rein Faktische hinausgehende Interpretation ist für diesen Brief wohl nicht zulässig. Wollte man hier für Athen charakteristische Topoi sehen – z. B. die vor allem von den Römern den Griechen und besonders den Athenern vorgeworfene Wankelmütigkeit[214] oder den Charakter der Athener, wie er anhand der Philosophen in der *Apostelgeschichte* (17, 16-34) von anderen frühen Kirchenvätern beschrieben wird[215] –, so würde zu Recht eingewendet, dass auch der *Brief an die Lakedaimonier* „zu Einigkeit mahnt", und die *Briefe an die Nikomedier, die Gemeinde von Gortyn* und *die Gemeinde von Amastris* häretische Strömungen in diesen Kirchen angreifen.

3. 1. 3. 3 Die Kirche von Athen in den ersten vier Jahrhunderten

Im Allgemeinen kann die Aussage, Athen sei noch bis ins fünfte Jahrhundert eine eigentlich heidnische Stadt gewesen,[216] als zutreffend gelten, denn über die 'Kirche' oder Gemeinde von Athen gibt es – abgesehen von dem bei Eusebius überlieferten *Brief* des Dionysios von Korinth – sonst nur spärliche Hinweise.[217] Bekannt sind lediglich die Namen einzelner Bischöfe und Märtyrer Athens sowie von Schriftstellern, die aus Athen stammen sollen.

So erscheint ein Narkissos als Bischof, zeitlich zwischen dem Areopagiten Dionysios[218] und Publios,[219] und ein Pistos aus Athen wird in den Teilnehmerlisten des Konzils von Nikaia 325 genannt.[220] Neben den oben erwähnten Bischöfen gab es weitere Märtyrer in Athen (Heraklios, Paulinos, Benedimos[221] und Leonides[222]); ferner glaubt man, einige frühchristliche Autoren mit Athen in Verbindung

214 Vgl. unten S. 138 mit Anm. 75.

215 Vgl. oben S. 23 und unten Kapitel 4. 2. 3.

216 Frantz (1988) 19; vgl. Janin (1931) 17; Leclerq (1907) 3048-3051.

217 Der Hinweis auf Gregor von Nazianz (*or.* 43, 21, 1-6) kann nicht ohne weiteres so interpretiert werden, dass „es dort [sc. in Athen] mehrere Kirchen gab, wo die beiden Freunde [sc. Gregor von Nazianz und Basilius von Caesarea] regelmäßig die Predigten hörten." (Janin [1931] 17: „il y avait plusieurs églises dont les deux amis fréquentaient assidûment les prédications"). Vgl. dazu unten S. 161.

218 Zur Tradition des Dionysios Areopagita vgl. Palla (1989) 856-858.

219 Janin (1931) 3049 Anm. 6 und Bayet (1878) 7 Anm. 1.

220 Vgl. Sotiriou (1927) 21. Zu Pistos vgl. Enßlin (1950). Die Gestalt des Narkissos entstammt ebenso einer späten Tradition wie die des Hierotheos, der als Lehrer des Dionysios Areopagita der erste Bischof von Athen gewesen sein soll, vgl. Janin (1931) 17; Frantz (1985) 674f.

221 Über diese drei vgl. Palla (1989) 861f. und Janin (1931) 17.

222 Leonides war ein Märtyrer aus Korinth, dessen Kult in Athen betrieben wurde und den die Athener Kirche daher für sich beanspruchte: Halkin (1971). Der spätere Bischof von Athen, Michael Choniates, verfasste im zwölften Jahrhundert eine Rede auf diesen Märtyrer. Eine Kirche bei Athen soll seine und seiner Begleiter Gebeine bewahrt haben. Vgl. unten Kapitel 5. 4. 3 und Chatzidakis (1951) 61f. Zu seinem Martyrium vgl. das Synaxarium ecclesiae Constantinopolitanae zum 17. April (609f. Delehaye); Bibliotheca hagiographica Graeca (BHG) 2, nr. 983z (= Halkin [1971] 63-66) und nr. 984 (= Michael von Chonai, Εἰς τὸν ἅγιον ἱερομάρτυρα Λεωνίδην καὶ τὴν συνοδίαν αὐτοῦ).

bringen zu können (Quadratus,[223] Aristides, Athenagoras,[224] Klemens von Alexandrien[225]).

Rückschlüsse auf einen christlichen Teil der Bevölkerung Athens lassen sich vorwiegend anhand archäologischer Funde und Zeugnisse ziehen,[226] doch selbst Lampen mit christlichen Symbolen finden sich erst ab der zweiten Hälfte des vierten Jahrhunderts;[227] ebenso fallen die frühesten christlichen Inschriften aus Attika in diese Zeit.[228] Für eine Bautätigkeit in Athen, d. h. die Umgestaltung heidnischer Kultstätten in christliche oder die Neuerrichtung christlicher Gotteshäuser,[229] gibt es erst ab dem Ende des fünften Jahrhunderts greifbare Anhaltspunkte.[230]

Neben dem Kontakt, den der Bischof aus Korinth durch seinen *Brief* zu erkennen gibt, hat auch Origenes Beziehungen nach Athen gehabt. Ein längerer Aufenthalt ist durch Eusebius ebenso bezeugt wie eine schriftstellerische Tätigkeit dort. Eusebius berichtet, Origenes habe dort an zweien seiner Kommentare gearbeitet:

Γενόμενος δὲ τηνικάδε ἐν Ἀθήναις, περαίνει μὲν τὰ εἰς τὸν Ἰεζεκιήλ, τῶν δ' εἰς τὸ Ἆισμα τῶν ᾀσμάτων ἄρχεται, καὶ πρόεισίν γε αὐτόθι μέχρι τοῦ πέμπτου συγγράμματος· ἐπανελθὼν δ' ἐπὶ τὴν Καισάρειαν καὶ ταῦτα εἰς πέρας, δέκα ὄντα τὸν ἀριθμόν, ἄγει.

„Als er damals in Athen war,[231] vollendete er sein Werk über Ezechiel und begann das über das Hohelied; und er kam dort bis zum fünften Buch. Nachdem er nach Caesarea zurückgekehrt war, führte er auch dieses zu Ende, insgesamt zehn an der Zahl."[232]

[223] Vgl. oben S. 59 Anm. 186; eine jüngste Stellungnahme liegt bei Beck (1998) vor. Auch hier kann keine endgültige Entscheidung getroffen werden, welches Verhältnis zwischen dem Apostelschüler, dem Apologeten und dem Bischof von Athen, Quadratus, besteht. Zuletzt ist mehrheitlich zumindest die Gleichsetzung des Bischofs Quadratus mit den anderen Trägern dieses Namens als ein Fehler bewertet worden, der auf Hieronymus (*vir. ill.* 19 [112-114 Ceresa-Gastaldo]; *epist.* 70, 4, 1 [CSEL 54, 704f.]) zurückgeht; vgl. auch Ceresa-Gastaldo (1988) 268; Zangara (1983); Grant (1977) 178f.

[224] Über die lückenhafte Kenntnis vom Leben des Athenagoras und die Schwierigkeit, die Angabe Ἀθηναγόρου Ἀθηναίου φιλοσόφου im Titel der Bittschrift des Athenagoras zu erklären, vgl. Pouderon (1989) 19-35 sowie Neymeyr (1989) 195f.

[225] Vgl. Pouderon (1998); zu einem Athenaufenthalt des Klemens von Alexandrien s. unten S. 85f.

[226] Vgl. Frantz (1985) 674-678 und Frantz (1965).

[227] Vgl. Perlzweig (1961) 23; Nr. 1138-1144 (135f.); sie kommt 23 zu dem Schluss, „that the Athenians were very slow to adopt Christianity long after it had become the official religion of the empire." Vgl. Gregory / Ševcenko (1991) 221; Thompson (1959) 72.

[228] Vgl. Sironen (1997) 377; die früheste christliche Inschrift ist nachkonstantinisch: ebd. Nr. 54 (134f.); Charakteristika christlicher Epitaphia aus Athen bei Creaghan / Raubitschek (1947).

[229] Zur Umgestaltung vgl. die folgende Anm. Zu Kirchen aus dem 5./6. Jh. siehe Sironen (1997) 378 Anm. 31. Die dort und in den entsprechenden Inschriften genannten Kirchen sind nicht lokalisiert; daher ist unklar, ob es sich dabei um neu errichtete Gebäude handelt.

[230] Vgl. Spieser (1976); Frantz (1965).

[231] Der Anlass des Athen-Aufenthaltes ist unklar.

[232] Eus. *h. e.* 6, 32, 2. Nautin (1977) 380 nimmt an, Eusebius habe diese Information dem Vorwort zum sechsten Buch des *Hohelied-Kommentars* des Origenes entnommen. Von diesem Werk sind nur drei (oder vier, vgl. Brésard [1991] 13f.) Bücher in der Übersetzung des Rufinus und darüber hinaus wenige griechische Fragmente erhalten.

Spätestens aus diesem Aufenthalt ist eine Kenntnis der Athener Christengemeinde erwachsen. Origenes stellt in seiner Schrift *Gegen Celsus* die Gemeinschaft von Christen in einer Stadt der Versammlung der Bürger gegenüber:[233] Gott habe überall Christengemeinden errichtet im Gegensatz zu den bereits bestehenden 'bürgerlichen' Gemeinden, die meistens aus heidnischen, zügellosen und ungerechten Menschen bestünden.[234] Selbst die schlechteren unter den Mitgliedern der christlichen Gemeinde seien weit besser als die Mitglieder der (übrigen) politischen Gemeinde. Origenes fährt dann fort:

Ἐκκλησία μὲν γὰρ τοῦ θεοῦ, φέρ' εἰπεῖν, ἡ Ἀθήνησι πρᾳεῖά τις καὶ εὐσταθής, ἅτε θεῷ ἀρέσκειν τῷ ἐπὶ πᾶσι βουλομένη· ἡ δ' Ἀθηναίων ἐκκλησία στασιώδης καὶ οὐδαμῶς παραβαλλομένη τῇ ἐκεῖ ἐκκλησίᾳ τοῦ θεοῦ.

„Die Versammlung Gottes, etwa die in Athen, ist ruhig und gefestigt, da sie dem Gott aller gefallen will. Die (Volks-)Versammlung der Athener dagegen ist aufständig und überhaupt nicht mit der Versammlung Gottes dort zu vergleichen."[235]

Es stellt sich allerdings hier die Frage, ob Origenes dieses Beispiel wählt, weil er die Athener Christengemeinde kurz zuvor kennengelernt hatte[236] und diese als beispielhaft gelten kann, oder aber, weil die Athener wegen ihrer Wankelmütigkeit[237] prinzipiell als aufrührerisch und unruhig (στασιώδης) galten und daher ein Kontrast, wie Origenes ihn ausmalen will, besonders einleuchtend schien.

3. 1. 3. 4 Zwischenergebnisse

Das christliche Athen hat für Eusebius in der Zeit der Kirche fast keine Bedeutung. Dies war auch schon in der *Chronik* deutlich geworden. Neben der faktisch geringen Rolle der Christen in Athen ist speziell für Eusebius in Rechnung zu stellen, dass er als Anhänger einer origenistischen Geschichtstheologie mit dem Zusammenfallen der Herrschaft des Augustus und der Geburt Christi[238] sein Au-

[233] Origenes *Cels.* 3, 30 (GCS Orig. 1, 227).

[234] Origenes *Cels.* 3, 29: Ἐκκλησίας ἀντιπολιτευομένας ἐκκλησίαις δεισιδαιμόνων καὶ ἀκολάστων καὶ ἀδίκων· τοιαῦτα γὰρ τὰ πανταχοῦ πολιτευόμενα ἐν ταῖς ἐκκλησίαις τῶν πόλεων πλήθη („Versammlungen, die den Versammlungen der Heiden und Zügellosen und Ungerechten gegenüberstehen: Aus solchen Menschen besteht nämlich überall die Masse der politisch Aktiven in den Versammlungen der Städte.").

[235] Origenes *Cels.* 3, 30. Es ist bemerkenswert, dass die Christen in Athen von den Athenern unterschieden werden.

[236] Zur Chronologie vgl. Nautin (1977) 381.

[237] Vgl. unten S. 138f. Anm. 75.

[238] Vgl. z. B. Eus. *PE* 1, 4. Umfassend: Farina (1966). Vgl. auch Farina (1986); Cameron (1983); Momigliano (1964) 80. Siehe auch die syrische *Theophanie* 3, 1, 20 (126*, 20-127*, 2 Gressmann): „Als aber die Kenntnis Eines Gottes allen Menschen überliefert war und Eine Sitte der Gerechtigkeit und Frömmigkeit [der Gotteserkenntnis] durch die Belehrung unseres Erlösers, existierte demgemäß auch Ein König zu Einer und derselben Zeit über das ganze Königreich der Römer und tiefer Friede umfing alles. Zugleich und zu Einer Zeit sproßten

genmerk auf die Vorgänge in Rom und das neue Rom, Konstantinopel, richtet.[239] Die Einigung der Welt im politischen und religiösen Sinn hat zu diesem Zeitpunkt begonnen und für Eusebius mit Konstantin dem Großen einen Abschluss gefunden.

Hinzu kommt aber, dass es in Athen tatsächlich wohl keine bedeutende Christengemeinde gab. Andere Ortskirchen haben für Eusebius eine größere Bedeutung, und so führt er für diese auch die Sukzession der Bischöfe an. Für Athen tut er dies nur indirekt in einem Zeugnis des Dionysios von Korinth. Über die Gründe für die Schwierigkeiten des Christentums, in Athen Fuß zu fassen, ist spekuliert worden. Meist werden zwei Faktoren komplementär angeführt: die heidnische und die philosophische Tradition. Beide waren noch im vierten Jahrhundert in Athen greifbar, man kann sogar sagen: Athen war dafür bekannt.[240] Es ist bemerkenswert, dass Eusebius trotz der teilweise apologetischen Züge der *Kirchengeschichte* nicht auf diese Tatsache hinweist, die er an anderen Stellen seines Gesamtwerkes durchaus erwähnt.[241]

Es wird zu prüfen sein, wie Eusebius in vorwiegend apologetischem Zusammenhang mit der heidnischen Vergangenheit und Gegenwart Athens umgeht und ob die Geschichtsinterpretation, die gerade bei der Behandlung der *Chronik* deutlich wurde, auch auf das Werk Einfluss hat, das sich speziell mit den Heiden auseinandersetzt: die *Praeparatio Evangelica*.

wie auf den Wink Eines Gottes zwei Blüten des Guten unter den Menschen auf: die fromme Lehre und das Reich der Römer." Vgl. auch König-Ockenfels (1976) 353f.

239 Vgl. Thümmel (1988) 50. Zur Gegenüberstellung des Römischen Reiches als Einheit und des klassischen Griechenland als Spaltung vgl. Inglebert (1996) 70 zu Origenes und 164-168 zu Eusebius. Die Bedeutung des Eusebius für das byzantinische Reich und sogar das dortige Hofzeremoniell stellt Ahrweiler (1996) heraus.

240 Vgl. zu den Mysterien im 4. Jh. z. B. Gregor von Nazianz *or.* 4, 108, 14-19 und zum Bestand der philosophischen Schulen Frantz (1975).

241 Vgl. Eus. *Hierocl.* 30, 20-30. Hägg (1992) wirft allerdings aufgrund stilistischer Unterschiede sowie fehlender Hinweise auf die Schrift *Contra Hieroclem* in anderen Werken des Eusebius die Frage auf, ob Eusebius von Cäsarea tatsächlich ihr Autor ist.

3. 2 THEOLOGIE UND PHILOSOPHIE – APOLOGETIK BEI EUSEBIUS VON CAESAREA

Die *Praeparatio Evangelica* ist die intensivste Auseinandersetzung des Eusebius mit der griechischen Welt. Zunächst wird, dem Aufbau der *Praeparatio* folgend, die Mythologie und Theologie der Griechen im Vordergrund stehen, anschließend soll das Augenmerk auf die Philosophie gerichtet werden. Den Ausführungen sind einleitende Bemerkungen und Begriffsklärungen vorangestellt. – Anhand der *Praeparatio Evangelica* kann sich zeigen, ob Mythologie, Theologie und Philosophie, Themen, die stets im Athenlob ihren Platz hatten und für deren Entwicklung Eusebius Athen in der *Chronik* einen wichtigen Platz eingeräumt hatte, auch in dieser Schrift sein Athenbild prägen. Um den Stellenwert Athens in der *Praeparatio Evangelica* zu verdeutlichen und deren Inhalt zu vergegenwärtigen, werden auch Paraphrasen der Teile des Werkes angegeben, die Athen nicht direkt behandeln.

3. 2. 1 Einleitendes

3. 2. 1. 1 Die *Praeparatio Evangelica*

Die *Praeparatio Evangelica*[1] steht in der Tradition der Apologetik;[2] gleichzeitig ist sich Eusebius, wie bereits in der *Chronik* und der *Kirchengeschichte*, der Neuheit seines Unternehmens bewusst.[3]

Die *Praeparatio Evangelica* will zunächst die Existenz des christlichen Glaubens rechtfertigen.[4] Ein kurzer Abriss zu Beginn des ersten Buches weist auf rationale Gründe für eine Entscheidung zugunsten des Christentums hin, untermauert durch die Bezüge des Alten Testaments zum Neuen Testament und durch politische und moralische Veränderungen, die mit dem Entstehen des weitgehend einheitlichen römischen Weltreiches verbunden sind.[5] Dabei bleibt stets die Frage

[1] Zur Datierung des Werks, das eine Einheit mit der *Demonstratio Evangelica* bildet, vgl. Ulrich (1999) 36f.

[2] Zu Eusebius' Verständnis von Apologetik sowie der Einordnung der *Praeparatio* in diesen Zusammenhang vgl. Frede (1999) 225-231 und 240-250 sowie Gallagher (1993); allgemein auch Lyman (1993) 83-90.

[3] Siehe Eus. *PE* 1, 3, 5, 1f.: Ἡμῖν γε μὴν ἰδίως ἡ μετὰ χεῖρας ἐκπονεῖται πρόθεσις („Unsere vorliegende Untersuchung hat ihre eigene Vorgehensweise"). Vgl. Jean Sirinelli, Introduction générale. In: Sirinelli / des Places (1974) 36. Sirinelli hat das Neue des Unternehmens *Praeparatio* und *Demonstratio* eindrucksvoll dargestellt. Aspekte des Neuen sind u. a. die Verbindung von Abwehr und Entgegnung auf Anfragen aus dem heidnischen und aus dem jüdischen Lager mit der Präsentation von Originaltexten der Vertreter dieser Positionen; siehe dazu auch Kofsky (2000) 79.

[4] Zur *PE* vgl. Kofsky (2000) 74-83; Sirinelli / des Places (1974) 7-62; Sirinelli (1961) 139-142. Zur Absicht der *PE* vgl. Kinzig (1994) 518-523 und Doergens (1915) 1-4.

[5] Eusebius ist hier offensichtlich abhängig von Origenes. Zu Eus. *PE* 1, 4, 5 (während vor dem

im Hintergrund, wer eigentlich 'die Christen' sind;[6] in diesem Zusammenhang ist Eusebius daran gelegen, die Traditionen, die hinter 'den Christen' stehen, zu betonen. Er macht diese Problematik deutlich, wenn er in einem der ersten Kapitel zwei mögliche Vorwürfe gegen die Christen anführt:

Ὅτι μὲν οὖν τὸ γένος Ἕλληνες ὄντες καὶ τὰ Ἑλλήνων φρονοῦντες ἐκ παντοίων τε ἐθνῶν ὡς ἂν νεολέκτου στρατιᾶς λογάδες συνειλεγμένοι τῆς πατρίου δεισιδαιμονίας[7] ἀποστάται καθεστήκαμεν, οὐδ᾽ ἂν αὐτοί ποτε ἀρνηθείημεν· ἀλλὰ καὶ ὅτι ταῖς ἰουδαϊκαῖς βίβλοις προσανέχοντες κἀκ τῶν παρ᾽ αὐτοῖς προφητειῶν τὰ πλεῖστα τοῦ καθ᾽ ἡμᾶς λόγου συνάγοντες οὐκέθ᾽ ὁμοίως ζῆν τοῖς ἐκ περιτομῆς προσφιλὲς ἡγούμεθα, καὶ τοῦτ᾽ ἂν αὐτόθεν ὁμολογήσαιμεν.

„Dass wir zum einen der Abstammung nach Griechen sind und auch der Gesinnung nach und auch, dass wir aus vielerlei Völkern stammen wie Auserlesene in einem neu zusammengestellten Heer und den ererbten Aberglauben abgelegt haben, wollen wir selbst keineswegs leugnen; und dass wir auf der anderen Seite zwar die Bücher der Juden benutzen und aus ihren Weissagungen das Meiste unserer Lehre schöpfen und es doch nicht mehr für angemessen halten, so zu leben wie die Beschnittenen, auch dem stimmen wir ohne Weiteres zu.“[8]

Gerade, um eine Begründung für den Abfall von beiden Traditionslinien, der griechischen und der jüdisch-hebräischen, zu finden und zu entwickeln, will er die religiösen Anschauungen der Griechen und Juden behandeln und die Wahl der Christen erklären, keine der beiden Traditionen für sich zu akzeptieren, sondern die eine abzulehnen und aus der zweiten nur gewisse Teile zu übernehmen. Das ist gleichzeitig die Struktur der Komposition aus *Praeparatio Evangelica* und *Demonstratio Evangelica*: Die *Praeparatio* dient dazu, den christlichen Glauben gegenüber dem Heidentum und dabei vor allem gegenüber den Griechen zu verteidigen und zu rechtfertigen; die Aussage, dass 'wir der Abstammung nach Griechen sind und auch der Gesinnung nach' (τὸ γένος Ἕλληνες ὄντες καὶ τὰ Ἑλλήνων φρονοῦντες), deutet jedoch bereits an, dass keine generelle Verwerfung des

Erscheinen des Augustus die verschiedenen Völker, Griechen, Ägypter, Syrer und Römer, von inneren Spaltungen geprägt waren, hat dies mit der 'Monarchie' des Augustus und dem Erscheinen des Messias ein Ende) vgl. Origenes *Cels.* 2, 30 (GCS Orig. 1, 157f.) und dazu Peterson (1935) 66-78 sowie oben S. 68f. Hier, in der *PE*, werden nur die Griechen mit dem Krieg zwischen 'Peloponnesiern' und Athenern genannt. Auch die moralischen Veränderungen (Ende des Kannibalismus usw.) finden sich im Werk des Origenes gegen Kelsos. Weitere Parallelen: *PE* 5, 1, 2-16; *DE* 3, 2, 37f.; 3, 7, 30f.

6 Vgl. Eus. *PE* 1, 2, 1, 1-5: Πρῶτον μὲν γὰρ εἰκότως ἄν τις διαπορήσειεν, τίνες ὄντες ἐπὶ τὴν γραφὴν παρεληλύθαμεν, πότερον Ἕλληνες ἢ βάρβαροι, ἢ τί ἂν γένοιτο τούτων μέσον, καὶ τίνας ἑαυτοὺς εἶναί φαμεν, οὐ τὴν προσηγορίαν [...] ἀλλὰ τὸν τρόπον καὶ τὴν προαίρεσιν τοῦ βίου („Zunächst könnte man sich tatsächlich die Frage stellen, wer wir denn sind, die wir uns ans Schreiben machen: Sind wir Griechen oder Barbaren oder etwas dazwischen, und wer behaupten wir selbst denn zu sein, nicht dem Namen nach, [...] sondern im Hinblick auf unsere Lebensführung und Lebenswahl.“).

7 Zu δεισιδαιμονία bei Eusebius vgl. Koets (1929) 91f.

8 Eus. *PE* 1, 5, 10, 8-15. Vgl. Doergens (1915) 7-14.

Griechentums erfolgt. Bestimmte Aspekte, besonders gewisse philosophische Ansätze, sind von den Christen auch aus dem heidnisch-griechischen Raum übernommen worden – der Leser wird bereits hier auf *die* griechischen Denker hingewiesen, neben den Naturphilosophen in erster Linie Athener wie Sokrates und Platon. Abgelegt hat man dagegen den Aberglauben, dem sich diese griechischen Denker verpflichtet sahen. Die *Demonstratio* will im Anschluss und in Ergänzung der *Praeparatio* begründen, was die Christen von den Juden unterscheidet und warum sie deren Bücher übernommen haben, nicht aber deren Lebensführung.

Die Fragen nach Adressaten und konkreter Absicht der beiden Schriften sollen hier nicht eingehend behandelt werden. Man kann sich wohl der These anschließen, in Anbetracht des oben angegebenen thematischen Unterschieds liege zwischen *Praeparatio* und *Demonstratio Evangelica* „ein Wechsel der Blickrichtung in der Beweisführung Eusebs vor."[9] Ob nun das in Rede stehende Doppelwerk primär apologetische, also nach außen zielende Wirkung haben sollte oder innerhalb der christlichen Gemeinde greifen, also neu zum Christentum Übergetretene, sei es von den Heiden, sei es aus dem Judentum, in Auseinandersetzung mit deren 'Herkunft' in der christlichen Lehre unterweisen sollte,[10] ist für den vorliegenden

[9] Ulrich (1999) 44.

[10] Darlegung und Vertreter der beiden Positionen bei Ulrich (1999) 37-48 mit Anm. 34 und 35. Seine eigene Auffassung legt Ulrich ebd. 45 in einer Definition dar. Er hält die beiden Schriften für eine „christliche Dogmatik" (42), wobei er, mit Berufung auf *PE* 1, 1, 12, die *Praeparatio* als für „'Anfänger des Christentums'" und die *Demonstratio* für „'Fortgeschrittene im Christentum'" konzipiert versteht (45). Dazu eine kurze Bemerkung: Der Text *PE* 1, 1, 12, 3-10 gibt die Überlegung des Eusebius wieder, er werde am effektivsten handeln, εἰ τὰ τῆς προπαρασκευῆς ἡμῖν πρὸ ὁδοῦ γένοιτο, στοιχειώσεως καὶ εἰσαγωγῆς ἐπέχοντα τόπον καὶ τοῖς ἐξ ἐθνῶν ἄρτι προσιοῦσιν ἐφαρμόττοντα· τὰ δὲ μετὰ ταῦτα τοῖς ἐνθένδε διαβεβηκόσι καὶ τὴν ἕξιν ἤδη παρεσκευασμένοις εἰς τὴν τῶν κρειττόνων παραδοχὴν τὴν ἀκριβῆ γνῶσιν παραδώσει τῶν συνεκτικωτάτων τῆς κατὰ τὸν σωτῆρα καὶ κύριον ἡμῶν Ἰησοῦν Χριστὸν τοῦ θεοῦ μυστικῆς οἰκονομίας („wenn die Vorbereitung [*Praeparatio*] am Beginn unseres Weges liegt, wobei sie die Funktion einer elementaren Unterweisung und Einführung hat und denen angepasst ist, die gerade von den Heiden dazukommen; das danach wird denen, die *von dort* weitergeschritten sind und deren Haltung schon *vorbereitet* ist auf den Empfang des Bedeutenderen, die genaue Kenntnis der entscheidenden Lehren des 'mystischen' Waltens Gottes gemäß unserem Retter und Herrn Jesus Christus vermitteln."). Diese Stelle gibt zu erkennen, dass das Publikum von *Praeparatio* und *Demonstratio Evangelica* als dasselbe gedacht ist und bei der Lektüre einen Fortschritt macht (die Übersetzung von Ulrich [1999b] 39 ist irreführend; der Bezug von προπαρασκευή und ἤδη παρεσκευασμένος ist offensichtlich.). Wenn die Vorbereitung durch die *Praeparatio* abgeschlossen ist, kann sich der Leser der *Demonstratio* zuwenden, deren Inhalt auf einem höheren Niveau liegt. Will man aber, wie Ulrich dies tut, die Ausdrücke ἐνθένδε διαβεβηκόσι und ἤδη παρεσκευασμένοις auf eine andere Gruppe beziehen (also gegen Ulrichs 44 bezeugte Auffassung ein Adressatenwechsel), so müsste man, besonders nach Ulrichs eigenen Ergebnissen die Stellung der Juden in Eusebius' Werk betreffend (vgl. 121-125), doch davon ausgehen, dass tatsächlich jetzt solche Christen angesprochen sind, die von den aufgrund der monotheistischen Vorbildung 'vorbereiteten' Juden übergetreten sind, während vorher ja ausdrücklich heidnische Proselyten die Adressaten waren. Doch scheint bei dieser Auslegung das Wort ἐνθένδε überinterpretiert zu sein. Vgl. auch Kofsky (2000) 74.

Zusammenhang nicht entscheidend. In beiden Fällen sind die anderen theologisch-religiösen Konzepte als Gegenüber gedacht und deren Vertreter – wenn auch nur fiktiv – die Adressaten.[11] Überzeugend erscheint die Deutung, dass im Doppelwerk des Eusebius „nicht die systematische Darstellung des christlichen Lehrganzen, sondern die systematisch vorgehende Verteidigung desselben im Vordergrund [steht], d. h. die zugrundeliegende Systematik ist nicht primär eine dogmatische, sondern eine apologetische."[12]

Die *Praeparatio Evangelica* besteht aus fünfzehn Büchern.[13] Die Abgrenzung der Bücher ist nicht immer inhaltlich, sondern teilweise auch praktisch, nämlich durch den Umfang bedingt, der Eusebius angemessen erscheint.[14] Auch wenn es berechtigt ist, die Gesamtkonzeption von *Praeparatio* und *Demonstratio Evangelica* zu betonen, darf nicht unterschätzt werden, dass die *Praeparatio* zwar auf eine Weiterführung hingeordnet und ausgerichtet ist, es sich aber doch um ein in sich geschlossenes Werk handelt. Dementsprechend ist eine eigenständige Gliederung der *Praeparatio* gerechtfertigt, für die sich das Schema von Guy Schrœder anbietet,[15] der das Werk in drei große Abschnitte einteilt: Die Bücher 1-6 widerlegen die heidnischen Erscheinungsformen der Religion, die Bücher 7-9 gewähren Einblick in die Religion der Hebräer / Juden und weisen darauf hin, dass die Juden den Griechen bekannt waren, und die Bücher 10-15 stellen die Religion der Hebräer den philosophischen Theorien der Griechen gegenüber. Die Bücher 1-6 können wiederum in zwei Abschnitte zerlegt werden: 1-3 (μυθικὸν εἶδος[16], also die Religion, Fabeln und Geschichten der Dichter, beginnend mit der Religion der Phönizier und der Ägypter, an die sich die Religion der Griechen anschließt, und φυσικὸν εἶδος, d. h. die allegorische Auslegung der Mythen durch Philosophen) und 4-6 (πολιτικὸν εἶδος, das ist die in Gemeinschaften ausgeübte Religion; behandelt werden u. a. Opferkult unter besonderer Berücksichtigung des Menschenopfers, Orakelwesen, Dämonologie, *Fatum*). Ebenso verhält es sich bei den Büchern 10-15: 10-12 (im zehnten Buch will Eusebius zeigen, dass die Griechen viele ihrer Kenntnisse von den älteren Hebräern / Juden übernommen haben; in den Büchern elf und zwölf stehen Übereinstimmungen zwischen der Philosophie der Juden und

[11] Über die Bandbreite der möglichen apologetischen Intentionen einer Schrift vgl. jetzt Alexander (1999) 16-19.

[12] Strutwolf (1999) 64. Zum Publikum des Eusebius äußern sich auch Perrone (1996) 522-525 und Kofsky (1996) 60.

[13] Vgl. die Zusammenfassung in *PE* 15, 1.

[14] Vgl. Sirinelli / des Places (1974) 52. Zum Inhalt der einzelnen Bücher vgl. die Übersicht bei Mras (1956) 209f. Zum Aufbau vgl. Schrœder (1975) 14f.; Sirinelli / des Places (1974) 40; Doergens (1915) 3f.

[15] Schrœder (1975) 14f. Zu Einteilungen, die den Charakter als Doppelwerk hervorheben, vgl. Ulrich (1999) 35; Sirinelli / des Places (1974) 46 sowie Strutwolf (1999) 70 und die ebenfalls überzeugende Beschreibung der *Praeparatio* als „Ringkomposition" ebd. 77.

[16] Vgl. dazu und zu den anderen εἴδη unten die Abschnitte 3. 2. 1. 2 und 3. 2. 2. 1.

der Platons im Vordergrund) und 13-15 (Buch 13 bespricht die Unterschiede der platonischen und hebräischen Lehre,[17] die letzten beiden Bücher behandeln die Nachfolger Platons und andere philosophische Schulen der Griechen, vor allem Skepsis, Epikureismus, Peripatos und Stoa).

Eusebius beabsichtigt, in der *Praeparatio Evangelica* vor allem die Vertreter anderer, nicht-christlicher Meinungen zu Wort kommen zu lassen.[18] So sagt er vor Beginn der Auseinandersetzung mit der phönizischen und ägyptischen Kosmogonie und Theologie:

Θήσω δὲ οὐκ ἐμὰς φωνὰς ἐν τῇ τῶν δηλουμένων ἐκφάσει, ἀλλ᾽ αὐτῶν δὴ τῶν μάλιστα τὴν περὶ οὕς φασι θεοὺς εὐσέβειαν περισπούδαστον πεποιημένων, ὡς ἂν ὁ λόγος ἁπάσης ἐκτὸς τῆς περὶ τὸ πλάττεσθαι ἡμᾶς ὑπονοίας καταστaίη.

„Ich werde aber bei meinen Ausführungen nicht selbst sprechen, sondern diejenigen sprechen lassen, die sich am eifrigsten mit der Frömmigkeit gegenüber den von ihnen sogenannten Göttern beschäftigt haben, damit die Darstellung frei von jedem Vorwurf sei, wir würden etwas erfinden."[19]

Das ausführliche Zitieren der heidnischen Originale ist deswegen für die vorliegende Untersuchung von Bedeutung, weil neben direkten Äußerungen des Eusebius für sein Athenbild in besonderem Maß auch Auswahl und Zitierweise der von ihm herangezogenen Quellen berücksichtigt werden müssen.

3. 2. 1. 2 Begriffsklärungen

Philosophie. Der Begriff 'Philosophie' bei Eusebius ist von Anne-Marie Malingrey eingehend behandelt worden.[20] Sie beobachtet zunächst, dass Eusebius, wenn

[17] Zum Stellenwert Platons in der *PE* allgemein siehe des Places (1956); vgl. auch Ridings (1995) 141-147.

[18] Über die Bibliothek in Caesarea, die Eusebius zur Verfügung stand, vgl. van den Hoek (1990) 180; Cavallo (1988).

[19] Eus. *PE* 1, 5, 14. Ebenso erklärt er kurz darauf (*PE* 1, 6, 8): Ἀλλὰ γὰρ ἀπίωμεν ἐπὶ τὸ πρῶτον. Πόθεν δῆτα πιστωσόμεθα τὰς ἀποδείξεις; οὐ μὲν δὴ ἐκ τῶν παρ᾽ ἡμῖν γραμμάτων, ὡς ἂν μὴ δοκοίημεν κεχαρισμένα πράττειν τῷ λόγῳ· μάρτυρες δὲ παρέστωσαν ἡμῖν Ἑλλήνων αὐτῶν οἵ τε τὴν φιλοσοφίαν αὐχοῦντες καὶ τὴν ἄλλην τῶν ἐθνῶν ἱστορίαν διηρευνηκότες („Gehen wir nun zum ersten Punkt über. Woher werden wir den Darstellungen dabei Glaubwürdigkeit geben? Ganz gewiss nicht aus unseren Schriften, damit es nicht scheint, wir würden der Lehre Entsprechendes auftischen. Als Zeugen seien uns die Griechen selbst zugegen, und zwar die, die sich der 'Philosophie' rühmen, und die, die die übrige Geschichte der Völker erforscht haben."). Ähnlich leitet Eusebius die Behandlung des Orakelwesens in *PE* 4, 6, 1, 4-7 ein: Εἰ δὲ μέλλοιμι παρ᾽ ἐμαυτοῦ τοὺς ἐλέγχους τῶν δηλουμένων προφέρειν, εὖ οἶδ᾽ ὅτι μηδ᾽ ἀνεπίληπτον παρέξω τοῖς φιλεγκλήμοσι τὸν λόγον· διόπερ αὐτὸς οὐδὲν οἴκοθεν εἰπὼν αὖθις ταῖς τῶν ἔξωθεν ἀποχρήσομαι μαρτυρίαις („Wenn ich jetzt aber für das Folgende meine eigene Beweisführung vorbrächte, weiß ich sehr wohl, dass ich den Spitzfindigen eine angreifbare Darstellung böte. Daher sage ich erneut nichts von mir aus, sondern benutze Zeugnisse der Heiden.").

[20] Malingrey (1961). Das sechste Kapitel (185-206) behandelt „Philosophia dans l'œuvre d'Eusèbe de Césarée". Vgl. auch Covolo (1988) 517.

er von Heiden spricht, mit den Ausdrücken φιλοσοφία und φιλόσοφος nicht nur einzelne Schulen bzw. deren Gründer oder Vertreter bezeichnet, sondern auch allgemein das Bemühen der Menschen, mit Hilfe des eigenen Nachdenkens Ideen von Gott zu entwickeln, das von dem Erfolg gekrönt ist, zu Berührungspunkten mit der christlichen Lehre zu führen.[21] Φιλοσοφία kann aber auch Teil eines Prinzips der Lebensführung sein: So gibt es sowohl heidnische Völker als auch besonders die Hebräer / Juden, die ein Leben gemäß der Tugendhaftigkeit (ἀρετή) und der Philosophie führen und sich positiv von den dekadenten Entwicklungen des griechischen Raums abheben. Vor allem die Hebräer / Juden haben unter ihrem Führer und Gesetzgeber Moses eine gottesfürchtige (εὐσεβής) Philosophie zum Lebensmaßstab.[22] Dass Philosophie auf die Erkenntnis Gottes und seines Sohnes abzielt, zeigt sich etwa daran, dass es Christus ist, der „das ehrwürdige Streben nach einer philosophischen Unterweisung“ schenkt.[23] Eusebius geht weiter als seine apologetischen Vorläufer: Hatten diese den christlichen Glauben als ‘wahre Philosophie’ bezeichnet, so ist bei Eusebius zuweilen *nur* für das Christentum der Name ‘Philosophie’ angemessen; eine Vermischung der göttlichen Botschaft mit rein menschlichen Lehren sei inakzeptabel.[24] Leben gemäß der christlichen Philosophie muss sich an einem Studium der Schrift orientieren.

Eine genauere Untersuchung des Verhältnisses der Begriffe φιλοσοφία und θεολογία zueinander speziell in der *Praeparatio Evangelica* wäre lohnend; sie würde voraussichtlich zeigen, dass vor allem die in den Büchern 1-6 behandelten theologisch-religiösen Ausprägungen von Eusebius als θεολογία bezeichnet werden, während die religiösen Konzepte der Hebräer, aber auch die Bemühungen der namhaften griechischen Philosophen, allen voran Platons, für Eusebius als φιλοσοφία (im ernst zu nehmenden Sinn) gelten dürften.

Die große Bedeutung, die Eusebius dem Begriff φιλοσοφία gibt, legt es nahe, auch den griechischen Philosophen große Aufmerksamkeit zu widmen. Wird deren Philosophie von Eusebius als ernsthaftes Bemühen oder wenigstens als richtiger Weg zum christlichen Glauben gewertet, dann sind sie auch Wegbereiter der Fähigkeit der Griechen, die später offenbarten Lehren des Logos ‘Christus’ zu verstehen und anzunehmen; wie gesehen, stellt Eusebius die Christen ja als Erben und gleichzeitig als Transformatoren der griechischen Gedankenwelt dar. Dies zeigt auch der Aufbau der *Praeparatio* als Klimax: Eusebius beschreibt zunächst die ‘Verirrung’ der heidnischen ‘Theologie’, geht dann zu den Hebräern / Juden

[21] Malingrey (1961) 192. Daneben gibt es natürlich in apologetischer Tradition auch den ironischen Gebrauch von φιλοσοφία, wobei meist Adjektive mit einer feierlichen Bedeutung (z. B. σεμνός, γενναῖος) hinzugefügt sind; vgl. ebd. 191.

[22] Malingrey (1961) 193f.

[23] Malingrey (1961) 195 mit Anm. 55; Eus. *Vita Const.* 4, 2: ἔνθεν [von Christus] [...] καὶ σεμνὸς φιλοσόφου παιδείας ἔρως (σεμνός hier nicht ironisch gebraucht).

[24] Vgl. Malingrey (1961) 198.

über, von denen die Griechen einige Aspekte des wahren Glaubens übernehmen konnten und setzt sich anschließend mit den Philosophen und zu einem großen Teil mit Platon auseinander.

Μυθικὸν εἶδος, φυσικὸν εἶδος, πολιτικὸν εἶδος. Eusebius gliedert den ersten Teil seiner *Praeparatio Evangelica* (Bücher 1-6), also die Darstellung der Religion der Heiden, in drei Abschnitte, einen 'mythischen', einen 'physischen' und einen über „die bewundernswerten Orakel", wie er in Buch 1 schreibt.[25] Wenn er später zum dritten Teil dieser Gliederung kommt, stellt er sein Einteilungsschema noch deutlicher vor:

Τὸ τρίτον εἶδος τῆς πολυθέου πλάνης, ἀφ' ἧς δυνάμει καὶ εὐεργεσίᾳ τοῦ λυτρωτοῦ καὶ σωτῆρος ἡμῶν ἠλευθερώθημεν, ἐν τετάρτῳ τούτῳ συγγράμματι τῆς Εὐαγγελικῆς Προπαρασκευῆς καιρὸς ἀπελέγξαι καλεῖ. Ἐπειδὴ γὰρ τὸ πᾶν τῆς θεολογίας αὐτῶν εἶδος εἰς τρία γενικώτερον διαιροῦσιν, εἴς τε τὸ μυθικὸν ὑπὸ τῶν ποιητῶν τετραγῳδημένον καὶ εἰς τὸ φυσικὸν τὸ δὴ πρὸς τῶν φιλοσόφων ἐφευρημένον εἴς τε τὸ πρὸς τῶν νόμων διεκδικούμενον ἐν ἑκάστῃ πόλει καὶ χώρᾳ πεφυλαγμένον, τούτων δὲ μέρη δύο ἤδη πρότερον διὰ τῶν πρὸ τούτου συγγραμμάτων ἡμῖν ἐξήπλωται, τό τε ἱστορικόν, ὃ δὴ μυθικὸν ἀποκαλοῦσιν, καὶ τὸ ἐπαναβεβηκὸς τοὺς μύθους, ὃ δὴ φυσικὸν ἢ θεωρητικὸν ἢ ὅπῃ ἄλλῃ χαίρουσι προσαγορεύοντες.

„Es ist nun an der Zeit, die dritte Erscheinungsform der 'polytheistischen' Verirrung, von der wir durch die Macht und Wohltat unseres Erlösers und Retters befreit worden sind, in diesem vierten Buch der *Evangelischen Vorbereitung* [*Praeparatio Evangelica*] zu widerlegen. Da sie ja die gesamte Erscheinungsform ihrer 'Theologie' dreiteilen, in den 'mythischen' Teil, der von den Dichtern geschildert worden ist, den 'physischen', der von den 'Philosophen' erfunden worden ist, und den, der, durch Gesetze sanktioniert, in jeder Stadt und in jedem Land in Geltung ist, haben wir davon zwei bereits in den ersten Büchern ausführlich dargestellt, den 'historischen', den sie 'mythischen' nennen, und den, der die 'Mythen' übersteigt, den sie 'physischen' oder 'theoretischen' oder, wie es ihnen sonst gefällt, nennen."[26]

Dieses Schema für einen Umgang mit der Religion ist mit dem Namen des römischen Gelehrten M. Terentius Varro verbunden;[27] dies lehrt zumindest die indirekte Überlieferung durch Tertullians Schrift *ad nationes*[28] und Augustinus' *Gottes-*

[25] Eus. *PE* 1, 6, 5, 5-10: [...] πρότερον μὲν τὴν καὶ τούτων παλαιὰν καὶ μυθικωτέραν πλάνην ἐποπτεύσωμεν, εἶτα δὲ τὴν σεμνοτέραν (zu diesem Gebrauch des Wortes σεμνός vgl. oben S. 75 Anm. 21) καὶ φυσικωτέραν δὴ περὶ θεῶν φιλοσοφίαν, καὶ μετὰ ταῦτα τὸν περὶ τῶν θαυμαστῶν χρηστηρίων ἐφοδεύσωμεν λόγον [...] („[...] Zunächst werden wir auch deren [sc. der Griechen] ältere und 'mythischere' Verirrung in Augenschein nehmen, dann die edlere und 'physischere Philosophie' über die Götter, und danach werden wir über die bewundernswerten Orakel sprechen.").

[26] Eus. *PE* 4, 1, 1, 1-2, 9. Vgl. *PE* 3, 17, 2; 4, 1, 4; 15, 1-3.

[27] Vgl. zu dieser Frage Pépin (1976) 276-392 (zu Eusebius 293-296); siehe auch Lehmann (1997) 193-225; Cardauns (1976) 2, 139-143; Lieberg (1973).

[28] Tert. *nat.* 2, 1, 9f. (CCL 1, 41): *Hunc* [sc. *Varronem*] *si interrogem, qui insinuatores deorum,*

staat.[29] Letzterer hat in demselben Werk eine vergleichbare Einteilung auch bei dem römischen Priester Q. Mucius Scaevola (140-82 v. Chr.) ausgemacht, der die mythisch-poetische und physisch-philosophische Theologie zugunsten der politisch-nationalen zurücktreten lässt, und zwar aus pädagogischen Gründen, denn die erste sei „unnütz, weil vieles über die Götter erfunden wird, was [sc. ihrer] unwürdig ist", die zweite „passe nicht zu den Gemeinden, weil sie einiges Überflüssige in sich habe, aber auch einiges, was sogar dem Volk schädlich sei, wenn es davon wüsste."[30] Das Schädliche sei beispielsweise, „dass Hercules, Aesculap, Castor und Pollux keine Götter sind; die Gelehrten behaupten nämlich, sie seien Menschen gewesen und auf menschliche Art und Weise gestorben," oder „dass die Gemeinden von denen, die Götter sind, keine wahrheitsgetreuen Bildnisse haben sollen; denn der wahre Gott habe kein Geschlecht, kein Alter und keine begrenzten menschlichen Gliedmaßen."[31] Während also bei den Kirchenvätern Tertullian und Augustinus diese Lehre ausdrücklich mit Scaevola und Varro verbunden wird, finden sich auch in der griechischen Literatur vor Eusebius verwandte Einteilungen.[32]

Die zahlreichen Bemühungen, einen Ursprung für die vorliegende Schematisierung der griechischen Religion zu ermitteln – immer wieder wurde vor allem an die Stoa gedacht –, sind nicht überzeugend[33] und rechtfertigen den Schluss, „daß man die Dreiteilung nicht als Doktrin eines bestimmten griechischen Denkers oder einer bestimmten philosophischen Schule, die in der Folge von späteren Denkern oder Schulen übernommen und abgewandelt worden wäre, sondern als universale

aut philosophos designat aut populos aut poetas. Triplici enim genere deorum censum distinxit: unum esse physicum, quod philosophi retractant, aliud mythicum, quod inter poetas volutatur, tertium gentile, quod populi sibi quique adoptaverunt („Wenn ich Varro fragte, wer die Götter ausdenkt, würde er entweder die 'Philosophen' oder die Völker oder die Dichter nennen. Er teilt die Götterliste nämlich in drei Gruppen ein: Eine ist die 'physische', die die Philosophen behandeln, eine andere die 'mythische', die bei den Dichtern kursiert, eine dritte ist die bei den Völkern, die jedes Volk sich selbst ausgesucht hat."). Die Problematik der Textfassung und einer Übersetzung erwähnt Pépin (1976) 278.

29 Vgl. Aug. *civ.* 6, 5. 12; 8, 1 (CCL 47, 170-172. 184. 216f.).

30 Vgl. Aug. *civ.* 4, 27 (CCL 47, 120f.): *Relatum est in litteras doctissimum pontificem Scaevolam disputasse tria genera tradita deorum: unum a poetis, alterum a philosophis, tertium a principibus civitatis. Primum genus nugatorium dicit esse, quod multa de diis fingantur indigna; secundum non congruere civitatibus, quod habeat aliqua supervacua, aliqua etiam quae obsit populis nosse.*

31 Aug. *civ.* 4, 27 (CCL 47, 121): [...] *non esse deos Herculem, Aesculapium, Castorem, Pollucem; proditur enim ab doctis, quod homines fuerint et humana condicione defecerint* [...] *quod eorum qui sint dii non habeant civitates vera simulacra, quod verus Deus nec sexum habeat nec aetatem nec definita corporis membra.*

32 Die einschlägigen Stellen sind von Lieberg (1973) im Anhang 107-115 zusammengetragen. Es handelt sich um Dion Chrysostomos' *or.* 12, 39-43. 44. 47; Aëtios' *Placita* (Diels [1879] 295, 6-14) und Plutarchs *Amatorius* 18, 763 B/F.

33 Lieberg (1973) setzt sich mit allen Bemühungen bis 1973 eingehend auseinander und zeigt deren Unzulänglichkeiten auf.

Denkform verstehen muß, mit deren Hilfe mindestens seit der Zeit der hellenistischen Philosophie das antike Denken die durch Gesetz, Mythos und Spekulation vermittelte religiöse Wirklichkeit in ihrer Vielschichtigkeit und Verschiedenartigkeit besser zu erfassen suchte."[34] Dessen ungeachtet kann man für Eusebius die Frage stellen, ob seine Indienstnahme der Dreiteilung einer bestimmten Quelle entstammt. Hier kommen von den überlieferten Belegen die Zeugnisse des Plutarch (*Amatorius* 18, 763 B/F) und des Tertullian[35] in Frage. Doch ist für die Tertullian-Kenntnis des Eusebius bisher ausschließlich eine Auswertung des *Apologeticum* „wohl in einer griechischen Fassung" erwiesen.[36] Für die Plutarch-Kenntnis des Eusebius gibt es dagegen zahlreiche Zeugnisse.[37] Schließlich sind auf dem Gebiet der griechischen christlichen Apologetik Parallelen zu finden, die Eusebius beeinflusst haben können.[38]

Hebräer und Juden. Im siebten Buch der *Praeparatio Evangelica* stellt Eusebius seinen Lesern Hebräer und Juden vor. Eusebius unterscheidet zwischen diesen beiden Bezeichnungen: Die Hebräer waren ein sehr altes Volk, zu dem auch der Stammvater Abraham zählt.[39] Sie zeichneten sich durch ihre fromme und gottesfürchtige Lebensweise aus und können als die 'Christen vor Christus' angesehen werden.[40] Ebenso wie die Christen trugen sie ursprünglich nicht das Zeichen der Beschneidung an sich und hatten keine Nahrungsvorschriften und vorgegebenen Festzeiten.[41] Ohne Gesetz waren sie dennoch in Kenntnis des wahren Glaubens und der rechten Lebensweise. Auch Moses war ein Hebräer, der sein Gesetz für die Juden schrieb. Zu den Hebräern zählen Enos, Enoch, Noah, Melchisedek, Isaak, Hiob, Jakob, seine Söhne und unter ihnen Josef. Die Zeit in Ägypten und die Verderbnis der Sitten dort machten es nötig,[42] in Moses einen Hebräer dazu zu bringen, für die unter diesen Umständen entstehenden Juden[43] das Gesetz aufzuschreiben, um ihnen so eine Hilfestellung dafür zu geben, der Lebensweise ihrer

34 Lieberg (1973) 107.

35 Zur Tertullian-Kenntnis des Eusebius vgl. Ulrich (1999) 130 mit Anm. 419.

36 Ulrich (1996) 285. Vgl. auch die Testimonientafel (Tabula Ia) in CCL 1, 1. Ausführlicher Fisher (1982) 203-207.

37 Zu Plutarch bei Eusebius vgl. des Places (1982) 45-47.

38 Fredouille (1988) bearbeitet neben Tertullian auch Athenagoras (*leg.* 13-22 [SC 379, 110-154]) und Theophilos von Antiochien (*Autol.* 2, 2-8 [PTS 44, 38-51]).

39 Zum Folgenden vgl. Kofsky (2000) 102-114 und Kofsky (1996) 70-77 sowie unten Kapitel 3. 2. 3.

40 Zu Vorgängern der These, die Patriarchen seien Christen vor Christus, vgl. Gallagher (1993) 253 Anm. 12.

41 So bereits Eus. *h. e.* 1, 4, 4-10. Zur Beschneidung, die ja Abraham eingeführt hatte, vgl. Schrœder (1975) 67.

42 Vgl. Eus. *PE* 7, 8, 37.

43 Kofsky (2000) 104 „it was at this wretched time [sc. die Zeit Israels in Ägypten] that the Jewish nation was born."

Vorfahren, der Hebräer, nahe zu kommen. Doch gab es auch nach Moses noch vereinzelt Hebräer, so beispielsweise die alttestamentlichen Propheten und die Schriftsteller Philon, Aristobulos und Josephus sowie die Apostel Johannes und Paulus, wodurch die Kontinuität zwischen Hebräern und Christen deutlich wird.

3. 2. 2 Die Theologie der Heiden (PE 1-6)

3. 2. 2. 1 Das μυθικὸν εἶδος und die Opposition der Philosophen aus Athen

Eusebius beginnt seine Untersuchung über das μυθικὸν εἶδος heidnischer Theologie nicht bei den Griechen oder Hebräern, sondern mit einem Vergleich der phönizischen und ägyptischen kosmischen Gottheiten mit dem hebräischen Monotheismus. Während die Hebräer als einziges Volk den Schöpfer-Gott erkannt hätten, seien alle anderen Völker von der Schöpfung selbst so beeindruckt gewesen, dass sie die natürlichen Erscheinungen am Himmel zu Göttern erklärt und sie verehrt, aber keine Tempel, Kultbilder oder Ähnliches gebraucht hätten. Wir haben die kultur- oder religionswissenschaftliche Variante der *Chronik* vor uns: Denn die Griechen, so Eusebius, haben die diversen Kulte durch Mittelsmänner wie Orpheus und Kadmos[44] erhalten, „da die Griechen zu dieser Zeit noch nicht einmal die Schrift kannten.“[45]

Ein (vorläufiger?[46]) Plan der *Praeparatio* kündigt 1, 6, 5 an, zunächst (1.) die erste Kosmogonie (τὰ τῆς κοσμογονίας τῆς πρώτης), dann (2.) den ersten und ältesten menschlichen Aberglauben (τὰ περὶ τῆς πρώτης καὶ παλαιοτάτης τοῦ τῶν ἀνθρώπων βίου δεισιδαιμονίας) und anschließend (3.) die mythische Religion der Phönizier (τὰ Φοινίκων), (4.) der Ägypter (τὰ Αἰγυπτίων) und (5.) der Griechen darzustellen (τὰ Ἑλλήνων διελόντες πρότερον μὲν τὴν καὶ τούτων παλαιὰν καὶ μυθικωτέραν πλάνην ἐποπτεύσωμεν).

Erste Begegnung mit Anaxagoras und Sokrates. Den ersten Teil dieses Plans, also die ‘erste Kosmogonie’, führt Eusebius mit Zitaten aus Diodorus Siculus[47] und Plutarch (?)[48] aus. Der geschlossene Charakter dieser Zitate[49] sowie die relativ

[44] Orpheus soll den Griechen die Mysterien aus Ägypten gebracht haben, Kadmos stammt aus Phönizien und soll von dort Kulte nach Griechenland eingeführt haben.

[45] Eus. *PE* 1, 6, 4, 8f.: οὔπω γὰρ εἰσέτι τοὺς Ἕλληνας τότε τὴν τῶν γραμμάτων χρῆσιν εἰδέναι.

[46] Vgl. Strutwolf (1999) 77.

[47] Eus. *PE* 1, 7, 1-15 = D. S. 1, 6-8. Zu diesem Abschnitt bei Diodorus Siculus vgl. Sacks (1990) 56-60. Bei Diodor fungiert der von Eusebius übernommene Abschnitt als „transition between the proem and the Egyptian mythology“ (ebd. 56); Eusebius gibt ihm eine ähnliche Funktion. Zu Diodor bei Eusebius vgl. Bounoure (1982).

[48] Eus. *PE* 1, 8, 1-12 = Plu. *strom.* 1-12 (Diels [1879] 579-583 = *Frg.* 179 Sandbach [1967]).

[49] Ob das Fragment *PE* 1, 8, 1-12 von Plutarch stammt, ist umstritten. Diels (1879) 156-161

nüchterne Überleitung zwischen ihnen, die nicht weiter auf den Inhalt eingeht, macht die Abschnitte, die Athener Philosophen behandeln, zu Übernahmen des Eusebius, die einer eingehenderen Betrachtung bedürfen. Drei Punkte sind von besonderer Bedeutung:

1) Diodor behandelt in dem von Eusebius zitierten Text die Kosmogonie und die Entstehung der Lebewesen. Eusebius fasst den Inhalt der dort beschriebenen Theorien zusammen als „zufällige und 'automatische' Anordnung des Weltalls"[50] und bemängelt, dass kein Schöpfer namentlich genannt werde. Er hat die folgende Stelle von Diodor übernommen:

Ἔοικε δὲ περὶ τῆς τῶν ὅλων φύσεως οὐδὲ Εὐριπίδης διαφωνεῖν τοῖς προειρημένοις, μαθητὴς ὢν Ἀναξαγόρου τοῦ φυσικοῦ. Ἐν γὰρ τῇ Μελανίππῃ τίθησιν οὕτως [...].

„Über die Beschaffenheit des Alls scheint nicht einmal Euripides[51] mit den vorher Genannten uneins zu sein, obwohl er doch Schüler des Naturphilosophen Anaxagoras war. Denn in der *Melanippe* schreibt er Folgendes [...]."[52]

Die Verwunderung des Diodor darüber, dass Euripides, und zwar als Schüler des Anaxagoras, mit der geschilderten Kosmogonie übereinstimmt, impliziert, dass sich diese Ansichten, die Eusebius später ablehnen wird, auch nicht mit denen des Naturphilosophen Anaxagoras decken. Das rechtfertigt die konzessive Wiedergabe des Partizipialausdrucks μαθητὴς ὤν, die die von Eusebius in den Worten des Diodor hier noch offen gehaltene und erst später deutlich ausgesprochene Position vorwegnimmt.

2) Ob der folgende Text, der divergierende Ansichten griechischer Philosophen über die Weltentstehung referiert, tatsächlich von Plutarch verfasst wurde, ist umstritten. Man hat als Argument für die Unechtheit dieses Fragments angeführt, dass die Auswahl der dort behandelten Philosophen unüberlegt sei und der Verfasser des Textes manche grundlos ausgelassen habe, beispielsweise Anaxagoras.[53]

lehnt dies ab („oratio scholicum habet saporem ne dicam puerilem" ebd. 156). Ihm schließen sich Sandbach (1967) 110 zu Fragment 179 und des Places (1982) 46 an. Mras (1955) 97 hält den Text für „eine Materialsammlung des Plutarch aus Prosaikern und Dichtern, also keine zur Herausgabe gefeilte Schrift."

50 Eus. *PE* 1, 7, 16, 2-4: συντυχικὴν δέ τινα καὶ αὐτόματον εἰσηγησάμενος τὴν τοῦ παντὸς διακόσμησιν.

51 Die Kombination des οὐδέ mit dem folgenden konzessiven Partizip deutet an, dass Euripides vielleicht nicht nur wegen der Schülerbeziehung zu Anaxagoras eine sonst eher positiv belegte Gestalt war. Vgl. Clem. *prot.* 76, 3 (GCS Clem. 1, 58), wo Euripides als Sokrates-Schüler genannt und ihm sein Blick ausschließlich für die Wahrheit und die Vernachlässigung der Zuschauer positiv angerechnet wird (Ἄξιος ὡς ἀληθῶς Σωκρατικῆς διατριβῆς ὁ Εὐριπίδης εἰς τὴν ἀλήθειαν ἀπιδὼν καὶ τοὺς θεατὰς ὑπεριδών). Die Bedeutung des Publikums war in der Kaiserzeit vor allem für Redner von entscheidender Bedeutung; vgl. Korenjak (2000) 145.

52 *PE* 1, 7, 9, 1-3 = D. S. 1, 7, 7. Es folgt E. *Frg.* 484 Nauck^2.

53 Diels (1879) 158: „delectus nulla certa ratione factus – neque enim ulla causa erat Anaxago-

Eusebius geht jedoch von Plutarch als Verfasser aus,[54] und die Auswahl des Autors war unter Umständen gerade ein Vorzug, den Eusebius in dem Abschnitt sah. Denn er kanzelt zunächst unterschiedslos die kurz erwähnten „neunmalklugen" griechischen Philosophen[55] und ihre Ansichten ab – ihre Theorien führen die Weltentstehung auf eine unvernünftige Bewegung (ἀλόγῳ φορᾷ) zurück –, und hebt ihre Uneinigkeit hervor;[56] bevor Eusebius aber dann zu dem zweiten Punkt seines oben genannten Plans übergeht, dem frühesten Aberglauben, schließt er den ersten Punkt mit Zitaten aus Platons *Phaidon* und unter Berufung auf den dort dargestellten Sokrates mit den Worten ab:

Ὅτε τοίνυν καὶ τῷ τηλικούτῳ φιλοσόφῳ τοιάδε ἐδόκει εἶναι τὰ τῆς τῶν δηλωθέντων φυσιολογίας, εἰκότως μοι δοκῶ καὶ ἡμᾶς τὴν τούτων ἁπάντων ἀθεότητα παρῃτῆσθαι, ἐπεὶ καὶ τὰ τῆς πολυθέου πλάνης αὐτῶν οὐκ ἔοικεν εἶναι ἀλλότρια τῶν εἰρημένων. Τοῦτο μὲν οὖν ἐπὶ καιροῦ τοῦ προσήκοντος ἐλεγχθήσεται, καθ' ὃν ἀποδείξομεν ὅτι πρῶτος Ἑλλήνων Ἀναξαγόρας νοῦν ἐπιστῆσαι τῇ τοῦ παντὸς αἰτίᾳ μνημονεύεται.

„Da also auch diesem so großen 'Philosophen'[57] die 'Physiologie' der genannten [Philosophen] derart[58] zu sein schien, glaube ich, wir haben zu Recht die Gottlosigkeit all dieser Menschen verworfen, da auch die Lehre des 'Polytheismus' ihren eben geäußerten Reden nicht fremd zu sein scheint. Das wird dann zu gegebener Zeit nachgewiesen, wenn wir zeigen, dass der Überlieferung nach als erster von den Griechen Anaxagoras einen Verstand dem Urgrund des Alls hinzugefügt hat."[59]

Anaxagoras bedeutet offensichtlich für Eusebius einen Fortschritt im Rahmen der griechischen Religionsgeschichte; daher wird Eusebius seine Erwähnung in einem ersten Zitat (Anaxagoras ist anderer Ansicht als die übrigen Naturphilosophen) und seine Auslassung in einem zweiten Zitat (bei Plutarch [?]) begrüßt haben.

ram Archelaum alios omittendi." Da Eusebius die einzige Belegstelle für diesen Text bietet, bleibt im Übrigen die Frage offen, ob er seine Vorlage unverändert übernommen oder in seinem Sinn verkürzt hat. Von den in diesem Plutarch-Zitat genannten Philosophen trägt nur Epikur den Zusatz „aus Athen" (Ἀθηναῖος).

54 Eus. *PE* 1, 7, 16, 7f.

55 Eus. *PE* 1, 8, 13, 1f.: τῶν πανσόφων Ἑλλήνων τῶν δὴ φυσικῶν φιλοσόφων ἐπικληθέντων.

56 Die Widersprüche der Philosophen untereinander sind ein Topos, den man im Rahmen christlicher Athenkritik häufig findet. Gerade in Athen, das ja in dieser Zeit noch immer Zentrum der philosophischen Ausbildung ist, prallen philosophische Anschauungen aufeinander. Daher wird – teilweise im Zusammenhang der Erfahrungen des Paulus in Athen – die Uneinigkeit der griechischen Philosophen am Beispiel Athens mit auch von Eusebius verwendeten Begriffen (ἡ πρὸς ἀλλήλους ἐναντιότης, ἐν μὲν οὐδενὶ ἀλλήλοις συμπεφωνηκότων, μάχης δὲ καὶ διαφωνίας τὰ πάντα ἀναπεπληρωκότων [*PE* 1, 8, 14, 1-3]) geschildert. Vgl. unten S. 138 Anm. 75.

57 Gemeint ist Sokrates.

58 So widersprüchlich und verwirrend, dass man selbst das, was man vorher zu wissen glaubte, wieder vergisst oder verlernt. Vorausgegangen ist Pl. *Phd.* 96a 5-c 7.

59 Eus. *PE* 1, 8, 19, 2-9.

Diese Tendenz bestätigt ein dritter Punkt: Eusebius führt eine weitere Person ein, Sokrates.

3) Er, „der bei allen Griechen gerühmte (Philosoph)“ (ἐκεῖνος ὁ πᾶσιν ἀοίδιμος Ἕλλησιν[60]), wird als Autorität dafür genannt, dass man die dargestellten philosophischen Theorien über die Weltentstehung nicht ernst nehmen dürfe:

[...] Καὶ ὁ θαυμάσιος Σωκράτης τουτουσὶ πάντας μωραίνοντας ἀπήλεγχεν καὶ μαινομένων κατ᾽ οὐδὲν ἔλεγεν διαφέρειν, εἰ δή σοι μάρτυς ἀξιόχρεως Ξενοφῶν ἐν ᾽Απομνημονεύμασι λέγων οὕτως [...].

„[...] Auch der erstaunliche Sokrates hat nachgewiesen, dass sie alle Unsinn daherreden, und behauptet, sie unterschieden sich in nichts von Wahnsinnigen, wenn dir Xenophon als Zeuge ausreicht, der in den *Memorabilien* so spricht [...].“[61]

Es folgen Zitate aus den *Memorabilien* Xenophons,[62] denen zufolge Sokrates nicht über das Wesen der Welt spekulierte und diejenigen, die das tun, kritisierte, wobei sich auch die beiden in der Einleitung zu den Zitaten von Eusebius gebrauchten starken Verben μωραίνω („töricht sein“) und μαίνομαι („wahnsinnig sein“) finden; ferner führt Eusebius, wie oben erwähnt, einen Abschnitt aus dem *Phaidon* Platons an, der beschreibt, in welche Verwirrung Sokrates geriet, als er sich mit dem Wesen der Natur beschäftigte. Im *Phaidon*, der Vorlage des Eusebius, folgt bald darauf der Bericht, wie Sokrates (zunächst) die Lehre des Anaxagoras bewunderte, der die Vernunft als Ursache aller Dinge ansah.[63]

Sokrates und Anaxagoras sind hier als die Philosophen angekündigt, die den richtigen Weg weisen. Eusebius versetzt sich gewissermaßen in die Lage des Sokrates, der die Lehre des Anaxagoras als erheblichen Fortschritt im Verhältnis zur Torheit der Naturphilosophen ansah.

Nach der Behandlung der Kosmogonie geht Eusebius zur „ersten Theologie der Menschen“ über, für die erneut Diodor (1, 11, 1-5) als Quelle dient; Diodor beschreibt die Tendenz, Naturerscheinungen zu Göttern zu machen, eine Tendenz, die in Ägypten, bei den Phöniziern und Griechen in der beschriebenen Zeit verbreitet gewesen sein soll. Als weitere Quellen nennt Eusebius Porphyrios (und Theophrast, den Porphyrios wiedergibt) sowie als „Krönung“ (ἐπισφράγισμα[64]) einen Auszug aus Platons *Kratylos*.

[60] Eus. *PE* 1, 8, 19, 1f.
[61] Eus. *PE* 1, 8, 14, 3-6.
[62] X. *Mem.* 1, 1, 11 und 1, 1, 13f. mit einer Auslassung. Vgl. unten S. 121.
[63] Auffällig sind die ähnlichen Formulierungen Eus. *PE* 1, 8, 19, 8f. (᾽Αναξαγόρας νοῦν ἐπιστῆσαι τῇ τοῦ παντὸς αἰτίᾳ μνημονεύεται [...]) und Pl. *Phd.* 97b 8-c 2 ([...] ἀκούσας μέν ποτε ἐκ βιβλίου τινός [...] ᾽Αναξαγόρου ἀναγιγνώσκοντος, καὶ λέγοντος ὡς ἄρα νοῦς ἐστιν ὁ διακοσμῶν τε καὶ πάντων αἴτιος, ταύτῃ δὴ τῇ αἰτίᾳ ἥσθην [...]).
[64] Eus. *PE* 1, 9, 12, 2.

An diese relativ kurze Darlegung schließt sich der dritte Punkt der oben[65] angegebenen Gliederung an, die Religion der Phönizier. Diese gibt Eusebius mit den Worten des Sanchuniathon[66] wieder, den Philon von Byblos (1. Hälfte 2. Jh.) übersetzt hat. Letzterer stellt im Vorwort zu seiner Übersetzung auch fest, dass Phönizier und Ägypter neben den unsterblichen (Astral-)Gottheiten Menschen, die für das Leben wichtige Erfindungen hervorbrachten, zu Göttern erklärt hätten, und kritisiert die neueren allegorischen Interpretationen, die den Tatsachen widersprächen.[67] Die Darstellung der phönizischen Religion durch Sanchuniathon / Philon von Byblos beschließt das erste Buch der *Praeparatio Evangelica*.

Diodor, die Chronik *und Athen.* Das zweite Buch der *Praeparatio* behandelt zunächst Punkt vier der von Eusebius in 1, 6, 5 angegebenen Gliederung, die frühe Religion der Ägypter. Nach einem Vorwort, das noch einmal betont, die religiöse Verehrung der Phönizier sei frei von jeglicher Tendenz zur Allegorie gewesen, legt er eine Zusammenstellung aus dem ersten Buch der *Bibliothek* Diodors über die ägyptische Theologie vor.[68] Der bei Eusebius teilweise sehr verkürzten Wiedergabe der ägyptischen Religion durch Diodor fallen einige Passagen zum Opfer, die auch mit Athen in Verbindung stehen: So wird die Bemerkung ausgelassen, die in Diodors *Bibliothek* 1, 16, 2 steht, „nicht Athene, wie die Griechen sagen, sondern Hermes habe den Ölbaum erfunden."[69] Die unpolemische Äußerung, Osiris habe Triptolemos den Landbau in Attika anvertraut, übernimmt Eusebius jedoch.[70]

Eusebius würde zwar nicht behaupten, dass Athene den Ölbaum erfunden hat; allerdings hat er die zeitliche Verbindung von Athene, Athen und Ölbaum in der *Chronik* bereits ausführlich referiert. Es scheint daher nicht unwahrscheinlich, dass Eusebius manche Partien bewusst ausgelassen hat, sei es, weil sie seinen

65 Eus. *PE* 1, 6, 5; vgl. oben S. 79.

66 Zu Sanchuniathon vgl. Sirinelli / des Places (1976) 301-305.

67 Die Fragmente aus dem Vorwort des Philon finden sich bei Eus. *PE* 1, 9, 24-29 (= FGrHist 790 F 1, 1). Literatur bei Sirinelli / des Places (1974) 303 zu Eus. *PE* 1, 9, 21.

68 Zu den Zitaten aus Diodor in *PE* 2 vgl. des Places (1976) 7-12. Ebd. 9-11 befindet sich eine Tabelle, die die Partien Diodors den entsprechenden Passagen aus *PE* 2 gegenüberstellt. Eine allgemeine Charakterisierung der Diodor-Zitate in *PE* 2 nimmt Bounoure (1982) 435f. vor, der eine „négligence qui préside à toutes les citations de Diodore qu'offre le livre II de la *Préparation Évangelique*, dans ses deux premiers chapitres" beobachtet (ebd.). Bounoure führt die Zusammenstellung der Diodor-Zitate auf die Redaktion einer ursprünglichen Textfassung durch Eusebius selbst zurück (437f.).

69 D. S. 1, 16, 2: [...] καὶ τῆς ἐλαίας δὲ τὸ φυτὸν αὐτὸν εὑρεῖν, ἀλλ' οὐκ Ἀθηνᾶν, ὥσπερ Ἕλληνές φασι (vgl. zur Olive in Ägypten Burton [1972] 79). Dagegen wird die Übernahme der Phallus-Verehrung durch die Griechen aufgegriffen: Vgl. D. S. 1, 22, 6 und Eus. *PE* 2, 1, 22, 3-7.

70 Eus. *PE* 2, 1, 14, 4f. = D. S. 1, 20, 3: Τριπτολέμῳ δ' ἐπιτρέψαι τὰς κατὰ τὴν Ἀττικὴν γεωργίας.

chronologischen Berechnungen widersprechen,[71] sei es, weil sie in seinen Augen den Zusammenhang stören würden.[72]

Bereits im zweiten Kapitel des zweiten Buches der *Praeparatio* geht Eusebius dann zur Theologie der Griechen über, die er in drei Teilen, nämlich in ihrer mythischen, physischen und politischen Gestalt, behandeln will. Er weist am Ende des ersten Kapitels noch einmal darauf hin, dass die Mythologie der Griechen ein Plagiat der phönizischen und ägyptischen sei und dementsprechend bedeutend jünger als Moses,[73] und beginnt seine Darstellung erneut mit Auszügen aus Diodors *Bibliothek*. Dabei ist es aufschlussreich, wie Eusebius im Kontext der Mythologie Athens seine Auswahl trifft: Er lässt positive Teile der Mythologie um Herakles zuweilen aus, negative hingegen behält er bei: Er erwähnt beispielsweise bei der Darstellung des Herakles nicht den Angriff der Amazonen gegen Athen, bei dem Herakles Theseus unterstützt,[74] die Schwängerung der 50 Töchter des Thespios (Thespios stammte von dem Athenerkönig Erechtheus) durch Herakles übernimmt er dagegen.[75]

Die eigentliche Darstellung der griechischen Religion in ihrer mythischen Erscheinungsform ist damit abgeschlossen. Eusebius kündigt nun zwar an, dass „es vernünftig sei, die geheimen Weiheriten derselben Götter und die unausgesprochenen Mysterien zu betrachten“[76] und sich daraus ein Urteil zu bilden, doch die folgenden Beiträge stammen diesmal aus den christlichen Reihen, nämlich von Klemens von Alexandrien, dessen *Protreptikos* trotz mancher Zugeständnisse an griechische Philosophie doch den Geist polemischer Apologetik atmet.

[71] So die Abschnitte Diodors, die eine Berechnung der Zeit von Osiris und Isis bis zu Alexander dem Großen darlegen. Eusebius selbst hat im zehnten Buch der *Praeparatio* Berechnungen angestellt, die das Alter der Hebräer betreffen, so dass die hier vorgelegten Daten den Leser verwirrt hätten (ähnlich wird auch die zeitliche Einordnung des Herakles und der Giganten D. S. 1, 24, 2 in *PE* 2, 1, 27 ausgelassen). In Eus. *Chr*. 12, 5-10 Helm (*praef. Eus.*) steht, unter Kekrops sei erstmals ein Ölbaum auf der Akropolis gewachsen (vgl. oben S. 37).

[72] Z. B. das Ende des 23. Kapitels des ersten Buchs der *Bibliothek*, von dem *PE* 2, 1, 26 nur die Worte fehlen ἔτι δ' ἀποικίας τὰς παρ' ἑαυτῶν („und ihre Kolonien“), während der Beginn des 24. Kapitels übernommen wird. Die Erwähnung der Kolonien hätte vom Wesentlichen abgelenkt, nämlich der Übernahme der ägyptischen Götter durch die Griechen.

[73] Eus. *PE* 2, 1, 56.

[74] D. S. 4, 28.

[75] *PE* 2, 2, 31 = D. S. 4, 29. Dies ist eines der ‘untragbaren’ Beispiele, auf das Eusebius auch 3, 13 (hier: 3, 13, 17, 6-10) anspielt, die trotz aller symbolischen und allegorischen Auslegung als abstoßend stehen bleiben: Πῶς δὲ ἐπὶ τὸν ἥλιον ἀναχθεῖεν αἱ πεντήκοντα Θεσπίου θυγατέρες καὶ τὸ τῶν λοιπῶν αἰχμαλωτίδων πλῆθος, αἷς τὸν Ἡρακλέα λόγος ἔχει μιγῆναι, ἐξ ὧν καὶ θνητοὶ παῖδες αὐτῷ γενόμενοι ἐπὶ μήκιστον τὴν τῶν γενῶν παρέτειναν διαδοχήν; („Wie sollen um Himmels willen die 50 Töchter des Thespios und die übrige Schar der weiblichen Kriegsgefangenen ertragen werden, mit denen sich Herakles der Sage nach vereint hat und aus denen ihm auch sterbliche Nachkommen erwachsen sind, die die Weitergabe des Geschlechts für eine so lange Zeit ausdehnten?“)

[76] Eus. *PE* 2, 2, 63, 2-4.

Klemens von Alexandrien, ein Gewährsmann aus Athen? Ein Hinweis in der Einleitung des Klemens-Zitates verdient besondere Beachtung. Eusebius führt den Alexandriner folgendermaßen ein:

Ταῦτα δὲ Κλήμης ὁ θαυμάσιος ἐν τῷ Πρὸς Ἕλληνας Προτρεπτικῷ διαρρήδην ἐκκαλύπτει, πάντων μὲν διὰ πείρας ἐλθὼν ἀνήρ, θᾶττόν γε μὴν τῆς πλάνης ἀνανεύσας, ὡς ἂν πρὸς τοῦ σωτηρίου λόγου καὶ διὰ τῆς εὐαγγελικῆς διδασκαλίας τῶν κακῶν λελυτρωμένος.

„Diese [sc. die Mysterien] legt der erstaunliche Klemens in dem *Protreptikos an die Griechen* unverblümt offen, ein Mann, der alles selbst erprobt, aber recht schnell der Verirrung entsagt hat, da er von dem rettenden Wort und durch die 'evangelische' Unterweisung von den Übeln erlöst wurde.“[77]

Diese Angabe wurde biographisch interpretiert und so ausgelegt, als habe sich Klemens vor seiner Bekehrung zum Christentum in die Mysterien von Eleusis einweihen lassen.[78] Man fand Unterstützung für diese Rekonstruktion in der Bemerkung des Epiphanios von Salamis, Klemens stamme einigen Quellen zufolge aus Athen,[79] sowie in Klemens' eigener Aufzählung seiner Lehrer in den *Teppichen*,[80] in der als erster ein Grieche genannt wird.

Was das letzte Argument angeht, so lässt sich daraus nicht direkt herleiten, dass Klemens in Athen geboren wurde[81] oder sich dort aufgehalten hat. Allerdings war Athen in dieser Zeit immer noch die berühmteste Hochschulstadt, obwohl es auch andere Städte gab, in denen man sich höhere Bildung aneignen konnte.[82] Es liegt daher nahe, den ionischen Lehrer des Klemens in Athen zu lokalisieren. Auch die Angabe des Epiphanios lässt bewusst die Entscheidung offen, doch macht – eine Geburt in Alexandria vorausgesetzt – die Tatsache, dass in Alexandria eine berühmte Hochschule war, einen Bildungsaufenthalt in Athen nicht unwahrschein-

77 Eus. *PE* 2, 2, 64, 1-5.

78 Hontoir (1905).

79 Epiph. *haer.* 32, 6, 1f. (GCS Epiph. 1, 445): Εἶτα οἱ καλῶς συγγραψάμενοι τὴν ἀλήθειαν <περὶ> τούτων ἐν τοῖς σφῶν αὐτῶν συγγράμμασιν ἤλεγξαν <αὐτούς>, Κλήμης τε, (ὅν φασί τινες Ἀλεξανδρέα, ἕτεροι δὲ Ἀθηναῖον), ἀλλὰ καὶ ὁ ἱερὸς Εἰρηναῖος καταγελῶν αὐτῶν τὸ τραγικὸν ἐκεῖνο [ὃ] ἐπὶ τοῖς προειρημένοις εἰς μέσον φέρων ἧκεν <τό> [...] („Dann haben die, die schön die Wahrheit darüber in ihren Schriften zusammengetragen haben, sie widerlegt, Klemens – von dem einige sagen, er stamme aus Alexandria, andere aber, er stamme aus Athen –, aber auch der heilige Irenaios, der ihr 'tragisches' Gehabe verspottet und zu dem eben Gesagten auch noch das Folgende hinzufügt: [...].“).

80 Clem. *str.* 1, 11, 2 (GCS Clem. 2, 8): Τούτων ὃ μὲν ἐπὶ τῆς Ἑλλάδος, ὁ Ἰωνικός, οἳ δὲ ἐπὶ τῆς Μεγάλης Ἑλλάδος (τῆς κοίλης θάτερος αὐτῶν Συρίας ἦν, ὃ δὲ ἀπ' Αἰγύπτου), ἄλλοι δὲ ἀνὰ τὴν ἀνατολήν· καὶ ταύτης ὃ μὲν τῆς τῶν Ἀσσυρίων, ὃ δὲ ἐν Παλαιστίνῃ Ἑβραῖος ἀνέκαθεν. („Von diesen [sc. Männern, die Klemens gehört hat] war der eine in Griechenland, der Ionier, die anderen waren in Großgriechenland – der eine von ihnen in Koilê Syria, der andere von Ägypten –, andere aus dem Osten, und davon der eine aus Assyrien, der andere ursprünglich ein Hebräer in Palästina.“). Nach Philippos von Side war Pantainos, der Lehrer des Klemens von Alexandrien, Athener, vgl. GCS N. F. 3, 160.

81 Vgl. Nautin (1961) 139 und Quatember (1946) 18-23.

82 Vgl. Walden (1909) 95.

lich. Auch Gregor von Nazianz wechselte ja von Alexandria nach Athen. Eine Einweihung in die Eleusinischen Mysterien lässt sich hingegen aus dem vorliegenden Zeugnis des Eusebius nicht ableiten, zumal Klemens' Darstellung schon lange als Übernahme eines unbekannten (hellenistischen?) Autors erkannt worden ist.[83] Dabei muss man Eusebius keine bewusste Irreführung des Lesers unterstellen. Im Gegenteil: In Unkenntnis der Quelle des Klemens, verbunden mit dessen Angaben in den *Teppichen*, mag Eusebius selbst aus dem vorliegenden Zitat den Schluss gezogen haben, Klemens habe sein Wissen aus eigener Erfahrung gewonnen. Umso größeres Gewicht erhält seine Schilderung für die Argumentation des Eusebius: Während er die früheren ausführlichen Zitate aus Diodor und anderen Quellen als fehlerhaft wertete, wenigstens deren Inhalt kritisierte und gelegentlich sogar der Lächerlichkeit preisgab, führt er hier umgekehrt eine Quelle an, die er als glaubhafte Autorität charakterisiert, gerade weil sie selbst ihren Gegenstand, die griechischen Mysterien, aufs Heftigste lächerlich macht. Und aus der Sicht des Eusebius kann diese wichtige Quelle glaubhaft so verfahren, weil ihr Verfasser, Klemens, seine Darstellung quasi als Erlebnisbericht aufgezeichnet hat.

In dem geschlossenen Abschnitt, den Eusebius aus Klemens' *Protreptikos* entnommen hat,[84] schildert der Alexandriner die heidnischen Mysterien.[85] Eusebius hat daran keine Änderungen vorgenommen, so dass man davon ausgehen muss, dass er sich der Polemik des Klemens anschließt und sie sich zu eigen macht; daher soll an dieser Stelle der Angriff des alexandrinischen Lehrers gegen die griechischen Mysterienkulte kurz vorgestellt werden.

Klemens leitet seine Abhandlung zu diesem Thema mit allgemeinen Bemerkungen ein.[86] Zunächst will er sich an die „nüchterne" Schilderung der Mysterien machen (οὐκ ἐξορχήσομαι[87]). Dieser neutralen Darstellung, die er ankündigt, wird auch die Möglichkeit gegenübergestellt, die Mysterien aufs Gröbste zu entweihen oder zu missachten. Als Beispiel dafür dient Alkibiades, der mit dem Hermokopidenfrevel und der Verbreitung geheimer Informationen als negativer Kontrast zu der Ankündigung einer neutralen Schilderung genannt wird.[88]

Es wird dann ein Dionysos-Mysterium 'inszeniert', nicht frei von einer gewissen Tendenziosität. Auf die attischen eleusinischen Mysterien verweist ein kurzer Satz. Dem folgt eine ausführliche theoretische Erörterung über die Etymologie der Worte ὄργια und μυστήρια; mit dieser Etymologie beginnend, orientiert sich

[83] Vgl. S. 87 Anm. 91.
[84] Eus. *PE* 2, 3, 1-42 = Clem. *prot.* 11-23, 1 (GCS Clem. 1, 10-17). Clem. *prot.* 12-23, 1 ist wohl einer Vorlage entnommen; die eigentliche Darstellung der Mysterien beginnt 13.
[85] Vgl. zu diesem Abschnitt Riedweg (1987) 117-123.
[86] Das Folgende in Eus. *PE* 2, 3, 6-13 = Clem. *prot.* 12, 1-13, 5 (GCS Clem. 1, 11f.).
[87] Eus. *PE* 2, 3, 6, 1 = Clem. *prot.* 12, 1 (GCS Clem. 1, 11).
[88] Diese Ankündigung hindert Klemens freilich nicht, in *prot.* 15, 2 beispielsweise explizit Texte der Demeter-Mysterien zu zitieren.

Klemens an einem (traditionellen?) Gliederungsschema,[89] dem gemäß sich den Etymologien die Mysterienbegründer und die Darstellung der einzelnen Mysterienkulte in alphabetischer Reihenfolge[90] anschließen.[91]

Nächtliche Mysterien und Gräber in Athen: Mahnende Beispiele des Klemens bei Eusebius. Klemens respektive seine Quelle verweist auf Theorien, die die Entstehung der Worte τὰ ὄργια und τὰ μυστήρια erklären könnten. Offensichtlich besteht dabei für Klemens selbst (im Gegensatz zu seiner Quelle) kein großer Unterschied, denn er hatte vorher in der Schilderung der Dionysosmysterien auf das 'Orgiastische' und in der der Demetermysterien auf das 'Mystische' hingewiesen. Nun lässt er aber τὰ ὄργια aus dem Zorn (ὀργή) der Demeter, τὰ μυστήρια hingegen aus der Befleckung (μύσος[92]) des Dionysos entstehen. Allerdings nennt er auch eine aus Apollodoros geschöpfte andere Erklärungsmöglichkeit: Τὰ μυστήρια leite sich von einem Bewohner Attikas[93] namens Myus (Μυοῦς) her, der auf der Jagd gestorben sei.[94] Klemens (und seine Quelle) meint daher, man könne die Mysterien mit einem Leichenspiel (ἐπιτυμβίῳ τιμῇ) vergleichen.

Nun folgt die eigentliche Darstellung zunächst der Demeter- und dann der Dionysosmysterien. Mit den Demetermysterien und dem gesamten Mythos um Demeter wird ausdrücklich Athen verbunden: „Athenern und dem übrigen Griechenland" sei „der Mythos um Deo eine Schande,"[95] die Priester in Eleusis rekrutierten sich aus athenischen Adelsgeschlechtern,[96] die eleusinischen Mysterien sei-

[89] Das Gliederungsschema bei Riedweg (1987) 117f.

[90] Begründung für Unregelmäßigkeiten in der alphabetischen Reihenfolge bei Riedweg (1987) 118 Anm. 9.

[91] Ein für den vorliegenden Zusammenhang interessantes, jedoch für die Absichten des Eusebius irrelevantes und ihm selbst wohl unbewusstes Detail ist, dass die Quelle der Mysteriendarstellung, eine „Abhandlung περὶ μυστηρίων aus hellenistischer Zeit, wohl athenischen Ursprungs" ist (Riedweg [1987] 119. Die Lokalisierung des Entstehungsortes Athen ebd. mit dem Hinweis auf Walter Burkert in Anm. 16; so bereits Hontoir [1905] 188).

[92] Zum Inhalt der „Befleckung" vgl. Clem. *prot.* 17, 2 (GCS Clem. 1, 14) = Eus. *PE* 2, 3, 23, 4-11. Μύσος ist bei den griechischen Tragikern als Verbrechen (A. *Ch.* 650; *Eu.* 839; E. *HF* 1155) oder auch unheilvolle Befleckung (sc. der Stadt durch ein Verbrechen: S. *OT* 138) zu fassen.

[93] Den Klemens-Scholien zufolge war Myus ein Athener, vgl. Stählin (1972) 301, 21 zu *protr.* 13, 1.

[94] FGrHist 244 (Apollodoros v. Athen) F 142.

[95] Eus. *PE* 2, 3, 30 = Clem. *prot.* 20, 1 (GCS Clem. 1, 15): Καὶ τί θαυμαστὸν εἰ Τυρρηνοὶ οἱ βάρβαροι αἰσχροῖς οὕτω τελίσκονται παθήμασιν, ὅπου γε Ἀθηναίοις καὶ τῇ ἄλλῃ Ἑλλάδι – αἰδοῦμαι καὶ λέγειν – αἰσχύνης ἔμπλεως ἡ περὶ τὴν Δηὼ μυθολογία; („Und was nimmt es wunder, wenn sich die Tyrrhener – Barbaren – in solch abscheulichem Unheil einweihen lassen, während den Athenern und den übrigen Griechen – ich schäme mich, auch nur davon zu sprechen – der Mythos um Deo voller Schande ist.")

[96] Eus. *PE* 2, 3, 32 = Clem. *prot.* 20, 2 (GCS Clem. 1, 15f.): ᾤκουν δὲ τηνικάδε τὴν Ἐλευσῖνα οἱ γηγενεῖς· ὀνόματα αὐτοῖς Βαυβὼ καὶ Δυσαύλης καὶ Τριπτόλεμος, ἔτι δὲ Εὔμολπός τε καὶ Εὐβουλεύς· [...] ἀφ' ὧν τὸ Εὐμολπιδῶν καὶ τὸ Κηρύκων τὸ ἱεροφαντικὸν δὴ τοῦτο Ἀθήνησι γένος ἤνθησεν („Es bewohnten aber damals die Erdgeborenen

en überhaupt die Mysterien der Athener:[97] Sie sind verabscheuungswürdig, und daher ist es gut, dass sie nachts stattfinden.[98]

Es folgt ein Einschub: Eusebius hält seine bisherigen Schilderungen, zuletzt die in den Worten des Klemens, für geeignet, den Fortschritt, den das Christentum gebracht hat, der „Volks- oder mythischen Theologie" (θεολογίας, λέγω δὲ τῆς πανδήμου καὶ μυθικωτέρας: *PE* 2, 5, 1f.) der Griechen, Phönizier und Ägypter gegenüberzustellen. Anschließend greift er erneut auf Klemens' *Protreptikos* zurück, um den Totenkult als Ursprung des Polytheismus zu erweisen.

Eusebius stellt *PE* 2, 6, 1-15 mehrere Abschnitte aus der *Mahnrede* des Alexandriners zusammen. Darin führt Klemens für seine Behauptung, die Tempel der griechischen Götter und Dämonen seien in Wirklichkeit Gräber, an zweiter Stelle in der Aufzählung der Städte zahlreiche Beispiele aus Athen an:

Ἐν τῷ ναῷ τῆς Ἀθηνᾶς ἐν Λαρίσσῃ ἐν τῇ ἀκροπόλει τάφος ἐστὶν Ἀκρισίου, Ἀθήνησιν δὲ ἐν τῇ ἀκροπόλει Κέκροπος, ὥς φησιν Ἀντίοχος ἐν τῷ ἐνάτῳ τῶν Ἱστοριῶν. τί δὲ Ἐριχθόνιος; οὐχὶ ἐν τῷ νεῷ τῆς Πολιάδος κεκήδευται; Ἰμμάραδος δὲ ὁ Εὐμόλπου καὶ Δαείρας οὐχὶ ἐν τῷ περιβόλῳ τοῦ Ἐλευσινίου τοῦ ὑπὸ τῇ ἀκροπόλει, αἱ δὲ Κελεοῦ θυγατέρες ἐν Ἐλευσῖνι τετάφαται;

„Im Tempel der Athena in Larissa auf der Akropolis befindet sich das Grab des Akrisios, in Athen auf der Akropolis befindet sich das des Kekrops, wie es Antiochos im neunten Buch seiner *Geschichten* erzählt. Was ist mit Erichthonios? Ist er nicht im Tempel der Polias beigesetzt? Und Immarados, der Sohn des Eumolpos und der Daeira, nicht im Bezirk des Eleusinions unterhalb der Akropolis? Sind die Töchter des Keleos nicht in Eleusis begraben?"[99]

Klemens nennt weitere Beispiele, erwähnt die Verehrung des Antinous und greift dann auf einen früheren Teil des *Protreptikos* zurück,[100] in dem die panhellenischen Spiele als Leichenspiele entlarvt werden.

Erneut beklagt Eusebius die moralischen Auswirkungen der frühen Religion; diese habe Menschen sogar dazu gebracht, in Ermangelung gesetzlicher Einschränkungen auch vor sexuellen Verfehlungen und dem Mord an Eltern und Kindern nicht zurückzuschrecken.

Damit schließt der Teil über die frühe, 'mythische' Religion ab.

Eleusis: Ihre Namen waren Baubo, Dysaules, Triptolemos, außerdem Eumolpos und Eubuleus. [...] Von ihnen stammend, blühte in Athen das Priestergeschlecht der Eumolpiden und Keryken.").

97 Eus. *PE* 2, 3, 34, 1f. = Clem. *prot.* 21, 1 (GCS Clem. 1, 16): Ταῦτ' ἔστι τὰ κρύφια τῶν Ἀθηναίων μυστήρια („Das sind die geheimen Mysterien der Athener.").

98 Eus. *PE* 2, 3, 36, 1-3 = Clem. *prot.* 22, 1 (GCS Clem. 1, 16): Ἄξια μὲν οὖν νυκτὸς τὰ τελέσματα καὶ πυρὸς καὶ τοῦ 'μεγαλήτορος' (vgl. *Il.* 2, 547), μᾶλλον δὲ ματαιόφρονος Ἐρεχθειδῶν δήμου, πρὸς δὲ καὶ τῶν ἄλλων Ἑλλήνων („Wahrhaft würdig der Nacht sind diese Feiern, würdig des Feuers und auch des 'hochherzigen', besser wohl hohlsinnigen Volkes der Erechthiden, daneben aber auch der anderen Griechen.").

99 Eus. *PE* 2, 6, 2f. = Clem. *prot.* 45, 1 (GCS Clem. 1, 34).

100 Eus. *PE* 2, 6, 10, 1 fälschlich eingeführt mit μετ' ὀλίγα „kurz danach."

3. 2. 2. 2 Das φυσικὸν εἶδος

Der beste Grieche gegen die 'physische' Theologie – und gegen die Gesetze Athens. In den folgenden Ausführungen über die Entwicklung der Theologie spricht Eusebius nicht mehr über Phönizier und Ägypter, sondern nur noch über Griechen.[101] Er gibt lediglich eine kurze Beschreibung der allgemeinen Entwicklung hin zur 'physischen', d. h. allegorischen Auslegung der griechischen Religion.[102] Doch diesen Versuchen, die Theologie der Vorfahren umzuformen, stellt er gleich Alternativen gegenüber, die im Gegensatz zu den erwähnten Allegorien seinen Beifall finden: Platon, der entweder die Mythen so, wie sie sind, übernehmen oder aber alles, was der Moral widerspricht, aus ihnen entfernt wissen will, und Dionysios von Halikarnass, der die römische Mythologie beschreibt, der Eusebius nach eigenem Bezeugen große Sympathie entgegenbringt. Nach dem Auszug aus Dionysios von Halikarnass schließt Eusebius das zweite Buch mit dem Ausblick auf eine weitere Untersuchung der allegorischen Interpretation.

Mit Platon wurde ein Philosoph aus Athen als Zeuge für die Ablehnung der Allegorie angerufen. Eusebius führt ihn mit den Worten ein:

Ἄκουε δ' οὖν αὐτῶν τῶν Ἑλλήνων δι' ἑνὸς τοῦ πάντων ἀρίστου τοτὲ μὲν ἐξωθοῦντος, τοτὲ δ' αὖ πάλιν εἰσποιουμένου τοὺς μύθους. Ὁ δ' οὖν θαυμάσιος αὐτῶν Πλάτων, ὅτε μὲν τὴν οἰκείαν ἀπογυμνοῖ προαίρεσιν, [...] ὅτε δὲ τοὺς νόμους ὑποκορίζεται [...].	„Höre also die Griechen selbst durch einen, der der beste von ihnen ist; er lehnt bald die 'Mythen' ab, bald macht er sie sich zu eigen. Ihr erstaunlicher Platon nun [sc. lehnt die alten Mythen völlig ab], wenn er seine eigene Meinung aufdeckt; wenn er aber den Gesetzen schmeicheln will, [sc. sagt er, müsse man den Mythen ohne weitergehende Interpretation glauben]."[103]

Ein dritter athenischer Philosoph ist hier zu den von Eusebius gerühmten Griechen Anaxagoras und Sokrates hinzugetreten, „der beste" von allen Griechen. Doch er hat zwei Meinungen: eine private und eine öffentliche. Erneut wird die Geburts- und Wirkstadt Athen nicht genannt, doch implizit schreibt Eusebius ihr mit Hinweis auf ihre Gesetzgebung zu, Druck auszuüben, der sich auf Platon repressiv auswirke. Da Eusebius Platon als „den besten" Griechen bezeichnet, wird darauf zu achten sein, wie er diesen Philosophen im Folgenden präsentiert, und auch darauf, ob es für Eusebius ein Charakteristikum Athens ist, wahre, d. h. hier

[101] Hier als 'gestern oder vorgestern geboren' (ἐχθὲς καὶ πρώην ἐπιφυέντες) bezeichnet; der Ausdruck geht auf Herodot und Platon (*Ti.* 22b 4f.) zurück, der einen Ägypter die Griechen als „jung" bezeichnen lässt. Einige Belege für die Tradition dieses Ausdrucks bei Pilhofer (1990) 35 Anm. 9.

[102] Zu Bedeutung und Bewertung der Allegorie bei Eusebius vgl. Pépin (1976) 387-392.

[103] Eus. *PE* 2, 6, 23, 1-8.

dem Christentum verwandte Ansichten aus Rücksicht auf lokale pagane Religion und Kulte zu unterdrücken.

Das dritte Buch der *Praeparatio Evangelica* führt das Thema weiter. Plutarchs[104] Schrift Περὶ τῶν ἐν Πλαταιαῖς Δαιδάλων[105] schildert eine allegorische Auslegung der griechischen Mythologie. Er geht darauf ein, dass vor allem in den Mysterien das religiöse Denken der Alten zum Ausdruck komme. Ein Beispiel aus Athen soll dieses symbolische Denken verdeutlichen.[106]

Nach einer kurzen Bewertung dieses Beispiels schließen sich eine Darstellung der ägyptischen Verhältnisse aus Diodors *Bibliothek* sowie kurze Anmerkungen aus Plutarchs Werk *Über Isis und Osiris* an. Hier stellt Eusebius auch die Frage, wie die Form der „Götterbildnisse" (ξόανα) entstanden sei, kommt zu dem Schluss, Vorbilder für die Götterbildnisse seien verstorbene Menschen gewesen, und legt die Folgerung nahe, dass dies auch bei der Namensgebung und der Einrichtung der Kulte so gewesen sei.[107]

Nach einem kurzen Lob für die Befreiung von diesen Lehren durch Christus geht Eusebius zu den zeitgenössischen 'physischen' Mythendeutungen über, die, so Eusebius, mit der ursprünglichen alten Theologie das zu verbinden suchten, „was bezüglich der körperlosen 'Ideen' und der vernünftigen und geistigen Kräfte von den Anhängern Pla-

[104] Erneut gehen bei diesem Fragment die Meinungen über den Verfasser auseinander. Inhaltliche Bedenken macht beispielsweise Hirzel (1895) 218 geltend: Weil Plutarch sonst „die physikalische Mythendeutung der Stoiker" verwerfe, könne dieses Fragment mit seiner eindeutig allegorischen Haltung nicht Plutarch zugeschrieben werden. Zu einem ähnlichen Ergebnis kommt auch Decharme (1898), der allerdings die Möglichkeit erwägt, das Stück stamme aus einem Dialog des Plutarch und gebe die Meinung eines anderen wieder, um anschließend im Sinne Plutarchs widerlegt zu werden (vgl. 116). Pépin (1976) 184-188 sowie des Places (1982) 45f. bemerken nichts zur Frage der Autorschaft.

[105] Über die kleinen und großen Daidala, die alle sieben bzw. alle 60 Jahre in Plataiai stattfanden, vgl. Graf (1998) 359.

[106] Eus. *PE* 3, 1, 2, 2-9 = Plu. *Daed.* (*Frg.* 157 Sandbach): Οὐ νομίζουσιν οὐδὲ ἀξιοῦσι κοινωνίαν εἶναι πρὸς Διόνυσον Ἥρᾳ· φυλάσσονται δὲ συμμιγνύναι τὰ ἱερὰ καὶ τὰς Ἀθήνησιν ἱερείας ἀπαντώσας φασὶν ἀλλήλαις μὴ προσαγορεύειν μηδὲ ὅλως κιττὸν εἰς τὸ τῆς Ἥρας εἰσκομίζεσθαι τέμενος, οὐ διὰ τὰς μυθικὰς καὶ φλυαρώδεις ζηλοτυπίας, ἀλλ' ὅτι γαμήλιος μὲν ἡ θεὸς καὶ νυμφαγωγός, ἀπρεπὲς δὲ τὸ μεθύειν νυμφίοις καὶ γάμοις ἀναρμοστότατον, ὥς φησιν ὁ Πλάτων [...] („Bei ihnen ist es kein Brauch, und sie lassen es nicht zu, dass eine Gemeinschaft zwischen Dionysos und Hera besteht. Sie vermeiden, die heiligen Handlungen zu vermischen, und man sagt, wenn die Priesterinnen in Athen einander begegnen, sprechen sie sich nicht an, und es werde überhaupt kein Efeu in das Heiligtum der Hera gebracht, nicht aus 'mythischer', alberner Eifersucht, sondern weil sie eine Hochzeitsgöttin ist und eine Brautführerin, Trunkenheit sich aber für den Bräutigam nicht ziemt und für Hochzeiten äußerst unpassend ist, wie Plato sagt."). – Wie schon bei dem Auszug aus den *Stromateis* ist Eusebius auch für diese Schrift Plutarchs (?) der einzige Gewährsmann. Ob daher dieser Abschnitt eine geschlossene Passage oder eine von Eusebius erstellte Zusammenfassung mehrerer kurzer Abschnitte ist, kann nicht entschieden werden.

[107] Zu den Götterbildnissen als Objekt christlicher Kritik am heidnischen Götterglauben vgl. Clem. *prot.* 46, 1-47, 8 (GCS Clem. 1, 35-37); u. a. Quelle: Plu. *Is. et Os.*; Porph. *Ep.Aneb.*; *Abst.*

tons ziemlich spät entdeckt und mit genauen Schlussfolgerungen begriffen wurde" (τὰ περὶ ἀσωμάτων ἰδεῶν νοερῶν τε καὶ λογικῶν δυνάμεων τοῖς ἀμφὶ τὸν Πλάτωνα μακροῖς ποθ' ὕστερον χρόνοις ἐφευρημένα καὶ λογισμοῖς ὀρθοῖς ἐπινενοημένα).[108] Ihr Scheitern bei diesem Versuch soll ein Auszug aus der (ansonsten weitgehend verlorenen) Schrift *de cultu simulacrorum* des Porphyrios verdeutlichen, der durch Allegorien bestimmten Gottheiten ein bestimmtes Material für ihre Kultstatuen zuordnet. Dem folgt als Kontrast ein Zeugnis des Plutarch aus seiner Schrift *Über die Daidala in Plataiai*, dem derartige Allegorien fremd seien – in diesem Text werden auch zwei frühe Kultstatuen aus Athen behandelt[109] – sowie ein Auszug aus den *Gesetzen* Platons.[110]

Die allegorische Ausdeutung der alten Mythen und Götter wird anschließend durch zahlreiche Passagen aus Porphyrios' *de cultu simulacrorum* weiter ausgeführt[111] sowie durch zum Teil ausgedehnte Einlagen des Eusebius kommentiert.

Am Ende des dritten Buches deutet Eusebius an, er wolle einen neuen Abschnitt beginnen[112] und „die dritte Erscheinungsform der 'Theologie' der Griechen behandeln, die sogenannte politische und 'dem Nomos entsprechende'."[113]

[108] Eus. *PE* 3, 6, 7, 7-9.

[109] Eus. *PE* 3, 8, 1, 1-6 = Plut. *Daed.* (*Frg.* 158 Sandbach): Ἡ δὲ τῶν ξοάνων ποίησις ἀρχαῖον ἔοικεν εἶναί τι καὶ παλαιόν, εἴ γε ξύλινον μὲν ἦν τὸ πρῶτον εἰς Δῆλον ὑπὸ Ἐρυσίχθονος Ἀπόλλωνι <πεμφθὲν> ἐπὶ τῶν θεωριῶν ἄγαλμα, ξύλινον δὲ τὸ τῆς Πολιάδος ὑπὸ τῶν αὐτοχθόνων ἱδρυθέν, ὃ μέχρι νῦν Ἀθηναῖοι διαφυλάττουσιν („Die Anfertigung von Kultbildern scheint alt und früh zu sein, zumindest wenn das Weihgeschenk hölzern war, das als erstes dem Apollon von Erysichthon bei den Festgesandtschaften nach Delos geschickt wurde, und wenn die Statue hölzern war, die der Polias von den Autochthonen [d. h. den Athenern] aufgestellt wurde, die sie bis heute noch bewahren"; Klemens von Alexandrien erwähnt *prot.* 47, 2 [GCS Clem. 1, 35f.], dass „Phidias den Zeus in Olympia und die Polias in Athen aus Gold und Elfenbein hergestellt habe.").

[110] Eus. *PE* 3, 8, 2, 5-9 = Pl. *Lg.* 12, 955e 6-956a 3.

[111] Ein Detail aus den Riten von Eleusis wird mitgeteilt: Eus. *PE* 3, 12, 4 = Porphyr. *De cultu simulacrorum* 360 F, 74-77 Smith: Ἐν δὲ τοῖς κατ' Ἐλευσῖνα μυστηρίοις ὁ μὲν ἱεροφάντης εἰς εἰκόνα τοῦ δημιουργοῦ ἐνσκευάζεται, δᾳδοῦχος δὲ εἰς τὴν ἡλίου· καὶ ὁ μὲν ἐπὶ βωμῷ εἰς τὴν σελήνης, ὁ δὲ ἱεροκῆρυξ Ἑρμοῦ („In den Mysterien von Eleusis wird der 'Hierophant' nach dem Bild des 'Demiurgen' geschmückt, der 'Daduch' nach dem der Sonne, und der am Altar nach dem des Mondes, der 'Hierokeryx' nach dem des Hermes.").

[112] Eus. *PE* 3, 16, 4, 1-17, 1, 6: Ἀλλὰ γὰρ ἐξ ἁπάντων τούτων λείπεται μηδὲν μὲν ἀληθὲς φέρειν ὁμολογεῖν τὰς δηλωθείσας φυσιολογίας, σοφίσματα δ' εἶναι σοφιστῶν ἀνδρῶν καὶ εὑρησιλογίας, τούς γέ τοι τῶν χρησμῶν ὑπηρέτας ἀληθεῖ λόγῳ φάσκειν δαίμονας εἶναι φαύλους, ἐπ' ἀνθρώπων ἀπάτῃ τὰ ἀμφότερα παίζοντας καὶ τοτὲ μὲν συντιθεμένους ταῖς μυθικωτέραις περὶ αὐτῶν ὑπολήψεσιν ἐπὶ τῇ πανδήμῳ πλάνῃ, τοτὲ δὲ τὰς τῆς φιλοσόφου γοητείας ἐπικυροῦντας ἐπὶ τῇ καὶ τούτων ἐπιτριβῇ καὶ φυσιώσει („Nach all diesem bleibt noch festzustellen, dass die dargestellte 'Physiologie' keinen Wahrheitsgehalt hat, sondern dass das Erfindungen und Spitzfindigkeiten von 'Sophisten' und die Diener der Orakel in Wahrheit böse 'Dämonen' sind, die zur Täuschung der Menschen beides vorlügen und bald den 'mythischeren' Ansichten über sie beipflichten zur Verwirrung des Volkes, bald aber die Ergebnisse 'philosophischer' Zauberkunst bestätigen, um auch diese anzuregen und ihren Stolz zu schüren.").

[113] Eus. *PE* 3, 17, 2, 1-3: τὸ τρίτον εἶδος ἐπελθεῖν τῆς Ἑλλήνων θεολογίας, ὃ δή φασιν εἶναι πολιτικόν τε καὶ νόμιμον. Bereits zuvor hatte Eusebius Andeutungen über dieses εἶδος der Mythologie gemacht, die er eng in Verbindung mit dem Orakelwesen setzt. So be-

3. 2. 2. 3 Das πολιτικὸν εἶδος

Die Strafe für Philosophen. Das vierte Buch wiederholt die Dreiteilung der heidnischen Theologie.[114] Dabei charakterisiert Eusebius die ‘politische’ Erscheinungsform ausführlicher und deutet auch an, was Griechen, die der Religion der Väter nicht treu sind, von staatlicher, d. h. heidnischer Seite drohen kann:

Ταύτῃ γοῦν φασιν ἐπαξίως καὶ θάνατον ὑπὸ τῶν νόμων ὡρίσθαι τοῖς πλημμελοῦσι τὴν ζημίαν.

„So, sagen sie, sei es daher richtig, dass denjenigen, die sich dagegen vergehen, von den Gesetzen als Strafe auch der Tod bestimmt worden ist.“[115]

Dies sei an dieser Stelle einerseits als Rückblick erwähnt, denn, wie oben gesehen, war Platon nicht bereit, seine Meinung zu jeder Gelegenheit unverblümt zu äußern; zum anderen dient die Bemerkung als Ausblick: Bekannt ist dem Leser des Eusebius, dass Sokrates wegen Asebie zum Tode verurteilt und die Werke des Anaxagoras verbrannt wurden. Alle bisher bei Eusebius positiv konnotierten griechischen Philosophen wurden mehr oder weniger von der restriktiven Religionspolitik ihrer Heimatstadt Athen betroffen.

Eusebius nennt in der Einleitung zu diesem Abschnitt (*PE* 4, 1) verschiedene Aspekte der dritten, ‘politischen’ Erscheinungsform heidnischer Religion: „Orakelsprüche“ (μαντεῖαι καὶ χρησμοί), „Behandlungen und Heilungen verschiedener Leiden“ (θεραπεῖαί τε καὶ ἀκέσεις παντοίων παθῶν), „Anklagen gegen Gotteslästerer“ (ἐπισκήψεις τε κατ᾽ ἀσεβῶν),[116] ferner die Behandlung der Frage, „von welchen Kräften man denn annehmen muss, dass sie in den Götterbildern hausen, ob es anständige und gute und tatsächlich göttliche sind oder von all dem das Gegenteil.“[117]

Die Einleitung zum vierten Buch der *Praeparatio Evangelica* behandelt außerdem mögliche Erklärungen für die an Heiligtümern stattfindenden Weissagungen oder Orakelsprüche, wobei Eusebius sowohl die natürliche Beschaffenheit der Orte als auch die Psyche der um Rat Suchenden einbezieht. Er macht ergänzend geltend, dass die meisten Orakelsprüche so vage oder zweideutig waren, dass sich eine Vielzahl von Ergebnissen auf sie berufen kann; unzählige seien falsch gewesen, und falls doch einmal ein Ausgang der Ankündigung entsprochen habe, so sei dies reiner Zufall gewesen. Vielmehr hätten sie gerade in der Zeit ihrer Blüte besonders den Griechen vielfach „Tod, Aufruhr und

ginnt in *PE* 3, 14, 1 eine Serie von Beispielen, die Orakelsprüche, entnommen Porphyrios’ Schrift *Über die Philosophie der Orakel*, in Widerspruch zu den Aussagen der Mythen und den Aussagen einer ‘physischen’ Interpretation setzt.

114 Vgl. oben Abschnitt 3. 2. 1. 2.
115 Eus. *PE* 4, 1, 3, 9-11.
116 Eus. *PE* 4, 1, 3, 1-3.
117 Eus. *PE* 4, 1, 7, 2-5: τί ποτε χρὴ νομίζειν τὰς ἐν τοῖς ξοάνοις φωλευούσας δυνάμεις, πότερα τὸν τρόπον ἀστείας καὶ ἀγαθὰς καὶ ὡς ἀληθῶς θείας ἢ τούτων ἁπάντων τὰ ἐναντία.

Krieg" gebracht[118] und seien weder in der Lage gewesen, ihrer Umgebung – und so erst recht nicht Fremden – Hilfe zu bringen, noch hätten sie verhindern können, dass sie selbst durch Kriege oder Naturereignisse[119] zerstört werden. Darüber hinaus habe es selbst unter den Heiden, besonders unter den Philosophen und selbst in jüngster Zeit, solche gegeben, die eingestanden, dass es sich bei dem Orakelwesen nur um Betrügereien handele. Für bewundernswert hält er dabei Aristoteles, den Peripatos, Epikureer und Kyniker, die, obwohl von Kindesbeinen an mit dieser Unsitte aufgewachsen, das Nichtige dieser Einrichtung betonten.[120]

Opfer an die Götter – sogar bei den Athenern. Nach einigen allgemeinen Erörterungen über die griechische Theologie[121] und den Unterschied zwischen der heidnischen und christlichen Dämonenlehre,[122] die er aus seiner eigenen, also eines Christen Sicht verfasst hat, will Eusebius auch authentische Berichte der Orakelfrömmigkeit präsentieren. Bei Porphyrios[123] gefundene Orakelsprüche, allen voran ein Apollon-Orakel,[124] bieten ihm eine neue Thematik: die Opfer an die heidnischen Götter. Während das Apollon-Orakel Opfervorschriften verkündet, weist Eusebius anhand der Schrift *de abstinentia* des Porphyrios nach,[125] dass dieser selbst das Opfer von Lebewesen an Götter jeder Art als „unheilig" (ἀνόσιον[126]) bezeichne und „versichere, man solle die nicht für Götter halten, die sich an Opfern von Lebewesen erfreuen."[127] Zahlreiche weitere Zitate belegen die Ablehnung des Menschen- und Tieropfers durch Porphyrios.[128] Folglich handele es sich bei

118 Vgl. Eus. *PE* 4, 2, 3, 5-7: ὅσοις ἄλλοις θανάτου γεγόνασιν αἴτιοι στάσεώς τε καὶ πολέμων οἱ δεδηλωμένοι.

119 Beides wird als göttlicher Eingriff interpretiert: Eus. *PE* 4, 2, 7, 2-4: συμφοραῖς, ταῖς δὴ ἄνωθεν ἐκ τοῦ παμβασιλέως θεοῦ κατὰ τῶν ἀσεβῶν ἐπαιωρουμέναις („durch Unglücksfälle, die von oben von dem allherrschenden Gott gegen die Gottlosen verhängt wurden").

120 Vgl. Eus. *PE* 4, 2, 13. Anschließend (*PE* 4, 3, 1-13) stützt Eusebius seine Behauptungen durch Äußerungen des Epikureers Diogenianos (vgl. Dorandi [1997]), der sich gegen Chrysippos und dessen *Fatum*-Lehre richtet. Vgl. dazu Amand (1945) 120-126.

121 In *PE* 4, 5, 1 legt Eusebius eine von der bisher genannten verschiedene (παρὰ τοὺς προειρημένους ἡμῖν) Einteilung der Religion der Griechen vor, die vier γένη unterscheidet: 1. den ersten Gott, den Vater und König der Götter. 2. ein zweites Geschlecht der Götter. 3. das Geschlecht der 'Dämonen'. 4. das Geschlecht der Heroen. Eusebius nennt keine Quelle für diese Einteilung. Vgl. Zink / des Places (1979) 112f. Anm. 7.

122 Vgl. Eus. *PE* 4, 5, 4: δαίμων von δειμαίνειν, ὅπερ ἐστὶ φοβεῖσθαι καὶ ἐκφοβεῖν.

123 Quelle: *De philosophia ex oraculis haurienda* („Über die Philosophie, die man aus den Orakeln ziehen kann"). Vgl. zu dieser Schrift die Literaturangaben bei Smith (1993) 351. Wilken (1979) 125-128 sieht die *Praeparatio* als Reaktion auf dieses Werk des Porphyrios.

124 Eus. *PE* 4, 9, 2 = Porph. *de philosophia ex oraculis haurienda* 314F, 18-45 Smith.

125 Die Reihenfolge der von Eusebius angeführten Zitate entspricht nicht deren Abfolge bei Porphyrios.

126 Eus. *PE* 4, 10, 2, 4.

127 Eus. *PE* 4, 10, 2, 2f.: μὴ χρῆναι φάσκων θεοὺς ὑπολαμβάνειν τοὺς ταῖς διὰ ζῴων θυσίαις χαίροντας.

128 Neben Porphyrios verweist Eusebius auch auf andere Autoren: Eus. *PE* 4, 10, 3 wird Theo-

dem Orakelgott, bei Apollon, um einen bösen Dämon, so Eusebius.[129] Da aber nahezu allen berühmten Göttern der Griechen nicht nur Tiere, sondern sogar Menschen geopfert worden seien,[130] und nicht einmal diejenigen Götter, die Tiere als Opfer forderten, für wirkliche Götter gehalten würden, erhebt sich für Eusebius die Frage, ob eine derartige Verehrung „etwa guten Dämonen lieb (ist), oder muss man nicht viel eher sagen, dass es die übelsten und verderblichen Geistwesen sind, die solches lieben?“[131]

Athen ist in der Beispielreihe für Menschenopfer[132] kein hervorragender Platz eingeräumt. Aus der Menge der aufgeführten Exempla hängen lediglich zwei mit der Mythologie Athens zusammen: Nach Menschenopfern an Kronos in Phönizien und auf Rhodos wird auch eines erwähnt, das aus der Mythologie Athens stammt, nämlich das an Agraulos, die Tochter des Kekrops und der Nymphe Agraulis in Salamis auf Zypern.[133] Und nach zahlreichen weiteren Beispielen wird in einer *Praeteritio* unter anderem auch die Opferung der Tochter des Erechtheus und der Praxithea genannt.[134]

Das Opfer des Ereuchtheus wird kurz darauf noch einmal in einem Zitat aus dem *Protreptikos* des Klemens von Alexandrien erwähnt.[135] Dort ist es als Information gekennzeichnet, die Klemens einem Werk des Demaratos mit dem Titel Τραγῳδούμενα entnommen haben will.[136] Auch in diesem Abschnitt wird Athen nur unter anderem erwähnt, doch ist hier eine Aufzählung nach Völkern vorgenommen, wobei nach den Messeniern, Taurern, Thessaliern, Lyktiern (Kreta), Lesbiern und Phokaiern in einem Satz „Erechtheus der Athener und Marius der Römer“ genannt werden, die jeweils ihre Tochter geopfert haben sollen.[137]

phrast (wohl dessen Schrift περὶ εὐσεβείας „Über die Frömmigkeit“, vgl. Zink / des Places [1979] 126 Anm. 1), den Porphyrios erwähne, herangezogen, 4, 13 Apollonios' von Tyana Schrift „Über die Opfer“ (περὶ θυσιῶν).

129 Eus. *PE* 4, 14, 10, 8-12.

130 Zum Vorwurf des Menschenopfers, der auch gegen Christen erhoben wurde (Θυέστεια δεῖπνα „Thyestische Mahlzeiten“ z. B. Athenag. *legat.* 3, 1 [SC 379, 80]), vgl. Rives (1995) und Bonnechère (1994) 272-277.

131 Eus. *PE* 4, 15, 5, 6-8: Πῶς οὖν ἀγαθοῖς δαίμοσιν, οὐχὶ δὲ τοῖς παμμιάροις καὶ πανωλέθροις πνεύμασιν εἰκότως ἂν λεχθείη προσφιλής;

132 Eus. *PE* 4, 16, 1-9 = Porph. *Abst.* 2, 54, 1-56, 9 (2, 117-119 Bouffartigue / Patillon). Vgl. dazu Hughes (1991) 122-130.

133 Eus. *PE* 4, 16, 2f.= Porph. *Abst.* 2, 54, 3 (2, 117 Bouffartigue / Patillon). Vgl. Hughes (1991) 125-127.

134 Eus. *PE* 4, 16, 9, 3f.= Porph. *Abst.* 2, 56, 8 (2, 119 Bouffartigue / Patillon). Vgl. oben S. 15 und Bonnechère (1994) 76-79.

135 Zu dieser Passage des *Protreptikos* vgl. Hughes (1991) 118-122.

136 Eus. *PE* 4, 16, 12, 29-33 = Clem. *prot.* 42, 7 (GCS Clem. 1, 32). Vgl. FGrHist 42 (Demaratos [Ps.]) F 4.

137 Außer Porphyrios und Klemens werden als Quellen Sanchuniathon in der Übersetzung des Philon von Byblos, Dionys von Halikarnass und Diodorus Siculus herangezogen.

All die genannten Beispiele, so Eusebius, zeigten deutlich, dass es sich bei denen, die Menschenopfer forderten, nicht um Götter, sondern ausschließlich um böse Dämonen gehandelt habe. Was auch immer sie gewesen seien: Der wahre Gott habe sie alle vertrieben.

Doch was zunächst als Abschluss schien, leitet eine Fortsetzung ein: Der Gott des Moses, so Eusebius, habe diese Dämonen verurteilt und die Vernichtung ihrer Heiligtümer befohlen. Er greift die Beispiele der vorhergehenden Abschnitte auf, um dem Leser das Unwesen noch einmal vor Augen zu stellen: Rundweg alle Griechen, darüber hinaus auch Afrikaner, Thraker und Skythen seien in dämonischer Besessenheit gefangen, wenn sie etwa vor Feldzügen den Göttern und Dämonen Menschenopfer darbrachten. Gewissermaßen neben „den Griechen" werden anschließend auch „die Athener und die Bewohner von Megalopolis" genannt.[138] Eine erneute Zusammenfassung wiederholt diese Beiordnung der Athener neben die übrigen Griechen ausdrücklich und steigert sie sogar noch:

Ἀλλὰ γὰρ συναγαγὼν ὁμοῦ τὸν πάντων τῶν προειρημένων κατάλογον εὕροις ἂν σχεδὸν εἰπεῖν πᾶσαν τὴν τῶν ἐθνῶν θεοποιίαν τούτοις αὐτοῖς τοῖς ἀνθρωποκτόνοις πνεύμασι καὶ τοῖς πονηροῖς δαίμοσιν ἀνακειμένην. Εἰ γὰρ ἐν Ῥόδῳ καὶ ἐν Σαλαμῖνι καὶ ἐν Ἡλίου πόλει τῇ κατ' Αἴγυπτον ἔν τε Χίῳ καὶ Τενέδῳ καὶ Λακεδαίμονι καὶ Ἀρκαδίᾳ Φοινίκῃ τε καὶ Λιβύῃ καὶ πρὸς τούτοις ἅπασιν ἐν Συρίᾳ καὶ Ἀραβίᾳ καὶ παρά γε τοῖς Πανέλλησιν ['Αθηναίοις] καὶ ἔτι τούτων τοῖς κορυφαιοτάτοις <Ἀθηναίοις> κατά τε Καρχηδόνα καὶ τὴν Ἀφρικὴν καὶ παρὰ Θρᾳξὶ καὶ Σκύθαις ἀποδέδεικται τὰ τῆς δαιμονικῆς ἀνθρωποκτονίας κατὰ τοὺς παλαιοὺς

„Und wenn du die ganze vorher genannte Aufzählung zusammenfassen wolltest, würdest du kurz gesagt feststellen, dass sich die ganze Götterbildung der Heiden gerade auf diese Menschen mordenden Geister und die bösen 'Dämonen' stützt. Denn wenn gezeigt wurde, dass auf Rhodos, auf Salamis, im ägyptischen Heliopolis, auf Chios, auf Tenedos, in Sparta, in Arkadien, Phönizien und Libyen und außerdem noch in Syrien, Arabien, bei allen Griechen und sogar bei den ersten von ihnen, den Athenern, und in Karthago und Afrika und bei den Thrakern und Skythen in den alten Zeiten Menschenopfer an 'Dämonen' dargebracht wurden und sich das bis zur Zeit unseres Erlösers erhielt, wie müsstest du dann nicht

[138] Eus. *PE* 4, 17, 3: Εἴτε δὲ Φύλαρχος εἴτε καὶ ὁστισοῦν ἱστορεῖ πάντας τοὺς Ἕλληνας πρὶν ἐπὶ τοὺς πολέμους ἐξιέναι ἀνθρωποκτονεῖν, καὶ τοῦτον μάρτυρα τῆς Ἑλλήνων δαιμονικῆς ἐπιληψίας μὴ ὄκνει παραλαμβάνειν. Μὴ παρίδῃς μηδὲ τοὺς κατὰ τὴν Ἀφρικὴν τούς τε Θρᾷκας καὶ τοὺς Σκύθας τὰ ὅμοια πράττοντας ταῖς αὐταῖς τῶν δαιμόνων ὑπῆχθαι μανίαις ἀποφαίνεσθαι· ὡς καὶ Ἀθηναίους καὶ τοὺς κατὰ τὴν Μεγάλην Πόλιν, εἴ γε καὶ οὗτοι κατὰ τὰς τοῦ Μεγάλου Διὸς ἑορτὰς ἀνθρώπους ἔσφαζον („Phylarchos, aber auch jeder beliebige andere, erzählt, dass alle Griechen, bevor sie in den Kampf zogen, Menschenopfer darbrachten, und zögere nicht, diesen als Zeugen für die dämonische Befangenheit der Griechen zu akzeptieren. Und übersieh nicht, dass auch betreffs der Bewohner Afrikas und der Thraker und der Skythen gezeigt wurde, dass sie, da sie ja dasselbe taten, von demselben Wahnsinn der 'Dämonen' angetrieben wurden; ebenso die Athener und die Bewohner von Megalopolis, wenn denn auch diese beim Fest des Großen Zeus Menschen schlachteten.").

χρόνους ἐπιτελούμενα καὶ μέχρι τοῦ σωτῆρος ἡμῶν παρατείναντα, πῶς οὐκ εὐλόγως τοὺς πάντας εἴποις ἂν τότε τοῖς πονηροῖς δαίμοσιν δεδουλῶσθαι οὐ πρότερόν τε παῦλαν τῶν τοσούτων τῷ βίῳ γενέσθαι κακῶν ἢ τὴν τοῦ σωτῆρος ἡμῶν καταλάμψαι διδασκαλίαν;

vernünftigerweise zugeben, dass alle den bösen 'Dämonen' gedient haben und ein so schlechtes Leben nicht eher beendet haben, als die Lehre unseres Erlösers aufleuchtete?"[139]

Die *Exempla*-Reihen hatte Eusebius weitgehend von anderen Autoren übernommen; dabei war den Athenern bisher kein entscheidender Platz eingeräumt worden. An den zuletzt genannten Stellen fasst Eusebius selbst seine Ergebnisse zusammen, und hier nennt er zwar auch alle möglichen anderen Völker, doch wenn er die Griechen anführt, setzt er zweimal bewusst die Athener von den übrigen Hellenen ab.

Zwei Motive für diese Differenzierung zwischen Athenern und den übrigen Griechen sind denkbar: 1) Die Athener selbst beanspruchen für sich, die Vordenker Griechenlands zu sein. Bereits Josephus nahm das zum Anlass, die fehlende historiographische Überlieferung in der Frühzeit bei den Athenern, „die man doch 'autochthon' nennt und die 'Hüter der Bildung,'"[140] ironisch zu kritisieren. Auch Eusebius könnte etwa an der zuletzt genannten Stelle in ironischer Weise den „größten Vordenkern" (κορυφαιότατοι) der Griechen, den Athenern, vorwerfen, die von ihm als absurd verworfene Praxis der Menschenopfer nicht als widersinnig erkannt zu haben. 2) Wahrscheinlicher dürfte eine positive Deutung sein: Die Athener, zumindest einige von ihnen, nämlich Anaxagoras, Sokrates und Platon, sind für Eusebius wirklich Denker, die die Griechen von ihrem Irrglauben auf den richtigen Weg zu lenken versuchen. Daher macht sich Eusebius offenbar den von Josephus noch ironisierten Topos der „Weisheit Athens" zu eigen und drückt seine Verwunderung darüber aus, dass sogar in Athen, wo man das nicht erwartete, Menschenopfer praktiziert wurden. „Die Athener" werden hier gewissermaßen über ihre herausragendsten, bei Eusebius (bisher) positiv belegten Philosophen definiert.

Am Beginn des fünften Buches wird die Thematik weitergeführt.[141] Doch jetzt betont Eusebius, dass die Orakelfrömmigkeit, die Menschenopfer und Opfer insgesamt aufgehört haben, und zwar mit der Ankunft Jesu in der Welt. Gleichwohl geht er erneut auf die

[139] Eus. *PE* 4, 17, 4, 1-16. Im Anschluss wird die Beweisführung über den 'Charakter' und das Wesen der Dämonen bis zum Ende des vierten Buches anhand von Auszügen aus Porphyrios' Schriften *Über die Enthaltsamkeit* und *Über die Philosophie aus Orakeln* fortgesetzt.

[140] Vgl. oben S. 32 Anm. 39 zu Josephus *Ap.* 1, 21 und unten S. 103f.

[141] Vgl. die 'Introduction' von Zink in Zink / des Places (1979) 7-11: „Chapitre I: Pourquoi éditer ensemble le livre IV et le livre V, 1-17?"

Verwirrung ein, die die Dämonen gestiftet hätten und die zu einer weiteren Klassifizierung der göttlichen Wesen bei den Griechen geführt habe.[142]

Eusebius untersucht im ersten Teil des fünften Buches anhand zahlreicher Verweise auf Porphyrios und Plutarch die Natur der Dämonen, die von Jesus, dem Christus, besiegt worden seien,[143] ihre Existenz, ihre Handlungen und ihren Tod sowie ihre Vorlieben und die Möglichkeiten für den Menschen, Macht über sie zu erhalten.

Das, was alle kennen: Athen. Eusebius bricht seine Dämonologie plötzlich ab, und er begründet seinen Einschnitt folgendermaßen:

'Αλλ' ἐπεὶ μὴ τοῖς πᾶσι γνώριμα τυγχάνει τὰ εἰρημένα, εὖ μοι δοκεῖ ἐντεῦθεν ἐπὶ τὰ πᾶσι πρόδηλα τοῖς φιλολόγοις μεταβῆναι καὶ τοὺς παλαιτάτους τῷ χρόνῳ χρησμοὺς ἐξετάσαι ἀνὰ στόμα πάντων Ἑλλήνων ᾀδομένους κἂν ταῖς κατὰ πόλιν διατριβαῖς τοῖς ἐπὶ παιδείᾳ φοιτῶσι παραδιδομένους.

„Doch das Gesagte ist nicht allen bekannt; daher scheint es mir angebracht, von dorther zu dem überzugehen, mit dem jeder Gebildete vertraut ist, und die ältesten Orakelsprüche zu untersuchen, die jeder Grieche im Mund führt und die in den städtischen Schulen denjenigen, die wegen der Bildung dort verkehren, weitererzählt werden."[144]

So gibt Eusebius im Folgenden Orakelsprüche wieder, die erneut das Wesen der Dämonen belegen sollen. Es ist in diesem Kontext von Bedeutung, dass Eusebius die Kenntnis der *Exempla*, die sich anschließen, als bekannt voraussetzt, zumindest bei jedem Gebildeten, da sie in der Schule gelehrt würden.

Für seine Wiedergabe dieser Orakelsprüche bedient er sich weitgehend des Werkes γοήτων φώρα („Entlarvung der Gaukler")[145] des Kynikers Oinomaos von Gadara. Doch bevor er auf Oinomaos verweist und aus dessen Werk zitiert, leitet er mit seinen eigenen Worten die Reihe der bekannten Orakel ein:

῎Ανωθεν τοίνυν ἀναλαβὼν τὰς παλαιὰς ἱστορίας ἐπίσκεψαι οἷα ὁ Πύθιος 'Αθηναίοις χρᾷ λοιμῷ πιεσθεῖσιν διὰ τὴν 'Ανδρόγεω τελευτήν· ἐλοίμωσσον δὲ πάντες 'Αθηναῖοι δι' ἑνὸς ἀνδρὸς θάνατον, τῆς δ' ἐκ τῶν θεῶν ἐπικουρίας τυχεῖν ἠξίουν. Τί ποτ' οὖν αὐτοῖς ὁ σω-

„Wenn Du nun von vorn mit den alten Geschichten anfängst, sieh doch, was der Pythier den Athenern gesagt hat, die wegen des Todes des Androgeos von einer Seuche gequält wurden: Es litten alle Athener aufgrund des Todes eines Mannes, und sie wollten Hilfe von den Göttern bekommen.

[142] Eus. *PE* 5, 3, 2-8 wird eine Unterteilung in zahlreiche εἴδη vorgenommen. Nach dieser Zwischenbemerkung wendet sich Eusebius dem Wirken der Dämonen zu und nimmt dabei Plutarchs *de defectu oraculorum* und dessen Werk *de Iside* und Porphyrios' *de philosophia ex oraculis haurienda* als Quellen. Kennzeichen der Beschaffenheit dieser Dämonen-Wesen sei auch, dass die Möglichkeit bestehe, sie mittels magischer Praktiken zu binden, herbeizurufen (auch wenn sie es nicht wollten) und wegzuschicken. Auch das bezeuge Porphyrios in seinem Werk *de philosophia ex oraculis haurienda*.

[143] Über den Sieg des Christentums bzw. Jesu über die Dämonen handeln die Abschnitte 5, 1 und 5, 17.

[144] Eus. *PE* 5, 18, 1.

[145] Zu diesem Werk vgl. Hammerstaedt (1988). Zum Titel des Werkes vgl. ebd. 33-38.

τὴρ καὶ θεὸς παραινεῖ; τάχα πού τις οἰήσεται δικαιοσύνης τοῦ λοιποῦ καὶ φιλανθρωπίας ἐπιμελεῖσθαι καὶ τῆς ἄλλης ἀρετῆς, ἢ μετανοεῖν ἐπὶ τῷ πλημμελήματι καί τι τῶν ὁσίων καὶ εὐσεβῶν ἐκτελεῖν, ὡς ἂν τῶν θεῶν τούτοις ἱλασκομένων. Ἀλλὰ τούτων μὲν ἦν οὐδέν. Τί γὰρ δὴ καὶ μέλον ἦν τούτων τοῖς θαυμασίοις θεοῖς, μᾶλλον δὲ τοῖς παμπονήροις δαίμοσιν; Πάλιν οὖν τὰ αὐτοῖς συγγενῆ καὶ οἰκεῖα, τὰ ἀνηλεῆ καὶ ὠμὰ καὶ ἀπάνθρωπα, λοιμὸν ἐπὶ λοιμῷ φασιν καὶ θανάτους ἐπὶ θανάτῳ. Κελεύει γοῦν ὁ Ἀπόλλων ἔτους ἑκάστου πέμπειν αὐτοὺς τῶν ἰδίων παίδων ἄρρενας ἐνήβους ἑπτὰ καὶ θηλείων ἰσαρίθμους παρθένους, ἀνθ' ἑνὸς δέκα καὶ τέσσαρας ἀναιτίους καὶ ἀπράγμονας, οὐκ εἰς ἅπαξ, ἀλλὰ καὶ κατὰ πᾶν ἔτος τυθησομένους ἐν Κρήτῃ παρὰ τῷ Μίνωϊ· ὥστε καὶ μέχρι τῶν Σωκράτους χρόνων πλέον ἢ πεντακοσίοις ὕστερον ἔτεσιν ὁ δεινὸς οὗτος καὶ ἀπανθρωπότατος δασμὸς μνήμην παρ' Ἀθηναίοις διεφύλαττεν. Τοῦτο δὲ ἦν ἄρα τὸ καὶ Σωκράτει τὴν ἀναβολὴν τοῦ θανάτου πεποιημένον.

Was rät ihnen da der Retter und Gott? Vielleicht, dass sie sich künftig der Gerechtigkeit und Menschenfreundlichkeit und anderer Tugend befleißigen sollen oder den Fehler bereuen und etwas Heiliges oder Frommes tun, damit die Götter dadurch besänftigt werden? Nichts davon! Denn: Was wollten die erstaunlichen Götter, oder besser: die allerverwerflichsten 'Dämonen'? Doch das, was ihrer Art entspricht: Erbarmungsloses, Rohes, Unmenschliches, Pest um Pest, wie man sagt, und Tod um Tod. Daher befiehlt Apollon, alljährlich von ihren eigenen Kindern sieben mannbare Knaben und ebensoviele jungfräuliche Mädchen – anstelle eines Einzelnen 14 Schuldlose, Arglose, nicht nur einmal, sondern jährlich – loszuschicken, dass sie auf Kreta bei Minos geopfert werden. Und so hielt sich bis auf die Tage des Sokrates, mehr als 500 Jahre später, dieser schlimme und unmenschlichste Tribut in Erinnerung. Das war es dann auch, was dem Sokrates den Tod verzögerte."[146]

Die Wortwahl des Eusebius ist bemerkenswert: Wenn er die Unmenschlichkeit des Gottes beschreibt, bedient er sich einer Diktion, die eine positive Charakteristik der Athener suggeriert. Diesen Charakter, der den Athenern zugesprochen wird, berücksichtigt der Orakelgott nicht, im Gegenteil: Er verdirbt ihn sogar. Die Athener gelten als gerecht, das Recht wurde bei ihnen früh erfunden: Der Areopag entstand zur gleichen Zeit, als Moses in der Wüste die göttlichen Gebote empfing und Gesetze erließ.[147] Schon in der klassischen Zeit ist die Gerechtigkeit ein Topos des Athenlobes. Die Philanthropie der Athener ist ebenfalls ein Allgemeinplatz der *laudes Athenarum*; sie wird noch im 4. Jahrhundert von dem Apostaten Julian[148] hervorgehoben. Die Liebe der Götter zu Athen sowie die Frömmigkeit der Athener den Göttern gegenüber ist schon oft angesprochen worden:[149] Für Eusebius sind die Athener und ihr König Kekrops diejenigen, die kultische Traditio-

146 Eus. *PE* 5, 18, 2-4. Vgl. Pl. *Phd.* 58a 9-c 3.
147 Vgl. oben S. 44 mit Anm. 110.
148 Vgl. oben S. 22; unten S. 161 mit Anm. 198.
149 Vgl. oben S. 16.

nen begründet haben. Schließlich ist das Erbarmen und Mitleid der Athener Bedrängten gegenüber ein Allgemeinplatz des Athenlobes.[150] Eusebius nennt zwei dieser Topoi direkt, die Gerechtigkeit und die Philanthropie (δικαιοσύνη, φιλανθρωπία), die anderen beiden indirekt: die Frömmigkeit (ὅσια, εὐσεβῆ) und das Mitleid (Apollon rät das Gegenteil von Mitleid: τὰ ἀνηλεῆ). Eigenschaften, in denen die Athener stark sind, in denen sie sich auszeichnen, böten eigentlich Felder für eine Sühne des Mordes und ein Ende der Seuche. Doch der Gott verkehrt all diese Eigenschaften ins Gegenteil: Ungerechterweise fordert er für einen Toten jährlich 14 Opfer, unmenschlich und erbarmungslos ist überhaupt das Menschenopfer, und dann auch noch an ein Ungeheuer. Wie gottlos und unheilig schließlich die Praxis des Menschenopfers ist, hatte Eusebius zuvor ausführlich dargelegt: Ein böser Daimon fordert Menschenopfer, ein Gott nicht.

Dann kehrt Eusebius zu seinem Vorhaben zurück und fährt in seiner Darstellung mit Zitaten aus Oinomaos fort, die bis zum Ende des fünften Buches fortlaufen. An erster Stelle steht hier, als Fortsetzung der Einleitung des Eusebius, das Orakel des Apollon an die Athener, die wegen der Menschenopfer an den Minotauros in Delphi Rat suchen. Oinomaos[151] wirft nämlich dem Gott Apollon ebenfalls vor, falsch reagiert zu haben: „Kehrt um!" μετανοεῖτε, hätte er sagen sollen, nicht den Orakelspruch, der die Menschenopfer vorschreibt.[152]

Eusebius bezeugt, indem er an erster Stelle das Orakel über die Menschenopfer nennt, zumindest den Stellenwert, den die Geschichte und Mythologie Athens in der schulischen Ausbildung hatte. Dies belegen anschließend weitere *Exempla*: Denn die Reihe der Orakel, „die in der griechischen Geschichte am meisten bewundert werden,"[153] beginnt mit Orakelversen an die Athener im Perserkrieg,[154] denen der Gott rät, die Stadt auf Schiffen zu verlassen.

[150] Vgl. oben S. 16.

[151] Im Folgenden werden lediglich die mit Athen zusammenhängenden Orakel näher besprochen. – Der Auszug aus Oinomaos beschreibt folgende Gruppen von Orakeln: I. Mythisch-historische Orakel (1. Der Tod des Androgeos und die von Apollon vorgeschriebenen Menschenopfer an den Minotauros. 2. Das Orakel an die Herakliden, das zum Tod mehrerer Führer dieser Gruppe geführt hat. 3. Das Orakel an Kroisos, das zur Zerstörung des lydischen Reiches geführt hat.). II. Drei Orakelsprüche an Oinomaos selbst. III. Berühmte Orakelsprüche an griechische Städte (1. Das Orakel an die Athener im Perserkrieg. 2. Das Orakel an die Spartaner im Perserkrieg. 3. Das Orakel an die Knidier im Konflikt mit den Persern unter Harpagos. 4. Orakel an die Spartaner und Messenier im Konflikt der beiden Städte miteinander.). IV. Verschiedenes (1. Ein Orakel an Lykurg. 2. Orakel zur Einrichtung des Lebens; Gegenüberstellung mit Sokrates [vgl. dazu Döring (1979) 129f.]. 3. Orakel über gesunde Lebensführung und natürliche Vorgänge. 4. Orakel auf unangemessene Anfragen und Verbesserungsvorschläge des Oinomaos.). V. Orakel über die Dichter (1. Orakel über Archilochos. 2. Orakel über Euripides. 3. Orakel über Homer.) VI. Orakel an Athleten. VII. Orakel an Tyrannen. VIII. Orakel an die Methymnier zur Verehrung eines Baumstumpfs.

[152] Eus. *PE* 5, 19, 1 = Oenom. *Frg.* 3 Hammerstaedt.

[153] Eus. *PE* 5, 23, 4: χρησμούς [...] μάλιστα ἐν ταῖς ἑλληνικαῖς ἱστορίαις θαυμαζομένους.

[154] Eus. *PE* 5, 24, 1, 4-11. 2, 5-14 (=Oenom. *Frg.* 6 Hammerstaedt; vgl. Hdt. 7, 140, 2. 141, 3f.).

Außerdem werden unter den Orakelsprüchen behandelt:

– Ein Orakel an die Athener, die sich wegen einer Hitzewelle an den delphischen Gott wandten: Sie sollten sich im Schatten aufhalten und Wein trinken, so habe die Antwort des delphischen Gottes gelautet, und dies sei doch eher ein medizinischer Rat und keine Weissagung.[155]

– Ein Orakel, das Euripides als ruhmeswürdig und von allen geehrt ankündigt und ihm die 'heiligen Kränze' verheißt:[156] Oinomaos bestätigt, dass Euripides' Erfolg nicht nur Ehre für ihn selbst gezeitigt habe, sondern dass man Athen als einzige Stadt rühmt, die tragische Dichter hervorgebracht hat. Aber der Kyniker fragt gleichzeitig, ob es ausreiche, bei der Masse (ὄχλος) der Athener sowie an Tyrannenhöfen[157] berühmt zu sein, oder ob es auch inhaltliche Kriterien gebe, die die Gunst der Götter für Euripides begründen. Implizit bezweifelt Oinomaos das jedenfalls.[158]

Verschiedene Aspekte dieser Quelle, der Orakelkritik des Kynikers Oinomaos, sind für den vorliegenden Zusammenhang von Bedeutung:

1) Zunächst macht die Heftigkeit der Kritik an den Orakeln, die die bei Eusebius erhaltenen Fragmente auszeichnet, diese Texte für Eusebius attraktiv.

2) Eusebius will durch diese Quelle Orakel, die besonders bekannt sind, in ihrer Fragwürdigkeit entlarven. Der Bekanntheitsgrad soll daran gemessen werden, dass jeder Gebildete sie kennt, weil er sie bereits in der Schule gelernt hat.[159] Unter diesen bekannten Orakeln werden zweimal an exponierter Stelle[160] Orakel aus der Mythologie und Geschichte Athens behandelt und einmal ein Orakel über einen der berühmtesten Tragiker Athens.

3) Die Orakelkritik des Oinomaos kommt einer Tendenz des Eusebius nach, berühmte Philosophen aus Athen in Opposition zu ihrer heidnischen Umwelt zu setzen; dies wird an zwei Stellen deutlich:

– Nachdem Oinomaos Anfragen an das delphische Orakel über Fragen der Lebensführung beschrieben und die jeweiligen Antworten wiedergegeben hat, führt er kontrastierend die Anweisungen des Sokrates zur rechten Lebensführung an. Dabei legt Oinomaos nahe, dass die Ratschläge des Sokrates viel einsichtiger und sinnvoller als die des Gottes seien.[161]

155 Eus. *PE* 5, 30, 1 = Oenom. *Frg.* 11 B Hammerstaedt.

156 Eus. *PE* 5, 33, 2 = Oenom. *Frg.* 1, 4-7 Hammerstaedt.

157 Von 408 bis zu seinem Tod 406 v. Chr. lebte und wirkte Euripides am Hof des Makedonenkönigs Archelaos in Pella.

158 Eus. *PE* 5, 33, 12, 4-9 = Oenom. *Frg.* 1, 50-56 Hammerstaedt.

159 Von diesem Kriterium müssen wohl die Orakel ausgenommen werden, die persönliche Erfahrungen des Oinomaos schildern; vgl. die Übersicht oben S. 99 Anm. 151.

160 Nach der Übersicht oben S. 99 Anm. 151 I. 1. und III. 1.

161 Eus. *PE* 5, 29 = Oenom. *Frg.* 11 A Hammerstaedt.

– Das oben erwähnte Orakel über Euripides ist Teil eines Abschnittes, in dem auch Unverständnis über Orakelsprüche an oder über Archilochos und Homer geäußert wird. Eusebius leitet dieses Zitat aus Oinomaos[162] mit folgenden Worten ein:

φέρε δὲ τούτοις προσθῶμεν καὶ δι' ὧν αὖθις ὁ Ἀπόλλων θαυμάζει τὸν Ἀρχίλοχον [...] καὶ τὸν Εὐριπίδην τῆς μὲν Σωκράτους διατριβῆς καὶ φιλοσοφίας ἐκπεσόντα, εἰσέτι δὲ καὶ νῦν ἐπὶ τῆς θυμέλης τραγῳδούμενον· καὶ Ὅμηρον ἐπὶ τούτοις, ὃν ὁ γενναῖος Πλάτων ἐξωθεῖ τῆς ἑαυτοῦ πολιτείας ὡς κατ' οὐδὲν ὠφέλιμον, ἀλλὰ καὶ τὰ ἔσχατα τοὺς νέους λυμαινομένων λόγων ποιητὴν γεγενημένον· [...].

Wir wollen dem auch noch hinzufügen, mit welchen Worten Apollon Archilochos bewundert [...] und Euripides, der sich von der Schule und der 'Philosophie' des Sokrates abgesetzt hat, aber bis heute noch auf der Bühne aufgeführt wird, und dazu auch noch den Homer, den der edle Platon aus seinem Staat verbannt, da er zu nichts nutze ist, sondern ein Dichter von Werken, die am Ende die Jugend verderben; [...].[163]

Während Euripides vom richtigen Weg, der Philosophie des Sokrates, abgefallen ist, wofür er eigentlich Tadel verdient hätte, verheißt ihm der Orakelgott in Delphi Ruhm. Homer verdirbt mit seinen Epen die Jugend, und Platon verwirft ihn deswegen als Lektüre in seinem Staat. Die Gründe dafür gibt Eusebius hier nicht an; die Tatsache, dass Platon Homer in einem gewissen Kontext ablehnt, reicht ihm aus. In dem folgenden Oinomaos-Fragment kommen diese Gesichtspunkte, Abgrenzung des Euripides von Sokrates und Ablehnung des Homer durch Platon, nicht mehr vor. Eusebius hat sie hier ergänzend eingeschoben und zeigt damit noch einmal deutlich, dass für ihn diese beiden Philosophen aus Athen keinen ganz falschen Weg beschritten haben.

Mit der Auswahl aus Oinomaos beendet Eusebius das fünfte Buch der *Praeparatio*. Das sechste Buch beginnt nach einer kurzen Präambel, in der Eusebius erläutert, er wolle sich nun mit dem Problem des *Fatum* (εἱμαρμένη) beschäftigen, mit einem Zitat aus dem Werk des Porphyrios *Über die Philosophie aus Orakeln*. Auch im weiteren Verlauf des sechsten Buches steht das *Fatum* im Vordergrund.[164] Der erste Teil der *Praeparatio Ev-*

162 Eus. *PE* 5, 33 = Oenom. *Frg.* 1 Hammerstaedt.
163 Eus. *PE* 5, 32, 2-10.
164 Die Auszüge aus Porphyrios beschäftigen sich mit der Vorsehung und mit der Problematik, inwieweit Ratschläge eines Orakels verhindern können, dass ein vorbestimmtes Ereignis eintrifft. Diese Thematik führt Eusebius in einem längeren, von ihm selbst verfassten Abschnitt fort; dort steht zunächst das Gegensatzpaar *Fatum* – freier Wille im Vordergrund, anschließend das Verhältnis zwischen dem freien Willen, dessen Beeinflussung aus verschiedenen Richtungen und göttlicher Vorsehung. Es folgen Zitate aus Oinomaos, Diogenianos und Alexander von Aphrodisias, der in seinem Werk *De fato* auch eine Episode über Sokrates (Eus. *PE* 6, 9, 22 = Alex. Aphr. *Fat.* 6 [Suppl. Aristot. 2, 2, 171, 11-16]) wiedergibt. Anschließend wendet sich Eusebius einem Auszug aus Bardesanes zu, der sich mit der chaldäischen Astrologie beschäftigt und zeigt, dass der Stand der Sterne keinen Einfluss auf die Ge-

angelica, der sich mit der Theologie der Heiden beschäftigt, ist mit dem sechsten Buch abgeschlossen.

3. 2. 2. 4 Zwischenergebnisse

Folgende Ergebnisse lassen sich aus der Untersuchung des ersten Teils der *Praeparatio Evangelica* ziehen:

1) Die Quellen des Eusebius, die Athen näher behandeln, bedienen ein Athenbild, das Themen des klassischen Athenlobs aufgreift: Athen ist Zentrum heidnischer Kulte, näherhin des eleusinischen Demeterkultes (Klemens), und Athen ist eine Stadt, die auf die Orakel des Gottes in Delphi baut, Anfragen an ihn richtet und diese trotz ihrer Unmenschlichkeit befolgt (Oinomaos). Erwähnt wird, dass *Exempla* aus der Geschichte und Mythologie Athens bei Gebildeten als präsent vorausgesetzt werden können, etwa Orakel aus der Zeit des Perserkrieges (Oinomaos). Eusebius selbst und seine Quellen benennen auch andere Topoi des Athenlobes, die eine Charakteristik der Athener beinhalten: Sie sind fromm, haben Mitleid, haben Sinn für Gerechtigkeit, zeichnen sich durch Philanthropie aus, und Athen bringt als einzige Stadt tragische Dichtung hervor.

2) Die Topoi werden aber durchaus kritisch betrachtet, ja zum Teil sogar verurteilt: Der heidnische Mysterienkult wird geradezu lächerlich gemacht (Klemens), und die Ergebenheit an widersinnige Orakelsprüche wird mit Unverständnis bedacht (Oinomaos).

3) Während Eusebius diese mitunter heftige Kritik an Athen in den Worten seiner Quellen referiert, hebt er in seinen eigenen Worten einzelne Personen hervor, die sich von ihrer pagan geprägten Umwelt abheben: Anaxagoras, Sokrates und Platon, Philosophen, deren Leben und Wirken aufs Engste mit Athen verknüpft sind, gelten Eusebius wiederholt als Wegbereiter für eine Abkehr von jenen Teilen der griechischen Kultur, die auch die Christen abgelegt haben.

4) Diese Athener heben sich nicht nur von ihrer Umwelt ab, für Platon wird seine Abkehr von den althergebrachten heidnischen Traditionen sogar zum Konflikt mit der Gesetzgebung. Denn wer sich von der Götterwelt und den damit verbundenen Lehren zu lösen sucht, muss mit Verfolgung und Tod rechnen. Die Wurzel *des* Griechentums, das es den Christen ermöglicht, sich auch als Erbe der Griechen zu verstehen, scheint Eusebius dennoch in Athen zu sehen. Das führt dazu, dass auch die Stadt selbst bei Eusebius eine Sonderstellung einnimmt: So bezeichnet er die Athener bedenkenlos als 'die ersten unter den Griechen' und

wohnheiten und Handlungen der Menschen habe. Abgeschlossen wird das sechste Buch durch ein Zitat aus dem *Genesis-Kommentar* des Origenes, das sich ebenfalls mit der Astrologie beschäftigt und widerlegen will, dass Gestirnen ein Einfluss auf irdische Ereignisse zukommt.

wundert sich, dass man sogar dort eine der grausamsten Formen des heidnischen Kultes, das Menschenopfer, praktizierte.

Es gibt offenbar zwei Gruppen von Athenern, und somit auch zwei Konnotationen von Athen: Die eine Gruppe kennzeichnet Progressivität im Sinne von innovativem Denken auf einer quasi christlichen Schiene, Konservativismus und Beharren auf dem althergebrachten Götter- und Dämonenglauben die andere Gruppe. Athen hat daher eine positive Konnotation, insofern die Stadt Ursprung von Gedanken ist, die den Christen nahe stehen, eine negative jedoch, insofern es ebenfalls in Athen gegen diese Gedanken den größten Widerstand gibt.

3. 2. 3 Hebräer und Juden in der Praeparatio Evangelica (PE 7-9)

Das siebte Buch beginnt mit einer Zusammenfassung der ersten sechs Bücher: Eusebius rekapituliert die Hingabe an die Naturgottheiten, den Polytheismus, die Auswirkungen auf Moral und Ordnung sowie den Charakter der heidnischen Götter bzw. der mit ihnen gleichgestellten bösen Dämonen. Anschließend zeigt er die vor allem moralische Überlegenheit insbesondere der alttestamentlichen Berichte über Theophanien. Es folgt eine Unterscheidung zwischen Hebräern und Juden.[165]

In den Büchern, die auf das Judentum näher eingehen, spielt Athen keine besondere Rolle.[166] Nur an zwei Stellen, in Zitaten aus Flavius Josephus und Klemens von Alexandrien / Numenios, ist Athen direkt bzw. indirekt genannt, doch verstärken diese kurzen Hinweise eine Tendenz, die bereits deutlich geworden ist:

Im achten Buch[167] behandelt ein Auszug aus Josephus' Schrift *Gegen Apion* die gute Einrichtung des Lebens der Juden durch die mosaische Gesetzgebung. Dort wird auch die Abhängigkeit der Griechen vom mosaischen Gesetz angesprochen, ein beliebtes Thema der jüdischen Apologetik.[168] Als Philosophen, die von Moses beeinflusst seien, sind dort Pythagoras, Platon, Anaxagoras und die

[165] Vgl. oben Kapitel 3. 2. 1. 2.

[166] Eusebius nennt zuerst die 'Hebräer' bis Moses (vgl. Kapitel 3. 2. 1. 2): Enos, Enoch, Noah, Isaak, Jakob, Hiob, Joseph und schließlich Moses, der mit seiner Gesetzgebung das Judentum beginnen ließ. Anschließend werden die Grundsätze der Gesetzgebung des Moses dargestellt (Gott als der eigentliche Gesetzgeber; die Weisheit, der Logos als *causa secunda* der Schöpfung) und durch Zitate aus Philon von Alexandrien (*quaestiones et solutiones* und *de agricultura / de plantibus*) und Aristobulos (*Frg.* 1 [Pseudepigrapha Veteris Testamenti 3, 217-221 = Denis]) bestätigt. Es folgen eine Beschreibung der Himmelsgeschöpfe und der weltlichen Dämonen in Eusebius' eigenen Worten und Zitate aus Dionysios von Alexandrien, Origenes, Philon von Alexandrien und Maximos (die Zuschreibung dieses Fragments ist umstritten; vgl. Schrœder [1975] 280f. Anm. 1-3) zur *creatio ex nihilo*.

[167] Das achte Buch behandelt die Bibelübersetzung ins Griechische und die Einrichtung des Lebens der Juden durch die mosaische Gesetzgebung (neben Josephus Zitate aus dem Aristeas-Brief, aus Philon von Alexandrien und Aristobulos).

[168] Vgl. Kamlah (1974).

Stoiker genannt.[169] Außerdem schreibt Josephus Spartanern und Athenern eine unterschiedliche Einrichtung und Vermittlung der Gebräuche zu, die das Erziehungskonzept des Moses in sich vereine.[170] Christine Gerber bezeichnet Josephus' Einstellung gegenüber den Griechen als „ambivalent" und erläutert: „Er beläßt ihre Philosophen als Autorität, kritisiert jedoch ihre Poleis Athen und Sparta, die Gesetzgeber und Geschichtsschreiber, ja verspottet ihre Dichter. Und wenn er griechische Autoritäten und Ideale abruft, dann tut er es nicht nur, um seine Leser 'abzuholen, wo sie stehen', sondern auch, um das Judentum als diesen überlegen darzustellen."[171] Schon früher war beobachtet worden, dass „Griechenland in der historisch-hellen. Zeit [...] für Josephus – nicht anders als für die Römer – in erster Linie durch Athen und Sparta vertreten" wird.[172] Es ist deutlich, dass Parallelen zwischen der Athen-Motivik des Josephus und der des Eusebius zu finden sind: Auch für Eusebius sind in der *Praeparatio Evangelica* die Philosophen Athens von hervorragender Bedeutung; und in der Folge wird sich zeigen, dass auch Eusebius Platon zwar sehr schätzt, er allerdings die 'Philosophie' der Hebräer der des Platon vorzieht.

Das neunte Buch[173] behandelt ebenfalls die Frage, wie sich die Bezüge zwischen Hebräern / Juden und Griechen gestalten. Von dem (neu)pythagoreischen Philosophen Numenios (Eusebius zitiert ihn in den Worten des Klemens von Alexandrien) stammt der markante Satz:

Τί γάρ ἐστι Πλάτων ἢ Μωσῆς ἀττικίζων;	„Denn was ist Platon anderes als ein Moses in attischer Sprache?"[174]

Platon hat seine Weisheit von Moses; er ist hebräisch beeinflusst. Eusebius zitiert sogar bedenkenlos das Wort des Numenios, Platon sei ein zweiter Moses.[175] Hier scheint bereits die Nähe Platons zu der Weisheit der Hebräer auf; im Folgenden stehen die Philosophen und die Philosophie der Heiden im Zentrum der *Praeparatio Evangelica*.

169 Eus. *PE* 8, 8, 5 = Josephus *Ap*. 2, 168.
170 Josephus *Ap*. 2, 171-173.
171 Gerber (1997) 90.
172 Schäublin (1982) 325.
173 Im neunten Buch will Eusebius zeigen, welche Griechen sich der hebräischen Lehre angeschlossen haben, wo in der heidnischen Literatur von Juden berichtet wird und was die Heiden von den Hebräern / Juden übernommen haben. Quellen sind Porphyrios' *de abstinentia* und *Philosophie aus Orakeln*, Josephus' *Gegen Apion* und *Jüdische Altertümer*, Klearchos' *de somno*, Klemens' *stromateis* (zu den *stromateis* des Klemens in der *PE* vgl. Coman [1981]), Abydenos' *Assyriaka*, Alexander Polyhistor, der Eupolemos, Artapanos, Molon, Demetrios, Philo maior, Kleodemos, Theodotos, Aristaeus historicus, Ezechiel poeta, Theophilos, Timochares und den Verfasser einer *Vermessung Syriens* paraphrasiert oder zitiert, sowie Eupolemos und Artapanos.
174 Eus. *PE* 9, 6, 9, 2f. = Numen. *Frg.* 8 des Places. Zu Numenios bei Eusebius vgl. des Places (1971). Zu diesem Fragment vgl. des Places (1973) 52f. Anm. 4; Petty (1993) 106.
175 Dieses Numenios-Zitat wird Eusebius noch ein weiteres Mal wiedergeben, vgl. unten S. 111.

3. 2. 4 Die Philosophie der Heiden (PE 10-15)

3. 2. 4. 1 Die Griechen als Schüler der Hebräer

Alles Griechische ein Plagiat. Das zehnte Buch der *Praeparatio Evangelica* leitet einen 'Großangriff' auf die griechische Kultur ein: Eusebius will nicht mehr erweisen, warum „wir die Philosophie der Hebräer der griechischen vorgezogen haben und aus welcher Überlegung heraus wir ihre heiligen Schriften übernommen haben,"[176] auch nicht, dass die Griechen die Hebräer kannten und sie in ihren Schriften erwähnen. Ziel der folgenden Betrachtung soll sein zu zeigen, „dass die Griechen die Hebräer nicht nur einer Erwähnung in ihren Schriften würdigten, sondern dass sie Nacheiferer einer Lehre und Unterweisung wurden, die der der Hebräer ähnlich ist, und zwar in einigen Gesichtspunkten, die auf die Verbesserung der Seele abzielen."[177]

Das zehnte Buch der *Praeparatio* soll ausführlich darlegen, wie die Griechen ihre wissenschaftlichen Kenntnisse aus den verschiedensten Kulturen übernommen haben.[178] In den ersten Büchern hatte Eusebius bereits gezeigt, dass sie ihren Polytheismus, die Göttermythen und Mysterien von den Barbaren entlehnten. Nun will er darstellen, wie sie den Monotheismus oder Ansätze dazu von den Hebräern gelernt oder zumindest ihre traditionellen Auffassungen aufgrund der neuen Lehre in Zweifel gezogen haben: Auch dies sei ja ein Lob, wenn die Christen eine Lehre übernommen hätten, die nicht nur den Hebräern durch Propheten offenbart, sondern auch von griechischen Philosophen und Philosophenschulen untersucht worden sei, und zwar von solchen Philosophen, „deren großer Ruhm [ganz] Griechenland erfüllt."[179] – Eusebius lehnt sich erneut an seine Eingangssätze an, dass sich die Christen im Grunde auch als Erben der Griechen verstehen, wenigstens in manchen Punkten.[180]

176 Eus. *PE* 10, 1, 1, 1-3: Τίσι ποτὲ λόγοις τὴν καθ' Ἑβραίους φιλοσοφίαν τῆς ἑλληνικῆς προτετιμήκαμεν ὁποίοις τε λογισμοῖς τὰς παρὰ τοῖς ἀνδράσιν ἱερὰς βίβλους ἀπεδεξάμεθα.

177 Eus. *PE* 10, 1, 1, 8-11: ὡς οὐ μόνον τῶνδε γραφῆς ἠξίωσαν τὴν μνήμην, ἀλλὰ καὶ τῆς ὁμοίας αὐτοῖς διδασκαλίας τε καὶ μαθήσεως ἔν τισι τῶν εἰς βελτίωσιν ψυχῆς συντεινόντων δογμάτων ζηλωταὶ κατέστησαν.

178 Eus. *PE* 10, 1, 2: Ὡς μὲν οὖν τὰ λοιπὰ τῶν μαθημάτων ἄλλοθεν ἄλλος τῶν θαυμαστῶν Ἑλλήνων τοὺς βαρβάρους ἐκπεριιὼν συνελέξατο, γεωμετρίαν, ἀριθμητικήν, μουσικήν, ἀστρονομίαν, ἰατρικὴν αὐτά τε τὰ πρῶτα τῆς γραμματικῆς στοιχεῖα μυρίας τε ἄλλας τεχνικὰς καὶ βιωφελεῖς ἐπιτηδεύσεις, αὐτίκα μάλα παραστήσω („Wie nun die übrigen Wissenschaften jeder der bewunderten Griechen anderswoher zusammengetragen hat, indem er die 'Barbaren' aufsuchte, nämlich 'Geometrie', 'Arithmetik', 'Musik', 'Astronomie', Medizin und selbst die Grundlagen der 'Grammatik' und unzählige andere 'Techniken' und lebensnotwendige Dinge, werde ich schon sehr bald aufzeigen.").

179 Eus. *PE* 10, 1, 5, 2-7: Καὶ τοῦτο πρὸς ἡμῶν ἂν εἴη, εἰ [...] τὰ καί τισιν, εἰ καὶ μὴ πᾶσιν, αὐτοῖς δέ γε, ὧν μέγα κλέος καθ' Ἑλλάδα, καὶ φιλοσόφων διατριβαῖς ἐξετασμένα ζηλοῦν προειλόμεθα.

180 Zur Unterscheidung zwischen 'Diebstahl' und 'Abhängigkeit' Ridings (1989) 133.

Ein erstes Zitat entnimmt Eusebius den *Teppichen* des Klemens von Alexandrien, der behauptet, die Griechen hätten ihr Wissen vielfach biblischen Schriften entnommen; diesem „Diebstahl" (κλοπή[181]) stellt Klemens die Praxis der Philosophenschulen an die Seite, die alle offen zugeben, ihre Wurzeln in Sokrates zu haben.[182] Anschließend werden weitere Bereiche der griechischen Wissenschaft angesprochen, Rhetorik, Geschichtsschreibung, schließlich auch die Philosophie sowie die Theologie. Auch dort, so Klemens, hätten die Griechen Teile übernommen und mit der eigenen Mythologie verbunden.[183]

Eusebius ist sich der Problematik möglicher Vorbehalte gegen seine Quelle bewusst: Man könnte ihm vorwerfen, ein Christ wie Klemens habe natürlich Interesse daran, die wissenschaftlichen Innovationen der Heiden herunterzuspielen. Schließlich bedeuteten Klemens' Ausführungen ja einen Rundumschlag, der praktisch jede wissenschaftliche Neuschöpfung durch die Griechen in Zweifel zieht. Daher führt Eusebius anschließend den Nachweis für verschiedene Einzeldisziplinen.

In einem Zitat aus Porphyrios' Schrift *philologos akroasis*[184] versuchen die Teilnehmer eines Symposions, das aus Anlass des 'Platon-Festes'[185] in Athen stattfindet, verschiedenen griechischen Schriftstellern Plagiate nachzuweisen.[186]

Von den Sieben Weisen zu Anaxagoras. Eusebius beschreibt, wie die verschiedenen Formen religiösen Denkens und die verschiedenen Wissenschaften zu den Griechen kamen: Nachdem die Griechen insgesamt relativ spät und mit der Rezeption fremder Gewohnheiten kulturell in Erscheinung getreten wären, seien in

[181] Zu diesem Begriff vgl. Peter (1911) 450f.

[182] Eus. *PE* 10, 2, 3, 1-4 = Clem. *str.* 6, 5, 1 (GCS Clem. 2, 424): Καὶ τὰ μὲν κατὰ φιλοσοφίαν σιωπήσομαι δόγματα, αὐτῶν ὁμολογούντων ἐγγράφως τῶν τὰς αἱρέσεις διανενεμημένων, ὡς μὴ ἀχάριστοι ἐλεγχθεῖεν, παρὰ Σωκράτους εἰληφέναι τὰ κυριώτατα τῶν δογμάτων („Und was die 'philosophischen' Lehren betrifft, will ich schweigen, da sie, die die einzelnen Schulen verwaltet haben, ja selbst in ihren Schriften zugeben, dass sie ihre wichtigsten Thesen von Sokrates her haben, damit sie nicht der Undankbarkeit überführt werden.").

[183] Vgl. Eus. *PE* 10, 2, 9 = Clem. *str.* 6, 28, 1 (GCS Clem. 2, 444).

[184] Dieses Werk ist verloren. Wir haben lediglich das Zeugnis des Eusebius. Nach Mras (1956) 214 handelt es sich um die Einleitung zu einem ersten Buch des Werkes. Vgl. Stemplinger (1912) 40-47.

[185] Eus. *PE* 10, 3, 24, 4 als ἐπώνυμος ἑορτή (Namensfest) bezeichnet. Vgl. Englhofer (1998) 843.

[186] Eus. *PE* 10, 3, 1 = Porph. 408F, 1-5 Smith. Der Auszug beginnt folgendermaßen: Τὰ Πλατώνεια ἑστιῶν ἡμᾶς Λογγῖνος Ἀθήνησι κέκληκεν ἄλλους τε πολλοὺς καὶ Νικαγόραν τὸν σοφιστὴν καὶ Μαΐορα Ἀπολλώνιόν τε τὸν γραμματικὸν καὶ Δημήτριον τὸν γεωμέτρην Προσήνην τε τὸν Περιπατητικὸν καὶ τὸν Στωϊκὸν Καλλιέτην („Um das Platon-Fest zu feiern hat uns Longinos nach Athen eingeladen, unter vielen anderen den 'Sophisten' Nikagoras, Maior, den 'Grammatiker' Apollonios, den 'Geometer' Demetrios, den Peripatetiker Prosenes und den Stoiker Kallietes."). Der gegen Ende des Porphyrios-Abschnittes begonnene Nachweis der These, Platon selbst habe Protagoras verarbeitet, wird abgebrochen.

der Zeit der letzten hebräischen Propheten die ersten griechischen Philosophen aufgetreten: die Sieben Weisen, von denen nur 'Apophthegmata' erhalten seien, und Pherekydes' Schüler Pythagoras, der den Begriff 'Philosophie' zwar entdeckt, sein Wissen aber durch ausgedehnte Reisen zu Völkern verschiedener Kulturen gewonnen habe. Die zeitlich nächste Philosophie sei die sogenannte 'italische' gewesen (sie habe sich in Italien entwickelt), anschließend seien die ionische und die eleatische entstanden. Die ionische habe ihren ersten Vertreter zwar in Thales, doch sei dieser manchen zufolge Phönizier gewesen; andere wiederum hielten ihn für einen Milesier. Thales habe auch Kontakt zu den Ägyptern gehabt.[187]

Zu den Sieben Weisen gehörte auch Solon, von dem Eusebius folgende, aus Platons *Timaios* bekannte Begebenheit berichtet:

Σόλωνα δὲ καὶ αὐτὸν τῶν ἑπτὰ σοφῶν, ὃν δὴ καὶ λόγος Ἀθηναίοις νομοθετῆσαι, Αἰγυπτίοις ὁμοίως φησὶν ὁ Πλάτων προσεσχηκέναι, ὁπηνίκα πάλιν ᾤκουν Ἑβραῖοι τὴν Αἴγυπτον. Εἰσάγει γοῦν αὐτὸν ἐν Τιμαίῳ πρὸς τοῦ βαρβάρου παιδευόμενον, ἐν οἷς φησιν ὁ Αἰγύπτιος πρὸς αὐτὸν· «Ὦ Σόλων, Σόλων, Ἕλληνες ἀεὶ παῖδές ἐστε, γέρων δὲ Ἑλλήνων οὐδὲ εἷς, οὐδέ ἐστι παρ' ὑμῖν χρόνῳ πολιὸν μάθημα».

„Von Solon sagt Platon, dass auch er, einer von den Sieben Weisen, der den Athenern die Gesetze gegeben haben soll, sich den Ägyptern zugewendet habe, und zwar zu der Zeit, als die Hebräer wieder Ägypten bewohnten. Er lässt ihn also im *Timaios* von einem 'Barbaren' unterrichtet werden, wobei der Ägypter zu ihm sagt: 'O Solon, Solon! Ihr Griechen seid immer Kinder, kein einziger Grieche ist alt, und keine Wissenschaft ist bei euch mit der Zeit grau geworden.'"[188]

Die Autorität Platon bestätigt also indirekt, dass die Griechen erst spät mit den Wissenschaften in Berührung gekommen sind; einer ihrer frühesten Philosophen,[189] Solon, hielt sich in Ägypten auf – und zwar, als die Hebräer wieder dort lebten – und schöpfte auch von dort einen Teil seiner Weisheit. Außerdem sei Platon selbst nicht nur in Italien bei Pythagoras in die Schule gegangen, sondern habe viel Zeit in Ägypten verbracht, um sich der dort heimischen Philosophie zu widmen. Demokrit und Heraklit werden ebenfalls als Reisende angeführt, die Wissen aus aller Welt sammelten.

Weiter kündigt Eusebius an, er werde zeigen, dass die Griechen nicht nur Philosophie und Theologie von anderen Kulturen übernommen hätten und vor allem das Wichtigste, die Kenntnis des einen Gottes und die Verwerfung ihrer eigenen

[187] Die gleiche Zusammenstellung Pherekydes, Pythagoras, Thales bei Josephus *Ap.* 1, 14. Diese Stelle zitiert Eusebius unten *PE* 10, 7, 10, 3f.
[188] Eus. *PE* 10, 4, 19. Vgl. Pl. *Ti.* 22b 4-9.
[189] Vgl. unten S. 108.

vielen Götter, den Hebräern verdankten: Selbst die alltäglichsten Einrichtungen des Lebens in der Gemeinschaft hätten sie nicht selbst hervorgebracht.[190]

Eusebius belegt das im Anschluss anhand der Übernahme des *Alphabets* aus dem Syrischen oder Phönizischen (Quelle: Klemens von Alexandrien)[191] und der unzureichenden historischen Aufzeichnungen (*Geschichtsschreibung*) durch die Griechen (Quelle: Flavius Josephus).[192] Auch die Gesetzgebung durch Solon und die *Gesetze* Platons seien unter dem Eindruck von Aufenthalten in Ägypten entstanden.[193] Der Altersbeweis wird ausführlich anhand der historischen Einordnung des Moses geführt.[194]

Zu den Nachfolgern des Moses zählten zu Beginn die Propheten. Zur Zeit des Kyros und damit auch zur Zeit der letzten Propheten hätten auch die frühesten griechischen Philosophen gelebt, Solon und die Sieben Weisen.[195]

Unter die Sieben Weisen zählt man auch Thales, von dem Eusebius vorher gesagt hatte, dass er sich in Ägypten aufgehalten hatte;[196] in der dritten Schülergeneration des Thales trifft Eusebius auf einen uns bereits bekannten Philosophen: Anaximander war Schüler des Thales, Anaximenes war Schüler des Anaximander und Schüler des Anaximenes war Anaxagoras.

190 Eus. *PE* 10, 4, 30, 3-6: Ἐστέρηντο [...] οἱ παλαιοὶ τῶν Ἑλλήνων [...] καὶ τῶν κοινῶν καὶ πολιτικῶν ἐπιτηδευμάτων.

191 Mit Bezugnahme auf verschiedene Schriften Περὶ εὑρεμάτων („Über Erfindungen"), vgl. Eus. *PE* 10, 6, 14 = Clem. *str.* 1, 77, 1 (GCS Clem. 2, 50).

192 Eus. *PE* 10, 7, 16f. = J. *Ap.* 1, 20f. Der Text oben S. 32 Anm. 39.

193 Eus. *PE* 10, 8, 2, 1-5 = D. S. 1, 96, 2: Οἱ γὰρ ἱερεῖς τῶν Αἰγυπτίων ἱστοροῦσιν ἐκ τῶν ἀναγραφῶν τῶν ἐν ταῖς ἱεραῖς βίβλοις παραβαλεῖν πρὸς ἑαυτοὺς Ὀρφέα τε καὶ Μουσαῖον καὶ Μελάμποδα καὶ Δαίδαλον, πρὸς δὲ τούτοις Ὅμηρόν τε τὸν ποιητὴν καὶ Λυκοῦργον τὸ Σπαρτιάτην, ἔτι δὲ Σόλωνα τὸν Ἀθηναῖον καὶ Πλάτωνα τὸν φιλόσοφον („Die Priester der Ägypter erzählen anhand ihrer Aufzeichnungen in den Heiligen Schriften, dass Orpheus, Musaios, Melampos und Daidalos zu ihnen gekommen seien, außerdem auch der Dichter Homer und der Spartaner Lykurg sowie Solon der Athener und Platon der 'Philosoph'.") und *PE* 10, 8, 13, 1-3 = D. S. 1, 98, 1: Καὶ Λυκοῦργον δὲ καὶ Πλάτωνα καὶ Σόλωνα πολλὰ τῶν ἐξ Αἰγύπτου νομίμων εἰς τὰς ἑαυτῶν κατατάξαι νομοθεσίας („Lykurg, Platon und Solon hätten viele der ägyptischen Gesetze bei ihrer eigenen Gesetzgebung verarbeitet.").

194 Dieser Exkurs des Eusebius sei hier nicht in seiner Ausführlichkeit verfolgt. Das Thema ist in Kapitel 3. 1. 2. 1 besprochen. Eusebius gibt zunächst eine eigene Berechnung an (Ergebnis: Moses und Kekrops lebten zur selben Zeit). Porphyrios bestätigt in seinem Werk *Contra Christianos* das Alter des Moses (Porphyrios setzt Moses sogar mehr als 400 Jahre vor Kekrops an). Ergänzend fügt Eusebius weitere christliche und jüdische Berechnungen an (Julius Africanus, Tatian, Klemens, Flavius Josephus; Julius Africanus, Tatian und Klemens hatten Moses in der Zeit des Ogygos, also um Einiges vor der Zeit des Kekrops angesiedelt).

195 Eus. *PE* 10, 14, 9: Κατὰ δὲ Κῦρον Σόλων Ἀθηναῖος ἐγνωρίζετο καὶ οἱ κληθέντες ἑπτὰ σοφοὶ παρ' Ἕλλησιν, ὧν παλαιότερος οὐδεὶς παρ' αὐτοῖς φιλόσοφος μνημονεύεται („Zur Zeit des Kyros lebten der Athener Solon und die von den Griechen sogenannten Sieben Weisen; man kennt bei ihnen keinen älteren 'Philosophen' als diese.").

196 Und zwar, wie Solon, zu einer Zeit, als wieder Hebräer in diesem Land waren.

Wir kennen auch schon die Bedeutung, die Eusebius in der Lehre des Anaxagoras sieht: Er war der erste, der in der Ordnung der Welt das Wirken eines Verstandes erkannte.

Οὗτος δὴ πρῶτος διήρθρωσε τὸν περὶ ἀρχῶν λόγον. Οὐ γὰρ μόνον περὶ τῆς πάντων οὐσίας ἀπεφήνατο, ὡς οἱ πρὸ αὐτοῦ, ἀλλὰ καὶ περὶ τοῦ κινοῦντος αὐτὴν αἰτίου. «Ἦν γὰρ ἀρχήν,» φησί, «τὰ πράγματα ὁμοῦ πεφυρμένα· Νοῦς δὲ εἰσελθὼν αὐτὰ ἐκ τῆς ἀταξίας εἰς τάξιν ἤγαγεν.»

„Dieser war der erste, der die Lehre von den Anfängen differenziert betrachtet hat. Er äußerte sich nämlich nicht nur über das Wesen des Alls, wie seine Vorgänger, sondern auch über die Ursache, die es bewegt. Er sagt: 'Am Anfang waren alle Dinge vermischt; Verstand trat dazu und führte sie von der Unordnung in die Ordnung.'"[197]

Nach diesem Hinweis auf das Neue in seiner Lehre wird von Anaxagoras weiter gesagt:

Ἀναξαγόρου δὲ ἐγένοντο γνώριμοι τρεῖς, Περικλῆς, Ἀρχέλαος, Εὐριπίδης. Περικλῆς μὲν οὖν Ἀθηναίων πρῶτος ἐγένετο καὶ πλούτῳ καὶ γένει καθ' ἑαυτὸν διήνεγκεν· Εὐριπίδης δὲ ἐπὶ ποιητικὴν μεταβὰς ὑπό τινων σκηνικὸς φιλόσοφος ἐκλήθη· ὁ δὲ Ἀρχέλαος ἐν Λαμψάκῳ διεδέξατο τὴν σχολὴν τοῦ Ἀναξαγόρου, μεταβὰς δ' εἰς Ἀθήνας ἐκεῖ ἐσχόλασε καὶ πολλοὺς ἔσχεν Ἀθηναίων γνωρίμους, ἐν οἷς καὶ Σωκράτην.

„Anaxagoras hatte drei Schüler: Perikles, Archelaos und Euripides. Perikles wurde der führende Athener und setzte sich von den anderen durch Reichtum und Herkunft ab. Euripides wandte sich der Dichtung zu und wird von einigen der 'Philosoph der Bühne' genannt. Archelaos übernahm die Schule des Anaxagoras in Lampsakos, ging dann aber nach Athen und lehrte dort und hatte viele Athener als Schüler, unter ihnen auch Sokrates."[198]

Kurz werden die Zeitgenossen und deren Nachfolger angesprochen, Xenophanes, Pythagoras, Theano, Telauges, Mnesarchos, Empedokles, Heraklit, Parmenides, Melissos, Zenon der Eleat, Leukipp und Demokrit sowie Protagoras und dessen Zeitgenosse Sokrates.

All diese, so schließt Eusebius sein zehntes Buch, lebten aber nach dem Perserkönig Kyros; all diese, die ganze griechische Philosophie und insbesondere Platon, der alle anderen griechischen Philosophen übersteigt, lebten und wirkten auch lange nach Moses:

Ὥστε σε ὁμολογεῖν πολὺ νεώτερα Μωσέως καὶ τῶν μετ' αὐτὸν προφητῶν τὰ τῆς Ἑλλήνων γεγονέναι φιλοσοφίας καὶ μάλιστα τῆς κατὰ Πλάτωνα, ὃς ἀκουστὴς τὰ πρῶτα γενόμενος Σωκράτους κἄπειτα τοῖς Πυθαγορείοις ὁμιλή-

„Und so wirst du zustimmen, dass die griechische 'Philosophie' viel jünger ist als Moses und die Propheten nach ihm, und vor allem die 'Philosophie' Platons, der erst Sokrates hörte und dann bei den Pythagoreern in die Schule ging; er übertraf alle

[197] Eus. *PE* 10, 14, 12, 3-8. Vgl. oben S. 81.
[198] Eus. *PE* 10, 14, 13. Zu den genannten Schülern des Anaxagoras vgl. Sider (1981) 8 Anm. 2 und 10 Anm. 19 (zu Euripides).

σας τοὺς πρὸ αὐτοῦ πάντας λόγῳ τε καὶ συνέσει καὶ τοῖς ἐν φιλοσοφίᾳ δόγμασιν ὑπερηκόντισε.

vor ihm an Verstand und Erkenntnis und in der 'philosophischen' Lehre."[199]

Eine kurze zeitliche Einordnung Platons steht am Ende des zehnten Buches, nicht ohne den erneuten Hinweis auf sein relativ spätes Wirken. Als nächstes Thema wird die Behandlung der griechischen Philosophie im Verhältnis zur hebräischen Lehre angekündigt.

Eusebius hatte in den ersten sechs Büchern die verfehlte Theologie der Heiden, besonders der Griechen dargestellt. Die Bücher 7-9 haben die bessere Religion der Hebräer präsentiert. Zu Beginn des zehnten Buches kann Eusebius anhand verschiedener Quellen belegen, dass die Griechen fast alles, was sie wissen (und als ihre eigene 'Erfindung' ausgeben), von anderen Völkern übernommen haben. Dies bietet Eusebius einen geschickten Übergang zu einem neuen Aspekt, den er allerdings schon früh angekündigt hatte: Die Kontakte, die die griechischen Philosophen nach Ägypten hatten, sowie die zeitliche Priorität der Hebräer, durch die man auch die Kenntnis ihrer Lehren bei den Griechen voraussetzen kann, ermöglichen positive Einflüsse auf die griechische Theologie und Philosophie. Zur Zeit der Sieben Weisen lebten Hebräer in Ägypten; die Sieben Weisen, darunter Solon und Thales, reisten nach Ägypten und übernahmen Teile der ägyptisch-hebräischen Lehre. Von Thales ausgehend, kann Eusebius eine Linie bis zu Anaxagoras ziehen, dem ersten Meilenstein in der Entwicklung der griechisch-paganen Philosophie in eine hebräisch-christliche Richtung. Mittelbar war Sokrates ein Schüler des Anaxagoras; dass Platon ein Schüler des Sokrates war, ist ohnehin bekannt.

Die bereits im ersten Teil der *Praeparatio Evangelica* aufgefallenen griechischen Philosophen Anaxagoras, Sokrates und Platon stehen also in einer Linie. Und diese Linie führt bereits früh nach Athen. Dort wird erstmals die Weisheit erkannt, die der christlichen Lehre am nächsten kommt. Der Vordenker Anaxagoras hat nicht nur die Philosophie, sondern mit Perikles auch die Politik und mit Euripides die Bühne beeinflusst: Ganz Athen steht unter dem Einfluss dieses Philosophen. Der Hinweis auf Platon als *den* unübertroffenen griechischen Denker steht am Ende dieser Entwicklungsgeschichte.

3. 2. 4. 2 Platon

Zu Beginn des elften Buches sollen zunächst die Schüler Platons zu Wort kommen: Der Platoniker Attikos[200] (2. Jh. n. Chr.) und der Peripatetiker Aristokles

[199] Eus. *PE* 10, 14, 16, 9-15.

[200] Hier mit dem Werke Πρὸς τοὺς διὰ τῶν Ἀριστοτέλους τὰ Πλάτωνος ὑπισχνουμένους, was man wohl wiedergeben muss mit: „Gegen die, die platonische Lehren durch die Lehre des Aristoteles wiederzugeben versprechen."

von Messene[201] (2. Jh. n. Chr.) legen die Dreiteilung der Philosophie in Ethik, Logik und Physik dar. Dabei heben sie zum einen Platon von seinen Vorgängern in der Philosophie ab,[202] zum anderen deuten sie seine enge Beziehung zu Sokrates sowie die Beeinflussung der platonischen Lehre durch sokratische Gedanken an. So erwähnt Aristokles beispielsweise, der Musiker Aristoxenos behaupte, die platonische Dreiteilung der Philosophie sei auf das Gespräch eines Inders mit Sokrates zurückzuführen.[203] Anschließend beschreibt Eusebius diese Dreiteilung in der hebräischen Kultur und in der Bibel; die Logik wird dabei anhand der Bedeutung der Namen in den Schriften des Alten Testaments (mit Hilfe verschiedener Passagen aus Platons *Kratylos*) erläutert.

In der Physik werden ebenfalls Parallelen erkannt; hier stellt Eusebius Überlegungen an, wie Platon zu seinen Erkenntnissen gelangt sei, und erwägt drei Möglichkeiten: Entweder habe er etwas von der Lehre des Moses bei seinem Ägyptenaufenthalt erfahren, oder er sei selbst zu diesen Ergebnissen gekommen, oder er sei schließlich von Gott für dieser Erkenntnis würdig erachtet worden.

Ein weiteres Thema, bei dem Übereinstimmungen zwischen Platon und der Lehre der Hebräer zu finden sind, ist der Seinsbegriff. Die Auffassung vom Wesen des Göttlichen wird zum einen mit Stellen aus Platons *Timaios* und zum anderen durch Auszüge aus der Schrift *Vom Guten* des Pythagoreers Numenios als ebenfalls übereinstimmend erwiesen, woraufhin Eusebius erneut das dem Numenios zugeschrieben Wort anführt, Platon sei ein Moses, der Attisch spricht.[204]

Im weiteren Verlauf des Buches elf und im gesamten zwölften Buch der *Praeparatio Evangelica* stellt Eusebius Übereinstimmungen zwischen der Lehre Platons und der der Hebräer dar.[205]

201 Die Fragmente stammen aus dem Werk Περὶ φιλοσοφίας (*Über Philosophie*).

202 Z. B. Eus. *PE* 11, 2, 4, 2f. = Attic. *Frg.* 1 des Places: Πλάτων, ἀνὴρ ἐκ φύσεως ἀρτιτελὴς καὶ πολὺ διενεγκών („Platon, ein von Natur aus vollendeter und außergewöhnlicher Mann").

203 Eus. *PE* 11, 3, 8 = Aristocl. *Frg.* 1, 8 Chiesara (darin Aristox. *Frg.* 53 Wehrli²): Φησὶ δ' Ἀριστόξενος ὁ μουσικὸς Ἰνδῶν εἶναι τὸν λόγον· Ἀθήνησι γὰρ ἐντυχεῖν Σωκράτει τῶν ἀνδρῶν ἐκείνων ἕνα τινὰ κἄπειτα αὐτοῦ πυνθάνεσθαι τί ποιῶν φιλοσοφοίη· τοῦ δὲ εἰπόντος ὅτι ζητῶν περὶ τοῦ ἀνθρωπείου βίου, καταγελάσαι τὸν Ἰνδόν, λέγοντα μὴ δύνασθαί τινα τὰ ἀνθρώπεια κατιδεῖν ἀγνοοῦντά γε τὰ θεῖα („Aristoxenos der Musiker behauptet, diese Lehre sei indisch: In Athen sei Sokrates nämlich mit einem Inder zusammengekommen und dieser habe ihn gefragt, wie er 'Philosophie betreibe'. Als er antwortete, dass er das menschliche Leben untersuche, habe der Inder ihn ausgelacht und gesagt, man könne das Menschliche nicht durchschauen, wenn man das Göttliche nicht kenne."). Vgl. den Kommentar zu Aristoxenos bei Wehrli (1967) und den Kommentar zu Aristokles bei Dörrie / Baltes (1993) 374-379 (bes. 378f.).

204 Vgl. dazu oben S. 104 mit Anm. 174. Zu Numenios bei Eusebius vgl. auch des Places (1975). Ergänzt werden die Äußerungen des Eusebius und des Numenios durch einen Auszug aus Plutarchs Schrift *Über das E in Delphi*.

205 Folgende Themen werden behandelt (in Klammern die Quelle, mit der Eusebius die Übereinstimmungen belegen will): die *Causa secunda* (Philon von Alexandrien *de confusione linguarum*; [Pl.] *Epin.*, *Ep.* 6; Plotin; Numenios *de bono*; Amelios), die drei Hypostasen (Pl. *ep.*

Athen ist hier zwar nur gelegentlich genannt, zusammenfassend lässt sich aber sagen: Die enge Verbindung der platonischen mit der hebräischen Philosophie macht den Athener Platon zu dem herausragendsten unter allen griechischen Philosophen.

3. 2. 4. 3 Die Vorzüge der hebräischen Philosophie

Platons Kritik an den Athenern – und seine Angst vor ihnen. Zu Beginn des 13. Buches trägt Eusebius einen möglichen Einwand vor: Wenn Platon mit Moses so übereinstimmt, wie Eusebius selbst es in den vorigen zwei Büchern gezeigt hat, warum übernahmen die Christen dann die barbarische Lehre und nicht die griechische, besonders da doch den Griechen ein Grieche näher stehen müsste?[206] Dieser

2), das Wesen des Guten (Pl. *Ti.*, *R.* 6; Numenios *de bono*), die Ideen (Pl. *Ti.*; Arius Didymus [1. Jh. v.Chr.] *de placitis Platonis*; Philon von Alexandrien *de opificio*; Clem. *str.*), das Gute und das Böse (Pl. *Lg.* 10), die Unsterblichkeit der Seele (Pl. *Alc.1*, *Phd.*; Porphyrius *de anima ad Boethum*), die Erschaffung der Welt und ihre Veränderung (Pl. *Ti.*, *Plt.*), die Auferstehung der Toten (Pl. *R.* 10; Plutarch *de anima*), die vollkommene (himmlische) Stadt (Pl. *Phd.*), das unterschiedliche Schicksal der Menschen nach dem Tod (Pl. *Phd.*), die Hochschätzung des Glaubens (Pl. *Lg.* 1), die Vermittlung der Lehren an die unterschiedlichen Altersstufen und die Bewertung mancher Mythen als schädlich (Pl. *R.* 2), das Schicksal der Seelen nach dem Tod (Pl. *Grg.*; *PE* 12, 6, 15, 1-3 wird als eine Ausnahme unter den in der Regel bösen Mächtigen der Athener Aristeides genannt; vgl. Thdt. *Graec. affect.* 8, 59), das Verbergen mancher Wahrheiten vor der Menge (Pl. *Ep.* 2), die Beschaffenheit der Staatslenker (Pl. *Lg.* 3), der leidende Gerechte (Pl. *R.* 2), der Fall des Menschen und die Erschaffung der Frau (Pl. *Smp.*), das Leben im Paradies und der Umgang mit den Tieren (Pl. *Plt.*), die Sintflut (Pl. *Lg.* 3; bemerkenswert ist, dass bei der Behandlung der Zeit nach der Sintflut, die *PE* 12, 15, 6 mit der Zeit des Moses parallelisiert wird, Athen unerwähnt bleibt), die Orientierung der Gesetze am Göttlichen (Pl. *Lg.* 1. *PE* 12, 16, 1, 6-8 werden, mit Bezug auf Platon, nur Minos und Lykurg als Vertreter griechischer Gesetzgebung genannt, nicht der sonst öfters erwähnte Athener Solon; vgl. aber unten zu *PE* 13, 8, 3 = Pl. *Crito* 52e 5-53a 6), die frühe Gewöhnung der Kinder an die Gesetze und die richtige Erziehung (Pl. *Lg.* 1 und 2), die Bilder des Göttlichen in der Welt (Pl. *R.* 6), die Indienstnahme der Dichtung und des Gesangs zur Erziehung der Kinder zur Tugend und die Inhalte und Melodien der Dichtung und Lieder sowie deren Beurteilung und Nutzung während des Symposions (Pl. *Lg.* 2), der Weingenuss (Pl. *Lg.* 2), der Kampf des geistigen gegen den körperlichen Menschen (Pl. *Lg.* 1; *PE* 12, 27, 1, 3-5 = Pl. *Lg.* 1, 626d 3-5 wird einer der Gesprächspartner als Athener identifiziert), die Schuld der Seele an verwerflichen Handlungen (Pl. *Lg.* 10), das Wesen des Philosophen und die Weisheit der Welt (Pl. *Tht.*), die Erlaubtheit einer Lüge zum Nutzen der Menschen (Pl. *Lg.* 2), die Teilhabe aller an der Erziehung (Pl. *R.* 5), der unterschiedliche Charakter der Menschen (Pl. *Lg.* 1), die Umsetzung der biblischen *Sprichwörter* und einzelner Gesetzesvorschriften durch Platon (in Pl. *Lg.* 7 und anderen Schriften), die Verwendung derselben Bilder (Pl. *R.* 1, 3 und 9 sowie *Tht.*), die Einteilung des Volkes (Pl. *Lg.* 6) und die Lage der 'idealen' Stadt (Pl. *Lg.* 4). Ferner führt Eusebius Platon-Stellen an, an denen das Erziehungssystem der Griechen getadelt wird (z. B. die Dichtkunst in *R.* 10. *PE* 12, 49, 5, 1-3 = Pl. *R.* 10, 599e 1-4 wird neben Lykurg auch Solon als guter Gesetzgeber erwähnt. Zum Ende des zwölften Buches folgen einige vermischte Stellen, die abschließend die enge Verbindung zwischen der hebräischen und der platonischen Lehre verdeutlichen sollen (z. B. über die Seele und die göttliche Vorsehung).

[206] Vgl. Eus. *PE* 13, praef., 9-11: Τοὔμπαλιν δέον ὅτι δὴ πρὸς τοῖς ἴσοις δόγμασι προσήκων ἡμῖν γένοιτ' ἂν Ἕλλησιν οὖσιν ὁ Ἑλληνικὸς μᾶλλον ἢ ὁ βάρβαρος („wiederum

Anfrage begegnet Eusebius zunächst mit Zeugnissen Platons selbst, der die Lehren der griechischen Theologen und Dichter vor ihm zurückweist oder zumindest in Frage stellt.[207] Die Mythen, denen Sokrates[208] keinen Glauben schenken wollte, haben den Lehrer Platons das Leben gekostet, und dies ist auch in einer Überschrift[209] vermerkt, die lautet:

Ὅτι πλέον οὐδὲν τῶν αἰσχρῶν μύθων αἱ περὶ τῶν Ἑλληνικῶν θεῶν διηγήσεις περιέχουσιν, αἷς μὴ πειθόμενον Σωκράτην ἔκτειναν Ἀθηναῖοι.	„Dass die Erzählungen über die griechischen Götter nichts als häßliche Märchen sind; weil Sokrates ihnen keinen Glauben schenkte, haben ihn die Athener getötet."[210]

Das unter dieser Überschrift zitierte *Euthyphron*-Zitat (5e 6-6c 7) wird durch Numenios ausgelegt, dessen von Eusebius im folgenden Kapitel zitierte Interpretation hier vollständig wiedergegeben werden soll:

Εἰ μὲν γράφειν ὑποτεινάμενος ὁ Πλάτων περὶ τῆς θεολογίας τῆς τῶν Ἀθηναίων εἶτα ἐδυσχέραινεν αὐτῇ καὶ κατηγόρει ἐχούσῃ στάσεις μὲν πρὸς ἀλλήλους, τέκνων δὲ τῶν μὲν μίξεις, τῶν δὲ ἐδωδάς, τῶν δὲ ἀντὶ τούτων πατράσι τιμωρίας ἀδελφῶν τε ἀδελφοῖς ὑμνούσῃ καὶ ἄλλα τοιαῦτα· εἴπερ ὁ Πλάτων ταυτὶ λαβὼν εἰς τὸ φανερὸν κατηγόρει, παρασχεῖν ἄν δοκεῖ μοι τοῖς Ἀθηναίοις αἰτίαν πάλιν κακοῖς γενέσθαι ἀποκτείνασι καὶ αὐτὸν ὥσπερ τὸν Σωκράτην· ἐπεὶ δὲ ζῆν μὲν οὐκ ἂν προείλετο μᾶλλον ἢ ἀληθεύειν, ἑώρα δὲ ζῆν τε καὶ ἀληθεύειν ἀσφαλῶς δυνησόμενος, ἔθηκεν ἐν μὲν τῷ σχήματι τῶν Ἀθηναίων τὸν Εὐθύφρονα, ὄντα	„Wenn Platon angegeben hätte, über die 'Theologie' der Athener zu schreiben, und sie dann so verachtet und ihr vorgeworfen hätte, dass sie Kriege [der Götter] gegeneinander beinhalte und auch die Heirat von Kindern untereinander oder das Verspeisen der Kinder oder die Rache der Kinder an den Vätern oder von Brüdern an ihren Brüdern verherrliche und andere solche Dinge; wenn also Platon das alles angeführt und öffentlich derartige Anklagepunkte vorgetragen hätte, hätte er, wie mir scheint, den Athenern erneut einen Grund gegeben, schlecht zu sein, indem sie ihn wie schon Sokrates getötet hätten. Da er aber andererseits das Leben nicht der Wahrheit vorgezogen hatte, sieh, wie er gefahrlos leben und

sei es zwingend, dass bei denselben Lehren uns, da wir doch Griechen sind, ein Grieche angemessener wäre als ein 'Barbar'.").

[207] Stellen aus dem *Timaios*, der *Epinomis*, dem *Staat* (Buch 2) und dem *Euthyphron* dienen ihm zum Nachweis dieser Position (*PE* 13, 4, 3, 4-7 = Pl. *Euthphr.* 6c 2-4 fragt Sokrates, ob Euthyphron glaube, auch das sei wahr, was auf dem Peplos abgebildet sei, der an den Großen Panathenäen zur Akropolis getragen werde.).

[208] Zur Funktion des Sokrates bei der Beurteilung Platons durch Eusebius vgl. auch Doergens (1922) 33.

[209] Zu Eusebius als Verfasser der Überschriften vgl. Sirinelli / des Places (1974) 53f.; Mras (1982) VIIIf. Ihre Echtheit wird u. a. daran festgemacht, dass dort teilweise Aspekte genannt sind, die im darauffolgenden Text nicht wiederkehren, was eine Hinzufügung durch einen Späteren unwahrscheinlich macht.

[210] Eus. *PE* 13, 3, 47, 7-11. Hier und im Folgenden sind es nun plötzlich nicht mehr Platons, sondern Sokrates' Lehren, die mit denen der Hebräer übereinstimmen. Dies ist zwar aus dem Lehrer-Schüler-Verhältnis heraus zu rechtfertigen, doch gleichwohl eine Veränderung in der Darstellung des Eusebius.

ἄνδρα ἀλαζόνα καὶ κοάλεμον καὶ εἴ τις ἄλλος θεολογεῖ κακῶς, αὐτὸν δὲ τὸν Σωκράτην ἐπ' αὐτοῦ τε καὶ ἐν τῷ ἰδίῳ σχηματισμῷ ἐν ᾧπερ εἰωθότως ἤλεγχεν ἑκάστῳ προσομιλῶν.

die Wahrheit sagen konnte: Er setzt nämlich den Euthyphron an die Stelle der Athener – er war ein Prahler und Dummkopf und, was man sonst über einen schlechten 'Theologen' sagen kann – und stellt Sokrates selbst dagegen in seiner Eigenart, mit der er die Menschen prüfte, indem er mit jedem Umgang pflegte."[211]

Ausdrücklich werden hier die Athener als diejenigen bezeichnet, die Platon daran hindern, offen seine Bewertung der griechischen Mythen und der auf ihnen aufbauenden Religion auszusprechen; er findet einen Ausweg, indem er seinen fiktiven Dialogfiguren die kritischen Worte in den Mund legt. Gleichzeitig kann er so demonstrieren, wie die Athener in der Realität mit Religionskritikern verfahren sind: Sie haben sie vor Gericht gestellt, verurteilt, ins Gefängnis geworfen und hingerichtet.

Das zeigen auch die folgenden Zitate aus dem platonischen *Kriton*, der Sokrates im Gefängnis Athens präsentiert und seine Haltung nach der Verurteilung verdeutlicht, sowie aus der *Apologie des Sokrates*, die Sokrates in Athen vor Gericht zeigt; in diesen Zitaten finden sich auch Hinweise auf den Ort des Geschehens.[212]

Nachdem er nochmals darauf hingewiesen hat, dass die Übereinstimmungen Platons eigentlich nur auf seine Kenntnis der hebräischen Schriften zurückzuführen ist (Quellen: Klemens von Alexandrien, Aristobulos), geht Eusebius im letzten Teil des 13. Buches dann auf Aspekte der platonischen Lehre ein, mit denen er und die Lehre der Hebräer nicht übereinstimmen und die weitergehend begründen sollen, dass die Christen Recht daran taten, die hebräische Lehre der griechischen und sogar der platonischen vorzuziehen. Vor allem wird die Inkonsequenz Platons getadelt: Er bezeichne die Dichter als „Nachkommen der Götter"[213] und verwerfe

[211] Eus. *PE* 13, 5 = Numen. (*de Platonis secretis*) *Frg.* 23 des Places.

[212] Z. B. Eus. *PE* 13, 8, 3, 1-7 = Pl. *Crito* 52e 5-53a 4: Σὺ δὲ οὔτε Λακεδαίμονα προῃροῦ οὔτε Κρήτην, ἃς δὴ ἑκάστοτε φῂς εὐνομεῖσθαι, οὔτε ἄλλην οὐδεμίαν τῶν ἑλληνίδων πόλεων οὐδὲ τῶν βαρβαρικῶν, ἀλλὰ ἐλάττω ἐξ αὐτῆς ἀπεδήμησας ἢ οἱ χωλοί τε καὶ τυφλοὶ καὶ οἱ ἄλλοι ἀνάπηροι· οὕτω σοι διαφερόντως τῶν ἄλλων Ἀθηναίων ἤρεσκεν ἡ πόλις τε καὶ ἡμεῖς οἱ νόμοι δηλονότι („Du aber hast weder Sparta noch Kreta vorgezogen, von denen du doch immer sagst, sie hätten gute Gesetze, noch irgendeine andere griechische oder 'barbarische' Stadt, sondern du bist weniger aus ihr ausgewandert als die Lahmen und Blinden und die anderen Verkrüppelten: So außerordentlich besser als alle anderen haben dir offensichtlich die Stadt der Athener und auch wir, ihre Gesetze, gefallen."); Eus. *PE* 13, 10, 3 = Pl. *apol.* 28d 6-10: Anrede an die Athener und Hinweis auf die Schlacht bei Potideia. Man muss wohl apologetische Gründe dafür anführen, dass Eusebius vor der (fiktiven) Rede, die sich *apol.* 29d 6-e 2 findet, das Platon-Zitat in *PE* 13, 10, 8 abgebrochen hat. Diese Rede beginnt: Ὦ ἄριστε ἀνδρῶν, Ἀθηναῖος ὤν, πόλεως τῆς μεγίστης καὶ εὐδοκιμωτάτης εἰς σοφίαν καὶ ἰσχύν („O bester Mann aus Athen, der großen Stadt, die so berühmt ist für Weisheit und Stärke.").

[213] Eus. *PE* 13, 14, 5, 3 = Pl. *Ti.* 40d 8.

andererseits ihre Lehren als Lügen.[214] Auch sein Wissen von dem einen Gott und Schöpfer der Welt steht der Anerkennung der städtischen Gottheiten gegenüber. Schuld an dieser Wankelmütigkeit ist das Volk der Athener. Vor ihnen fürchtet sich der größte Philosoph der Griechen und passt sich den Erwartungen an:

Αὐτίκα γοῦν βραχύ τι τῆς φιλαυτίας εἰ ἐθελήσαις ὑφεῖναι καὶ φῶς αὐτὸ δυνάμει λογικῆς οὐσίας ἐπιθεωρῆσαι, γνοίης ἂν τὸν θαυμάσιον φιλόσοφον αὐτὸν ἐκεῖνον, τὸν δὴ μόνον πάντων Ἑλλήνων ἀληθείας προθύρων ψαύσαντα, ὕλῃ φθαρτῇ καὶ ξοάνοις βαναύσων χερσὶν εἰς ἀνδρείκελον σχῆμα κατεσκευασμένοις τὴν τῶν θεῶν προσηγορίαν καταισχύνοντα καὶ μετὰ τὸ μέγα τῆς μεγαλοφωνίας ὕψος, δι᾽ ἧς «τὸν πατέρα καὶ δημιουργὸν» εἰδέναι τοῦδε τοῦ παντὸς διετείνατο, ἄνωθέν ποθεν ἐξ «ὑπερκοσμίων ἀψίδων» εἰς τὸν κατωτάτω βυθὸν τῆς θεομισοῦς εἰδωλολατρίας τῷ δήμῳ τῶν Ἀθηναίων συνωθούμενον, ὡς μὴ διατρέπεσθαι τὸν Σωκράτην καταβῆναι φάντα εἰς Πειραιᾶ «προσευξόμενον τῇ θεῷ» καὶ τὴν βάρβαρον ἑορτὴν τοὺς πολίτας τότε πρῶτον ἐπιτελοῦντας θεασόμενον καὶ τὸν ἀλεκτρυόνα τῷ Ἀσκληπιῷ θῦσαι ὁμολογοῦντα προστάξαι τόν τε «πάτριον» Ἑλλήνων «ἐξηγητήν», τὸν ἐγκαθήμενον Δελφοῖς δαίμονα, θειάζοντα.

„Wenn du nun kurz von deiner Selbstsucht ablassen und das Licht selbst mit der Macht des Verstandes betrachten wolltest, würdest du erkennen, dass dieser erstaunliche ‘Philosoph’, der als einziger von allen Griechen die Pforten der Weisheit berührt hat und es verachtete, dem vergänglichen Stoff und den Götterbildern, die durch die Hände von Handwerkern in eine menschenähnliche Form gebracht worden sind, den Namen von Göttern zu geben, nach der Höhe dieser großen Worte, mit denen er verkündete, den ‘Vater und Schöpfer’ des Weltalls zu kennen, von oben aus den ‘überirdischen Gewölben’ in den tiefsten Abgrund gottesfeindlicher Götzenverehrung durch das Volk der Athener gedrängt wurde, so dass er sich nicht zu sagen scheute, Sokrates gehe zum Piräus, ‘um zu der Göttin zu beten’ und das Volk zu betrachten, wie es das barbarische Fest damals zum ersten Male feierte, und einzugestehen, dass Sokrates angeordnet habe, dem Asklepios den Hahn zu opfern, und den ‘von den Vätern ererbten Wahrsager’ der Griechen zu verehren, den ‘Dämon’, der in Delphi sitzt.“[215]

Platon habe „sich aus Furcht vor dem Tod vor dem Volk der Athener verstellt“ und müsse deshalb abgelehnt werden: Unerträglich erscheint Eusebius eine derartige Inkonsequenz, dass „dieselben Dichter erst Lügner und Falschsager und anschließend wieder Nachkommen von Göttern genannt werden“. Moses dagegen hatte keine Angst vor dem Tod durch das Volk, und er hat seine Lehre konsequent und unbeirrt vertreten.[216] Daneben gibt es auch inhaltliche Unstimmigkeiten zwischen platonischen Schriften und der Lehre der Hebräer.[217]

[214] Eus. *PE* 13, 14, 6, 10 = Pl. *R.* 2, 377d 4.

[215] Eus. *PE* 13, 14, 3 mit Zitaten aus Platons *Timaios* (41a 7), *Phaidros* (247b 1), *Politeia* (1, 327a 2; 4, 427c 3) und *Phaidon* (118a 7f.).

[216] Vgl. Eus. *PE* 13, 14, 13, 1-6.

[217] Themen sind die Entstehung und das Wesen der geistigen Mächte, das Wesen und Schicksal

Mit diesen Differenzen in der Lehre und einer Ankündigung, sich nun den anderen philosophischen Schulen zuzuwenden, endet das dreizehnte Buch der *Praeparatio*. Obwohl Eusebius beteuert, er könne noch unzählige Gründe für eine Bevorzugung der hebräischen Lehre vor der platonischen anführen, bleibt doch das Zeugnis der Bewunderung für den Philosophen aus Athen:

Οὐ μὴν διαβολῆς ἕνεκα ταῦτα φάναι προήχθην, ἐπεὶ καὶ σφόδρα ἔγωγε ἄγαμαι τὸν ἄνδρα, ναὶ πάντων Ἑλλήνων φίλον ἡγοῦμαι καὶ τιμῶ, τὰ ἐμοὶ φίλα καὶ συγγενῆ, εἰ καὶ μὴ τὰ ἴσα διόλου, πεφρονηκότα […].	„Nicht um ihn zu verleumden, habe ich mich daran gemacht, das auszuführen, denn ich bewundere diesen Mann sogar sehr, ja ihn halte ich unter allen Griechen für meinen Freund und ehre ihn, da er mir Gefälliges und Ähnliches, wenn nicht gar ganz dasselbe erdacht hat […].“[218]

Überraschend geht Eusebius zu Beginn des 14. Buches nun nicht auf die Zeit nach Platon ein, sondern auf die Zeit vor ihm; er will, wie er sagt, zunächst die Philosophen vor Platon und anschließend seine Nachfolger (darunter Aristoteles, Stoiker, Skeptiker der Pyrrhonischen Schule und Epikureer) beurteilen.[219]

An erster Stelle stehen die sich widerstreitenden Lehren der vorsokratischen Philosophen (Protagoras, Heraklit, Empedokles, Parmenides, Demokrit, Melissos), ergänzt durch kurze Abschnitte aus Platons *Theaitetos* und *Sophistes*. Es folgt Platon, der nur kurz – mit Hinweis auf die vorherige Abhandlung – als Gründer der Akademie benannt wird.[220]

Es schließt sich eine kurze Übersicht über die Dekadenz in der Nachfolge der Platoniker und Akademiker an, die untermauert wird durch Auszüge aus Numenios (aus *de Academiae erga Platonem dissensu*).[221] Abschnitte aus den Schriften des Porphyrios[222] sollen die Behauptung des Eusebius stützen, es sei eine richtige Entscheidung gewesen, die Philosophie der Hebräer der der Griechen vorzuziehen. Xenophons *Memorabilien* und ein dem Xenophon zugeschriebener *Brief an Aischines* sollen zeigen, dass auch der

der Seele (Pl. *Ti.*, *Phdr.*, *Phd.*, *R.* 10, *Grg.*, Severus *de anima*), der Stellenwert der Sterne und der Erde ([Pl.] *Epin.*, Pl. *Ti.*, *Lg.* 10), die Rolle der Frauen (Pl. *R.* 5, *Lg.* 6, *Lg.* 7, *Lg.* 8, *Lg.* 11.), homoerotische Liebe (Pl. *Phdr.*) und die Todesstrafe (Pl. *Lg.* 9, *Lg.* 11).

218 Eus. *PE* 13, 18, 17, 5-8.

219 Eus. *PE* 14, 2.

220 Eus. *PE* 14, 4, 13, 2-4: Πλάτωνά φασιν ἐν Ἀκαδημίᾳ συστησάμενον τὴν διατρίβην πρῶτον ἀκαδημαϊκὸν κληθῆναι καὶ τὴν ὀνομασθεῖσαν ἀκαδημαϊκὴν φιλοσοφίαν συστήσασθαι („Man sagt, Platon sei, nachdem er in der Akademie die Schule eingerichtet hatte, als erster ‘Akademiker’ genannt worden und habe die sogenannte ‘akademische Philosophie’ begründet.“).

221 Eus. *PE* 14, 6, 13, 3-5 = Numen. *Frg.* 25, 137-140 des Places zeigt, dass sich die Rivalität der einzelnen philosophischen Richtungen auf Athen konzentriert: Τὸ δὲ δόγμα τοῦτο αὐτοῦ πρώτου εὑρομένου καὐτὸ καὶ τὸ ὄνομα βλέπων εὐδοκιμοῦν ἐν ταῖς Ἀθήναις, τὴν καταληπτικὴν φαντασίαν, πάσῃ μηχανῇ ἐχρῆτο ἐπ᾽ αὐτήν („Als er [Arkesilaos] aber sah, dass diese Lehre, die er [Zenon] als erster gefunden hatte, und ihr Name, die ‘kataleptische’ Wahrnehmung, in Athen in Ehren stand, ging er mit allen Mitteln gegen sie vor.“).

222 Aus der *epistula ad Anebonem*, *de anima* und *de philosophia ex oraculis haurienda*.

„bei allen Griechen gerühmte Sokrates"[223] empfahl, nur zu einem gewissen Grad Naturwissenschaften und Mathematik zu betreiben, Wissenschaften, die die Griechen im Übermaß pflegten, ohne auch nur die geringste Kenntnis von dem wahren Gott zu erhalten.[224] Mit Gymnastik und Musik beschäftigen sich Abschnitte aus Platons *Staat* (siebtes Buch). Die unterschiedlichen Auffassungen von der Entstehung der Welt bei den griechischen Philosophen zeigt ein Abschnitt aus Ps.-Plutarch *de placitis philosophorum.*[225]

Das Finale: Athen als Hort und Grab hoffnungsvoller Philosophen. Alle Philosophen, die Eusebius hier behandelt, sehen keinen Schöpfer, kein sinnvolles schaffendes Prinzip vor. Wer von diesem gewohnten Weg abging und eine innovative, gewissermaßen hebräisch-christliche Tendenz zeigte, der geriet in erheblichen Konflikt mit dem Staat der Athener. Denn es war in Athen, wo man die ersten Ansätze zu einer Abkehr von traditioneller heidnischer Philosophie antrifft. Diesen Konflikt zeigt Eusebius in einer schlaglichtartigen, fast dramatischen Folge auf.

An erster Stelle steht Anaxagoras, der das Prinzip des schöpferischen νοῦς in die Theologie und Philosophie einführte:

Μόνος δ' οὖν πρῶτος Ἑλλήνων Ἀναξαγόρας μνημονεύεται ἐν τοῖς περὶ ἀρχῶν λόγοις Νοῦν τὸν πάντων αἴτιον ἀποφήνασθαι· φασὶ γοῦν ὡς ἄρα οὗτος μάλιστα παρὰ τοὺς πρὸ αὐτοῦ ἐθαύμασε φυσιολογίαν· μηλόβοτόν γε τοι τὴν ἑαυτοῦ χώραν δι' αὐτὴν εἴασε τόν τε περὶ ἀρχῶν λόγον πρῶτος Ἑλλήνων διήρθρωσεν· οὐ γὰρ μόνον περὶ τῆς πάντων οὐσίας ἀπεφήνατο, ὡς οἱ πρὸ αὐτοῦ, ἀλλὰ καὶ περὶ τοῦ κινοῦντος αὐτὴν αἰτίου. «Ἦν γὰρ ἐν ἀρχῇ», φησίν «ὁμοῦ τὰ πράγματα πεφυρμένα, Νοῦς δὲ εἰσελθὼν αὐτὰ ἐκ τῆς ἀταξίας εἰς τάξιν ἤγαγε.» Θαυμάσαι δ' ἔστιν ὡς οὗτος πρῶτος παρ' Ἕλλησι τοῦτον θεολογήσας τὸν τρόπον, δόξας Ἀθηναίοις ἄθεος εἶναι, ὅτι μὴ τὸν ἥλιον ἐθεολόγει, τὸν δὲ ἡλίου ποιητήν, μικροῦ δεῖν καταλευσθεὶς ἔθανε.

„Als einziger und erster von den Griechen soll Anaxagoras in Ausführungen über die Anfänge den 'Nous' („Verstand") als Ursache aller Dinge aufgezeigt haben. Man sagt auch, er habe am meisten im Verhältnis zu seinen Vorgängern die 'Physiologie' bewundert. Er ließ sein Land deshalb von Schafen beweiden, und als erster Grieche behandelte er die Anfänge genau. Er äußerte sich nämlich nicht nur über das Wesen des Alls, wie seine Vorgänger, sondern auch über die Ursache, die es bewegt. Er sagt: 'Am Anfang waren alle Dinge vermischt; Verstand trat dazu und führte sie von der Unordnung in die Ordnung.' Man kann sich nur wundern, wie dieser Mann, der als erster auf diese Weise bei den Griechen Theologie betrieb, den Athenern gottlos zu sein schien, weil er nicht die Sonne als Gott sah, sondern den Schöpfer der Sonne, und fast durch Steinigung gestorben wäre."[226]

[223] Eus. *PE* 14, 10, 11, 7f.
[224] In diesem Auszug aus Xenophon (*mem.* 5, 7, 2-8) findet sich Kritik an dem sonst von Eusebius positiv dargestellten Anaxagoras.
[225] Behandelt werden Thales, Anaximander, Anaximenes, Heraklit, Hippasos von Metapont, Demokrit, Epikur und Empedokles.
[226] Eus. *PE* 14, 14, 8f.

Die Überlegungen des Anaxagoras waren zwar ein wichtiger Schritt, doch nur ein Anfang. Denn, wie Platons *Phaidon*[227] zeigt: Auch Anaxagoras hat die wahre Lehre nicht vollkommen und korrekt wiedergegeben; dass diese Beurteilung aus dem Munde des Sokrates stammt, kann dazu überleiten, dass gleich der nächste 'weise' Grieche von den Athenern ins Gefängnis geworfen wurde:

[...] ἀμελήσας τὰς ὡς ἀληθῶς αἰτίας λέγειν, ὅτι ἐπειδὴ Ἀθηναίοις ἔδοξε βέλτιον εἶναι ἐμοῦ καταψηφίσασθαι, διὰ ταῦτα δὴ καὶ ἐμοὶ βέλτιον αὖ δέδοκται ἐνθάδε καθῆσθαι καὶ δικαιότερον παραμένοντα ὑπέχειν τὴν δίκην ἣν κελεύουσιν.

„[...] wobei er[228] die wahren Gründe unberücksichtigt lässt, dass ich doch, weil es den Athenern besser erschien, mich zu verurteilen, deshalb auch mir besser erschien, hier zu sitzen, und gerechter, abzuwarten und die Strafe auf mich zu nehmen, die sie befehlen."[229]

Also war Sokrates, mittelbar über Archelaos,[230] nicht nur ein Nachfolger des Anaxagoras und verbesserte dessen Lehre; auch sein Verhältnis zu den Athenern ist eine Steigerung: Anaxagoras wäre fast gestorben, Sokrates wird zum Tode verurteilt und stirbt.

Auch Euripides, ebenfalls ein Schüler des Anaxagoras, hatte Angst vor den Athenern, was Eusebius mit einem Text aus Pseudo-Plutarch belegt. Er traute sich nicht, offen zu sagen, dass es in Athen Atheisten gab.[231]

Pseudo-Plutarch wird noch einmal angeführt, um die Auffassungen der verschiedenen griechischen Philosophen und ihrer Schulen aufzuzeigen, woran sich die Feststellung anschließt, Pythagoras, Platon, Sokrates und Anaxagoras seien die einzigen Griechen gewesen, die zumindest ansatzweise Richtiges vertreten hätten.[232]

Es folgen Auszüge aus Aristokles, der über Xenophanes sowie über die skeptische Schule, über Aristippos von Kyrene, Metrodoros von Chios, Protagoras von Abdera und die Epikureer handelt. Auch Protagoras geriet in Konflikt mit dem Staat der Athener, wie die Einführung dieses Sophisten durch Eusebius zeigt:

Τὸν δὲ Πρωταγόραν λόγος ἔχει κεκλῆσθαι ἄθεον· γράφων γέ τοι καὶ αὐτὸς Περὶ θεῶν εἰσβολῇ τοιᾷδε ἐχρήσατο· «Περὶ μὲν οὖν θεῶν οὐκ οἶδα οὔθ' ὡς εἰσὶν οὔθ' ὁποῖοί τινες ἰδέαν· πολλὰ

„Protagoras traf der Vorwurf, Atheist gewesen zu sein. Er schrieb auch [ein Werk] *Über die Götter*, das er so begann: 'Von den Göttern weiß ich weder, ob es sie gibt, noch, welcher Art sie sind. Vieles hindert

[227] Zitiert wird Pl. *Phaedo* 97b 8-99b 1.
[228] Ein fiktiver Gesprächspartner des Sokrates.
[229] Eus. *PE* 14, 15, 7, 6-10 = Pl. *Phaedo* 98e 1-5 (mit Abweichungen).
[230] Vgl. Eus. *PE* 14, 15, 11 und oben S. 109.
[231] Eus. *PE* 14, 16, 1, 4-6 = Ps.-Plutarch *de placitis philosophorum* 1, 7, 880E: Καὶ Εὐριπίδης δὲ ὁ τραγῳδοποιὸς ἀποκαλύψασθαι μὲν οὐκ ἠθέλησε, δεδοικὼς τὸν Ἄρειον πάγον, ἐνέφηνε δὲ τοῦτο („Auch der Tragiker Euripides wollte das zwar nicht aufdecken, weil er den Areopag fürchtete, er deutete es aber an.").
[232] Vgl. *PE* 14, 16, 11f.

γάρ ἐστι τὰ κωλύοντά με ἕκαστον τούτων εἰδέναι.» Τοῦτον Ἀθηναῖοι φυγῇ ζημιώσαντες τὰς βίβλους αὐτοῦ δημοσίᾳ ἐν μέσῃ τῇ ἀγορᾷ κατέκαυσαν.

mich daran, das im Einzelnen zu erkennen.' Die Athener bestraften ihn mit der Verbannung und verbrannten seine Bücher öffentlich mitten auf der Agora."[233]

Im Anschluss an Aristokles wird auch Platons *Philebos* als Quelle herangezogen, der die „Lust" (ἡδονή) als oberstes Prinzip ablehnt, ebenso wie die Schrift *de natura* („Über die Natur") des Dionysios von Alexandrien.

Aus dem letztgenannten Text geht hervor, dass auch Epikur aus Angst vor den Athenern seine wahren Ansichten in modifizierter Form, nämlich angereichert durch eine unbedeutende Nennung von Göttern, an die Öffentlichkeit gab:

Ἀλλὰ τοῦτο μὲν πρόδηλον, ὅτι μετὰ τὸν Σωκράτους θάνατον κατεπτηχὼς Ἀθηναίους ὡς μὴ δοκοίη τοῦθ' ὅπερ ἦν ἄθεος εἶναι, κενὰς αὐτοῖς ἀνυποστάτων θεῶν τερατευσάμενος ἐζωγράφησε σκιάς.

„Aber das ist klar, dass er sich nach dem Tod des Sokrates vor den Athenern duckte, damit er nicht für das gelte, was er doch war, ein 'Atheist', indem er ihnen zuliebe leere Schatten von fiktiven Göttern vorgaukelte."[234]

Kurz nach diesen Worten enden die Zitate aus Dionysios' Schrift, und auch das 14. Buch wird mit einer Ankündigung beendet, nämlich dass im Folgenden Aristoteles, die Stoa und andere 'Physiologen' behandelt werden sollen.

Kritik an der heidnischen Religion ist bei den Athenern untersagt. Wer gegen diesen Verhaltenskodex verstößt, der wird bestraft: Er wird der Gottlosigkeit beschuldigt, angegriffen, verklagt, möglicherweise sogar hingerichtet. Religionskritik wird hier massiv unterdrückt, und daher können selbst Vordenker wie Platon nicht offen ihre Meinung sagen.

Es mag Eusebius' scharfe Kritik an der Inkonsequenz Platons mitbeeinflusst haben, dass er sich nicht anders verhält als etwa Epikur, dessen Lehre keinesfalls für die Christen in Frage kam. Andererseits zeigt das Leugnen der heidnischen Götter durch Philosophen wie Protagoras und Epikur, dass die heidnische Religion von verschiedenen Seiten her als unzureichend erkannt wurde. Daher mutet die zwiespältige Beurteilung Platons durch Eusebius und sein Bekenntnis zu ihm als geistigem „Freund" fast wehmütig an. Platon und die Atheisten stehen symptomatisch für die Mängel der paganen Theologie, wobei Platon in die richtige Richtung weist, die Atheisten in die falsche Richtung denken. Aber Platon und die Atheisten stehen – leider, könnte man Eusebius in den Mund legen – auch für die Unfähig-

[233] Eus. *PE* 14, 19, 10, 1-7. Am Rande sei erwähnt, dass sich in Josephus' *Contra Apionem* ein Abschnitt findet (2, 262-268), der die Prozesse der Athener gegen diejenigen, die sich gegen ihre Gesetze äußern, behandelt. Josephus nennt Sokrates, Anaxagoras, Diagoras und Protagoras; vgl. Kamlah (1974) 225 mit Anm. 18.

[234] Eus. *PE* 14, 27, 11, 1-4 = Dion. Al. (vgl. Corpus Christianorum, Clavis Patrum Graecorum nr. 1576).

keit, dem Staat, der an einer solch mangelhaften Religion festhält, wirkungsvoll die Stirn zu bieten. Sowohl Platon, *der* heidnische 'Monotheist', als auch die Atheisten, ziehen es vor, aus Gründen des Selbstschutzes ihre Kritik indirekt zu äußern, wenn nötig bekennen sie sich sogar öffentlich zu der Religion, die sie persönlich ablehnen.

Das fünfzehnte Buch beginnt mit einer Übersicht über die ersten vierzehn Bücher; darin wird deutlich, dass Eusebius eine fünfgliedrige Anordnung in Gruppen zu je drei Büchern im Sinn hat.[235] Im Folgenden will er, wie schon zuvor angekündigt, Aristoteles und dessen Lehre behandeln, dabei aber bewusst nicht die ihm bekannten Vorwürfe gegen das Leben dieses Philosophen, die von anderen gegen ihn vorgebracht wurden, in den Vordergrund stellen, sondern die 'Apologie' für Aristoteles aus der Feder des Aristokles anführen. Diese ist freilich voller Vorwürfe, die andere gegen Aristoteles geäußert haben und die Aristokles in der vorliegenden Schrift zu entkräften versucht.[236]

Die Lehrmeinungen des Aristoteles werden Zeugnissen des Attikos entnommen; aus ihnen erarbeitet Eusebius einen krassen Gegensatz zwischen Platon und den Hebräern auf der einen und Aristoteles auf der anderen Seite, sei es in der Bestimmung der „Glückseligkeit" (εὐδαιμονία), sei es in der „Vorsehung" (πρόνοια), der „Schöpfung"

[235] Vgl. Eus. *PE* 15, 1, 1, 9 ἐν τρισὶ τοῖς πρώτοις γράμμασι („in den ersten drei Büchern"), *PE* 15, 1, 3, 6f. ἐν ἑτέροις τρισὶ τοῖς ἑξῆς μετὰ τὰ πρῶτα συγγράμμασι („in weiteren drei Büchern anschließend nach den ersten"), *PE* 15, 1, 4, 5 ἐν ἰσαρίθμοις αὖ πάλιν λόγων συντάξεσι („in einer gleichen Anzahl von Büchern"), *PE* 15, 1, 5, 5f. αὖθις διὰ τῶν μετὰ ταῦτα τριῶν („dann wieder in den nächsten drei").

[236] An zwei Stellen wird auch Athen erwähnt: Eus. *PE* 15, 2, 6. 8 = Aristocl. F 2, 6. 8 Chiesara: Τὴν μὲν γὰρ Δημοχάρους κατηγορίαν κατὰ τῶν φιλοσόφων τί χρὴ λέγειν; οὐ γὰρ Ἀριστοτέλην μόνον, ἀλλὰ καὶ τοὺς ἄλλους κακῶς εἴρηκεν· ἔτι γε μὴν αὐτὰς τὰς διαβολὰς σκοπῶν ἄν τις ληρεῖν αὐτὸν φαίη· λέγει γὰρ ἐπιστολὰς Ἀριστοτέλους ἁλῶναι κατὰ τῆς πόλεως τῆς Ἀθηναίων καὶ Στάγειρα τὴν πατρίδα προδοῦναι Μακεδόσιν αὐτόν, ἔτι δὲ κατασκαφείσης Ὀλύνθου μηνύειν ἐπὶ τοῦ λαφυροπωλείου Φιλίππῳ τοὺς πλουσιωτάτους τῶν Ὀλυνθίων [...] Πάντα δ' ὑπερπαίει μωρίᾳ τὰ ὑπὸ Λύκωνος εἰρημένα, τοῦ λέγοντος εἶναι πυθαγορικὸν ἑαυτόν· φησὶ γὰρ θύειν Ἀριστοτέλην θυσίαν τετελευτηκυίᾳ τῇ γυναικὶ τοιαύτην ὁποίαν Ἀθηναῖοι τῇ Δήμητρι καὶ ἐν ἐλαίῳ θερμῷ λουόμενον τοῦτο δὴ πιπράσκειν· ἡνίκα δὲ εἰς Χαλκίδα ἀπῄει, τοὺς τελώνας εὑρεῖν ἐν τῷ πλοίῳ λοπάδια χαλκᾶ τέτταρα καὶ ἑβδομήκοντα („Was soll man noch die Anklage des Demochares gegen die 'Philosophen' ausführen? Er verunglimpfte nämlich nicht nur Aristoteles, sondern auch die anderen. Wenn man sich dazu auch noch die Vorwürfe selbst anschaut, müsste man wohl sagen, dass er Unsinn erzählt: Sagt er doch, es seien Briefe des Aristoteles gegen die Stadt der Athener abgefangen worden, und er hätte seine Heimatstadt Stageira den Makedonen ausgeliefert. Nachdem Olynth geschleift worden sei, habe er beim Beuteverkauf die reichsten Olynthier bei Philipp angezeigt [...]. Alles übertrifft aber an Dummheit das Gerede des Lykon, der von sich behauptet, Pythagoreer zu sein. Er sagt nämlich, nach dem Tode seiner Frau habe Aristoteles für sie ein Opfer dargebracht, wie es die Athener der Demeter opfern, er habe in warmem Öl gebadet und dieses anschließend wieder verkauft, und als er nach Chalkis abreiste, hätten die Zöllner auf dem Schiff 74 bronzene Schüsseln gefunden."). Vgl. dazu Moraux (1984) 137-147.

(γενητὸν εἶναι τὸν κόσμον), der Zahl der Elemente, des Himmels und der Seele (ψυχή). Auch Plotin und Porphyrios widersprächen Aristoteles' Lehre über die Seele.

Anschließend geht Eusebius auf die Lehren der Stoiker ein, die über Antisthenes und andere auf Sokrates zurückzuführen seien.[237] Die Übersicht über die Philosophen abschließend, gibt Eusebius anhand von Pseudo-Plutarch *de placitis philosophorum* eine Zusammenstellung der Antworten verschiedener Philosophen auf verschiedene Fragestellungen.[238]

Diese Äußerungen werden konfrontiert mit einem Zitat aus Xenophons *Memorabilien*, das bereits in der 'Einleitung' zur *Praeparatio* zitiert wurde. Es liegt eine Ringkomposition vor, die auch auf die Absage des Sokrates an Anaxagoras anspielt, die in einem *Phaidon*-Zitat ebenfalls am Anfang der *Praeparatio* ausgelassen wurde.[239] Sokrates und schließlich der Skeptiker Timon von Phlius sind am Ende die Anwälte des Eusebius gegen die Philosophie der Griechen. Mit dem Hinweis auf die *Demonstratio* endet die *Praeparatio Evangelica*.

3. 2. 5 Ergebnis: Theologie und Philosophie Athens als Wegbereiter für das Erscheinen des göttlichen Logos

Im ersten Teil der *Praeparatio Evangelica* (*PE* 1-6) führt Eusebius anhand besonders kritischer Quellen Beispiele aus dem Kult und der Mythologie Athens an, um die Verbreitung und Unangefochtenheit der heidnischen 'Theologie' zu schildern. Wenn selbst die Athener, die Größten unter den Griechen, sich der unsäglichsten Praktiken bedienen, scheint dies für Eusebius erwähnenswert zu sein. Denn die Athener haben nicht nur charakteristische Eigenschaften wie etwa Philanthropie und Gerechtigkeit, sondern in den Philosophen dieser Stadt steckt auch das Potential, Lösungen zu finden, wie man sich von der überkommenen Theologie freimachen könnte. Allerdings treten diese Philosophen bei ihren Versuchen, neue Wege religiösen Verständnisses und neuer Philosophie einzuschlagen, in Konflikt mit dieser Stadt.

[237] Anhand von Auszügen aus Aristokles, Arius Didymus, Porphyrios' *de anima*, Numenios' *de bono*, Longinos, Plotin.

[238] Die Themen (anhand der Kapitelüberschriften *PE* 15, 23-61): Sonne, Größe der Sonne, Form der Sonne, Mond, Größe des Mondes, Form des Mondes, Leuchten des Mondes, Wesen der Gestirne, Form der Gestirne, Entstehung der Welt, die Einheit des Alls, Beseeltheit der Welt und Vorsehung, Unvergänglichkeit der Welt, 'Ernährung' der Welt, das 'Erste' der Schöpfung, Weltordnung, 'Abweichung' der Welt, Außerweltliches, Rechts und Links der Welt, Himmel, Dämonen und Heroen, Materie, Idee, Ordnung der Sterne, Bewegung der Sterne, Leuchten der Sterne, Dioskuren, Sonnenfinsternis, Mondfinsternis, Erscheinungsbild des Mondes, Entfernung des Mondes von der Erde, Jahre, Erde, Form der Erde, Lage der Erde, 'Neigung' der Erde, Entstehung des Meeres und Grund für den Salzgehalt, Seelenteile, 'Hegemonikon'.

[239] Vgl. oben S. 81f.

Dieser Konflikt spitzt sich im dritten Teil der *Praeparatio Evangelica* (*PE* 10-15) zu: Die Griechen haben in den meisten Bereichen ihrer Kultur das Wissen fremder Völker assimiliert. Das trifft auch für die größten Philosophen zu, die ihre für Griechenland innovativen Lehren durch Kontakte mit der hebräischen Philosophie, die im Mittelteil der *Praeparatio Evangelica* (*PE* 7-9) dargestellt worden ist, entwickeln konnten. Während aber andere kulturgeschichtlich bedeutsame Errungenschaften beinahe fraglos in den griechischen Raum integriert werden, erweisen sich philosophische Ideen, die mit denen der Hebräer verwandt sind, als problematisch, ja gefährlich. Zum anderen zeigen aber auch philosophische Ansätze, die eindeutig nicht mit der Lehre der Hebräer übereinstimmen, gleichwohl aber das traditionelle religiöse System verwerfen, wie unzulänglich und angreifbar, vor allem aber, wie wenig überlegt die heidnische Religion ist.

Die folgende Übersicht soll noch einmal das Nebeneinander positiver und negativer Aspekte verdeutlichen, die sich in der *Praeparatio Evangelica* mit Athen verbinden.

1) Als *negativ* kann gelten, dass in Athen die unsinnigsten und sogar die grausamsten Rituale, das Menschenopfer eingeschlossen, praktiziert werden.

Der Darstellung des Eusebius kann man aber dabei ein *positives* Athenbild unterlegen: Athen wird eigens aus dem übrigen Griechenland hervorgehoben, weil man so etwas gerade hier nicht erwartet hätte.

2) Eusebius suggeriert eine kulturgeschichtlich geringere Bedeutung Griechenlands und Athens, wenn er die Übernahme der Fertigkeiten und Hilfsmittel hervorhebt, die den Alltag prägen, wie etwa des Alphabets – dies ist ein eher *negatives* Bild auch Athens.

Es ist jedoch ein *positiver* Aspekt dieser Übernahme, dass auch einzelne Philosophen, die mit den Hebräern Kontakt hatten, deren monotheistische Religion kennenlernen und Teile der hebräischen Philosophie in Griechenland einführen. Die Mehrheit dieser Philosophen stammt aus Athen.

3) Eusebius lobt die *positiven* Ansätze der griechischen Philosophie, die geeignet sind, eine Abkehr vom heidnischen Polytheismus einzuleiten. Repräsentanten dieser Strömungen sind Anaxagoras, Sokrates, Platon. Doch auch die Atheisten Athens wie Protagoras und Epikur, selbstverständlich Vertreter einer von Eusebius abgelehnten religiösen Philosophie, belegen die Mängel der heidnischen Religion. In erster Linie in Athen regt sich also eine Opposition gegen den Vielgötterglauben.

Negativ ist allerdings das Bild der politischen Stadt Athen: Sie versucht mit aller Kraft und mittels ihrer Gesetze, die Ansätze einer religiösen Reform zu verhindern. Wer sich nicht fügt, wird verbannt, gesteinigt, die Schriften werden verbrannt, Sokrates wird sogar hingerichtet.

4) Dieser Konflikt verschärft und konzentriert sich in der Gestalt Platons: Eusebius feiert Platon als den größten Philosophen Griechenlands und Athens, als

seinen geistigen Freund unter den Griechen, als den, der den Ideen der Hebräer am nächsten kam. Platon erfährt insofern eine sehr *positive* Schilderung durch Eusebius.

Platons Philosophie weist auch Unterschiede zur Philosophie der Hebräer, d. h. für Eusebius Mängel, auf; dies ist der inhaltliche Aspekt eines *negativen* Platon-Bildes. Aber in Platon konzentriert sich auch der Konflikt zwischen alter und neuer Religion, dem verurteilten Polytheismus und dem angedachten Monotheismus. Platon ist in Eusebius' Augen einfach zu feige, seine Ideen öffentlich zu verbreiten. Man kann natürlich, wie es heidnische Philosophen tun, auch die besondere Geschicklichkeit einer versteckten Religionskritik bewundern, wenn Platon seine Ideen durch fiktive Dialogfiguren entwickeln lässt. Aber für Eusebius überwiegt hier das Negative; dass Platon, anders als der geradlinige Moses, nach außen die herkömmliche Staatsreligion der Athener zelebriert und akzeptiert, obwohl er sie innerlich ablehnt, macht ihn durch den Vorwurf der Heuchelei angreifbar, und es ist mit ein Grund, warum die Christen nicht die Philosophie Platons, sondern die des Moses und der Hebräer übernommen haben.

In der *Praeparatio Evangelica* wird deutlich, dass in Athen durch die Lehren von Anaxagoras über Sokrates bis Platon Ansätze der wahren Philosophie, und das ist letztendlich die christliche, entstehen konnten; das macht für Eusebius die Bedeutung dieser Stadt aus, deren übrige Bewohner nebenbei als die Ächter der genannten Philosophen charakterisiert werden.

Indem solche Ansätze im nichtchristlichen Athen entstanden sind, ist auch dem griechischen Denken die Möglichkeit erleichtert worden, die Lehre vom göttlichen Logos nachzuvollziehen. Dies berechtigt und befähigt den Christen, sich als Grieche zu verstehen: Athen, seine Philosophie und seine Philosophen fungieren als Wegbereiter des göttlichen Logos, und sie sind die Grundlage für eine auch griechische Identität der Christen.

3. 3 DAS WISSENSCHAFTLICHE ATHENBILD DES EUSEBIUS VON CAESAREA

Die Schriften des Eusebius, die in diesem Kapitel behandelt worden sind, die *Chronik*, die *Kirchengeschichte* und die *Praeparatio Evangelica*, orientieren sich ausdrücklich an Quellen. Eusebius zitiert an vielen Stellen seine Vorlagen. Dabei vermittelt er einerseits Teile des Wissens, des Denkens und der verbreiteten Literatur seiner Zeit, zum anderen teilt er seinen Lesern auch mit, was er von den Aussagen der herangezogenen Werke hält, ob er ihren Inhalt akzeptiert oder ablehnt.

Eusebius kann der Stadt Athen dadurch, dass er sie selbst nur aus der Literatur kennt und von persönlichen Eindrücken völlig frei ist, eine rein systematische Funktion zuweisen. Diese Funktion ist geprägt von der historischen Bedeutung der Stadt in ihrer frühen Geschichte bis zum Ende des Peloponnesischen Krieges und zum Aufstieg des römischen Reiches wie von den traditionell in der historiographischen Literatur und auch in der Athenlob-Literatur verbreiteten Topoi, die mit Athen zusammenhängen. Aus diesen Topoi ragen in besonderer Weise die Religion und die Philosophie hervor.

In der *Chronik* wurde Athen mit den Anfängen heidnischer Theologie in Verbindung gebracht, und die ersten Anzeichen des Götterkults hat Eusebius mit der Gestalt und der Zeit des Moses parallelisiert. Eusebius hat sich dabei zuweilen sogar einer Verlegung historischer Ereignisse bedient, um sie in seine Systematik zu zwingen. Der Stadt Athen wird in der *Chronik* mit der Bemerkung, in Athen seien unter Kekrops erstmals kultische Handlungen eingeführt worden, eine Vorreiterrolle bei der Entwicklung des heidnischen Götterglaubens beigelegt. Der inhaltlichen Diskrepanz zwischen der Geschichte der Hebräer, die ja Monotheisten sind, und der der Athener, die zu dieser Zeit den Polytheismus mit kultischen Formen versehen, steht die zeitliche Übereinstimmung gegenüber, die sich im Synchronismus Moses – Kekrops und anderen historischen Parallelen zeigt und die deutlich macht, dass Eusebius dadurch auch der inhaltlichen Antithese Ausdruck verleihen will.

Waren es in der *Chronik* die historischen Parallelen zwischen der hebräisch-jüdischen Geschichte und der Geschichte Athens, so sind es in der *Praeparatio Evangelica* direkte Kontakte der Philosophen Athens mit der hebräischen Philosophie, die eine Entwicklung der paganen Religion weg vom Heidentum und hin zum Christentum erstmals in Athen erahnbar werden lassen.

In beiden Schriften zeigt sich, dass Athen für Eusebius eine wichtige Stadt ist, die kultur- und heilsgeschichtliche Bedeutung hat: Dort entwickelt Kekrops erstmals in Griechenland religiöse Formen, die richtungweisend wurden, und dort entwickeln die Philosophen von Anaxagoras bis Platon religiöse Formen, die die Rezeption und philosophische Begründung des Christentums ermöglichen.

(Heidnischer) Götterglaube und Ursprung der Philosophie sind zentrale Themen der Athenpanegyrik. Diese Themen stehen auch in den beiden untersuchten Schriften des Eusebius im Vordergrund, aber sie haben keinerlei panegyrischen Charakter; vielmehr nutzt Eusebius diese Themen der Panegyrik, um damit den höheren Anspruch des Christentums zu beweisen: nicht Athenlob, sondern Apologie des christlichen Glaubens.

'Die Athener' sind bei Eusebius ambivalent: Es gibt die Athener, die mit beinahe panegyrischen Zügen vorgestellt werden. Er spricht von den positiv belegten Personen Anaxagoras, Sokrates und Platon sowie von dem kulturgeschichtlich bedeutenden Kekrops. Platons Philosophie, die ansatzweise christliche Züge trägt, lässt ihn zu einem geistigen Verwandten des Eusebius werden.

Auf der anderen Seite stehen die Athener, die eher negative Züge tragen. Sie sind Vertreter einer aggressiv polytheistischen Theologie, die blind und rücksichtslos alles Neue ablehnen und sogar verfolgen, bis hin zur schlimmst möglichen Konsequenz, der Hinrichtung.

Das Athenbild des Eusebius ist frei von jeder Art von persönlichen Erfahrungen oder Eindrücken, es ist erwachsen aus dem Studium der Literatur und konstruiert Athen als Wegbereiterin der christlichen Religion. Insofern ist es eine historiographische, kulturgeschichtliche Konstruktion. Ein Gegensatz Athen – Jerusalem ist höchstens abgeschwächt zu erkennen: Vor allem hat Eusebius sein eigenes Umfeld vor Augen, Caesarea in Palästina, wo das Miteinander und der Dialog insbesondere zwischen den Religionen des Christentums und des Judentums im Vordergrund steht, und das Negieren jeglicher Berührungspunkte würde einen Dialog unmöglich machen.

4 ATHEN BEI DEN DREI GROSSEN KAPPADOKISCHEN KIRCHENVÄTERN

4. 1 DIE KAPPADOKISCHEN KIRCHENVÄTER UND ATHEN: RETROSPEKTIVE, TRADITION, ERLEBNIS

Die Biographie ist bei den kappadokischen Kirchenvätern Basilius von Cäsarea und Gregor von Nazianz ein wichtiger Faktor für die Beurteilung ihrer Aussagen zu Athen, denn sie haben diese Stadt besucht und erlebt. Zwar sind sämtliche Werke nach dem Athenaufenthalt entstanden, gleichwohl lässt sich erschließen, wie sie selbst den Besuch dieser Stadt motiviert sehen und ihre Zeit dort beschreiben. Im Anschluss an eine Einordnung der Kappadokier in die Gesellschaft ihrer Zeit wird daher zunächst der Frage nachgegangen, warum die Söhne christlicher Familien sich nach Athen begeben (bzw. wie sie dies im Rückblick begründen), also welches Athenbild sie vor das eigene Erleben zurückprojizieren. Dieses subjektiv-retrospektive Bild wird ergänzt durch einen Blick auf die antike Tradition des Athenbesuchs sowie andere, zeitgenössische und möglicherweise kolportierte oder bekannte Schilderungen des spätantiken Athen. Schließlich wird die Beschreibung des Studiums und der Studienzeit aus der Feder der Kappadokier selbst analysiert.

4. 1. 1 Regionaler, sozialer und familiärer Hintergrund

Soziale Stellung und Bildungsweg. Die Familie[1] des Basilius und Gregors von Nyssa[2] verfügte über großen Grundbesitz – für Kappadokien ist großer Grundbesitz weniger Familien in dieser Zeit typisch – und war daher wohlhabend[3] und po-

[1] Rousseau (1994) 3-26 zur Schwierigkeit, das Leben des Basilius und vor allem seine endgültige Hinwendung zu einem rein christlichen Leben zu erschließen.

[2] Ältere Literatur zu Gregor von Nyssa bei Altenburger / Mann (1988).

[3] Gr. Naz. *or.* 43, 63, 31f. (von Basilius): ὁ εὐγενής τε καὶ τῶν εὖ γεγονότων καὶ τὴν δόξαν ὑπέρλαμπρος („der Hochgeborene und von Hochgeborenen Stammende und Hochgerühmte"); vgl. *VSM* 21, 7-9. Reichtum der Familie wird erwähnt ebd. 20, 7-10. 14-20: Τῶν τε γὰρ γονέων ἀπεδείκνυ τὸν βίον οὐ τοσοῦτον ἐκ περιουσίας λαμπρὸν τοῖς τότε καὶ περίβλεπτον ὄντα, ὅσον ἐκ θείας φιλανθρωπίας ἐπαυξηθέντα [...] καὶ ὅμως εἰς τοσοῦτον αὐτοῖς διὰ πίστεως τὴν ζωὴν αὐξηθῆναι, ὡς μὴ εἶναι τὸν ὑπὲρ αὐτοὺς ἐν τοῖς τότε χρόνοις ὀνομαζόμενον· πάλιν δὲ τῆς περιουσίας αὐτῶν κατὰ τὸν ἀριθμὸν τῶν τέκνων ἐννεαχῇ διατμηθείσης, οὕτως ἑκάστῳ δι' εὐλογίας πληθυνθῆναι τὴν μοῖραν, ὡς ὑπὲρ τὴν τῶν γονέων εὐκληρίαν τὴν ἑκάστου τῶν τέκνων εἶναι ζωήν („Sie [sc. Makrina] stellte das Leben der Eltern dar, das nicht so sehr durch den Reichtum bei den damals Lebenden leuchtend und berühmt war, wie es aufgrund der göttlichen 'Phil-

litisch einflussreich. Die Mutter stammte aus den höchsten gesellschaftlichen Kreisen und hatte bedeutende Kontakte bis hin zum kaiserlichen Hof;[4] der Vater des späteren Bischofs von Caesarea war Rhetor in Neocaesarea[5] und besorgte die erste Ausbildung des Basilius.[6]

Zwar ist über die soziale Stellung der Familie[7] des Nazianzeners[8] weniger bekannt, Gregor deutet aber gelegentlich an,[9] dass auch sein Vater[10] eine bedeutende Position im Verwaltungsapparat innehatte[11] und beträchtliches Vermögen besaß.[12]

anthropie' bereichert war, [...] und gleichwohl vermehrte sich ihr Lebensunterhalt durch den Glauben zu einem solchen Ausmaß, dass es zu dieser Zeit keinen gab, der sie übertraf; und nachdem ihr Vermögen gemäß der Zahl der Kinder in neun Teile geteilt worden war, vermehrte sich jedem durch die Segnung der Anteil so sehr, dass das Vermögen jedes der Kinder das der Eltern noch übertraf."); vgl. ebd. 7, 1-8; Hauschild (1990) 2 mit Anm.; Treucker (1961) 9-14. Die Familie besaß Ländereien in drei Provinzen: Gr. Nyss. *VSM* 5, 38f.: [...] καὶ τρισὶν ἄρχουσιν ὑπετέλει διὰ τὸ ἐν τοσούτοις ἔθνεσιν αὐτῆς κατεσπάρθαι τὴν κτῆσιν („[...] und sie entrichtete drei Statthaltern Tribut, da ihr Besitz auf so viele Provinzen verteilt war"); gemeint sind wahrscheinlich Cappadocia, Armenia minor sowie Pontus (Polemoniacus und Helenopontus): Maraval [1971] 160 Anm. 1; Klein (2000) 26; anders Teja (1974) 35, der Galatia statt Armenia minor annimmt. Auf die Tatsache, dass die beiden Pontos-Provinzen bei den Kappadokiern nicht unterschieden werden, weist Treucker (1961) 10 hin. Auch die Schilderung der Lebensverhältnisse in verschiedenen Schriften der Kappadokier bezeugt deren Wohlstand (vgl. Treucker [1961] 11-14); zur ländlichen Struktur Kappadokiens Kirsten (1954) 869-871; zum verbreiteten Großgrundbesitz Teja (1974) 35-37, Klein (2000) 16, Van Dam (2002) 20-24. – Zum politischen Einfluss Hauschild (1990) 2 mit Anmerkungen. Treucker (1961) 10-16 geht von einer Zugehörigkeit der Familie des Basilius zum Senatorenstand aus, was er allerdings nicht direkt aus den Quellen, sondern aus der Beobachtung ableitet, dass Grundbesitz und Senatorenstand in der Spätantike oft verknüpft waren; dagegen spricht sich Giet (1965) aus, der die Zugehörigkeit zum Senatorenstand, sowohl zum Senat von Rom als auch zum Senat von Konstantinopel, der erst ca. 5 Jahre vor der Geburt des Basilius geschaffen wurde, in den Schriften der Kappadokier nicht zu erkennen glaubt. Vgl. Klein (2000) 26-29.

[4] Gr. Naz. *or.* 43, 3, 13-16; vgl. unten S. 246f. Kontakte zum Kaiserhaus erwähnt Gr. Nyss. *VSM* 20, 12, wo allerdings gesagt wird, der Großvater mütterlicherseits sei ἐκ βασιλικῆς ἀγανακτήσεως („durch Ungnade bei Hofe") zu Tode gekommen.

[5] Vgl. Maraval (1971) 48; Fedwick (1979) 133f.

[6] Gr. Naz. *or.* 43, 12, 1-17: Basilius sei von seinem Vater, „den der ganze Pontos damals als den allgemeinen Erzieher in der Tugend rühmte," auch in der ἐγκύκλιος παίδευσις erzogen worden. Zur Frage des Unterrichts im elterlichen Haus vgl. Harris (1989) 306-312, bes. 307.

[7] Bernardi (1984) weist auf den Einfluss der Angehörigen in Konstantinopel, allerdings erst in der zweiten Hälfte des 4. Jahrhunderts hin. Zur Frage der sozialen Herkunft der Familie Gregors von Nazianz s. Klein (2000) 29-33.

[8] Für eine Bibliographie der Jahre 1966-1993 zu Gregor von Nazianz s. Trisoglio (1999).

[9] Vgl. Wittig (1981) 4 mit Anm. 16; Gr. Naz. *or.* 18.

[10] Vgl. Mossay (1988a).

[11] Gr. Naz. *or.* 18, 6 (PG 35, 992C; über den Vater): Δικαιοσύνης δὲ τί μεῖζον γνώρισμα καὶ περιφανέστερον, ἢ ὅτι πολιτείας οὐ τὰ δεύτερα ἐσχηκώς, οὐδὲ μιᾷ δραχμῇ πλείω τὴν οὐσίαν πεποίηκε [...]; („Gibt es ein größeres Zeichen für seine Gerechtigkeit als dass er, obwohl er in der Stadtverwaltung den ersten Rang hatte, sein Vermögen auch nicht um eine Drachme vermehrt hat [...]?") Vgl. Fleury (1930) 10.

[12] Gr. Naz. *or.* 18, 20 (PG 35, 1008C): Τίς δὲ τὰ οἴκοι φιλοσοφώτερος, ἐπειδὴ καὶ οἶκον ἐμέρισεν αὐτῷ, καὶ κτῆσιν σύμμετρον, ὁ πάντα καλῶς καὶ ποικίλως οἰκονομῶν Θεός; („Wer war, was das Hauswesen angeht, weiser, denn sowohl ein Anwesen als auch einen

Einfluss und Beziehungen zu entscheidenden Stellen werden durch die kurz nach seiner späten Taufe – er gehörte zuvor einer Sekte an[13] und wurde erst durch seine Frau und die Mutter des berühmten Sohnes bekehrt – erfolgte Ernennung zum Bischof deutlich; die Wahl eines Bischofs geschah nämlich nicht immer ausschließlich aufgrund religiöser Motive, wie Gregor hinsichtlich der späteren Wahl des Basilius zum Bischof von Caesarea bemerkt.[14] Gregor von Nazianz erhielt eine erste Unterweisung in den 'weltlichen' Wissenschaften ebenfalls in der Familie, und zwar von seinem Onkel Amphilochios, der ein Mitschüler des Libanios gewesen war, noch später mit diesem regen Kontakt hatte und eine Tätigkeit als Lehrer und Advokat ausübte.[15]

Mit dem Verlassen der jeweiligen Heimatstadt setzte sich für Basilius und Gregor von Nazianz der Weg durch die noch verbleibenden beiden Schulstufen fort.[16] Es ist für den Zusammenhang sinnvoll, die Inhalte des Unterrichts zu erwähnen, den die späteren Kirchenväter bis zum Ende ihrer wissenschaftlichen Ausbildung besuchten:

Der Grammatikunterricht beinhaltete „neben der Sprachlehre [...] mit Vorrang die Dichter: Homer und Menander bei den Griechen",[17] allgemeiner gesagt, „das vertiefte Studium der Dichter und der anderen klassischen Schriftsteller",[18] sowie

entsprechenden Besitz hatte ihm der alles schön und auf vielerlei Art verwaltende Gott zugeteilt."); 18, 39 (PG 35, 1037A): Ἐπεὶ δὲ καὶ μνημόσυνον τῆς ἐκείνου μεγαλοψυχίας ἔδει τῷ βίῳ καταλειφθῆναι, τί μᾶλλον ἔδει, ἢ τὸν νεὼν τοῦτον, ὃν Θεῷ τε ἤγειρε καὶ ἡμῖν, ὀλίγα μὲν τῷ λαῷ προσχρησάμενος, τὰ πλείω δὲ οἴκοθεν εἰσενεγκών; („Da er aber den Menschen auch ein Denkmal seiner Großherzigkeit hinterlassen musste, was bot sich da besser an als dieser Tempel, den er für Gott und für uns errichtete, wobei er das Volk nur geringfügig beanspruchte und den meisten Teil aus seinen eigenen Mitteln beisteuerte?")

13 Vgl. Treucker (1961) 18f.; Misch (1950) 613; Fleury (1930) 7; Ullmann (1867) 16 Anm. 1.

14 Vgl. unten S. 132.

15 Vgl. Treucker (1961) 26-28 mit Hinweis auf Gr. Naz. *ep*. 40; Van Dam (1986) 69. Er war der Bruder der Mutter Gregors, Nonna (vgl. Wittig [1981] 7; Fleury [1930] 15); ihm widmet Gregor mindestens zwei Epitaphien (103-104 PG 38, 64f. = *AP* 8, 131-132 Beckby; Beckby [1965] unterscheidet im Gegensatz zur PG (Migne), die die fünf folgenden Epitaphien *in Amphilochium alium* [„auf einen anderen Amphilochios"] überschreibt, nicht zwischen zwei 'Adressaten'); dort heißt es über ihn (*epitaph*. 103, 3f. [PG 38, 64] = *AP* 8, 131, 3f. Beckby): Βίβλον ἔῳξας / πᾶσαν, ὅση θνητῶν κεἴ τις ἐπουρανίη („Jedes Buch hast du erschlossen, das von Sterblichen, und auch, wenn es ein himmlisches [sc. war]."), und (*epitaph*. 104, 3f. [PG 38, 65] = *AP* 8, 132, 3f. [Beckby]): Ὄλβιος, εὐγενέτης, μύθων κράτος, ἄλκαρ ἁπάντων / πηῶν, εὐσεβέων, εὐγενέων („Wohlhabend, von guter Herkunft, stark im Wort, ein Schutz aller, der Verwandten, der Frommen, der Edlen"). Näheres s. Hauser-Meury (1960) 29f.

16 Gregor wurde von dem Paidagogen Karterios begleitet; vgl. Hauser-Meury (1960) 52; zur Erziehung in der Spätantike Cameron (1998), bes. 673-679. Ausführlich über die ersten beiden Schulstufen in der Spätantike und die Diskussion darüber, wer sie besucht hat, Kaster (1983).

17 Demandt (1989) 356.

18 Marrou (1957) 236f., der zu den Genannten insbesondere Euripides und Demosthenes hinzufügt (240f.). Basilius selbst nennt und kommentiert die Inhalte dieses Unterrichts in seinem

einfache Aufsatzübungen, die oft literarische Themen behandelten.[19] Inwieweit der Unterricht der drei Kappadokier dem Ideal der ἐγκύκλιος παιδεία[20] entsprach, ist nicht sicher zu bestimmen. Gregor von Nazianz bezeugt zwar, dass sich zumindest Basilius sowohl im Unterricht bei seinem Vater[21] als auch später in Athen mit Teilen dieses Komplexes beschäftigte, z. B. mit Grammatik, Astronomie, Geometrie oder Arithmetik.[22] Ob diese Teile der ἐγκύκλιος παιδεία aber tatsächlich in den Unterricht eingegliedert waren, ist fraglich, wenn man in Rechnung stellt, dass die Quelle[23] auch ein Lob der Bildung des Basilius ist[24] und die Ausbildung in dieser ἐγκύκλιος παιδεία eben zweimal erwähnt, im Elternhaus und in Athen.

Im darauf folgenden Hochschulunterricht lag der Schwerpunkt auch in der Spätantike noch auf den beiden Bereichen, die bereits seit der klassischen Zeit nebeneinander standen und miteinander konkurrierten: Rhetorik und Philosophie. Die Rhetorenschule, die die Kappadokier besuchten, hatte die Aufgabe, aus dem Schüler einen guten Redner zu machen. Dies geschah zum einen durch die Unterweisung in den verschiedenen Regeln für die einzelnen Redegattungen, aber auch mittels der Lektüre der klassischen Redner und Geschichtsschreiber, die nicht nur als Anregungen, sondern auch als Vorbild und Muster für die spätantiken Rhetoren und deren Schüler dienten.[25] Themen für Vorübungen (Progymnasmata) oder Reden meist fiktiven Inhalts (Deklamationen) entnahm man dem Mythos oder der griechischen Geschichte.[26] An den großen Hochschulorten wie Alexandria, Kon-

Werk *ad adolescentes* im Hinblick auf ihren Wert für eine christliche Erziehung; vgl. Rousseau (1990) 38-40.

19 Marrou (1957) 252-257.

20 Gerade bei den Kappadokiern sind mit diesem Begriff nicht so sehr die unterschiedlichen *artes* bezeichnet, sondern er beschreibt hier vielmehr die Gesamtheit nicht-christlicher Bildung: Vgl. Gr. Naz. *or.* 43, 12, 14 (siehe oben S. 128 Anm. 6) mit Gr. Nyss. *VSM* 3, 6-9: Ἦν δὲ τῇ μητρὶ σπουδὴ παιδεῦσαι μὲν τὴν παῖδα, μὴ μέντοι τὴν ἔξωθεν ταύτην καὶ ἐγκύκλιον παίδευσιν, ἣν ὡς τὰ πολλὰ διὰ τῶν ποιημάτων αἱ πρῶται τῶν παιδευομένων ἡλικίαι διδάσκονται („Die Mutter hatte den Willen, das Kind zu erziehen, allerdings nicht in der weltlichen und ‘allgemeinen’ Bildung, in der man für gewöhnlich anhand von Dichtungen in den ersten Unterrichtsjahren ausgebildet wird.“). Vgl. auch Marrou (1957) 260 und zur Notwendigkeit der Differenzierung dieses Begriffs bei den verschiedenen Autoren Hadot (1984) 265, die dort, am Beginn der Untersuchung dieses Begriffes bei den Autoren der Kaiserzeit, sagt: „Ce qui compte en effet, avant tout, me semble-t-il, c’est de chercher à savoir ce que chaque auteur comprend lui-même par le terme d’*enkuklios paideia* et ce qu’il veut faire comprendre à ses lecteurs.“

21 Vgl. oben S. 128 Anm. 6.

22 Gr. Naz. *or.* 43, 23, 24f.

23 Es handelt sich um eine Leichenrede auf den verstorbenen Basilius.

24 Vgl. Gr. Naz. *or.* 7, 7, 11-27 über den Bruder Kaisarios.

25 Vgl. Marrou (1957) 296f.

26 Vgl. Marrou (1957) 297-301 und Irmscher (1992) 163 sowie Pyykkö (1991) 28-31; zu Möglichkeiten des Kontaktes mit Themen aus dem Mythos bereits in der frühesten Jugend Pyykkö (1991) 11f. Zu den Themen der ‘Progymnasmata’ Hock / O’Neil (1986).

stantinopel oder Athen waren ebenfalls die vier bedeutendsten Philosophenschulen in der Regel mit wenigstens einem philosophischen Lehrer vertreten.[27] Basilius beschäftigte sich in Athen mit verschiedenen Bereichen der Philosophie,[28] ebenso führte der spätere Kaiser Julian seine in Pergamon begonnenen philosophischen Studien fort, was Gregor von Nazianz indirekt bezeugt, wenn er Julian, den er in Athen kennengelernt hatte, den Vorwurf macht, er habe sich Πλάτωνες, Χρύσιπποι, Περίπατος und Στοά[29] als Lehrer gewählt.

Über das Leben des jungen Gregor von Nyssa ist vergleichsweise wenig bekannt;[30] er hat keine autobiographischen Zeugnisse hinterlassen, und wir besitzen keine Leichenrede, die uns Näheres über seinen Bildungsweg mitteilen könnte. Allerdings wurde auch er wohl in der Familie in den Grundlagen der klassischen Bildung unterwiesen: Er hatte nicht mehr in seinem Vater,[31] sondern in seinem Bruder Basilius, der kurzfristig auch als Rhetor tätig war, einen παιδευτής („Erzieher"). Später übte Gregor von Nyssa selbst zeitweise den Beruf des Rhetors aus.[32]

Stand und Vermögenslage der Familien legten den Besuch der großen Bildungsstätten im griechischsprachigen Raum nahe.[33] So finden sich Zeugnisse, dass Gregor von Nazianz[34] in Caesarea in Kappadokien, Caesarea in Palästina,[35]

27 Müller (1910) 297 nennt das Zeugnis Lukians (*Eun.* 3), der „je zwei Lehrer der vier philosophischen Systeme" in Athen erwähnt. Vgl. Hahn (1989) 67-85 und 124-136.

28 Vgl. Gr. Naz. *or.* 43, 23, 18-24. Doch beinhaltete offenbar auch die rhetorische Ausbildung Philosophisches; eine Trennung ist daher vielfach nicht möglich.

29 Gr. Naz. *or.* 4, 43, 1f.; dass sich diese Äußerungen auf Athen beziehen können, zeigt auch die Bemerkung, er habe sich diese Lehrer ἐκ τῶν τριόδων καὶ τῶν βαράθρων („von den Dreiwegen und den Schluchten", ebd. 6f.) zusammengesucht. Julian hat vorwiegend neuplatonische Studien spirituellen Charakters betrieben, vgl. Athanassiadi-Fowden (1981) 48-51 und unten S. 204f. Zum Athenaufenthalt Julians Bouffartigue (1992) 43-47 und Rousseau (1994) 27-40.

30 Zur Biographie Gregors von Nyssa vgl. May (1971); zu Literatur vgl. Capboscq (2000) 13f. Anm. 3.

31 Basilius' d. Ä. starb nach Hauschild (1990) 2 „ca. 340", also – akzeptiert man den Zeitraum von 335-340 für die Geburt Gregors von Nyssa (May [1971] 53) – nur wenige Jahre nach der Geburt seines Sohnes Gregor, des späteren Bischofs von Nyssa.

32 Gr. Naz. *ep.* 11; May (1971) 53.

33 Vgl. Cameron (1998) 673-679; Brown (1995) 53. 55; Irmscher (1992) 161; Ssymank (1912) 24f.

34 Vgl. Kennedy (1983) 215; Wittig (1981) 7f. (mit Belegen); Jungck (1974) 157 (zu *c.* 2, 1, 11, 128); Ullmann (1867) 15-28. – In Caesarea (Palästina) und Alexandria befanden sich jeweils auch Einrichtungen für christliche Bildung, so die katechetische Schule von Alexandria (sicher seit 180) und die christliche Hochschule in Palästina mit der Bibliothek des Pamphilos: Cavallo (1988); Altaner / Stuiber (1978) 188f. 260; Ssymank (1912) 12f. Zur christlichen Gemeinde in Alexandria s. Haas (1997) 173-244.

35 Vgl. Gr. Naz. *or.* 7, 6, 8. Dort war sein Lehrer Thespesios; es ist unwahrscheinlich, dass Gregor in dieser Zeit noch Unterricht bei einem γραμματικός hatte, wie die Überschrift des Epitaphs meint; vgl. Hauser-Meury (1960) 174 s. v. Thespesios. Anders McGuckin (2001b) 41.

Alexandria und Athen, Basilius[36] in Caesarea in Kappadokien,[37] Konstantinopel und Athen, Gregor von Nyssa hingegen nur in Caesarea in Kappadokien Unterricht nahmen.[38]

Der Besuch dieser Schulen steht im Zusammenhang mit der Nähe der neuen Reichshauptstadt, denn der Stand der Familien machte eine „Bindung an den Kaiserhof oder die kaiserliche Verwaltung, die ihrer allein würdig schien",[39] möglich und aussichtsreich. So konnte der früh verstorbene Bruder Gregors von Nazianz, Kaisarios,[40] der den späteren Bischof auf den ersten beiden Etappen seines Studiums begleitete, den ersten Rang unter den Ärzten des kaiserlichen Hofes einnehmen.[41]

Christliche Prägung. Neben dem sozialen Status und der standesgemäßen Ausbildung der drei großen Kappadokier, die in einer bereits Jahrhunderte währenden Tradition steht, sind sie vor allem von mütterlicher Seite her stark christlich geprägt worden. Der Vater Gregors von Nazianz, der der Sekte der Hypsistarier angehörte, einer Gruppierung, deren Glauben jüdische und heidnische Elemente verband,[42] wurde durch seine Ehefrau zum christlichen Glauben bekehrt. Sie hatte Gregor nach seinem eigenen Zeugnis bereits vor seiner Geburt dem christlichen Gott geweiht,[43] und der spätere Bischof von Nazianz erwähnt oft, wie sie ihre tiefe Verwurzelung im christlichen Glauben auch ihren Kindern vermittelte.[44]

In der Familie des Basilius und Gregors von Nyssa stammten beide Elternteile aus christlichen Familien. Das hat Gregor von Nyssa in der Lebensbeschreibung seiner Schwester Makrina ausführlich dargestellt,[45] und auch Gregor von Nazianz

[36] Vgl. Gr. Naz. *or.* 43, 13-15; Fedwick (1981b) 5f.; Courtonne (1973) 2.
[37] Vgl. Schemmel (1922).
[38] May (1971) 53 mit Hinweis auf Gr. Nyss. *ep.* 13, 4.
[39] Kirsten (1954) 886; über Bildung als 'Verständigungsmöglichkeit' von Eliten und die Bedeutung der Beherrschung der mit ihr gegebenen 'Spielregeln' im 4. Jahrhundert Brown (1995) 56-66.
[40] Zu Kaisarios Hauser-Meury (1960) 48-50 s. v. Caesarius I. Er wurde in Caesarea (Kappadokien) und Alexandria ausgebildet.
[41] Vgl. Gr. Naz. *or.* 7, 10; Nutton (1977) 211; Hauser-Meury (1960) 49 mit Anm. 61; Keenan (1941) 10ff.
[42] Vgl. Gr. Naz. *or.* 18, 5 (PG 35, 989D-992A); zu den Hypsistariern s. Simon (1981) 1068f.; ausführlich zu Gregor dem Älteren Ziegler (1980).
[43] Gr. Naz. *c.* 2, 1, 11, 72f.: Δῶρον δίδωσιν, ὅνπερ ἠξίου λαβεῖν, / καὶ τὴν δόσιν φθάνουσα τῇ προθυμίᾳ („sie gab als Geschenk, den sie zu empfangen wünschte, und dem Geben kam sie mit dem Wollen zuvor."). Vgl. Jungck (1974) ad loc.; Wittig (1981) 4f.; vgl. unten S. 158.
[44] Gr. Naz. *or.* 7, 4, 2f.: [...] καὶ κλῆρον ἀναγκαῖον οὐκ εἰς ἑαυτὴν μόνον, ἀλλὰ καὶ τοὺς ἐξ αὐτῆς κατάγουσα τὴν εὐσέβειαν („[...] und sie erhielt die Frömmigkeit als ein unweigerliches Erbe nicht nur für sich selbst, sondern auch für die, die aus ihr hervorgingen"). Vgl. Augustin. *Conf.* 1, 11, 17 mit dem Kommentar von Cristiani / Pizzolato / Siniscalco (1992) 150.
[45] Vgl. Gr. Nyss. *VSM* 3, 6-20; Gr. Naz. betont z. B. *or.* 43, 5, 10-15 die Frömmigkeit der Ah-

weist anlässlich des Todes seines Freundes Basilius unter anderem auf die Frömmigkeit der Eltern des Verstorbenen hin.[46] Basilius selbst führt die christliche Unterweisung durch seine Großmutter, die ebenfalls Makrina hieß und eine Schülerin des Gregorios Thaumaturgos[47] (gest. um 270) war, als Beleg seiner eigenen Frömmigkeit und Rechtgläubigkeit[48] an.

In Kappadokien waren neben dem Christentum, das in den beiden genannten Familien gepflegt wurde und in dieser Gegend auf eine recht lange Tradition zurückblicken konnte,[49] auch heidnische Kulte immer noch populär, und zwar außer den staatlichen und griechischen insbesondere solche aus dem persischen Bereich.[50] Eine Vertrautheit mit heidnischen Kulten und deren Praktiken ist also bei den kappadokischen Kirchenvätern ebenfalls vorauszusetzen.

Die vorliegende kurze Übersicht zeigt, dass den drei Kirchenvätern von frühester Kindheit an zwei Arten von Erziehung zuteil wurden, eine traditionelle profane Bildung und eine christliche Unterweisung. Die Familie spielt dabei eine besondere Rolle. Zum einen findet in der frühesten Jugend die Erziehung in der Familie statt;[51] hier dürfte man neben Gebet und Psalmengesang, die häufig als wichtigste Merkmale der persönlichen Frömmigkeit der Eltern hervorgehoben werden,[52] auch Bibellektüre gepflegt haben.[53] Zum anderen ist die Familie oder sind einzelne Mitglieder der Familie in den noch aus der heidnischen Vergangenheit stammenden Wissenschaften verwurzelt und unterrichten diese auch selbst. Der soziale Stand der jeweiligen Familien hatte schließlich ebenfalls eine entscheidende Bedeutung für den Bildungs- und künftigen Lebensweg: Rhetorisches Geschick und die Fä-

nen des Basilius väterlicherseits (gegen Kirsten [1954] 886, der die Zuwendung zu christlichem Leben erst der Generation des Basilius und Gregors von Nyssa zuschreibt).

46 Vgl. z. B. Gr. Naz. *or*. 43, 9, 1-9.

47 Zum Verhältnis der Familie des Basilius zu Gregor dem Wundertäter vgl. Slusser (1998) 4; zur Stilisierung des Wundertäters durch Basilius von Caesarea und Gregor von Nyssa s. Van Dam (1982).

48 Bas. *ep*. 204, 6, 1-7: Πίστεως δὲ τῆς ἡμετέρας τίς ἂν καὶ γένοιτο ἐναργεστέρα ἀπόδειξις ἢ ὅτι τραφέντες ἡμεῖς ὑπὸ τήθῃ μακαρίᾳ γυναικὶ παρ' ὑμῶν ὡρμημένῃ; Μακρίναν λέγω τὴν περιβόητον, παρ' ἧς ἐδιδάχθημεν τὰ τοῦ μακαριωτάτου Γρηγορίου ῥήματα ὅσα πρὸς αὐτὴν ἀκολουθίᾳ μνήμης διασωθέντα αὐτή τε ἐφύλασσε καὶ ἡμᾶς ἔτι νηπίους ὄντας ἔπλαττε καὶ ἐμόρφου τοῖς τῆς εὐσεβείας δόγμασιν („Welcher Beweis für unseren Glauben dürfte wohl deutlicher sein als, dass wir aufgezogen wurden von der seligen Großmutter, einer Frau, die von euch herstammt? Ich meine die berühmte Makrina, von der wir die Worte des allerseligsten Gregor gelehrt wurden, die diese, in ihrer Erinnerung bewahrt, selbst beachtete und uns, die wir noch unmündig waren, danach formte und bildete in den Lehren der Frömmigkeit."). Van Dam (1982) 283.

49 Vgl. *1 Ep. Petr*. 1, 1.

50 Vgl. Kirsten (1954) 874-880.

51 Vgl. Marrou (1957) 151.

52 Vgl. z. B. Gr. Naz. *or*. 18, 9 (PG 35, 996B).

53 Zu Basilius vgl. Hauschild (1990) 3 mit Anm. 7; zu Gregor *c*. 2, 1, 11, 99 vgl. Ullmann (1867) 15.

higkeit zum Umgang in den höchsten gesellschaftlichen Kreisen konnte man sich ausschließlich in den Ausbildungszentren des vierten Jahrhunderts erwerben.

Früheste Kenntnis von Athen. Sowohl durch die traditionelle heidnische Ausbildung als auch durch ihre christliche Prägung war den Kappadokiern ein christliches Athenbild bekannt. Griechische Kirchenväter, die zeitlich vor den Kappadokiern lebten, äußern sich gelegentlich über Athen und führen ihre Angaben teilweise auf eigene Erfahrungen zurück.[54] Auch Kirchenväter, von denen sicher bekannt ist, dass sich die Kappadokier mit ihren Schriften oder Lehren auseinandersetzten, haben Athen besucht. So weiß man von dem Athenaufenthalt des Origenes: „Im Jahre 245 fand Origenes die Atmosphäre in Athen offenbar so zusagend [...], daß er dort lange genug blieb, um seine Schrift über Hesekiel zu beenden und eine andere über das Hohelied zu beginnen."[55] Origenes war der Lehrer des bereits genannten Gregorios Thaumaturgos; Basilius und Gregor von Nazianz stellten nach ihrem Athenaufenthalt als Blütenlese aus den Schriften des Origenes die *Philokalie* zusammen.[56] Bei dem Kirchenhistoriker Sokrates ist ferner ein Athenaufenthalt des Gregorios Thaumaturgos selbst verzeichnet.[57]

Beeindruckend dürften auch die zahlreichen Zeugnisse aus der Geschichte Athens, das Wissen um die großen Staatsmänner, um Politiker, Schriftsteller, Philosophen und Redner, und nicht zuletzt auch um die Mythen gewesen sein, die sich um diese Stadt ranken.

Dagegen stehen Aussagen der Heiligen Schrift: Sie wirft in dem Abschnitt über den Besuch des Apostels Paulus in Athen[58] ein ungünstiges Licht auf die ortsan-

[54] Zu Äußerungen über Athen vgl. Lau (1985) 658-662; zu den Kirchenvätern in Athen vgl. Frantz (1985) 674-676.

[55] Frantz (1985) 676. Vgl. auch Williams (1995) 401f.; oben S. 67f. McGuckin (2001b) 62 weiß auch von einer Lehrtätigkeit des Origenes in Athen, gibt allerdings keine Belege an.

[56] Vgl. Altaner / Stuiber (1978) 199; Rousseau (1994) 11-14; McGuckin (2001b) 102-104; die traditionelle Zuschreibung an die beiden Kappadokier ist nicht unumstritten, vgl. ebd. 103f. mit Anm. 61.

[57] Socr. *h. e.* 4, 27, 2f. (GCS N. F. 1, 262): Περὶ τούτου τοῦ Γρηγορίου πολὺς ὁ λόγος ἔν τε Ἀθήναις καὶ Βηρυτῷ καὶ ὅλῃ τῇ Ποντικῇ διοικήσει, ὡς δὲ εἰπεῖν καὶ πάσῃ τῇ οἰκουμένῃ. οὗτος γὰρ ὡς τῶν Ἀθήνησι παιδευτηρίων ἀναχωρήσας ἐν τῇ Βηρυτῷ νόμους ἐμάνθανεν, πυθόμενος {τε} ἐν τῇ Καισαρείᾳ τὰ ἱερὰ γράμματα ἑρμηνεύειν Ὠριγένην, δρομαῖος ἐπὶ τὴν Καισάρειαν παραγίνεται („Über diesen Gregor geht die Rede viel in Athen und Berytos und in der ganzen Provinz Pontos, sozusagen in der ganzen Welt. Denn er war von den Schulen in Athen aufgebrochen und lernte das Recht in Berytos, doch als er erfuhr, dass Origenes in Caesarea die Schrift auslege, machte er sich im Lauf nach Caesarea auf."). Moderne Darstellungen nennen diesen Aufenthalt allerdings nicht, so z. B. Crouzel (1983) 780f.

[58] *Act. Ap.* 17, 16-34; vgl. *1 Ep. Thess.* 3, 1.

sässigen Gelehrten, die stoischen und epikureischen Philosophen,[59] aber auch auf die Einwohner und Besucher dieser Stadt.[60]

Doch beide Elemente, die die Kappadokier in ihrer Jugend wahrnehmen konnten, Ablehnung der Gelehrsamkeit in der *Apostelgeschichte* und Lob der Stadt in Literatur und mündlicher Tradition, gehören der Vergangenheit an. Basilius von Caesarea und Gregor von Nazianz gehen aber nach Athen, um dort ihre Ausbildung abzuschließen, und sie haben vorher schon andere Hochschulstädte kennengelernt, andere Lehrer besucht. Vielleicht planten sie schon bei ihrem Aufbruch aus dem Elternhaus ihre einzelnen Studienorte, ganz sicher aber waren sie sich bewusst, warum sie sich schließlich von Alexandria und Konstantinopel auf den Weg nach Athen machten. Sie hatten ein Bild von dieser Stadt vor Augen, das ihnen riet, diesen Ziel-, Höhe- und Endpunkt der Ausbildung zu wählen, obwohl andere renommierte Schulen viel näher lagen – Gregor von Nazianz selbst lobt die Lehrer in Konstantinopel, wo zu dieser Zeit vielleicht Libanios tätig war, und Gregor von Nazianz und Basilius besuchen vor ihrem Aufenthalt in Athen verschiedene Schulen, die ihrer von der Familie geprägten christlichen Grundeinstellung eher entsprechen:[61] Gregor von Nazianz erwähnt ausdrücklich die Warnung der frommen Leute (οἱ εὐσεβέστεροι[62]) vor Athen.

4. 1. 2 Kulturgeschichtlicher Hintergrund: Athen als 'Bildungsstätte Griechenlands' und der Welt bis zum vierten Jahrhundert

4. 1. 2. 1 Tradition und Gegenwart

Römer und Kaiser. Schon im ersten Jahrhundert v. Chr. war Athen nicht mehr nur für den griechischen Raum das Zentrum der Bildung; auch begüterte und an Bildung interessierte Römer wie Varro, Cicero, M. Iunius Brutus sowie Horaz und Ciceros Sohn Marcus[63] besuchten die philosophischen Schulen, an erster Stelle die Akademie. Das Prädikat 'Stätte und Ursprung der Bildung und Kultur' ist dasjenige, das sich kontinuierlich von der klassischen Epoche[64] bis in die späte

[59] Vgl. bes. *Act. Ap.* 17, 32.
[60] *Act. Ap.* 17, 21.
[61] Bernardi (1995) 112 sagt sogar: „Athènes [...] avait une réputation détestable en milieu chrétien."
[62] Gr. Naz. *or.* 43, 21, 20f. Gemeint sind Familienmitglieder (vielleicht Gregorios Thaumaturgos) oder frühere kirchliche Schriftsteller; zu Beispielen einer Athen-Kritik bei früheren Kirchenvätern vgl. Lau (1985) 658f.
[63] Vgl. z. B. Lefèvre (1993) 41.
[64] Thukydides (2, 41, 1) lässt Perikles von Athen als der παίδευσις τῆς Ἑλλάδος („Bildungsstätte für ganz Griechenland") sprechen (vgl. dazu Nenci [1970/71], der in der Formulierung einen Reflex spartanischer Propaganda sieht, und oben S. 1); Isokrates sieht hier den Ursprung der παιδεία τῶν λόγων („Erziehung in den Reden") und sagt 15, 294 von den Athe-

Kaiserzeit[65] verfolgen lässt, während andere aufgrund politischer Veränderungen verschwinden (z. B. 'Macht') oder im Zuge der Christianisierung (christliche Athenkritik) hinzukommen.

So erwähnt Cicero zwar die Bedeutungslosigkeit Athens, die kulturellen Leistungen der Athener dagegen sind immer noch präsent:

Adsunt Athenienses, unde humanitas, doctrina, religio, fruges, iura, leges ortae atque in omnis terras distributae putantur; de quorum urbis possessione propter pulchritudinem etiam inter deos certamen fuisse proditum est; quae vetustate ea est ut ipsa ex sese suos civis genuisse ducatur, et eorum eadem terra parens, altrix, patria dicatur, auctoritate autem tanta est ut iam fractum prope ac debilitatum Graeciae nomen huius urbis laude nitatur.

„Die Athener sind da, von denen Bildung, Lehre, Frömmigkeit, Getreide, Recht, Gesetze herstammen und in alle Teile der Welt verteilt worden sein sollen. Über den Besitz dieser Stadt soll der Überlieferung nach wegen ihrer Schönheit sogar ein Wettstreit zwischen Göttern stattgefunden haben. Ihr Alter ist so hoch, dass man glaubt, sie habe aus sich selbst ihre Bürger hervorgebracht, und dass dieselbe Erde Mutter, Ernährerin und Vaterland der Bürger genannt wird. Ihr Ansehen aber ist so groß, dass der Name 'Griechenland', schon beinahe zerbrochen und geschwächt, sich auf den Ruhm dieser Stadt stützt."[66]

Und Plinius glaubt, seinen Freund Maximus, der als *legatus Augusti ad corrigendum statum liberarum civitatum* in die Provinz Achaia geht,[67] auf die Bedeutung Griechenlands im allgemeinen und Athens im besonderen hinweisen zu müssen:

Habe ante oculos hanc esse terram, quae nobis miserit iura, quae leges non victis,

„Mache dir klar, dass dies das Land ist, das uns die Gesetze gebracht hat, das Gesetze

nern, dass sie πρὸς τοὺς λόγους ἄμεινον πεπαιδεῦσθαι τῶν ἄλλων („was die Reden angeht, besser ausgebildet sind als alle anderen.").

65 Z. B. Arator 2, 443f. (= CSEL 72, 102): *Ingeniis claras et linguis Paulus Athenas / ingreditur* („Paulus betritt Athen, das durch Bildung und Sprache berühmte.").

66 Cic. *Flacc.* 62. Vgl. auch Servius Sulpicius Rufus bei Cic. *fam.* 4, 5, 4: *Post me erat Aegina, ante me Megara, dextra Piraeus, sinistra Corinthus, quae oppida quodam tempore florentissima fuerunt, nunc prostrata et diruta ante oculos iacent* („Hinter mir lag Aegina, vor mir Megara, zur Rechten der Piraeus, zur Linken Korinth, Städte, die zu einer bestimmten Zeit in höchster Blüte standen, sich aber jetzt den Augen daniederliegend und zerstört zeigen.") sowie Cic. *de orat.* 3, 43: *Athenis iam diu doctrina ipsorum Atheniensium interiit, domicilium tantum in illa urbe remanet studiorum, quibus vacant cives, peregrini fruuntur capti quodam modo nomine urbis et auctoritate; tamen eruditissimos homines Asiaticos quivis Atheniensis indoctus non verbis, sed sono vocis nec tam bene quam suaviter loquendo facile superabit* („In Athen ist die Lehre der Athener selbst schon lange untergegangen, nur eine Heimstätte der Studien bleibt in dieser Stadt zurück. Diesen Studien widmen sich die Bürger, die Fremden genießen sie, in gewisser Weise gefesselt von dem Namen der Stadt und ihrer Bedeutung. Gleichwohl könnte jeder beliebige ungelehrte Athener die gelehrtesten Menschen Asiens nicht mit Worten, sondern durch den Klang seiner Stimme, nicht so sehr durch gutes als durch angenehmes Sprechen mit Leichtigkeit übertreffen.") und dazu Leeman / Pinkster / Wisse (1996) 189. Umfassend zum Athenbild Ciceros Boyancé (1973/74).

67 Hanslik (1963) 985.

sed petentibus dederit, Athenas esse, quas adeas, Lacedaemonem esse, quam regas; quibus reliquam umbram et residuum libertatis nomen eripere durum, ferum, barbarum est.

nicht Besiegten, sondern darum Bittenden gegeben hat, dass es Athen ist, das du besuchst, Sparta, über das du herrschst. Ihnen den übrigen Schatten und restlichen Namen der Freiheit wegzunehmen wäre hart, wild, barbarisch.“[68]

Als bezeichnend für eine Kritik an Athen als einer Stadt, die ausschließlich im Vergangenen ihre Identität gründet, kann die (in Anlass und Konzeption unklare) Rede Plutarchs *de gloria Atheniensium* („Über den Ruhm der Athener“) angeführt werden, in der er den Ruhm Athens ausschließlich auf die Taten der früheren Feldherren zurückführt, die erst Historikern und Rednern den Stoff für ihre Werke böten.[69]

Neben der politischen Bedeutungslosigkeit ist die zunehmende Zahl an Schul- oder Hochschul-Gründungen im Osten und auch im Westen ein weiterer Grund für die mancherorts nachlassende Begeisterung für Athen, das zuvor weltweit als Zentrum der Bildung galt. Selbst ehemals spezialisierte Schulen wie das Museion in Alexandria, dessen Schwerpunkt in der Medizin lag, bieten jetzt den Schülern die Möglichkeit, Philosophie und Rhetorik zu hören. Sogar die außeritalischen Provinzen des Westens bringen neue Bildungsstätten hervor, so dass Strabon bereits um die Zeitenwende über Marseille sagen kann, dass Bildungshungrige eher dorthin als nach Athen gehen, das man ehedem aufsuchte.[70]

Aber trotz der äußeren Veränderungen behauptet Athen seine Anziehungskraft auch noch für den lateinischsprachigen Raum[71] und kann vor allem griechen-

[68] Plin. *ep.* 8, 24, 4. Vgl. Sherwin-White (1966) 477. 479 und zum Hintergrund des Topos ‘Athen gibt den Römern Gesetze’ oben S. 59 Anm. 187.

[69] Es handelt sich um eine Deklamation: Dihle (1989) 210; Frazier / Froidefond (1990) 165: „Le genre dont relève ce texte ne fait aucun doute: il s'agit d'une déclamation destinée à la lecture publique.“ Vgl. aber ebd. 166: „les circonstances dans lesquelles elle fut rédigée et prononcée restent entourées du brouillard les plus épais.“ Gallo / Mocci (1992) 8: „Non è difficile stabilire a quale genere letterario si possa ascrivere quest'opera: si tratta di una declamazione retorico-epidittica su un tema almeno in apparenza sofistico“. Thiolier (1985) 10-18 stellt verschiedene zeitliche Einordnungen und Elemente diverser literarischer Gattungen (Enkomion, Panegyrikos, Parodie) in dem Stück zusammen; für den vorliegenden Zusammenhang relevant z. B. Plu. *glor. Athen.* 1, 345C; 5, 348C/D; 6, 348F.

[70] Str. 4, 1, 5: Δηλοῖ δὲ τὰ καθεστηκότα νυνί· πάντες γὰρ οἱ χαρίεντες πρὸς τὸ λέγειν τρέπονται καὶ φιλοσοφεῖν, ὥσθ' ἡ πόλις μικρὸν μὲν πρότερον τοῖς βαρβάροις ἀνεῖτο παιδευτήριον, καὶ φιλέλληνας κατεσκεύαζε τοὺς Γαλάτας, ὥστε καὶ τὰ συμβόλαια Ἑλληνιστὶ γράφειν· ἐν δὲ τῷ παρόντι καὶ τοὺς γνωριμωτάτους Ῥωμαίων πέπεικεν, ἀντὶ τῆς εἰς Ἀθήνας ἀποδημίας ἐκεῖσε φοιτᾶν, φιλομαθεῖς ὄντας („Die derzeitigen Gewohnheiten verdeutlichen das: Alle nämlich, die begabt sind, wenden sich der Rhetorik und der Philosophie zu. Und so hat die Stadt, die noch kurz vorher den Barbaren eine Grundschule entstehen ließ, die Galater zu Philhellenen gemacht, und sie schreiben selbst ihre Verträge auf Griechisch. Zur Zeit wenden sich selbst die angesehensten Römer, wenn sie bildungshungrig sind, dorthin, anstatt dass sie nach Athen gehen.“). Vgl. Dueck (2000) 12.

[71] Exemplarisch etwa Aulus Gellius; zu dessen Athenaufenthalt und dem Athenaufenthalt ande-

freundliche Kaiser für sich gewinnen.[72] Ursache sind in erster Linie die Zeugnisse der Vergangenheit und das Interesse an den Eleusinischen Mysterien, in die sich bereits Antonius, Augustus und in der Folge sehr viele Kaiser einweihen ließen; wenn dies nicht geschah, wird es wie im Falle Neros eigens erwähnt.[73] Hadrians Begeisterung für griechische Kultur war so groß, dass er Zeichen der Religion und Bildung auch nach Rom brachte, was in der Literatur seinen Niederschlag fand.[74]

Christliche Athenkritik. In den Jahrhunderten unserer Zeitrechnung kam das Christentum als eine Gruppe hinzu, die Athen und das Umfeld dieser Stadt in einem anderen Kontext sah. Was früher den Ruhm der Stadt und des Landes bedeutete, wurde ihr nun zum Vorwurf gemacht: Heimat berühmter Philosophen und der Bildung zu sein. Radikale Vorkämpfer für den neuen Glauben im Westen standen der Repräsentantin der Bildung im Osten geradezu feindlich gegenüber.[75]

rer Römer Holford-Strevens (1977) 94. 96 Anm. 15; Sandy (1993). Zu der Bedeutung des Titels *Noctes Atticae*, der vielleicht mit dem Ruf Athens als Bildungszentrum geworben oder sogar mit der Bekanntheit der Eleusinischen Mysterien gespielt hat, vgl. Vardi (1993) bzw. Korenjak (1998).

72 Zur Bedeutung Athens für Hadrian vgl. Willers (1990), bes. 98; Boatwright (2000) 144-157; s. oben Kapitel 3. 1. 2. 3.

73 Zu Antonius und Augustus Kienast (1993) 193 Anm. 14; 198. Allgemein Nilsson (1974) 345f. mit Literatur. Er nennt 93 andere „große Männer“ bereits der republikanischen Zeit, die sich in diese Mysterien einweihen ließen: Sulla, Cicero, Atticus. Zu Cicero und den Mysterien Boyancé (1973/74) 162-164.

74 Vgl. Aurel. Vict. *Caes.* 14, 1-4; Dio Cass. 73, 17, 4: Συναγαγὼν ἡμᾶς ἐς τὸ Ἀθήναιον καλούμενον ἀπὸ τῆς ἐν αὐτῷ τῶν παιδευομένων ἀσκήσεως („er führte uns in das sogenannte Athenaeum, das seinen Namen von der Ausbildung hat, die die genießen, die darin erzogen werden.“).

75 Tert. *apol.* 46, 18 (CCL 1, 162): *Adeo quid simile philosophus et Christianus, Graeciae discipulus et caeli, famae negotiator et salutis vitae, verborum et factorum operator, et rerum aedificator et destructor, et interpolator et integrator veritatis, furator eius et custos?* („Welche Ähnlichkeit besteht denn zwischen einem Philosophen und einem Christen, einem Schüler Griechenlands und einem des Himmels, einem Vertreter von Sagen und einem des Heils für das Leben, einem, der Worte macht, und einem, der handelt, einem Erbauer und einem Zerstörer, einem Verderber der Wahrheit und einem Vertreter der Wahrheit, zwischen ihrem Dieb und ihrem Wächter?“); mit Blick auf den Aufenthalt des Paulus in Athen *praescr.* 7, 8f. (CCL 1, 193): *Fuerat Athenis et istam sapientiam humanam affectatricem et interpolatricem veritatis de congressibus noverat, ipsam quoque in suas haereses multipartitam varietate sectarum invicem repugnantium. Quid ergo Athenis et Hierosolymis? quid academiae et ecclesiae? quid haereticis et Christianis?* („Er war in Athen gewesen und hatte bei den Zusammenkünften diese menschliche Weisheit kennengelernt, die Nachäfferin und Verderberin der Wahrheit, die selbst in ihre Schulen so zerteilt ist durch die Unterschiedlichkeit der Spaltungen, die sich einander widersprechen. Was hat also Athen mit Jerusalem zu tun? Was die Akademie mit der Kirche? Was haben Häretiker mit Christen zu tun?“) – Zur Formulierung Stanton (1973); zu einem philosophischen Interpretationsansatz, der weitere Zeugnisse Tertullians heranzieht, González (1974) 22f.; zur Einordnung in die altkirchliche Literatur Fiedrowicz (2002) 91-93. Laktanz (Anfang 4. Jahrhundert) meint von Platon, der die Seelenwanderungslehre des Pythagoras übernommen habe (*inst.* 3, 19, 21f. [CSEL 19, 244]): *Quanto sanius faceret, si gratias agere se diceret, quod ingeniosus, quod docilis natus esset, quod*

Der weitgehend erfolglose Aufenthalt des Paulus im ‘gelehrten’ Athen[76] sowie die fehlende Bildung der Apostel Jesu führte bei Christen nicht selten zu einem Gegensatz zwischen ungebildet und gebildet oder Christ und Nicht-Christ, wobei diejenigen, die Derartiges äußerten, meistens selbst der Mittel- bis Oberschicht entstammten und so eine umfassende Bildung in den freien Künsten und oft eine rhetorische Spezialausbildung durchlaufen hatten.[77]

Dieser Gegensatz wurde auch nach der staatlichen Anerkennung des Christentums als Religion zu Beginn des vierten Jahrhunderts beibehalten, jetzt allerdings auf einer anderen Ebene. Besonders im Westen ist die Bildungsfeindlichkeit – nunmehr nicht so sehr als Gegensatz zwischen Heidentum und Christentum, also in der Tendenz der Apologeten der ersten drei Jahrhunderte, sondern im Bemühen um das richtige Verständnis des christlichen Glaubens begründet – in den Exponenten der asketischen und monastischen Bewegung greifbar, z. B. in Hieronymus, dessen bekannter 22. Brief mit dem Gegensatz zwischen *Christianus* und *Ciceronianus*[78] hier als Beispiel genügen soll.

in iis opibus, ut liberaliter erudiretur! nam quod Athenis natus est, quid in eo beneficii fuit? an non plurimi extiterunt in aliis civitatibus excellenti ingenio atque doctrina viri, qui meliores singuli quam omnes Athenienses fuerunt? („Wieviel besser hätte er doch gehandelt, wenn er gesagt hätte, dass er dankbar dafür ist, dass er begabt, dass er lernfähig geboren worden ist, um frei gelehrt zu werden! Denn dass er in Athen geboren wurde, was ist daran denn gut? Oder gab es etwa nicht in anderen Städten sehr viele Männer von hervorragender Begabung und Lehre, die jeder für sich besser waren als alle Athener zusammen?“)

76 Vgl. unten Kapitel 4. 2. 3.

77 Dafür gibt z. B. der im zweiten Jahrhundert lebende Assyrer Tatian Zeugnis, der sogar seine eigene Ausbildung in den heidnischen Wissenschaften erwähnt, um seine Entscheidung für das Christentum in einen Gegensatz dazu zu bringen; erneut steht Athen als Exponentin der Wissenschaften, hier der Rhetorik und Philosophie (*orat.* 35, 2 [PTS 43, 66]): Διόπερ χαίρειν εἰπὼν καὶ τῇ Ῥωμαίων μεγαλαυχίᾳ καὶ τῇ Ἀθηναίων ψυχρολογίᾳ <καὶ τοῖς Ἑλλήνων> δόγμασιν ἀσυναρτήτοις, τῆς καθ’ ἡμᾶς βαρβάρου φιλοσοφίας ἀντεποιησάμην („Daher verabschiedete ich mich von dem Hochmut der Römer und den kalten Reden der Athener und den unschlüssigen Lehren der Griechen und wandte mich unserer barbarischen Philosophie zu.“). Klemens von Alexandrien spricht gar von einer durch die Menschwerdung Gottes vollzogenen Einswerdung von Christentum und Bildung, die durch Athen repräsentiert werde (*prot.* 112, 1 [GCS Clem. 1, 79]): Διό μοι δοκεῖ, ἐπεὶ αὐτὸς ἧκεν ὡς ἡμᾶς οὐρανόθεν ὁ Λόγος, ἡμᾶς ἐπ’ ἀνθρωπίνην ἰέναι μὴ χρῆναι διδασκαλίαν ἔτι, Ἀθήνας καὶ τὴν ἄλλην Ἑλλάδα, πρὸς δὲ καὶ Ἰωνίαν πολυπραγμονοῦντας. Εἰ γὰρ ἡμῖν [ὁ] διδάσκαλος ὁ πληρώσας τὰ πάντα δυνάμεσιν ἁγίαις (δημουργίᾳ, σωτηρίᾳ, εὐεργεσίᾳ· νομοθεσίᾳ, προφητείᾳ, διδασκαλίᾳ) πάντα νῦν ὁ διδάσκαλος κατηχεῖ, καὶ τὸ πᾶν ἤδη Ἀθῆναι καὶ Ἑλλὰς γέγονεν τῷ Λόγῳ („Daher scheint mir, da vom Himmel her das Wort selbst zu uns gekommen ist, dass wir nicht mehr zur menschlichen Weisheit gehen müssen, nach Athen und in das übrige Griechenland, und außerdem noch nach Ionien, indem wir viel Aufhebens machen. Denn wenn der unser Lehrer ist, der das All mit heiligen Mächten anfüllt, mit Schöpfung, Rettung, Wohltat, Gesetzgebung, Weissagung und Lehre, unterrichtet dieser Lehrer jetzt alles, und das All ist schon durch den ‘Logos’ zu Athen und Griechenland geworden.“).

78 Vgl. Hier. *epist.* 22, 30 (CSEL 54, 189-191).

Kaiserzeitliche laudes Athenarum. Lobeshymnen auf Athen, die die genannten Veränderungen unerwähnt lassen und in der Vergangenheit schwärmen, gibt es auch in den nachchristlichen Jahrhunderten noch; sie nehmen bewusst auf traditionelle Attribute Bezug. Beispielhaft sei Ailios Aristeides[79] herausgegriffen, der gegen Ende seines *Panathenaikos*, im Rückgriff u. a. auf Äußerungen Platons (πρυτανεῖον τῆς σοφίας: *Prot.* 337d 6) und Pindars (Ἑλλάδος ἔρεισμα: *Frg.* 76 Mähler), über Athen sagt:

Μόνῃ δ', ὡς ἔοικε, ταύτῃ πόλεων δύο τἀναντία συμβέβηκεν. πλεῖστά τε γὰρ καὶ κάλλιστα ἀνθρώποις εἴρηται περὶ ταύτης, καὶ οὐκ ἔστιν ἥτις ἐλαττόνων τετύχηκεν. πρὸ μὲν γὰρ τῶν ἄλλων τεθαύμασται, ἄξιον δ' αὐτῆς οὐδὲν ἤκουσεν. πρότερον μὲν οὖν ἠγάμην ἀκούων τὸ τῆς σοφίας πρυτανεῖον καὶ τὴν τῆς Ἑλλάδος ἑστίαν καὶ τὸ ἔρεισμα καὶ ὅσα τοιαῦτα εἰς τὴν πόλιν ᾖδετο, νῦν δέ μοι δοκεῖ πάντα ταῦτα εἴσω πίπτειν. ἀλλ' εἴ τινα χρὴ πόλιν θεῶν ὕπαρχον ἢ συγγενῆ προσειπεῖν ἢ τῆς φύσεως τῆς ἀνθρωπείας εἰκόνα καὶ ὅρον, ἥδ' ἄν μοι δοκεῖ δικαίως κληθῆναι.

„Mir scheint dieser Stadt allein Widersprüchliches widerfahren zu sein, hat sie doch das größte und schönste Lob von den Menschen erhalten, und gleichzeitig doch am wenigsten von allen erlangt. Denn sie wird zwar vor allen anderen bewundert, aber etwas, das ihrer würdig wäre, habe ich noch nicht gehört. Früher wunderte ich mich nämlich, als ich über sie hörte, sie sei der ‚Hauptsitz der Weisheit', der ‚Mittelpunkt' oder das ‚Fundament Griechenlands', und was sonst noch auf die Stadt gedichtet wurde. Doch jetzt scheint mir dies alles das Ziel zu verfehlen. Aber wenn man irgendeine Stadt ‚Statthalter' oder ‚Verwandte' der Götter nennen wollte oder ‚Muster' und ‚Vollendung der menschlichen Natur', schiene sie mir zu Recht so bezeichnet zu werden."[80]

Die ungebrochene Tradition der *laudes Athenarum* zeigt nicht nur der kaiserzeitliche Schriftsteller Ailios Aristeides, sondern auch ein Zeitgenosse der Kappadokier und möglicherweise einer ihrer Lehrer, nämlich der Rhetor Himerios.[81] In seinen Deklamationen und Reden sind nicht nur die traditionellen Athen-Topoi lebendig,[82] seine sechste Rede (Πολεμαρχικός) ist nichts anderes als ein Athenlob im klassischen Stil.

[79] Dihle (1989) 242 nennt ihn „Höhepunkt in der [sc. von der Zweiten Sophistik angestrebten] Virtuosität." Wilamowitz' Einschätzung oben S. 19 Anm. 1.

[80] *Or.* 1, 400f. Lenz.

[81] Ausführlich über Himerios Barnes (1987); allerdings ist 221 Anm. 71, wo Gregor von Nazianz und Basilius von Caesarea zu Brüdern gemacht werden, zu korrigieren.

[82] Vgl. z. B. *or.* 1, 2 Colonna (Freiheit); *or.* 2, 7. 10 Colonna (Gesetze der Athener; Freiheit); *or.* 3, 11 Colonna (Frömmigkeit); *or.* 5, 24 Colonna (Personen aus Mythos und Geschichte); *or.* 25, 54 Colonna (Philanthropie).

4. 1. 2. 2 Studieren in Athen: das vierte Jahrhundert

Pagane Berichte über das Studium in Athen: Libanios und Eunapios. Im vierten Jahrhundert stellt man in der gehobenen Gesellschaft des Ostens sowohl unter Heiden als auch unter Christen eine ungebrochene Begeisterung für Athen fest.[83] Libanios berichtet in seiner autobiographischen Rede,[84] wie in ihm das Interesse an der Rhetorik geweckt wurde. Nachdem er erst spät seine „heftige Liebe zur Kunst des Wortes“[85] entdeckt und mehrere Jahre in Antiochia Unterricht bei nach seinem Urteil wenig begabten Lehrern besucht hatte, hörte er einen Freund aus Kappadokien „über Athen und das Treiben dort“ erzählen, von Sophisten und deren Rededuellen.[86] Die Erzählungen über Sophisten und deren Wettstreit in der Redekunst, von denen auch die *Sophistenviten* des Philostrat berichten, haben bei dem jungen Libanios – so will er zumindest den Leser im Rückblick glauben machen – Interesse geweckt. Er ist seiner Autobiographie zufolge von den Berichten seines Freundes so beeindruckt, dass er sich entschließt, Heimat und Mutter zu verlassen und Athen zu besuchen.

Libanios hatte jedoch schon lange, bevor er die Reise dahin antrat, ein Bild von Athen. Dieses retrospektive Jugendbild schildert mit folgenden Worten:

Ἀκούων ἔγωγε ἐκ παιδός, ὦ ἄνδρες, τοὺς τῶν χορῶν ἐν μέσαις ταῖς Ἀθήναις πολέμους καὶ ῥόπαλά τε καὶ σίδηρον καὶ λίθους καὶ τραύματα, γραφάς τε ἐπὶ τούτοις καὶ ἀπολογίας καὶ δίκας ἐπ᾽ ἐλέγχοις πάντα τε τολμώμενα τοῖς νέοις, ὅπως τὰ πράγματα τοῖς ἡγεμόσιν αἴροιεν, ἀγαθούς τε αὐτοὺς <ἐν> τοῖς κινδύνοις ἡγούμην δικαίους τε οὐχ ἧττον τῶν ὑπὲρ τῶν πατρίδων τιθεμένων

„Von Kind auf, ihr Männer, hatte ich von den Kämpfen der Studentengruppen mitten in Athen gehört, von Knütteln, Eisen und Steinen, von Verletzungen, von gerichtlichen Klagen deswegen, von Verteidigungen und Verurteilungen nach Beweisverfahren; hatte gehört, dass die Schüler alles wagten, um ihren Meistern noch mehr Studenten zuzutreiben; ich betrachtete sie als Helden in Gefahren und Kämpfer in gerechter Sa-

[83] Vgl. zu Athen als Studienort Demandt (1995) 675-678.

[84] Lib. *or.* 1.

[85] Καί με εἰσήρχετο δριμύς τις ἔρως τῶν λόγων (Lib. *or.* 1, 5; Übersetzung von Wolf [1967]).

[86] Lib. *or.* 1, 11: Ἦν γάρ τις ἑταῖρος ἐμοὶ Καππαδόκης, Ἰασίων ὄνομα αὐτῷ, βραδέως μὲν ἥκων ἐπὶ λόγους, φιλοπονίᾳ δέ, εἴπερ τις ἄλλος, ἡδόμενος – οὗτος ὁ Ἰασίων, ἃ παρ᾽ ἀνδρῶν πρεσβυτέρων Ἀθηνῶν τε πέρι καὶ τῶν αὐτόθι δρωμένων ἐδέδεκτο καθ᾽ ἡμέραν ὡς εἰπεῖν πρὸς ἐμὲ ἐμυθολόγει Καλλινίκους τέ τινας καὶ Τληπολέμους ἑτέρων τε οὐκ ὀλίγων σοφιστῶν διηγούμενος σθένος λόγους τε οἷς ἀλλήλων ἐκράτησάν τε καὶ ἐκρατήθησαν, ὑφ᾽ ὧν τις ἐπιθυμία τοῦ χωρίου κατελάμβανέ μοι τὴν ψυχήν („Nun hatte ich einen Kameraden aus Kappadokien mit Namen Iasion. Er hatte sich spät zur Rhetorik entschlossen, doch arbeitete er gern und fleißig wie kaum ein anderer. Dieser Iasion erzählte mir sozusagen tagtäglich Geschichten, wie er sie von älteren Männern gehört hatte, über Athen und das Treiben dort. Von einem Kallinikos, einem Tlepolemos, von der Wortgewalt so vieler Sophisten dort und von den Reden, die Sieg oder Niederlage gebracht hatten, berichtete er mir. Davon ergriff ein Verlangen nach dieser Stätte meine Seele.“ Übersetzung von Wolf [1967]).

τὰ ὅπλα εὐχόμην τε τοῖς θεοῖς γενέσθαι καὶ ἐμαυτῷ τοιαῦτα ἀριστεῦσαι καὶ δραμεῖν μὲν εἰς Πειραιᾶ τε καὶ Σούνιον καὶ τοὺς ἄλλους λιμένας νέων ἐφ' ἁρπάγῃ τῆς ὁλκάδος ἐκβάντων, δραμεῖν δὲ ὑπὲρ τῆς ἁρπαγῆς αὖθις εἰς Κόρινθον κριθησόμενον, δεῖπνα δὲ δείπνοις συνείροντα ταχὺ τῶν ὄντων ἀνηλωμένων εἰς δανείσοντα βλέπειν.

che nicht minder als alle Vaterlandsverteidiger; ich betete zu den Göttern, es möchte mir vergönnt sein, ebenfalls solche Heldentaten zu vollbringen, nämlich in den Piräus, nach Sunion und in die anderen Häfen zu laufen, um Schüler zu kapern, die dort an Land gingen, und dann wieder wegen dieses Menschenraubes nach Korinth zur Gerichtsverhandlung, im Übrigen Gelage an Gelage zu reihen und, wenn meine Mittel über kurzem aufgebraucht wären, nach einem Darlehen Ausschau zu halten.“[87]

Soweit Libanios über seine Erwartungen an Athen. Man kann aus diesen Berichten zwei Motive für den Gang nach Athen erschließen: 1) das Wissen um die berühmten Sophisten und Rhetoren; 2) die Begeisterung für das ‘Studentenleben’ in Athen und den Eifer, möglichst viele Neuankömmlinge für „den Meister“ zu gewinnen.[88] Letzteres hat Libanios schon als Kind gehört, der Ruhm der Sophisten wurde ihm erst in den Tagen seines Unterrichts in Antiochia bekannt. Ungeachtet der Tatsache, dass es sich um eine retrospektive Darstellung handelt, ist die Abfolge nachvollziehbar: Das draufgängerische Verhalten der Rhetorikschüler beeindruckt eher ein Kind, das Urteil über die Qualität von Professoren und der Wunsch, bessere Lehrer zu erhalten, stehen eher einem jungen Erwachsenen an, der bereits Unterrichtserfahrungen sammeln konnte.

Ferner gibt Libanios auch einen Hinweis, der für die Quellen der kappadokischen Kirchenväter über Athen von besonderer Bedeutung ist, wenn er sagt, er habe seine Informationen von einem Kappadokier erhalten. Diese und weitere Andeutungen des Libanios legen es nahe, dass zahlreiche Kappadokier Athen als Studienort wählten und nach dem Ende ihrer Ausbildung renommierte Lehrstühle

[87] Lib. *or.* 1, 19. Übersetzung von Wolf (1967).

[88] Im Anschluss an die *or.* 1, 19 genannten Kenntnisse und Erwartungen schildert Libanios, wie ihm selbst als Neuankömmling das widerfährt, was er an Neuankömmlingen zu tun wünschte; er zeigt zwar zunächst Unzufriedenheit über die Zerstörung seiner Pläne durch den Zwang, der ihm von Seiten einer Landsmannschaft widerfahren ist, betrachtet dies aber im Nachhinein als Fügung der Tyche (*or.* 1, 20-24). Zum Studentenleben in Athen vgl. Libanios' eigene Angaben *or.* 1, 16f. 20-23; Gr. Naz. *or.* 43, 15-24; Olympiodor.: Phot. *Bibl.* 80, 60b 14-30. Siehe auch Eggersdorfer (1903); Schemmel (1908); Müller (1910) sowie Buck (1987) über die Ankunft des Eunapios in Athen. Noch in jüngerer Zeit wurde Athen mit seinem (zumindest spätantiken) ‘Studentenleben’ durch Vergleiche aus der Neuzeit beschrieben: „romantisches Heidelberg des 4. Jahrhunderts, […] Festung feierlicher Rhetorik und unbeschwerten Studentenlebens“ (Beck [1977] 5).

oder hohe politische Funktionen einnehmen konnten,[89] so dass in Kappadokien Athen auch aus diesem Grund nicht selten Gesprächsthema gewesen sein dürfte.

Berichte über das Studium in Athen, wie sie oben der Kappadokier Iasion in der autobiographischen Rede des Libanios verbreitete, haben Parallelen in einer Zusammenstellung von Sophistenviten, die aus der zweiten Hälfte des vierten Jahrhunderts stammt. Ihr Autor, Eunapios aus Sardes, berichtet in seinen βίοι σοφιστῶν καὶ φιλοσόφων ausführlich über das Leben herausragender Persönlichkeiten, sowie – wiederum autobiographisch – über das Leben der Studenten und vor allem deren Aufnahmeriten in die Schülerschaft eines bestimmten Rhetors.[90] Dabei lässt Eunapios es nicht unerwähnt, dass die Sophisten in Athen mitunter kein leichtes Leben hatten: Es gab zuweilen derartige Unruhen zwischen Bürgern und Schülern, dass die Lehrer kaum noch in die Stadt gingen, um zu unterrichten oder Vorträge zu halten, sondern in ihren Privathäusern mit den Schülern den Unterricht durchführten.[91] Das Bild der Stadt ist ohnehin in den Augen des Eunapios ein stetiger Abstieg, der mit der Ermordung des Sokrates begonnen hat. Allerdings ist der Abstieg Athens symptomatisch, denn mit Athen begann der Untergang ganz Griechenlands (διὰ τὴν πόλιν τὰ τῆς Ἑλλάδος ἅπαντα συνδιεφθάρη).[92] Gleichwohl ist Athen Hochburg heidnischer Bildung und Kultur, und es gilt als Besonderheit, wenn ein Mann, der nicht in Athen war, zu einem anerkannten Sophisten avancierte, wie dies bei Nymphidianos der Fall war.[93]

Auch Eunapios bezeugt, dass es berühmte Lehrer aus Kappadokien gab, so etwa den Neuplatoniker Aidesios und den Rhetor Julian. Daneben steht schließlich die Rede des Himerios an einen Schüler aus Kappadokien.[94]

Christliche Erwartungen: Gregor von Nazianz. Bei den drei kappadokischen Kirchenvätern lässt sich lediglich aus den autobiographischen Gedichten Gregors von Nazianz sowie aus seiner Leichenrede auf Basilius ein Bild erschließen, das den Gang nach Athen begründen kann.

In seinem großen autobiographischen Rückblick (*carmen* 2, 1, 11)[95] schildert Gregor von Nazianz, dass ihn bereits in sehr jungen Jahren die Liebe zu den Re-

[89] Etwas später (Lib. *or.* 1, 35) findet Libanios in Konstantinopel den Lehrstuhl von einem Kappadokier besetzt, und in *or.* 1, 66 ist von einem Statthalter in der Provinz Kappadokien die Rede, der ebenfalls in Athen studiert hat. Vgl. unten S. 149 zu Julian und Prohairesios.

[90] Eun. *VS* 10, 1, 4-14 .

[91] Eun. *VS* 9, 1, 6.

[92] Eun. *VS* 6, 2, 6.

[93] Eun. *VS* 18, 1.

[94] *Or.* 18; vgl. unten S. 148 Anm. 127. Zu Himerios als Zeugen für das Leben in der Hochschulstadt Athen und für das spätantike Hochschulwesen Völker (2002).

[95] Zum Charakter dieses Gedichtes vgl. Jungck (1974) 13-16; Misch (1950) 621f. Da das Gedicht als „Selbstverteidigung“ (Jungck [1974] 13) gegenüber der (christlichen) Gemeinde von Konstantinopel und vor allem gegenüber den im Jahre 381 dort versammelten Konzilsvätern

den ergriffen habe;[96] alle weiteren Angaben sind sehr stark von der späteren Entwicklung seiner Persönlichkeit und dem apologetischen Charakter des Werkes geprägt. So macht er „ungeordnete Antriebe“[97] dafür verantwortlich, dass er zu einer ungünstigen Jahreszeit aus Alexandria[98] aufbrach und so bei der Überfahrt nach Athen in ein heftiges Unwetter geriet;[99] er vergleicht sich mit einem Pferd, das zum Lauf losstürmt und „voller Drang“ (πλέως θυμοῦ)[100] ist. Wissensdurst und Liebe zu den Reden lassen den jungen Gregor nach Athen gehen, vielleicht auch deshalb, weil die Orte, an denen er bisher studiert hatte, seine Erwartungen nicht befriedigten. Immerhin sieht er auch dieses heftige Verlangen nach noch mehr heidnischer Bildung, die Ereignisse auf hoher See und gerade den Aufenthalt in Athen als Fügungen des Gottes, dem er bereits im Mutterschoß geweiht worden war und der ihn auf diese Weise für sich gewinnen sollte,[101] und zwar als so wichtige Fügungen, dass sie unbedingt erwähnt werden müssen.[102]

im Jahre 382 (ebd. 13 mit Anm. 1) verfasst ist, sind die Begründungen für den Besuch der antiken Bildungsstätten vielfach aus dieser apologetischen Tendenz heraus zu verstehen (etwa die Absicht, „die Bastardbildung [d. i. heidnische Bildung] der echtbürtigen [d. i. christliche Bildung] zur Helferin zu geben“, 113f. in der Übertragung von Jungck, oder die Bezeichnung der Ereignisse bis zum Ende des Athen-Aufenthalts als ἐγγυμνάσματα [„Spielereien“], 275, vgl. Misch [1950] 623). Es ist im Übrigen „die einzige erhaltene Selbstbiographie in der griechischen Dichtung“ (Niedermeier [1919] 33). Eine englische Übersetzung neueren Datums findet sich bei White (1996), eine französische bei Lukinovich (1997).

96 Gr. Naz. *c.* 2, 1, 11, 112f.: Ἄχνους παρειά, τῶν λόγων δ' ἔρως ἐμέ / θερμός τις εἶχε („Bartlos die Wange, hielt mich bereits eine heiße Sehnsucht nach den Reden“). Nach Niedermeier (1919) 25 Anm. 3 ist die Erwähnung des beginnenden Bartwuchses topisch; ebenso verweist Niedermeier (1919) bei der Erwähnung des θερμὸς ἔρως λόγων auf Men. Rhet. 371, 24, wo im weiteren Verlauf folgende Aspekte zu loben empfohlen wird: φιλομαθεία, ὀξύτης, ἡ περὶ τὰ μαθήματα σπουδή, ἡ ῥᾳδία κατάληψις („Wissensdurst“, „schnelle Auffassungsgabe“, „Lerneifer“, „gutes Verständnis der Lernstoffe“. Vgl. ferner den Hinweis bei Niedermeier [1919] 35 auf Men. Rhet. 371, 29f.: Κἂν μὲν ἐν λόγοις ᾖ καὶ φιλοσοφίᾳ καὶ λόγων γνώσει, τοῦτο ἐπαινέσεις [„Wenn er ‘studiert’ und Philosophie und Rhetorik betrieben hat, sollst du auch das lobend erwähnen.“]). Für die Anführung berühmter Bildungsstätten in autobiographischer Dichtung (vgl. Niedermeier [1919] 20) können z. B. Hor. *epist.* 2, 2, 41-45 (Rom und Athen: *Adiecere bonae paulo plus artis Athenae* [„Athen trug ein wenig mehr zur Kunst bei“]) und Ov. *trist.* 4, 10, 16 (Rom) genannt werden.

97 Ὁρμαῖς ἀτάκτοις (Gr. Naz. *c.* 2, 1, 11, 122, hier wiedergegeben in Anlehnung an Jungck [1974]). Dies ist nicht auf ein ‘wildes’ Studentenleben in Alexandria zu beziehen (McGuckin [2001b] 47 mit Anm. 47), sondern auf seinen unüberlegten Aufbruch aus dieser Stadt.

98 Dort hatte auch sein Bruder Kaisarios studiert, wahrscheinlich mit medizinischem Schwerpunkt; vgl. Gr. Naz. *or.* 7, 6, 9-11 und 7, 8, 16.

99 Gr. Naz. *c.* 2, 1, 11, 124-210; vgl. *or.* 18, 31 (PG 35, 1024f.); zu dem Motiv der Seefahrt bei Gregor vgl. Lorenz (1979), zur Stelle 234f.; Freise (1983).

100 Vgl. Gr. Naz. *c.* 2, 1, 11, 123.

101 Vgl. Gr. Naz. *c.* 2, 1, 11, 103: Κρύψω τὰ θαύμαθ', οἷς με προύτρεψεν θεός („verschweigen will ich die Wunder, durch die mich Gott antrieb.“). Interessant ist die Parallele zu dem bereits zitierten Bericht des Libanios, der die eigentlich negativen Umstände seines Athen-Aufenthaltes als Fügungen der Tyche bezeichnet (vgl. unten S. 171 mit Anm. 32).

102 Vgl. Vers 111: Ὃ δ' οὖν ἀνάγκη, γνωρίσω τοῖς πλείοσιν („Das Nötige will ich also einer größeren Menge bekannt machen.“). Zur These einer Taufe in Athen unten S. 157f.

Auch in seiner Trauerrede auf Basilius, wahrscheinlich am dritten Todestag gehalten, spricht Gregor von Nazianz Erwartungen an den Besuch Athens an.[103] Eingangs dieser ungewöhnlich langen Rede[104] würdigt er den Anlass und schildert Herkunft und Familie des Verstorbenen (Gr. Naz. *or.* 43, 1-10). Als Einleitung für den Hauptteil der Rede und gleichsam programmatisch heißt es dann weiter:

Οἶμαι δὲ πᾶσιν ἀνωμολογῆσθαι τῶν νοῦν ἐχόντων παίδευσιν τῶν παρ' ἡμῖν ἀγαθῶν εἶναι τὸ πρῶτον. Οὐ ταύτην μόνην τὴν εὐγενεστέραν καὶ ἡμετέραν, ἣ πᾶν τὸ ἐν λόγοις κομψὸν καὶ φιλότιμον ἀτιμάζουσα μόνης ἔχεται τῆς σωτηρίας καὶ τοῦ κάλλους τῶν νοουμένων, ἀλλὰ καὶ τὴν ἔξωθεν, ἣν οἱ πολλοὶ χριστιανῶν διαπτύουσιν ὡς ἐπίβουλον καὶ σφαλερὰν καὶ Θεοῦ πόρρω βάλλουσαν, κακῶς εἰδότες.

„Ich glaube, alle, die Verstand haben, stimmen darin überein, dass Bildung das erste der Güter ist, die bei uns liegen. Und zwar nicht nur die edle und [eigentlich] unsere, die alles Gekünstelte und Ehrliebende in den Reden unberücksichtigt lässt und sich nur am Heil und der Schönheit der Überlegungen festhält, sondern auch die der Welt, die die meisten Christen ablehnen, als ob sie hinterlistig, verwerflich und von Gott wegführend sei. Sie haben keine Ahnung davon."[105]

Gregor stellt an den Beginn seines Hauptteils eine Verteidigung der 'heidnischen' Bildung (ἡ ἔξωθεν παίδευσις), auf die er dann die einzelnen Abschnitte des Bildungsweges seines verstorbenen Freundes folgen lässt: die Erziehung durch den Vater, die Zeiten in Caesarea (Pontos) und dann in Konstantinopel.[106]

Als er zum Bericht über den Athenaufenthalt kommt, sagt er, von Konstantinopel aus sei Basilius von Gott und einer Begierde nach Wissen zum Ursprung und Fundament[107] der Rede und Wissenschaft geschickt worden:

Ἐντεῦθεν ἐπὶ τὸ τῶν λόγων ἔδαφος, τὰς Ἀθῆνας, ὑπὸ τοῦ Θεοῦ πέμπεται καὶ τῆς καλῆς περὶ τὴν παίδευσιν ἀπληστίας, Ἀθήνας τὰς χρυσᾶς ὄντως ἐμοὶ καὶ τῶν καλῶν προξένους εἴπερ τινί. Ἐκεῖναι γάρ μοι τὸν ἄνδρα τοῦτον ἐγνώρισαν τελεώτερον.

„Von da aus wurde er von Gott und seiner schönen Begierde nach Bildung zum Ursprung der Redekunst geschickt, in das wahrhaft goldene und für Schönes förderliche Athen, wenn für jemanden, dann für mich. Denn jene Stadt war es, die es mir ermöglichte, diesen Mann besser kennenzulernen."[108]

[103] Vgl. zum Folgenden auch Rousseau (1994) 36-40.

[104] Hürth (1907) 56-62 nimmt eine gesprochene und daneben die vorliegende schriftliche Fassung an. 58f.: „Hanc quam ipse habuit orationem, postea Gregorius elegantissime elaboratam atque amplissime auctam edidit; quae orationis recensio ad nos pervenit."

[105] Gr. Naz. *or.* 43, 11, 1-7.

[106] Gr. Naz. *or.* 43, 12f.

[107] Die Wiedergabe des Begriffs ἔδαφος im Zusammenhang mit dem folgenden τῶν λόγων ist problematisch; Röhm übersetzt 1877 „die Heimath und den Wohnsitz der Wissenschaften;" Bernardi 1992 „la patrie de l'éloquence." Zur Grundbedeutung vgl. aber Frisk (1973) 1, 441 s. v.: „Grund, Boden, Fuß-, Erdboden."

[108] Gr. Naz. *or.* 43, 14, 4-9.

Später wird Gregor generell davon sprechen, dass er und sein Freund aus Liebe zur Bildung (παίδευσις) aus dem Vaterland aufgebrochen seien.[109] Er wiederholt dies erneut, nachdem er ein Streitgespräch zwischen Basilius und armenischen Rhetorik-Schülern in Athen geschildert hat: Basilius sei nach diesem Streit niedergeschlagen und in seinen Erwartungen von Athen enttäuscht worden. „Er suchte noch, was er gehofft,"[110] sagt Gregor von Basilius, und er selbst, Gregor, habe seinen verzweifelten Freund getröstet und ihm erläutert, dass „das Wissen denen, die es wollen, sich nicht nach wenigen Proben und in kurzer Zeit zeige."[111]

Erwerb von Bildung an diesem Hort der Weisheit ist dennoch gesichert, dort liegt ihr Fundament. Dies weist auf den Bildungs-Topos des Athenlobs hin, der sich von den ersten Epitaphien an durch die ganze Entwicklung des Lobes dieser Stadt[112] verfolgen lässt.

Motive ganz anderer Art nennt Gregor von Nazianz in seinen Reden gegen Julian.[113] Er unterstellt dem Apostaten zwei unterschiedliche Beweggründe, warum er nach Athen gekommen sei. Den einen nennt er „anständig", εὐπρεπέστερος – es ist dasselbe Motiv, weswegen auch Gregor selbst nach Athen gekommen war: der Besuch Griechenlands und seiner Bildungsstätten.[114] Das andere Motiv wird mit

[109] Gr. Naz. *or.* 43, 15, 3: κατ' ἔρωτα τῆς παιδεύσεως. Vgl. auch Gr. Naz. *or.* 43, 14, 9f.: Λόγους ἐπιζητῶν εὐδαιμονίαν ἐκομισάμην („Auf der Suche nach der Rhetorik habe ich mir Glückseligkeit verschafft."); 43, 20, 5f.: Ἴσαι μὲν ἐλπίδες ἦγον ἡμᾶς πράγματος ἐπιφθονωτάτου, τῶν λόγων („Uns trieben die gleichen Hoffnungen auf eine Sache an, die mit dem Neid verbunden ist: die Hoffnungen auf Reden." In Anlehnung an die französische Übersetzung J. Bernardis in seiner Ausgabe von 1992).

[110] Gr. Naz. *or.* 43, 18, 11: Ἐζήτει τὸ ἐλπισθέν (hier in der Übertragung von Röhm). Zu dem Ereignis siehe unten S. 154.

[111] Gr. Naz. *or.* 43, 18, 16f.: λέγων [...] οὔτε παίδευσιν τοῖς πειρωμένοις ἐξ ὀλίγων τε καὶ ἐν ὀλίγῳ γνωρίζεσθαι.

[112] Schon vorher Hdt. 1, 60, 3: [...] οὗτοι ἐν 'Αθηναίοισι τοῖσι πρώτοισι λεγομένοισι εἶναι Ἑλλήνων σοφίην μηχανῶνται τοιάδε („[...] diese planten das bei den Athenern, denen doch nachgesagt wird, sie seien, was Weisheit angeht, die ersten unter den Griechen."). Zum Epitaphios des Perikles bei Thukydides oben S. 135 Anm. 64. Isoc. 4, 48: [...] καὶ λόγους ἐτίμησεν, ὧν πάντες μὲν ἐπιθυμοῦσι, τοῖς δ' ἐπισταμένοις φθονοῦσι, συνειδυῖα μὲν ὅτι τοῦτο μόνον ἐξ ἁπάντων τῶν ζῴων ἴδιον ἔφυμεν ἔχοντες („[...] und [sc. die Stadt Athen] hat Reden geehrt, nach denen alle streben und um die alle diejenigen beneiden, die sie halten; sie war sich bewusst, dass wir allein von allen anderen Lebewesen dieses [sc. Reden halten] als von der Natur mitgegeben vermögen"); ebd. 50: [...] καὶ μᾶλλον Ἕλληνας καλεῖσθαι τοὺς τῆς παιδεύσεως τῆς ἡμετέρας ἢ τοὺς τῆς κοινῆς φύσεως μετέχοντας („[...] und eher werden die als Griechen bezeichnet, die an unserer Bildung teilhaben, als die, die die gleiche Natur haben"); Schröder (1914) 23f. Vgl. zu diesem Topos auch Men. Rhet. 360, 17-24.

[113] Vgl. allgemein Moreschini (1975) und Bernardi (1976).

[114] Gr. Naz. *or.* 5, 23, 7: καθ' ἱστορίαν τῆς Ἑλλάδος καὶ τῶν ἐκεῖσε παιδευτηρίων („um Griechenland zu sehen und die Bildungsstätten dort"); ob es sich bei dem ersten Teil um eine Art touristisches Interesse gehandelt hat? Der klassische Ausdruck wäre zwar θεωρία, aber ἱστορία drückt wohl dasselbe aus. Vgl. Rutherford (2001) 43f. 47f.; nach Van Dam (2002) 201f. möchte Gregor Julian jedes Interesse an griechischer Kultur, gemeint ist Bildung, absprechen; so weit wollte Gregor jedoch vielleicht nicht gehen.

dem Prädikat ἀπορρητότερος („geheim", „unsagbar") bezeichnet, und es sei nur wenigen bekannt gewesen:[115] der Besuch heidnischer Priester sowie anderer „Betrüger", mit denen der Apostat zusammen sein wollte.[116]

Insgesamt lässt sich aus diesen Angaben ersehen, dass Athen für Gregor von Nazianz in seiner Jugend, aber auch noch später, wenn er sich im Alter von über fünfzig Jahren an seine Jugendzeit erinnert, als ἔδαφος τῶν λόγων galt. Dies war ein wichtiger Beweggrund für den Besuch Athens. Gregor von Nazianz und Basilius hatten sogar die Vorstellung, es sei in Athen möglich, sich *mehr* Wissen als an anderen Bildungsstätten anzueignen, und wenn man die Dauer des Aufenthalts der beiden Kirchenväter in Athen betrachtet,[117] scheinen sie in ihrer Hoffnung nicht ganz getäuscht worden zu sein.

Für diese Hoffnung gab es zum einen 'traditionelle' Gründe. Hinweise auf den Ruhm Athens in der Vergangenheit findet man auch bei dem Sophisten Libanios, der die Stadt „das Auge Griechenlands" und „Mutter des Platon, des Demosthenes und der Weisheit in tausend Gestalten" nennt.[118] Doch Gregor von Nazianz lobt in der Leichenrede auf Basilius auch Konstantinopel: „Durch den Besitz der tüchtigsten Philosophen und Lehrer der Beredsamkeit war sie [sc. die Stadt Konstantinopel] berühmt,"[119] sagt er von der neuen Hauptstadt des Ostens. Gregor weiß dies zum Zeitpunkt seiner Rede auf Basilius von Bekannten und Verwandten (Kaisarios,[120] der allerdings schon gestorben war; Basilius von Caesarea) oder aus eigener Anschauung (er hatte sich von 379-381 in Konstantinopel aufgehal-

[115] Gr. Naz. *or.* 5, 23, 8: οὐ πολλοῖς γνώριμος.

[116] Gr. Naz. *or.* 5, 23, 8-10: [...] ὥστε τοῖς ἐκεῖ θύταις καὶ ἀπατεῶσι περὶ τῶν καθ' ἑαυτὸν συγγενέσθαι, οὔπω παρρησίαν ἐχούσης τῆς ἀσεβείας („um bei den Priestern dort und Scharlatanen, die sich mit seinen Angelegenheiten beschäftigten, in die Schule zu gehen, zu einer Zeit, als seine Gottlosigkeit noch nicht die [spätere] Offenheit [erreicht] hatte."). Zu dem Begriff συγγίγνεσθαι vgl. unten S. 159.

[117] Vgl. die Zeittafel bei Jungck (1974); er setzt fünf Jahre (340-345) für die ersten drei Studienorte Gregors von Nazianz und zehn Jahre (345-355/6) für Athen an; vgl. McGuckin (2001b) viii, der ebenfalls 10 Jahre (348-358) notiert. Da sich Basilius und Gregor in Gregors erstem und letzten Studienort trafen, muss für den späteren Bischof von Caesarea in etwa das gleiche gelten (er kam allerdings nach Gregor in Athen an und reiste vor Gregor wieder ab).

[118] Lib. *or.* 18, 27 (von Julian): [...] ἐρῶντα τῆς Ἑλλάδος καὶ μάλιστα δὴ τοῦ τῆς Ἑλλάδος ὀφθαλμοῦ, τῶν Ἀθηνῶν („[...] der Griechenland liebte und am meisten das Auge Griechenlands, Athen"); *or.* 18, 28: πρὸς τὴν τῆς Ἀθηνᾶς πόλιν, τὴν μητέρα Πλάτωνος καὶ Δημοσθένους καὶ τῆς ἄλλης τῆς πολυειδοῦς σοφίας („zur Stadt Athenes, der Mutter Platons und des Demosthenes und der übrigen mannigfaltigen Weisheit"; Übersetzung von Hertzberg [1875] 320); vgl. zu Libanios und Athen auch Markowski (1910) 126-132.

[119] Gr. Naz. *or.* 43, 14, 2f.: Καὶ γὰρ ηὐδοκίμει σοφιστῶν τε καὶ φιλοσόφων τοῖς τελεωτάτοις, Übersetzung von Röhm; vgl. Hertzberg (1875) 321 Anm. 65. Es ist allerdings auffallend, dass die Formulierung in der Vergangenheit steht (ηὐδοκίμει) und Basilius sich dort ἐν βράχει χρόνῳ τὰ κράτιστα συνελέξατο („in kürzester Zeit das Wichtigste auswählte"), was ihm nachher in Athen nicht mehr möglich war. Zum Verhältnis Athen-Konstantinopel Schlange-Schöningen (1995) 1f.; zum Lob Konstantinopels bei Gregor von Nazianz vgl. ebd. 4f.

[120] Vgl. Wittig (1981) 237 Anm. 30.

ten).[121] Dass Gregor die Qualität der Professoren an Konstantinopel hervorhebt,[122] weist auf einen anderen Umstand hin: Gerade lehrende Sophisten und Philosophen waren in der Spätantike vielfach Themen mehr oder weniger umfangreicher Darstellungen, die auf schriftlicher und mündlicher Tradition beruhen,[123] wie der bereits erwähnte Eunapios, ein etwas jüngerer Zeitgenosse der Kappadokier,[124] in der Einführung zu seinen *Sophistenviten* erzählt. Daher war das Athenbild der Kappadokier in ihrer Jugend und der Zeit auf den anderen höheren Schulen auch durch kursierende Berichte über in Athen lehrende Sophisten geprägt (wie es auch bei den Jugenderlebnissen des Libanios der Fall war).[125]

Über welche Lehrer die Kappadokier Informationen erhalten hatten, wessen Schüler sie vielleicht werden wollten, ist unklar. Der Kirchenhistoriker Sokrates nennt die Sophisten Prohairesios und Himerios; Einiges spricht für die Richtigkeit, doch sollte die Angabe in Anbetracht mancher Fehlangaben des Gewährsmannes nicht ganz fraglos hingenommen werden.[126] Dass Himerios später tatsächlich ein Lehrer der beiden war, ist zwar unbeweisbar, aber nicht unwahrscheinlich, zumal er, wie bereits angedeutet, Kappadokier in seinem Schülerkreis hatte.[127] Auf Prohairesios hat Gregor ein Epitaphium[128] geschrieben und bezeugt

[121] Dass die Rede nach dem Aufenthalt in Konstantinopel verfasst worden ist, und zwar zu Beginn des Jahres 382, weist Hürth (1907) 59-62 anhand der Scholien nach: „Ergo oratio Kalendis Ianuariis anni 382 habita et initio eiusdem anni edita est" (62); Gregor von Nazianz hielt sich von 379-381 in Konstantinopel auf, vgl. Wittig (1981) 31-40; Ullmann (1867) 106. Zu den Bedingungen, unter denen die Rede verfasst worden sein kann, s. Norris (2000) 143f.

[122] Allerdings musste auch Konstantinopel als Ort der Ausbildung des Verstorbenen durch Prädikate ausgezeichnet werden; dies hatte Gregor schon im Falle Caesareas getan.

[123] Eun. *VS* 1, 6: Οὔτε τὰ ἀπὸ τῶν πρότερον γραφέντων λήσεται τοὺς ἐντυγχάνοντας, οὔτε τὰ ἐξ ἀκοῆς ἐς τόνδε καθήκοντα τὸν χρόνον („[...] und weder wird den Lesern das verborgen bleiben, was die Früheren geschrieben haben, noch das, was vom Hörensagen auf diese Zeit gekommen ist."). Vgl. Penella (1990) 23.

[124] Vgl. Penella (1990) 2, der das Geburtsjahr des Eunapios auf 347/348 ansetzt.

[125] Vgl. oben S. 141 und Schemmel (1922).

[126] Socr. *h. e.* 4, 26, 6 (GCS N. F. 1, 260); wie bereits Ullmann (1867) 22 Anm. 2 festgestellt hat, „charakterisiren sich Socrates Angaben über Gregorius als nicht ganz zuverlässig;" so ist die im gleichen Satz stehende Angabe, beide hätten nach ihrem Aufenthalt in Athen den Sophisten Libanios in Antiochia in Syrien gehört, heute als falsch erkannt worden (vgl. z. B. Fedwick [1981] 5f. mit Anm. 19); gleichwohl ist die Aussage Gr. Naz. *or.* 43, 22, 9-11: Παρὰ τοσούτοις μὲν γὰρ οἱ ἡμέτεροι παιδευταὶ παρ' ὅσοις 'Αθῆναι, παρὰ τοσούτοις δὲ ἡμεῖς παρ' ὅσοις οἱ παιδευταί („Denn bei allen, bei denen man von Athen sprach, sprach man auch von unseren Lehrern, und von uns sprachen alle, die von unseren Lehrern sprachen.") mit der Berühmtheit der beiden Lehrer sehr gut in Einklang zu bringen und auch von daher der Unterricht der beiden Kirchenväter bei ihnen wahrscheinlich. Vgl. auch Sozom. *h. e.* 6, 17 (GCS N. F. 4, 258f.). Spekulativ erscheint die Schilderung bei McGuckin [2001b] 60-62 über das Verhältnis zwischen Gregor von Nazianz und seinen Lehrern.

[127] Dass die Rede auf seinen ersten Schüler aus Kappadokien (Him. *Or.* 18) auf einen der beiden Kappadokier oder auf beide gehalten worden sein soll (so Bernardi [1992] 158 Anm. 1), scheint nicht nur unbeweisbar, sondern aufgrund der eben *nicht* geringen Anzahl von Schülern aus Kappadokien in Athen wenig wahrscheinlich (vgl. oben).

[128] Gr. Naz. *epitaph.* 5 (PG 38, 13); der Text unten S. 247f.

somit die enge Beziehung zu diesem Sophisten und vielleicht auch seine Schülerschaft. Es ist außerdem anzunehmen, dass gerade wegen der Herkunft des Lehrers des Prohairesios, des ebenfalls in Athen als Rhetorik-Lehrer tätigen und aus Kappadokien stammenden[129] Julian, über diesen berühmten Lehrer und über dessen ebenso berühmten Schüler[130] in seiner Heimat Berichte umgingen. So ist z. B. bemerkenswert, dass gerade der von Libanios erwähnte Umstand, dass man sich als Rhetor oder als dessen Schüler auch vor dem Richterstuhl des Prokonsuls in Korinth wiederfinden könne,[131] auch über den Rhetor Julian berichtet wird, der zusammen mit Prohairesios in diese Situation geraten sein soll.[132] Wenn ferner Eunapios in seiner Erzählung über den Sophisten Prohairesios sagt, „dem Prohairesios" habe „der ganze Pontos und die dort in der Nachbarschaft liegenden Gebiete die Schüler zugeführt,"[133] so kann dies als Hinweis dafür gelten, dass einerseits das Athenbild der Kappadokier in ihrer Jugend von Erzählungen über den Kappadokier Julian sowie dessen Schüler Prohairesios beeinflusst worden war und dass zum anderen auch Gregor von Nazianz und Basilius von Caesarea diesen Lehrer besuchten. Ferner wird die ebenfalls bekannte Zugehörigkeit des Prohairesios zum christlichen Bekenntnis[134] ein Anlass mehr für die Söhne aus christlichen Familien gewesen sein, zu diesem Rhetor zu gehen.[135]

Eine weitere Quelle für das Athenbild zumindest des Basilius war seine Bekanntschaft mit Libanios, der sich vor seiner Lehrtätigkeit in Konstantinopel, wo Basilius ihn wahrscheinlich kennenlernte und bei ihm studierte,[136] in Athen aufge-

[129] Eun. *VS* 9, 1, 1.

[130] Zum Verhältnis zwischen Julian und Prohairesios vgl. z. B. Eun. *VS* 9, 2, 13-21; zu möglichen Verbindungen des Prohairesios mit Kappadokien vgl. Penella (1990) 83f.

[131] Vgl. Lib. *or.* 1, 19, oben S. 141f.

[132] Eun. *VS* 9, 2, 1-21. Zum Wahrheitsgehalt dieser 'Anekdote' vgl. auch Brown (1995) 62f.

[133] Eun. *VS* 10, 3, 12: [...] Προαιρεσίῳ δὲ ὁ Πόντος ὅλος καὶ τὰ ἐκείνῃ πρόσοικα τοὺς ὁμιλήτας ἀνέπεμπεν, ὥσπερ οἰκεῖον ἀγαθὸν τὸν ἄνδρα θαυμάζοντες.

[134] Eun. *VS* 10, 8, 1 ist sehr zurückhaltend in bezug auf diese Aussage; doch die Tatsache, dass Prohairesios gerade während der Regierungszeit des Julian nicht unterrichtete (Ἰουλιανοῦ δὲ βασιλεύοντος, <ἐν> τόπῳ τοῦ παιδεύειν ἐξειργόμενος (ἐδόκει γὰρ εἶναι χριστιανός) – „Als Julian regierte, wurde er aus dem Bereich der Erziehung ausgeschlossen [er schien nämlich Christ zu sein]." Später wird dargestellt, wie Prohairesios erneut unterrichtet, 10, 8, 3), das Zeugnis des Hieronymus (Eus. *Chr.* 242, 24-243, 1 Helm [Olymp. 285, 3 = 363 n. Chr.]) legen eine Zugehörigkeit zum christlichen Glauben sehr nahe (Penella [1990] 92f., der ebd. bedenkenswerte Zweifel am Zeugnis des Hieronymus äußert). Jede weiter gehende Aussage entbehrt jedoch einer textlichen Grundlage, wie z. B. der Satz, es „kann nicht bezweifelt werden, dass Prohairesios eine herausragende Persönlichkeit der christlichen Kirche in Athen war" (McGuckin [2001] 62). Er war ein herausragender Rhetor in Athen, der möglicherweise auch Christ war – mehr kann man nicht sagen.

[135] Für diese Überlegung ist der Hinweis von Liebeschuetz (1991) 866 darauf, „daß die Schüler nicht auf eine Institution, sondern zu einem bestimmten Rhetor geschickt wurden," von Bedeutung; ferner ist auf die anscheinend nicht immer freie Wahl des Studienortes durch die Schüler hinzuweisen (Lib. *Ep.* 715).

[136] Dass Basilius Schüler des Libanios war, setzt Gr. Nyss. *ep.* 13 voraus; Fedwick (1991) 5f. (mit Anm. 19) setzt Konstantinopel als Ort für diese Begegnung an, Hauschild (1990) 4 lässt

halten hatte (vgl. oben). Das Athenbild des Libanios lässt sich aus verschiedenen seiner Texte erschließen; seine autobiographische Rede (*or.* 1) und vor allem einige seiner Briefe lassen erkennen, dass er gern an die Zeit in Athen zurückdenkt und selbst das Treiben der Schüler, dem er ja auch einst ausgesetzt war, mit Gelassenheit hinnimmt.[137]

4. 1. 2. 3 Das christliche Athen-Erlebnis

Die wahrhaft goldene Stadt. Begeisterung und Hoffnungen. Die 43. Rede des Gregor von Nazianz vermittelt eindrucksvoll sowohl seine freilich stets retrospektiven eigenen Eindrücke als auch die seines Freundes Basilius.

Er zeichnet Athen im Rahmen der Ankunft mit drei Prädikaten aus. Über den Begriff des ἔδαφος τῶν λόγων wurde oben gesprochen.[138] In dem dort zitierten Abschnitt werden ferner zwei Eigenschaften genannt, die Athen zukommen: Athen ist die „wahrhaft goldene Stadt," und diese Stadt ist πρόξενοι τῶν καλῶν.

Die Bezeichnung Athens als χρυσαῖ bedarf der Interpretation, denn sie lässt sich nicht auf ein direktes oder eindeutig identifizierbares Vorbild zurückführen.

Etwas als 'wahrhaft golden' zu bezeichnen, scheint eine Redensart zu sein, die möglicherweise auf die klassische Zeit zurückgeht. In Platons *Phaidros* verspricht die Titelgestalt, ein Standbild aus Gold nach Delphi zu schicken, das das Gewicht von Phaidros und Sokrates zusammen haben soll, falls Sokrates in der Lage ist, die zuvor gehörte Lysias-Rede durch eine eigene zu übertreffen. Scherzhaft antwortet Sokrates auf das Versprechen, Phaidros sei ein äußerst freundlicher Mensch und „wahrhaftig aus Gold" (φίλτατος εἶ καὶ ὡς ἀληθῶς χρυσοῦς[139]), wenn er glaube, dass er, Sokrates, etwas vollkommen anderes als das, was Lysias in seinem λόγος ἐρωτικός zuvor gesagt hatte, zum Besten geben könne. Die hier offensichtlich ironische Anspielung auf die von Phaidros erwähnte goldene Statue hat sich vielleicht verselbständigt. Jedenfalls findet man später öfter, vornehmlich bei christlichen Schriftstellern, den Ausdruck, etwas sei wahrhaft golden, meist im Rückgriff auf antike Vorlagen, so wenn Klemens von Alexandrien in Anlehnung an Hesiod und Platon von dem 'wahrhaft goldenen Geschlecht' spricht[140] und

die Möglichkeit zu, schließt aber andere nicht aus. Vgl. die Literatur bei der Behandlung des Briefwechsels zwischen Libanios und Basilius (unten Kapitel 4. 2. 1. 4).

[137] Vgl. Lib. *epp.* 962; 1458; in *ep.* 715 allerdings will er verhindern, dass ein Student nach Athen geht, vor allem wegen gewisser Vorbehalte gegen dort lehrende Professoren, zu denen auch Prohairesios gehört haben mag (vgl. Fatouros / Krischer [1980] 297f. Anm. 4). Dieser Brief ist aber erst im Jahr 362 (ebd. 296) geschrieben, also einige Jahre nach dem Aufenthalt der beiden Kappadokier in Athen. Zur kritischen Haltung des Libanios zur neu entstehenden 'Bildungsmetropole' vgl. Schlange-Schöningen (1995) 2. Zu seiner ebenso uneinheitlichen Haltung gegenüber Athen vgl. Rousseau (1994) 29f.

[138] Vgl. oben S. 145 mit Anm. 107.

[139] Pl. *Phdr.* 235e 2; vgl. 236b 3 mit Heitsch (1997) 82 Anm. 111.

[140] Vgl. Clem. *str.* 4, 4, 2 (GCS Clem. 2, 249) mit Pl. *R.* 5, 468e 5f. Vgl. auch die Vorstellung

Gregor der Wundertäter in seiner Dankrede auf Origenes das „wahrhaft goldene Antlitz der Gerechtigkeit" im Rückgriff auf Euripides erwähnt.[141]

Will man nun nach Vorbildern schauen, auf die sich Gregor bezieht, sind nur Vermutungen möglich:

1) Der Ausdruck kann nicht auf reiche Goldvorkommen anspielen: In Athen ebenso wie in ganz Griechenland war Gold nur in geringem Maß zu finden und die Vorkommen schon früh vollständig ausgebeutet.[142] Dagegen wird Alexandria als „golden" bezeichnet;[143] von dort wurde dieses Metall nach Rom eingeführt. Es ist denkbar, dass Gregor mit Bezug auf seinen Wechsel von Alexandria nach Athen diese Stadt mit dem Prädikat 'golden' belegt, indem er den materiellen Charakterzug Alexandrias zugunsten der wahrhaft (ὄντως) goldenen Stadt Athen im übertragenen Sinn abwertet. Diese Qualität (golden) kommt Athen erst durch die dort entstandene nähere Bekanntschaft mit Basilius zu.[144]

von den Herrschern in der Stadt, denen der formende Gott Gold bei der Entstehung beigemischt hat (*R.* 3, 415a 1-c 7).

141 Greg. Thaum. *or.* 12, 16-18 (SC 148, 156); vgl. Eur. *Melanippe* = *Frg.* 486 Nauck^2. Andere Stellen finden sich bei Joh. Chrys. *inan. glor.* 28, 370f. (SC 188, 114), wo Chrysostomos das Wesen eines Kindes mit einer 'wahrhaft goldenen Stadt' vergleicht, und Gr. Naz. *or.* 21, 6, 4-12, wo in der Lobrede auf Athanasios Gregor an diesem lobt, dass er das Studium des Alten und Neuen Testaments mit einem 'wahrhaft goldenen Band' verbunden habe. Der Ausdruck 'goldene Stadt' wird offenbar für Athen stehend, denn in byzantinischer Zeit kann er sich von Athen auf Konstantinopel übertragen, vgl. Fenster (1968) 209. 214.

142 Vgl. Gross (1967) sowie Horn (1981) 900 und Day (1942) 212; für Gold als Anreiz, einen Ort aufzusuchen, vgl. Hdt. 8, 144, 1.

143 Ath. 1, 36, 20b (1, 44 Kaibel); es handelt sich dort um einen Preis Roms. Verschiedene Städte haben Prädikate: Rom gilt als ἐπιτομὴ τῆς οἰκουμένης, Alexandria als χρυσῆ, Antiochia als καλή, Nikomedia als περικαλλής; Athen wird dort mit einem Dichterzitat genannt: τὴν λαμπροτάτην πόλεων πασῶν ὁπόσας Ζεὺς ἀναφαίνει. Welcher Herkunft die Prädikate im Einzelnen sind, lässt sich nicht genau klären. Auch Desrousseaux / Astruc (1956) 45f. können Anm. 4 nur bemerken: „Les qualifications de chacune doivent avoir été tirés d'auteurs que citait, ou au moins mentionnait l'Athénée complet." Ferner wird *Il.* 11, 45f. Mykene als πολύχρυσος („goldreich") bezeichnet (vgl. noch Him. *or.* 27, 26).

144 Vgl. Gr. Naz. *or.* 43, 14, 8: Ἐκεῖναι γάρ μοι τὸν ἄνδρα τοῦτον ἐγνώρισαν („Denn jene Stadt ließ mich die Bekanntschaft mit diesem Mann machen."). Wollte man dennoch einen historischen Bezugspunkt für die vorliegende Stelle anführen, wird man sich auf die seit Thukydides (1, 6, 3) bezeugten goldenen Haarspangen in Zikadenform berufen, die die Athener früher getragen haben sollen. Die genaue Form dieses Schmucks und seine Bedeutung sind umstritten; vgl. Gomme (1945) 101-105. Eine Reminiszenz an ein 'goldenes' Zeitalter legt Gomme ebd. 104 nahe, Hornblower (1991) 26 versteht die Zikadenform als Ausdruck der Autochthonie (vgl. Davies / Kathirithamby [1986] 125f.). Die Erzählung ist noch in der zweiten Sophistik verbreitet (vgl. Luc. *Nav.* 3), ebenso in der christlichen Literatur (vgl. Clem. *paed.* 2, 105, 3 [GCS Clem. 1, 220]). Philostr. *Im.* 2, 17 (2, 366 Kayser) heißt es, der Drache auf der Akropolis habe das Volk der Athener wegen des Goldes geliebt, das sie sich in Zikadenform auf das Haupt hefteten ([...] καὶ ὁ δράκων δὲ ὁ τῆς Ἀθηνᾶς ὁ ἔτι καὶ νῦν ἐν ἀκροπόλει οἰκῶν δοκεῖ μοι τὸν Ἀθηναίων ἀσπάσασθαι δῆμον ἐπὶ τῷ χρυσῷ, ὃν ἐκεῖνοι τέττιγας ταῖς κεφαλαῖς ἐποιοῦντο). Auch Gregor versteht die Zikaden als Zeichen der Autochthonie, vgl. Gr. Naz. *c.* 2, 2, 4, 130f.: Κεκροπίδαι τέττιγα πλόκων ὕπερ υἱέα γαίης / γηγενέες („Die erdgeborenen Kekropskinder [sc. tragen] die Zikade, das

2) Es kann auch ein anderes literarisches Vorbild ausgemacht werden: Im ersten Stasimon des *Oidipus auf Kolonos* des Sophokles, das dem ankommenden Oidipus seine neue Heimat vorstellt, sind zwei Attribute Komposita von χρυσός. In der ersten Antistrophe heißt es, auf dem Kolonos-Felsen bei Athen blühe der χρυσαυγὴς κρόκος (685), und weder Musen noch Aphrodite seien diesem Platz abgeneigt; Aphrodite wird näher bezeichnet als ἁ / χρυσάνιος 'Αφροδίτα (692f.).[145] Während bei Sophokles das Wechselspiel zwischen Leben und Tod mit diesen Ausdrücken dargestellt werden soll,[146] ein Aspekt, der bei Gregor von Nazianz keine Rolle spielt, ist die Ankunft das beide Werke verbindende Element. Bei der Ankunft schimmert in beiden Fällen Athen golden dem Fremden entgegen.

3) Eine weitere Interpretation der Bezeichnung Athens als „golden" lässt sich aus einem Vergleich herleiten, der Gold und wahre Freundschaft in Verbindung bringt. Bereits bei den lateinischen Schriftstellern der späten Republik und der frühen Kaiserzeit war die Feuerprobe das, was wahre Freundschaft und das Edelmetall miteinander verbindet.[147] Auch bei den Kirchenvätern steht Gold als Beispiel für Reinheit. Augustinus stellt Gold im übertragenen Sinn als das Material dar, das die Anfechtungen der Welt übersteht.[148] Dies kann insofern als Parallele angesehen werden, als Gregor auch die Gefahren Athens betont, denen viele junge Rhetorik-Schüler erliegen, denen Basilius und er selbst aber den christlichen Glauben entgegenhalten.

4) Ferner zieht auch der Apostat Julian einen ähnlichen Vergleich (Athen – Gold) und liefert auch das Vorbild mit, wenn er von seinem Gang nach Athen sagt:

'Απιὼν δὲ ἐπὶ τὴν Ἑλλάδα πάλιν, ὅτε με φεύγειν ἐνόμιζον πάντες, οὐχ ὡς ἐν ἑορτῇ τῇ μεγίστῃ τὴν τύχην ἐπαινῶν ἡδίστην ἔφην εἶναι τὴν ἀμοιβὴν ἐμοὶ καὶ τὸ δὴ λεγόμενον

Χρύσεα χαλκείων ἑκατόμβοι' ἐννεαβοίων[149]

ἔφην ἀντηλλάχθαι; Οὕτως ἀντὶ τῆς

„Als ich aber nach Griechenland wegging, als alle glaubten, ich flöhe, sagte ich da nicht, während ich wie bei dem größten Fest mein Schicksal lobte, dass der Wechsel mir äußerst angenehm ist, und sagte ich nicht, dass ich, wie das Sprichwort sagt, goldene (Waffen) gegen eherne, hundert Rinder gegen neun getauscht habe? So sehr freute ich mich, als ich anstelle meines

Kind der Erde, auf dem Haar."). Der Komödiendichter Platon bezeichnet Athen als sein 'mit Gold bestirntes Vaterland" ('Αθῆναι ... χρυσάμπυκες): *Frg.* 217 Kassel-Austin.

145 Vgl. die Kommentare von Campbell (1874), Jebb (1928) und Kamerbeek (1984) sowie die älteren kommentierten Ausgaben von Masqueray (1924) und Schneidewin / Nauck (1909) ad loc. Zu weiteren Parallelen mit dieser Sophokles-Tragödie bei Gregor von Nazianz vgl. unten S. 248-252.

146 So McDevitt (1972) 234 mit Anm. 12.

147 Horn (1981) 913f.; Cic. *fam.* 9, 16, 2; Ov. *trist.* 1, 5, 25f.

148 Horn (1981) 920; Aug. *serm.* 62, 7, 12 (PL 38, 420); *in psalm. 36 enarr.* 1, 11 (CCL 38, 345).

149 *Il.* 6, 236.

ἐμαυτοῦ ἑστίας τὴν Ἑλλάδα λαχὼν ἐγαννύμην, οὐχ ἀγρόν, οὐ κῆπον, οὐ δωμάτιον ἐκεῖ κεκτημένος.	Heimes Griechenland erhalten hatte, obwohl ich dort kein Land, keinen Garten, kein Haus besaß."[150]

Sollte Gregor von Nazianz in ähnlicher Weise auf den Rüstungstausch des sechsten Buches der *Ilias* anspielen (*Il.* 6, 232-236), so wäre dennoch, wie anfangs angedeutet, das materiell 'goldene' Alexandria, sein vorheriger Aufenthaltsort, dem wahrhaft goldenen Athen gegenübergestellt.[151]

Keine der hier angeführten Lösungen befriedigt für sich allein. Eine Entscheidung, welcher der vorgeschlagenen Interpretationen an der vorliegenden Stelle der Vorzug einzuräumen ist, scheint endgültig nicht möglich. Es ist am wahrscheinlichsten, dass Gregor von Nazianz verschiedene Aspekte miteinander verbindet.

Ähnlich schwierig ist es, die Bezeichnung Athens als πρόξενοι τῶν καλῶν zu erklären; die Belege für adjektivischen Gebrauch mit Genitiv finden sich insgesamt erst ab der Kaiserzeit.[152] Es ist im vorliegenden Fall nicht die Einrichtung der Proxenie gemeint, sondern πρόξενος ist vielmehr in seinem ursprünglichen Sinne zu verstehen.[153] Die ganze Stadt scheint hier die Funktion des ξένος für Gregor zu übernehmen, d. h. sie fungiert „πρὸ ξένου, 'statt des Gastfreundes.'"[154] Da es die Aufgabe des Proxenos ist, „seinen Schützlingen zur Erreichung bestimmter Ziele zu verhelfen,"[155] lässt sich die Formulierung Gregors so verstehen: Athen verhalf ihm zur Freundschaft mit Basilius, womit die Stadt sich einerseits als Vertreterin seiner Interessen erweist, auch wenn ihm das vor dieser Bekanntschaft noch nicht klar war, und andererseits als Hüterin des Gastrechts. Dies ist insofern bemerkenswert, als die Erwähnung von Fremden und des Umgangs mit Fremden in einer Stadt ein Topos des Städtelobs ist[156] und gerade Athen traditionell eine Offenheit im Umgang mit Fremden zugeschrieben wurde.[157]

[150] Jul. *ad Them.* 6, 260a/b (2, 1, 20 Rochefort); vgl. Van Dam (2002) 168.

[151] Der im weiteren Verlauf der Beschreibung des Athenaufenthaltes von Gregor von Nazianz gebrauchte Ausdruck „goldene Pfeiler" (Gr. Naz. *or.* 43, 20, 1f.; vgl. Pi. *O.* 6, 1-3. Vgl. auch unten S. 201) ist nicht weiterführend.

[152] LSJ 1492 s. v. III nennt noch Alkiphron 3, 72, Rufus *Frg.* 64, 1 (331 Daremberg / Ruelle), Olympiodor. *in Mete.* 1, 1 (Commentaria in Aristotelem Graeca 12, 2, 3, 19-21); vgl. Niesler (1981) 9. Für Parallelen bei Gregor, bei dem πρόξενος zu den „Lieblingswörtern" (Kertsch [1983] 175) gehört, vgl. Kertsch ebd.

[153] Vgl. Nieslers (1983) sprachgeschichtliche Untersuchungen 12-46, bes. sein Ergebnis 45f. Er schlägt 45 als Grundbedeutung vor: „einer, der die Funktion des Xenos im Interesse eines anderen übernimmt."

[154] Gschnitzer (1973) 632; vgl. Risch (1959) 38.

[155] Gschnitzer (1973) 633.

[156] Vgl. Men. Rhet. 363, 7-10. Beispiele in der frühgriechischen Dichtung bei Kienzle (1936) 77f.

[157] Vgl. den Kommentar von Pfister (1951) 114f. zu Herakleides (Kretikos / Kritikos) Fragment I 2 (Text bei Pfister [1951] 72) sowie die angegebenen Referenzstellen (z.B. Isoc. 4, 41f.; Str. 10, 3, 18); Nock (1954) 77-79.

Bei dem bereits erwähnten Streitgespräch[158] zwischen Basilius und einer Gruppe von Armeniern war auch Gregor von Nazianz anwesend. Der Disput war nach Gregor aus dem Neid der Armenier auf das Talent des Basilius entstanden, das dieser auch offen zur Schau getragen haben muss.[159] Gregor selbst habe zunächst auf der Seite der Armenier gestanden, und er gibt zwei Gründe dafür an: Er sei φιλαθήναιος („Athen-Liebhaber") und μάταιος („töricht") gewesen. Er war selbst von der Begeisterung über Athen gefangen wie die anderen Rhetorik-Schüler und gleichzeitig ärgerlich, dass der Ruhm Athens vernichtet und verachtet würde,[160] als jene, die den Vorzug Athens zu verteidigen vorgaben, in diesem Disput zu unterliegen drohten. Nachdem er im Verlauf der Auseinandersetzung die wahren Motive der Armenier erkannt zu haben glaubte, er sich auf die Seite des Basilius schlug und sie gemeinsam die gegnerische Gruppe besiegten, warf diese ihm vor, einen Verrat verübt zu haben, und zwar „begangen nicht bloß an ihnen, sondern an Athen selbst."[161]

Gregor bekennt also Fehler: Er ist seinem späteren Freund zunächst in den Rücken gefallen, und er war vor Athen-Begeisterung blind. Wenn er sich in einem Atemzug als φιλαθήναιος[162] und μάταιος bezeichnet und man berücksichtigt, dass in den vorherigen Zeilen die Begeisterung der Studenten für ihren Lehrer und die Aufnahmeriten in einen der χοροί geschildert werden, scheint Gregor sich in die Gruppe der πλεῖστοι καὶ ἀφρονέστεροι („meisten Unvernünftigen") einzureihen, deren νόμος ... ἀττικός („attischen Brauch") er zuvor geschildert hatte,[163] wobei er sich weniger die Zuneigung zu einem Rhetor als zu der Stadt

[158] Gr. Naz. *or.* 43, 17f.

[159] Die Armenier ertrugen es nicht, dass ein Neuling in Athen ihnen, die schon länger den Unterricht in Athen besuchten, überlegen war. Gr. Naz. *or.* 43, 17, 14-16: δεινὸν γὰρ εἶναι, εἰ προειληφότες τοὺς τρίβωνας καὶ λαρυγγίζειν προμελετήσαντες, μὴ πλέον ἔχοιεν τοῦ ξένου τε καὶ νεήλυδος („Es sei nämlich schlimm, wenn sie, die schon früher den Tribon erhalten hatten und früher Redeübungen begonnen hatten, einem Fremden und Neuankömmling nicht überlegen wären.").

[160] Gr. Naz. *or.* 43, 17, 18-20: Καὶ γὰρ ἐζηλοτύπουν τὸ τῶν Ἀθηνῶν κλέος ἐν ἐκείνοις καταλυθῆναι καὶ τάχιστα περιφρονηθῆναι („und sie ereiferten sich nämlich, dass der Ruhm Athen in ihnen aufgelöst und in kürzester Zeit verachtet würde.")

[161] Gr. Naz. *or.* 43, 18, 2-4: πολλὰ δὲ τῆς ἐπιβουλῆς ἐμοὶ δυσχεράναντες ὡς [...] καὶ προδοσίαν ἐπικαλεῖν οὐκ ἐκείνων μόνον, ἀλλὰ καὶ αὐτῶν Ἀθηνῶν.

[162] Zu φιλαθήναιος Landfester (1966) 160f., dessen als Ergebnis formulierte Bedeutung (φιλαθήναιος bezeichne „nicht in erster Linie eine affektische Zuneigung, sondern eine tatkräftige Hilfe und Unterstützung") hier nicht trifft; dieses Wort erscheint insbesondere von Nicht-Athenern, vgl. MacDowell (1971) zu Ar. *V.* 282: „φ. is a word used not of patriotic Athenians, but of foreigners friendly to Athens"; Starkie (1909) zu Ar. *Ach.* 142: „a political catch-word 'pro-Attic'". Das Wort sonst bei D. 19, 308; Plu. *Anton.* 23, 2; Luc. *Dem. Enc.* 42. Unsicherer Beleg (Buchtitel [?] des Hegesias von Magnesia [?]) bei Text 11, 8 in Maiuri (1925). Bemerkenswert: Die Bewohner von Saïs gelten Pl. *Ti.* 21e 6f. als μάλα φιλαθήναιοι; vgl. oben S. 40f.

[163] Vgl. zu diesen Vorgängen die Schilderung des Libanios, oben S. 141f. mit Anm. 88. Die Erwähnung des νόμος durch Gregor ist einerseits notwendig zur Erklärung des Verhaltens der

vorwirft. Durch Basilius wurde er – so hat es den Anschein – wieder zur Besinnung gerufen. Basilius sieht sich ebenfalls durch diesen Vorfall in seinen Hoffnungen enttäuscht;[164] was er gesucht hatte, hat er noch nicht gefunden und nennt Athen „eine leere Seligkeit."[165]

Was sich Basilius erhofft hatte, ist nicht eindeutig; Gregor bezieht die Äußerung auf Bildung und Freundschaft, doch Basilius kann auch das Verhältnis zu den erwähnten Armeniern meinen, die ihm bereits von Hause aus bekannt waren.[166]

Ausführlich wird von Gregor der Eifer des Basilius für die verschiedenen Wissenschaften dargelegt:[167] für Rhetorik (ῥητορική), Grammatik (γραμματική[168]), Philosophie (φιλοσοφία[169]), Astronomie (ἀστρονομία), Geometrie (γεωμετρία) und Arithmetik (ἀριθμῶν ἀναλογία), schließlich sogar Medizin (ἰατρική[170]).

Armenier, andererseits gehört die Erwähnung derartiger Bräuche zur Darstellung von Städten: Vgl. Men. Rhet. 363, 11-14, der die Darstellung der Gesetze nicht mehr für erforderlich hält, da ohnehin überall römisches Recht herrsche. Von den Bräuchen sagt er hingegen: ἔθεσι δ' ἄλλη πόλις ἄλλοις χρῆναι, ἐξ ὧν προσῆκεν ἐγκωμιάζειν („jede Stadt hat andere Sitten, von denen her sie gelobt werden soll."). Daher wird der Brauch hier auch eigens als ἀττικός bezeichnet; eine paraphrasierende Wiedergabe der relevanten Abschnitte aus Gregors 43. Rede bei Bernardi (1990).

164 Vgl. oben S. 146.

165 Gr. Naz. *or*. 43, 18, 11f.: Κενὴν μακαρίαν τὰς Ἀθήνας ὠνόμαζεν. Luc. *Nav*. 12: Οὐδὲν, ὦ θαυμάσιε, τοιοῦτον, ἀλλά τινα πλοῦτον ἐμαυτῷ ἀνεπλαττόμην, ἣν κενὴν μακαρίαν οἱ πολλοὶ καλοῦσιν, καί μοι ἐν ἀκμῇ τῆς περιουσίας καὶ τρυφῆς ἐπέστητε. („Nichts Derartiges, oh Erstaunlicher, aber ich hatte mir einen Reichtum ausgemalt, was man so als leere Seligkeit bezeichnet, und ihr standet mir auf der Höhe meines Besitzes und meines Luxus zur Seite."). Vgl. Luc. *Herm*. 71; LSJ 1073 s. v. μακαρία; Husson (1970) zu Luc. *Nav*. 12; Bühler (1999) 291: „felicitatem ab hominibus vana spe sibi fictam significant verba κενὴ μακαρία aetate imperatorum Romanorum vulgo dicta."

166 Vgl. Gr. Naz. *or*. 43, 17, 6-8: τῶν ἐκ πλείονος αὐτῷ συνήθων καὶ φίλων τινὲς ἔτ' ἐκ τοῦ πατρὸς καὶ τῆς ἄνωθεν ἑταιρίας („von denen, die von alters her mit ihm verwandt und befreundet waren, noch aus dem Kreis um seinen Vater und von früher her").

167 Gr. Naz. *or*. 43, 23, 15-34. Indem Gregor diese Studieninhalte des Basilius nennt, erwähnt er gleichzeitig deren Vorhandensein in Athen, vgl. Men. Rhet. 360, 17-24. Vgl. Ruether (1969) 24: „It was a commonplace of the encomium to exaggerate the person's academic accomplishments and dilate on his mastery of all branches of learning."

168 Als Wirkungen gelten: (reine) griechische Sprache (γλῶσσαν ἐξελληνίζει), der Zusammenhalt der Erzählung (ἱστορίαν συνάγει), das Beherrschen der Metrik (μέτροις ἐπιστατεῖ), die Kenntnis der Gesetzmäßigkeit der Gedichte (νομοθετεῖ ποιήμασι).

169 Unterteilt in praktische (πρακτική) und theoretische (θεωρητική) Philosophie sowie Dialektik (ὅση τε περὶ τὰς λογικὰς ἀποδείξεις ἢ ἀντιθέσεις ἔχει καὶ τὰ παλαίσματα, ἣν δὴ διαλεκτικὴν ὀνομάζουσιν); diese Erläuterung macht deutlich, dass mit der Charakterisierung der φιλοσοφία als ὑψηλή („hoch" 43, 23, 19) an dieser Stelle nicht die christliche Interpretation dieses Begriffes gemeint ist (vgl. Malingrey [1961] 220f.).

170 Unterteilt in ὅση περὶ τὸ φαινόμενον ἔχει καὶ κάτω κείμενον („was mit den Erscheinungen und den Niederungen zu tun hat") und ὅσον δογματικὸν καὶ φιλόσοφον („was Lehre und Theorie betrifft"). Basilius beschäftigte sich lediglich mit dem letzteren Bereich. Interessant ist eine bei Hadot (1984) 269 zitierte Galen-Stelle (*Protr*. 5, 7 [106, 26-107, 6 Marquardt]), die all diese Bereiche dem „Chor" zuweist, der dem Gott Hermes am nächsten steht; die Rhetorik fehlt allerdings dabei. Hadot (1984) 269f.: „Ces trois chœurs ou cercles

Wenn Gregor von dem Tag des Abschieds aus Athen berichtet, wird deutlich, dass er der größere Bewunderer Athens ist, und man kann erahnen, dass ihn diese Stadt noch im Alter in ihrem Bann hält: Als objektive und allgemeingültige Aussage merkt er an, es gebe für niemanden etwas Schlimmeres als für die dort Verbundenen, von Athen und voneinander getrennt zu werden.[171] Und so bleibt er auch, nachdem er von seinen Freunden[172] überredet worden ist, länger dort als Basilius, der sich den Klagen und Bitten der Kommilitonen erfolgreich widersetzen kann.

Noch später, in einem Gedichtpaar, das sich mit der höheren Ausbildung beschäftigt, wird 'automatisch' Athen genannt als eine, und zwar die erste mögliche Wahl für einen Studienort. Im Namen seines Neffen bittet Gregor dessen Vater um die Erlaubnis, an einer der großen Bildungszentren seiner Zeit Unterricht zu nehmen;[173] der Vater[174] antwortet in einem „Loblied auf die Bildung",[175] er solle gehen, wohin er wolle: An erster Stelle der dann aufgezählten Möglichkeiten steht Athen (Ἀτθὶς ... ἀηδονίς[176]), dann folgen „Berytos oder Alexandrien."[177]

Dass aber auch Basilius auf seine Ausbildung stolz war und sich nicht, wie es von Gregor und Basilius selbst dargestellt wird, gleich nach dem Verlassen Athens dem asketischen Leben hingab, bezeugt Gregor von Nyssa: Er spricht von Hochmut, den Basilius nach der Rückkehr von seinen Studienaufenthalten an den Tag gelegt habe,[178] und erwähnt gleichzeitig die Lehrtätigkeit als Rhetor, wenn er, nach seinen Lehrern in der Rhetorik gefragt, auf den Unterricht hinweist, den er bei seinem Bruder besucht habe.[179] Was Gregor von Nyssa kritisierend anmerkt, ruft bereits bei der Ankunft des Basilius in Athen den Neid der anderen hervor; Gregor von Nazianz beschreibt diese Eigenschaften positiv.[180] Für Gregor von

concentriques s'éloignent progressivement par rapport à leur centre en fonction de leur degré de participation à la raison, symbolisée par Hermès-Logos."

171 Gr. Naz. *or.* 43, 24, 7-9: Οὐδὲν γὰρ οὕτως οὐδενὶ λυπηρὸν ὡς τοῖς ἐκεῖσε συννόμοις Ἀθηνῶν καὶ ἀλλήλων τέμνεσθαι („Es gibt nichts Schlimmeres für die dort Vereinigten, als von Athen und voneinander getrennt zu werden.").

172 Gr. Naz. *or.* 43, 24, 10: ὁ τῶν ἑταίρων καὶ ἡλίκων χορός.

173 Gr. Naz. *c.* 2, 2, 4. Näheres zu den Gedichten Gregors von Nazianz unten Kapitel 4. 1. 2. 1.

174 Dass Gregor der Verfasser dieses Gedichtes ist, wird neuerdings allgemein vertreten: vgl. Pyykkö (1991) 43-47; Wyss (1962) 19 Anm. 46; Hauser-Meury (1960) 131 Anm. 256. Das 'Argumentum' der PG (37, 1521) hingegen bemerkt über das Gedicht, „quod ab ipso [sc. Nicobulo patre] conditum fuisse credere nihil vetat."

175 Pyykkö (1991) 44 über Gr. Naz. *c.* 2, 2, 5.

176 Vielleicht eine Anspielung auf die sagenhafte Verwandlung der Prokne, der Tochter des Tereus, in eine Nachtigall; vgl. Schröder (1914) 22 Anm. 2; unten S. 242-244.

177 Wyss (1962) 6.

178 Gr. Nyss. *VSM* 6, 2-8; unten S. 170.

179 Gr. Nyss. *ep.* 13, 4.

180 Vgl. Gr. Naz. *or.* 43, 16, 30-36: αἰδώς – τοῦ ἤθους στάσιμον – τὸ ἐν λόγοις καίριον – τοῖς πολλοῖς αἰδέσιμος ἦν, ἀκοῇ προκατειλημμένος – κρείττονος ἢ κατὰ νέηλυν ἀξιωθεὶς τιμῆς. („Ehrfurcht – beständiger Charakter – Geschick bei der Rede – er flößte den meisten Respekt ein, schon bekannt vom Hörensagen – einer größeren Ehre gewürdigt

Nyssa scheint das Auftreten seines Bruders eine Folge des Aufenthalts in Athen zu sein, aber es verwundert ihn nicht: Der Mythos von Athen wirkt hier; wer in der 'Bildungsstätte Griechenlands' Schüler war, glaubt sich allen anderen überlegen.

Taufe in Athen? Die eben dargestellten Verhältnisse während der Zeit Gregors in Athen, seine Begeisterung für Stadt und Rhetorik, die Tatsache, dass sich die übrigen Studierenden Erfolg davon versprechen, Gregor einen Lehrstuhl anzutragen, all das macht es wenig wahrscheinlich, dass die in jüngerer Zeit neu aufgegriffene und neu begründete Datierung der Taufe Gregors auf seinen Athen-Aufenthalt zutrifft.[181]

Hinzu kommt, dass die vorgelegte Begründung der Datierung nicht stichhaltig ist. Hier sollen lediglich zwei Bedenken vorgestellt werden.[182]

1) Die Argumentation bewegt sich auf dünnem Eis, wenn sie die *Praeteritio c.* 2, 1, 11, 211f. ("Επειτ' Ἀθῆναι καὶ λόγοι. τἀκεῖσε δέ / ἄλλοι λεγόντων; es folgen aber ca. 25 Verse, die von dem Athenaufenthalt berichten) als Hinweis auf eine Arkandisziplin interpretiert und dies mit der Erläuterung zu stützen versucht, es sei in allen Äußerungen Gregors über seinen Athen-Aufenthalt offensichtlich etwas ausgelassen.[183] Die Arkandisziplin erstreckte sich hier offenbar auf das Taufereignis, nicht nur, was das Übliche ist, auf den Taufritus. Äußerungen, die einem Hinweis auf das Motiv der Arkandisziplin ähnlich sind, finden sich ausdrücklich bei Gregor von Nazianz. Doch sind dies eben stilistische Motive, so wenn *c.* 2, 1, 45, 203f. an Gläubige (θεόφρονες) die Aufforderung ergeht aufzumerken und an Uneingeweihte (βέβηλοι) der Befehl wegzuhören, dann aber von einem Traum berichtet wird, der bei Gregor die Sehnsucht zu moralischer Reinheit weckte.

2) Das zuletzt genannte Gedicht, *c.* 2, 1, 45 ist in der erwähnten Argumentation insofern von Bedeutung, als sie von zwei Bekehrungserlebnissen ausgeht, die beide zeitlich um den Athenaufenthalt lokalisiert werden: das Seesturmerlebnis und

als man für einen Jugendlichen erwartet"). Bernardi (1992) 39f. 157f. Anm. 1 verbindet das mit Him. *or.* 18, 5 Colonna: Ὁ δὲ ἡμέτερος πλοῦτος οὐ χρυσός τις Γυγάδας ἢ Λύδιος, ἀλλά τινες παῖδες ἡβῶντες μὲν τὴν ὥραν καὶ τὴν ἡλικίαν ἀκμάζοντες, σοβαροὶ μὲν ἰδεῖν καὶ ὑψαύχενες, ἅτε ἐκ μέσων Διὸς στέρνων γεινάμενοι („Unser Reichtum ist nicht das Gold des Gyges oder Lydisches Gold, sondern es sind gewisse Jugendliche, gerade mannbar und in der Blüte, stolz und sich brüstend, als ob sie mitten aus der Brust des Zeus geboren wurden."); vgl. oben Anm. 121; Brown (1995) 55.

181 McGuckin (2001b) 48-83; vgl. schon ders. (2001a) 162f. Frühere Belege bei Lequeux (2001) 222.

182 Eine ausführliche Auseinandersetzung mit den Argumenten findet an anderer Stelle statt, vgl. Breitenbach (im Druck).

183 McGuckin (2001b) 53: „When one reads his other versions of the stay in Athens it is clear that something is being left out of the narrative at this point."

der bereits genannte Traum. Das erste Ereignis soll hier unberücksichtigt bleiben;[184] das zweite ist eindeutig auf die Kindheit datiert:[185] Zunächst (πρῶτα) schenkte Gott der Mutter das Kind Gregor, das diese wiederum Gott schenkte (198-201), dann (ἔπειτα) schickte er die göttliche Liebe zu einem besonnenen Leben (σώφρονος βίου) durch nächtliche Erscheinungen (201f.). Es folgen das Motiv der Arkandisziplin (203f.) und eine zeitliche Einordnung, die das Alter Gregors (205f.: παῖς ... ἁπαλός, aber er konnte bereits gut und böse unterscheiden) sowie die Lebensumstände der Eltern beschreibt (bis 228). Dann leitet Gregor die Vision mit den Worten ein „Da (καί ποτε) erschien mir im Schlaf ein solcher Traum, der mühelos zur Sehnsucht nach Reinheit (ἐς πόθον ἀφθορίης) antreibt." Vorher ist nichts geschehen. Die Vorstellung des παῖς Gregor und seiner Eltern war in der Tat nur dazu da, die folgende Erscheinung zu datieren, und zwar in die Kindheit Gregors.

Es soll an dieser Stelle kein eigenes Datum für die Taufe vorgeschlagen werden – Gregor selbst schweigt davon in seinem gesamten Schriftencorpus. Spätantike Texte berichten von einer Taufe nach der Rückkehr aus Athen, so die wohl ins 6. oder 7. Jahrhundert zu datierende *Vita Gregorii*.[186] Glaubt man diesen Zeugnissen nicht, wird man als nächste Möglichkeit die in der Spätantike übliche Praxis des Taufaufschubs bis zum spätest möglichen Zeitpunkt annehmen, im Falle Gregors wohl seine Priesterweihe 361/2. Die neu aufgegriffene Datierung hätte zur Folge, dass Athen für Gregor von Nazianz zum Ort der endgültigen Bekehrung und Hinwendung zu Gott würde. Das bemerkenswerte Erlebnis in Athen ist jedoch die Begegnung mit Basilius sowie der Rhetorik-Unterricht. Nur davon spricht Gregor, und nur davon kann daher hier die Rede sein.

Das gefährliche Athen. Gregor weiß auch von Gefahren, die von Athen ausgehen. 1) In der zweiten Rede gegen Julian[187] nennt Gregor als Beweggrund Julians für die Reise nach Athen auch die Absicht, mit heidnischen Priestern zusammenzutreffen. 2) In der Leichenrede auf Basilius weist Gregor darauf hin, dass Athen für Jugendliche gefährlich sein kann. Mit diesen beiden Äußerungen bewegt sich Gregor im Rahmen der frühchristlichen Tradition: „Die christliche Polemik gegen

[184] Es hat offenbar nicht zu einer Taufe geführt; 2, 1, 1, 307-326 berichtet zunächst von dem Seesturm und anschließend von einem Erdbeben. Noch während des Erdbebens, das nicht datiert ist, aber nach der Überfahrt stattfand, war Gregor ungetauft. McGuckin (2001b) 55 datiert es (ohne Anhaltspunkte) zwischen Seesturm und Traum.

[185] Das Folgende in *c.* 2, 1, 45, 191-269. Der Traum zeigt Gregor die beiden weiblichen Gestalten Weisheit und Keuschheit.

[186] Gregorius Presbyter, *Vita sancti Gregorii Theologi* 5, 15-18 (CCG 44, 136). Lequeux (2001) 14-16. Andere Belege: Ebd. 222.

[187] *Or.* 5, vgl. oben S. 146f.

Götterbilder, Aberglauben, Mysterien und andere Kulte trifft besonders Athen."[188] Die beiden Texte sollen kurz betrachtet und analysiert werden.

1) Die Behauptung, die Absicht Julians sei u. a. gewesen, die heidnischen Priester Athens aufzusuchen, wird auch durch andere Zeugnisse bestätigt. Es ist jedoch auffällig, wie Gregor die Terminologie der heidnischen Kulte in seine kurze Bemerkung übernimmt. Über die Beweggründe Julians, nach Athen zu kommen (τῆς ἐπιδημίας ὁ λόγος), sagt Gregor Folgendes:

Διττὸς δὲ αὐτοῦ τῆς ἐπιδημίας ὁ λόγος· ὁ μὲν εὐπρεπέστερος, καθ' ἱστορίαν τῆς Ἑλλάδος καὶ τῶν ἐκεῖσε παιδευτηρίων, ὁ δὲ ἀπορρητότερος καὶ οὐ πολλοῖς γνώριμος, ὥστε τοῖς ἐκεῖ θύταις καὶ ἀπατεῶσι περὶ τῶν καθ' ἑαυτὸν συγγενέσθαι, οὔπω παρρησίαν ἐχούσης τῆς ἀσεβείας.	„Er hatte zwei Gründe für seine Reise. Der eine ist angemessen: um Griechenland und seine Bildungsstätten zu sehen. Der andere ist verborgener und nur wenigen bekannt: um bei den Priestern und Scharlatanen dort, die sich mit seinen Angelegenheiten beschäftigten, in die Schule zu gehen, zu einer Zeit, als seine Gottlosigkeit noch nicht die [spätere] Offenheit hatte."[189]

Gregor drückt das Schülerverhältnis des Julian mit den 'Priestern und Scharlatanen' sehr deutlich und persönlich aus, indem er das Verb συγγίγνομαι verwendet[190] und die Personen nennt, die Julian aufsuchen möchte, während er den ersten Beweggrund, den Besuch der Bildungsstätten, mit abstrakten Begriffen schildert (καθ' ἱστορίαν τῆς Ἑλλάδος καὶ τῶν ἐκεῖσε παιδευτηρίων).

Der Begriff συγγίγνομαι wird ferner in einem kurzen Bericht des Eunapios über den Aufenthalt des Julian in Athen verwendet; Eunapios gibt Aufschluss über die θύται und ἀπατεῶνες aus Gregors Invektive: Es handelt sich in erster Linie um den Hierophanten der Mysterien von Eleusis, den Julian neben den übrigen Lehrern in Athen besuchte.[191] Von daher wird auch die Charakterisierung dieses Motivs als ἀπορρητότερος und οὐ πολλοῖς γνώριμος verständlich, ist doch ἀπόρρητος eine für die Mysterien einschlägige Eigenschaft, insbesondere bei den Mysterien von Eleusis,[192] die in enger Beziehung zu Athen standen, dort

[188] Lau (1985) 658.

[189] Gr. Naz. *or.* 5, 23, 6-10. Vgl. Lugaresi (1997) 223. Zur Datierung von *or.* 4 und 5 des Gregor von Nazianz vgl. Kurmann (1988) 10, wo angenommen wird, dass sie „zur Hauptsache während der Regierungszeit Jovians" entstanden und „in der ersten Zeit Valentinians" abgeschlossen worden sind.

[190] Vgl. LSJ 1660 s. v. συγγίγνομαι II 2.

[191] Eun. *VS* 7, 3, 6: Τότε δὲ ὁ μὲν Ἰουλιανὸς τῷ θειοτάτῳ ἱεροφαντῶν συγγενόμενος καὶ τῆς ἐκεῖθεν σοφίας ἀρυσάμενος χανδόν („Damals war Julian mit dem göttlichsten Priester zusammen und schöpfte von dort gierig die Weisheit."). Auf eine mögliche weitergehende Bedeutung dieses Begriffes (hier: συγγένεια) auf inhaltlicher Ebene weist Burkert (1990) 65 mit 120 Anm. 64 hin. Zu dieser Motivation des Gangs nach Athen vgl. auch Rutherford (2001).

[192] Vgl. Burkert (1990) 16 und 102 Anm. 44 sowie Husson (1970) zu Luc. *Nav.* 11, 7-8.

durchgeführt wurden[193] und „noch bis zu ihrer Aufhebung im Jahre 395" in Athen von großer Bedeutung waren.[194]

2) Die zweite Äußerung spricht heidnische Kulte an;[195] Athen sei für die anderen (τοῖς ἄλλοις) schädlich (βλαβεραί) im Hinblick auf die Seele (τὰ εἰς ψυχήν), denn die Stadt beherberge einen größeren Reichtum an Götterbildern als das übrige Griechenland, und es sei schwierig, sich deren Reiz zu entziehen:

Βλαβεραὶ μὲν τοῖς ἄλλοις Ἀθῆναι τὰ εἰς ψυχήν – οὐ γὰρ φαύλως τοῦτο ὑπολαμβάνεται τοῖς εὐσεβεστέροις –· καὶ γὰρ πλουτοῦσι τὸν κακὸν πλοῦτον εἴδωλα μᾶλλον τῆς ἄλλης Ἑλλάδος, καὶ χαλεπὸν μὴ συναρπασθῆναι τοῖς τούτων ἐπαινέταις καὶ συνηγόροις. Ἡμῖν δ' οὐδεμία παρὰ τούτων ζημία, τὴν διάνοιαν πεπυκνωμένοις καὶ πεφραγμένοις. Τοὐναντίον μὲν οὖν, εἴ τι χρὴ καὶ παράδοξον εἰπεῖν, εἰς τὴν πίστιν ἐβεβαιώθημεν, καταμαθόντες αὐτῶν τὸ ἀπατηλὸν καὶ κίβδηλον, ἐνταῦθα δαιμόνων καταφρονήσαντες οὗ θαυμάζονται δαίμονες.

„Schädlich ist Athen für die Seele der anderen – zu Recht behaupten das die Frommen: Es ist nämlich reich, und zwar an schlechtem Reichtum, nämlich an Götterbildern, und zwar mehr als das übrige Griechenland, und es ist schwer, nicht mitgerissen zu werden von denen, die das loben und verteidigen. Uns hat das allerdings nicht geschadet, die wir in unserer Gesinnung gefestigt und besiegelt waren. Im Gegenteil muss, so widersprüchlich es auch ist, gesagt werden, dass wir im Glauben gefestigt wurden, nachdem wir das Trügerische und Falsche kennengelernt hatten, und wir verachteten gerade da die 'Dämonen', wo die 'Dämonen' so bewundert werden."[196]

Dass Athen trotz der widrigen Umstände des dritten Jahrhunderts und der bereits vorher erfolgten Plünderungen und Zerstörungen den Reichtum an vorchristlichen Baudenkmälern erhalten oder wiederhergestellt hat, wird allenthalben betont.[197]

[193] Vgl. Deubner (1966) 69-92.

[194] Frantz (1985) 670.

[195] Der Kontext des Abschnittes Gr. Naz. *or.* 43, 21, 19-28 stellt einen Gegensatz zwischen dem Wert des christlichen Glaubens, den Basilius und Gregor verkörpern (ebd. 21, 9f.: ἡμῖν δὲ τὸ μέγα πρᾶγμα καὶ ὄνομα χριστιανοὺς καὶ εἶναι καὶ ὀνομάζεσθαι), und den in Athen lebendigen Zeugnissen für heidnischen Glauben her; dieser Gegensatz wird zunächst theoretisch (43, 21, 7-18) und dann praktisch (43, 21, 19-28) geschildert. In diesem zweiten Abschnitt ist das Entscheidende, dass die beiden Christen sich durch die Verehrung der heidnischen Götter in Athen nicht beirren ließen (43, 21, 27f.: ἐνταῦθα δαιμόνων καταφρονήσαντες οὗ θαυμάζονται δαίμονες); da der Götterkult sich gerade in Athen in einem Reichtum an Bauwerken und Statuen der einzelnen Gottheiten ausdrückt, ist die Athetese der anscheinend einheitlich überlieferten Apposition εἴδωλα durch Bernardi (1992) in 43, 21, 22 nicht einleuchtend. Es ist nicht klar, warum Gregor gerade in diesem Zusammenhang den (materiellen) Reichtum kritisieren sollte (so Bernardi [1992] ad loc.); vielmehr sind wohl die Lobredner der in den εἴδωλα bezeichneten δαίμονες gemeint, denen Gregor und Basilius trotz der Lobreden (43, 21, 25 τοὐναντίον) nichts abgewinnen können. Gegen eine Athetese spricht sich auch Nautin (1994) 333f. aus; Bernardi (1996) wiederholt die Forderung einer Tilgung.

[196] Gr. Naz. *or.* 43, 21, 19-28.

[197] Z. B. Frantz (1985) 669f.; Bidez (1940) 123-131; über Athen z. Zt. des Apostels Paulus vgl.

Die Konzentration derartiger Symbole heidnischen Glaubens wird auch für den in Athen studierenden Gregor eine beeindruckende Erfahrung gewesen sein, und es ist wahrscheinlich, dass er bereits in seiner Jugendzeit diese Konzentration als einflussreich auf die Entwicklung der dort studierenden Jugendlichen empfunden hat, so wie dies der spätere Kaiser Julian von sich bekennt.[198] Aber es ist schließlich nicht nur der tote Stein, der Zeugnis von ehemaliger kultischer Tätigkeit gibt; vielmehr wird im vierten Jahrhundert noch eine Vielzahl von alten Kulten praktiziert,[199] und es sind sogar noch zahlreiche andere Kulte im Vergleich zu früheren Zeiten hinzugekommen: Neben der Verehrung der Kaiser und römischer Götter haben sich in Athen eine Reihe „fremder" Gottheiten ausgebreitet, was immer mehr zu einem Synkretismus führte.[200]

In diesen Zusammenhang gehört eine Äußerung Gregors, die ebenfalls den Glauben und die Religion betrifft. Er sagt von der Zeit in Athen:

Δύο μὲν ἐγνωρίζοντο ἡμῖν ὁδοί, ἡ μὲν πρώτη καὶ τιμιωτέρα, ἡ δὲ δευτέρα καὶ οὐ τοῦ ἴσου λόγου, ἥ τε πρὸς τοὺς ἱεροὺς ἡμῶν οἴκους καὶ τοὺς ἐκεῖσε διδασκάλους φέρουσα καὶ ἡ πρὸς τοὺς ἔξωθεν παιδευτάς.	„Wir kannten zwei Wege, einen ersten und ehrvolleren und einen zweiten, nicht von derselben Art. Der eine führte zu unseren heiligen Häusern und den Lehrern dort, der andere zu den Lehrern außerhalb."[201]

Broneer (1958); siehe ferner Gill (1994) 441-448; Judeich (1931) 105; eine Übersicht über die Geschichte Athens und seines kulturellen Werdegangs von der klassischen Zeit bis zum vierten Jahrhundert bietet Gregorovius (1889) 3-44. Dass viele Zeugnisse des 'alten' Athen verloren sind, beklagen bereits Horaz, der von den *vacuae Athenae* (dem „leeren Athen" *epist.* 2, 2, 81) spricht, und Seneca, der Lucilius (*epist.* 14, 3, 10) gegenüber äußert: *Non vides quemadmodum in Achaia clarissimarum urbium fundamenta consumpta sint nec quicquam extet ex quo appareat illas saltem fuisse* („Siehst du nicht, wie in Achaia die Fundamente der berühmtesten Städte dahingerafft sind und nichts mehr da ist, aus dem man ersehen könnte, dass es sie wenigstens einmal gegeben hat."). Vgl. auch oben Kapitel 4. 1. 2. 1.

[198] Iul. *Misop.* 18, 348b/c (2, 2, 171 Bidez): Ἐγὼ τοι καὶ αὐτὸς ἔγνων Ἀθηναίους Ἑλλήνων φιλοτιμοτάτους καὶ φιλανθρωποτάτους· καίτοι τοῦτό γε ἐπιεικῶς ἐν πᾶσιν εἶδον τοῖς Ἕλλησιν, ἔχω δὲ εἰπεῖν ὑπὲρ αὐτῶν ὡς καὶ φιλόθεοι μάλιστα πάντων εἰσὶ καὶ δεξιοὶ τὰ πρὸς τοὺς ξένους [!], καθόλου μὲν Ἕλληνες πάντες, αὐτῶν δ' Ἑλλήνων πλέον τοῦτο ἔχω μαρτυρεῖν Ἀθηναίοις („Ich habe auch selbst die Athener als die ehrliebendsten und menschenfreundlichsten von allen Griechen kennengelernt: Obwohl ich das bei allen Griechen in angemessener Weise beobachten konnte, muss ich doch sagen, dass sie von allen am frömmsten und aufnahmebereitesten gegenüber Fremden sind, die Griechen allesamt, unter ihnen aber kann ich das in größerem Maß von den Athenern behaupten."). Die gegenteilige Erfahrung wird *Act. Ap.* 17, 16 geschildert: παρωξύνετο τὸ πνεῦμα αὐτοῦ ἐν αὐτῷ θεωροῦντος κατείδωλον οὖσαν τὴν πόλιν („[es] erfasste ihn [sc. Paulus] heftiger Zorn; denn er sah die Stadt voll von Götzenbildern"); Bauernfeind (1939) ad loc. 215 weist auf das Bilderverbot des Judentums hin. Vgl. das oben S. 160 Anm. 195 diskutierte εἴδωλα in Gr. Naz. *or.* 43, 21, 22.

[199] Vgl. hierzu und zum Folgenden Nilsson (1974) 327-335, bes. 332-335, sowie speziell zu einer Kritik an Eleusis unten S. 248-250 mit Anm. 426.

[200] Vgl. Nilsson (1974) 335.

[201] Gr. Naz. *or.* 43, 21, 1-4.

Der zweite Weg ist der Weg zu den 'weltlichen' Lehrern, d. h. zu den Lehrern der Redekunst. Was der erste Weg bezeichnet, ist nicht eindeutig zu klären. Zwei Möglichkeiten bieten sich an. Zunächst können mit „unseren" Lehrern die Rhetoren christlichen Bekenntnisses gemeint sein, wobei allerdings von ihnen nur Prohairesios mit einiger Sicherheit identifiziert werden kann. Eine derartige Unterscheidung ist zum einen vom Text her problematisch,[202] zum anderen würde eine Differenzierung zwischen Christen und Heiden in der Art und Weise, Rhetorikunterricht zu erteilen, gewiss eine lobende Darstellung wie die des Eunapios beeinflusst haben.[203] Die zweite Möglichkeit besteht darin, als „unsere heiligen Häuser und die Lehrer dort" die christliche Gemeinde zu verstehen. Die vorliegende Terminologie (οἶκος für die Gemeinde, d. h. ἐκκλησία,[204] und διδάσκαλος als Prediger in der Gemeinde[205]) lässt sich im Neuen Testament nachweisen. Dass eine christliche Gemeinde in Athen bestand, ist sicher.[206] Bemerkenswert ist dennoch, dass dies die einzige Stelle ist, an der im Werk der beiden Kirchenväter auf die christliche Kirche in Athen hingewiesen wird.

Was schließlich im Hinblick auf die Athener Zeit der beiden Kappadokier Basilius und Gregor von Nazianz nicht unerwähnt bleiben kann, ist ihre Freundschaft,[207] die hier begann und die immer wieder in den Schriften Gregors erwähnt und beschworen wird. Wie einst Prohairesios und Hephaistion[208] bildeten sie eine Wohn- und Lebensgemeinschaft, und fernab von den „meisten unverständigeren" Schülern, die aus Zuneigung zu ihren Lehrern irrsinnig waren,[209] scharte sich eine

[202] Diese Deutung nennt Bernardi (1992) 166 Anm. 3. Er begründet aber nicht, warum die Häuser dann als „heilig" gelten; vielmehr sagt er selbst, dass außer Prohairesios „les maîtres qui enseignaient alors à Athènes semblent avoir été tous païens." Insofern ignoriert er den Plural, der auf mehrere „Lehrer" hindeutet.

[203] Vgl. Frantz (1965) 189 Anm. 11. Auch Bidez (1940) 55 weist auf die Unabhängigkeit der Ausübung des rhetorischen Gewerbes vom religiösen Bekenntnis hin (mit Hinweis auf Lib. *or.* 1, 39). Dass Prohairesios Christ war, erwähnt Eunapios. Vgl. oben S. 149 Anm. 134.

[204] Vgl. *1 Ep. Ti.* 3, 15; *1 Ep. Pet.* 4, 17.

[205] Vgl. *1 Ep. Cor.* 12, 28; *Act. Ap.* 13, 1.

[206] Vgl. Frantz (1985) 674f.; dies. (1965) 188. Antike Zeugnisse finden sich z. B. Socr. *h. e.* 3, 13, 12 (GCS N. F. 1, 208); Eus. *h. e.* 4, 23, 2. Welchen Wahrheitsgehalt die dort geschilderten Ereignisse bzw. Schriften beanspruchen können, ist von geringerer Bedeutung. Vielmehr darf man annehmen, dass der Leser der Kirchenhistoriker Bezüge in der Realität seiner Gegenwart findet, d. h. zumindest Christen in Athen. Frantz (1985) betont allerdings die sich vor allem in den literarischen Zeugnissen (*ex silentio*) widerspiegelnde Bedeutungslosigkeit der Athener Gemeinde. Vgl. ausführlich dazu oben Kapitel 3. 1. 3. 3.

[207] Vgl. Konstan (2000); White (1992) 61-84; zur Freundschaftsterminologie in der 43. Rede Gregors von Nazianz vgl. Børtnes (2000).

[208] Vgl. Eun. *VS* 10, 3, 4-7. Topisch ist wohl die Bemerkung Gr. Naz. *or.* 43, 20, 9f.: Μία μὲν ἀμφοτέροις ἐδόκει ψυχὴ δύο σώματα φέρουσα („Eine gemeinsame Seele schien die Leiber der beiden zu tragen") und Eun. *VS* 10, 3, 6: Κἀκεῖνοι δύο τε ἦσαν καὶ εἷς („Sie waren zwei und zugleich eins"; von Prohairesios und Hephaistion).

[209] Gr. Naz. *or.* 43, 15, 11f.; zu dem Hapax legomenon σοφιστομανοῦσιν vgl. Bernardi (1992) ad loc.

Gruppe von Jugendlichen um die beiden Christen und bildete mit ihnen eine eigene φατρία,[210] eine angesehene Studentenvereinigung.

4. 1. 2. 4 Zwischenergebnisse

Folgende Zwischenergebnisse lassen sich aus der bisherigen Untersuchung der Werke der kappadokischen Kirchenväter formulieren:

1) Ausbildung an den großen Bildungszentren des vierten Jahrhunderts war für die soziale und gesellschaftliche Schicht, aus der die kappadokischen Kirchenväter stammen, selbstverständlich. Trotz einer tiefen christlichen Prägung lagen Berührungsängste mit dem Wissen der 'Heiden' fern, denn selbst im Kreis der nächsten Angehörigen befanden sich auch Lehrer dieser heidnischen Bildung. – Erste Kontakte mit Mythologie und Geschichte Athens dürften in der schulischen Ausbildung stattgefunden haben, erste Kenntnis von einer Athenkritik wird die Schriftlesung vermittelt haben, möglicherweise wurden persönliche Athenerlebnisse von Personen, die früher mit der Familie in Kontakt gestanden haben oder Einfluss auf Familienmitglieder ausgeübt haben (Origenes, Gregor der Wundertäter) in der Familie kolportiert.

2) Ein Bildungsaufenthalt in Athen hat Tradition. Zwar entstehen in der Kaiserzeit auch andere Bildungszentren, die westliche Besucher seltener werden lassen, aber gerade der Aufenthalt und die Förderung dieser Stadt durch Kaiser wie Hadrian und die ungebrochene rhetorische und philosophische Schulung in dieser alten Wissenshochburg lässt ihre Popularität insgesamt nicht schwinden. Im vierten Jahrhundert ist die Personalisierung der Ausbildung fortgeschritten: Die *Sophistenviten* des Philostrat und die des Eunapios zeigen dies in literarischer Form, mündliches Tradieren wird in der Autobiographie des Libanios greifbar, besonders wenn er andeutet, dass auch in Kappadokien die Sophisten Athens im Gespräch waren. Was man sich über Athen und das Auftreten der Rhetoriklehrer und -schüler dort erzählt, ist ein Anreiz, selbst dorthin zu gehen. All das macht Athen zu einem Pluspunkt im Lebenslauf. Es 'hat etwas'.

3) Mit Abstrichen lässt sich dies auch als Motivation für den Athenbesuch der beiden Kappadokier Basilius von Caesarea und Gregor von Nazianz ausmachen, mit Abstrichen deshalb, weil ihre Texte als rückblickende und christlich geprägte Quellen nicht ohne Weiteres auszuwerten sind. Gleichwohl scheint der Impetus für die Reise nach Athen eine Krönung der vor allem rhetorischen Ausbildung gewesen zu sein. Vielleicht war es die Aussicht, bei Prohairesios zu studieren, der bei Schülern aus dem Pontos-Raum Popularität genoss und gleichzeitig vermutlich Christ war, die einen weiteren Anreiz bot, den bisherigen Ausbildungsstätten den Rücken zu kehren.

[210] Gr. Naz. *or*. 43, 22, 1.

4) War es schon schwierig, aus den Schriften der Kappadokier ihre Motivation für den Besuch Athens zu ermitteln, so ist es kaum möglich, ein Bild von ihrem Athenaufenthalt selbst in Erfahrung zu bringen, das nicht von der späteren Lebens- oder Abfassungssituation geprägt ist. Rückblickend hat sich nämlich besonders die Freundschaft zwischen Gregor von Nazianz und Basilius, die in Athen entstand, idealisierend auf die Schilderungen des Nazianzeners ausgewirkt; so kann er Athen nicht nur als 'Fundament' der Bildung oder Reden (λόγοι), sondern auch als 'goldene' Stadt und als aufnahmebereit und förderlich für das Schöne (πρόξενοι τῶν καλῶν) apostrophieren. Dabei konzediert Gregor von Nazianz allerdings, dass Athen sowohl eine Begeisterung bewirken kann, die zur Torheit neigt, als auch Gefahren birgt, derer sich Unbesonnene nur schwer entziehen können. Vor diesen Gefahren, mit denen Gregor wohl auf die heidnische Religion anspielt, kann man sich aber durch den Halt des christlichen Glaubens schützen, wie er selbst und Basilius es beispielhaft vorlebten. Schließlich kann man in Athen nicht nur bei Rhetorik-Lehrern lernen, sondern auch im Rahmen der christlichen Gemeinschaft. Beide Wege haben die Kappadokier eingeschlagen.

In dieser Übersicht zeichnen sich einige Aspekte des Komplexes 'Athen' ab, die für die folgende Untersuchung relevant sind: Bildung ist ein Movens für den Gang nach Athen; die Bildung, die in Athen erworben werden kann, prägt die obere Gesellschaftsschicht des vierten Jahrhunderts unabhängig von ihrem religiösen Hintergrund. Wenn Gregor von Nazianz und Basilius von Caesarea in Athen Freundschaft schließen, dann kommt neben der regionalen und sozialen Kompatibilität noch das christliche Bekenntnis auf beiden Seiten als ergänzender Faktor hinzu. Diese Freundschaft idealisiert die Schilderung Athens bei Gregor von Nazianz, trotz mancher kritischen Bemerkung über Gefahren in der Hochburg der Heiden.

4. 2 ATHENBILDER IN DEN SCHRIFTEN DER KAPPADOKISCHEN KIRCHENVÄTER

Um das Bild zu erarbeiten, das die Kappadokier selbst von Athen haben und bei ihren Lesern voraussetzen, sollen ihre Schriften unter den folgenden vier Gesichtspunkten untersucht werden: 1) Strategischer Einsatz der Bildungsstätte Athen, d. h. Berücksichtigung einer positiven oder negativen Konnotation des Komplexes Athen, die bei dem Leser vorausgesetzt wird. 2) Konfrontation heidnischer und christlicher Philosophie, d. h. Bewertung Athens und seiner Philosophen mit dem Wissen, dass das Christentum und seine Theologie die eigentlich wahre und einzig gültige Philosophie ist. 3) Rezeption des Athen der Heiligen Schrift, d. h. Auseinandersetzung mit dem Athenbesuch des Paulus. 4) Rezeption von Geschichte, Mythologie und Kultur des klassischen Athen, d. h. Indienstnahme historischer und mythologischer Exempla.

4. 2. 1 Strategische Autobiographie

4. 2. 1. 1 Abkehr unter Verachtung: Athen als Gegensatz zum christlichen Bekenntnis

Basilius von Caesarea weist in seiner Korrespondenz, seinen Homilien und Traktaten nur einmal ausdrücklich auf seine Zeit in Athen hin.[1] Gregor von Nazianz erwähnt die Jahre, die er in Athen verbracht hat, häufig, sowohl in seinen Briefen als auch in den Reden und Gedichten; bemerkenswert ist dies u. a. deshalb, weil die Korrespondenz des Basilius trotz seines frühen Todes[2] weit umfangreicher als die Gregors ist.[3]

Der erwähnte singuläre Hinweis auf seine Zeit in Athen ist gleichzeitig eines der frühesten[4] Zeugnisse literarischer Tätigkeit des Basilius von Caesarea; er fin-

[1] Dabei ist die Korrespondenz zwischen Libanios und Basilius ausgeklammert; vgl. dazu unten Kap. 4. 2. 1. 4.

[2] Basilius ist nach verschiedenen Zeugen am 1. Januar 379 gestorben, also bei einer Geburt um das Jahr 329/30 ca. 50jährig.

[3] Basilius' früheste Briefe stammen aus den Jahren 357/8 (Fedwick [1981] 6), sollte die Korrespondenz mit Libanios echt sein, schon aus dem Jahr 356 (Hauschild [1993] 247f. Anm. 647). Er hat eine Korrespondenz von ca. 330 Briefen hinterlassen (Hauschild [1990] 234-244 und [1993] 281-288; 37 Briefe sind danach entweder nicht von Basilius verfasst oder an Basilius selbst gerichtet). Gregor von Nazianz, der wenige Jahre zuvor geboren und mindestens 10 Jahre später gestorben ist, hat hingegen ca. 245 echte Briefe hinterlassen (vgl. Wittig [1981] 69); auch in seiner Korrespondenz datieren die ersten Schreiben aus der Zeit kurz nach dem Aufenthalt in Athen.

[4] Zur Chronologie der Briefe des Basilius vgl. Fedwick (1981b) 3-19, hier 6.

det sich in einem Schreiben an Eustathios von Sebaste,[5] das vermutlich im Herbst 357 in Caesarea verfasst wurde.[6] Basilius hat seinen ehemaligen Studienort Athen erst vor kurzem verlassen. In diesem Brief nennt er einen Grund für den Weggang:

Ἐγὼ κατέλιπον τὰς Ἀθήνας κατὰ φήμην τῆς σῆς φιλοσοφίας[7] ὑπεριδὼν[8] τῶν ἐκεῖ.	„Ich verließ Athen wegen deiner gerühmten 'Philosophie', wobei ich die Dinge dort verachtete."[9]

Diesem Brief zufolge verachtete Basilius also einen bestimmten Aspekt Athens (τῶν ἐκεῖ – „die [Pl.] dort, das dort") und zog es vor, sich der ruhmreichen Philosophie des Eustathios zuzuwenden.

Es ist möglich, anhand der Korrespondenz des Basilius näher zu fassen, was nach seinem ersten Brief der Beweggrund für den Wechsel seines Aufenthaltsortes gewesen sein soll; ebenso kann man erschließen, was der Gegenstand der Philosophie des Eustathios war. An denselben Eustathios schreibt er etwa 18 Jahre später:

Ἐγὼ πολὺν χρόνον προσαναλώσας[10] τῇ ματαιότητι, καὶ πᾶσαν σχεδὸν τὴν ἐμαυτοῦ νεότητα ἐναφανίσας τῇ μα-	„Ich habe viel Zeit für die Eitelkeit vergeudet und fast meine gesamte Jugend in einem eitlen Bemühen verschwendet: Ich

[5] Zu Eustathios von Sebaste vgl. Rousseau (1994) 72-76; Hauschild (1982) und Frank (1980) 38-43; zur Identifizierung des „Philosophen" (so der Titel des Briefes in den Handschriften, vgl. Courtonne [1957/66] 1, 4) Eustathios mit Eustathios von Sebaste vgl. Gribomont (1959). Der ursprünglich aus Armenien stammende asketische Eiferer war vor der Abfassung des Briefes mit seinen rigorosen Forderungen mehrfach auf Kritik aus den Reihen der verantwortlichen Kirchenoberen gestoßen. Basilius beschreibt im vorliegenden Brief, wie er Eustathios in verschiedene Länder gefolgt war, ihn allerdings nie angetroffen hatte, da dieser jeweils kurz vorher abgereist war. Zu Beginn und am Ende des Briefes, also als Rahmen der Reisebeschreibung, stellt er dar, dass diese widrigen Umstände ihm die Existenz einer τύχη, εἱμαρμένη oder ἀνάγκη zu beweisen schienen, er aber jetzt, nach Erhalt eines Briefes des Eustathios, dies dem Walten Gottes zuschreibe.

[6] Vgl. Hauschild (1990) 161 Anm. 1; Fedwick (1981b) 6.

[7] Zu φιλοσοφία bei den Kappadokiern Malingrey (1961) 207-235; unten Abschnitt 4. 2. 2. 1.

[8] Ὑπεροράω in negativem Sinn (= „despise" LSJ 1867 s. v. II 2) sehr oft bei den Kappadokiern, vgl. Bas. *jej.* 2, 1 (PG 31, 185A); *Eun.* 1, 1 (SC 299, 142, 16f.); *in Ps. 28* hom. 4 (PG 29, 293A) (jeweils vom menschlichen Körper gebraucht); vgl. Gr. Naz. *ep.* 65, 4, 4 (überliefert auch als Bas. *ep.* 166); *or.* 4, 123, 12 (jeweils bezogen auf weltlichen Besitz); bemerkenswert auch in der Areopagrede des Paulus *Act. Ap.* 17, 29.

[9] Bas. *ep.* 1, 12f.

[10] Προσαναλίσκω *ep.* 223, 2, 29f. von asketischen Mönchen: μηδὲ καταδεχόμενοι αὐτῷ προσαναλῶσαί τινα φροντίδα („ohne es zu unternehmen, auf ihn [sc. den Körper] einen Gedanken zu verschwenden"); προσαναλίσκω in der Bedeutung „lose in" (Lampe 466 s. v. 2) zuerst bei Basilius; vgl. aber D. L. 6, 98 ebenfalls in Bezug auf eine falsche Bildung: εἰ τὸν χρόνον ὃν ἔμελλον ἱστοῖς προσαναλώσειν, τοῦτον εἰς παιδείαν κατεχρησάμην („wenn ich die Zeit, die ich auf den Webstuhl verwendet habe, für Erziehung genutzt hätte") und bei den Kappadokiern Bas. *ep.* 2, 6, 36 (bezogen auf die Zeit des Essens); *princ. prov.* 1 (PG 31, 388A; gebraucht wie *ep.* 223, 2); ähnlich Gr. Naz. *or.* 14, 34 (PG 35, 904B): οἷον τῆς ψυχῆς τι ταύτῃ [sc. ῥοῇ] προσαναλίσκοντες.

ταιοπονίᾳ[11] ἣν εἶχον προσδιατρίβων τῇ ἀναλήψει τῶν μαθημάτων τῆς παρὰ τοῦ Θεοῦ μωρανθείσης σοφίας, ἐπειδή ποτε, ὥσπερ ἐξ ὕπνου βαθέος διαναστάς, ἀπέβλεψα μὲν πρὸς τὸ θαυμαστὸν φῶς τῆς ἀληθείας τοῦ Εὐαγγελίου, [...] πολλὰ τὴν ἐλεεινήν μου ζωὴν ἀποκλαύσας ηὐχόμην δοθῆναί μοι χειραγωγίαν πρὸς τὴν εἰσαγωγὴν τῶν δογμάτων τῆς εὐσεβείας. Καὶ πρό γε πάντων ἐπιμελὲς ἦν μοι διόρθωσίν τινα τοῦ ἤθους ποιήσασθαι, πολὺν χρόνον ἐκ τῆς πρὸς τοὺς φαύλους ὁμιλίας διαστραφέντος.

habe mich mit dem Erwerb der Wissenschaften der Weisheit beschäftigt, die von Gott für töricht erklärt worden ist. Da ich einst, wie aus tiefem Schlaf erwachend, auf das wunderbare Licht der Wahrheit des Evangeliums blickte [...], da beweinte ich heftig mein erbärmliches Leben und betete darum, mir möge eine Anleitung zur Einführung in die Lehren der Frömmigkeit geschenkt werden. Vor allem lag mir daran, eine Verbesserung des Charakters zu erwirken, der lange Zeit durch den Umgang mit schlechten Menschen verdorben worden war."[12]

Basilius will die Begeisterung für das Christentum als Motivation dafür angeben, dass er sich aus der so stark von der heidnisch-antiken Kultur geprägten Stadt Athen zurückzog. Macht man sich die Antithese der beiden Formulierungen ἡ σὴ φιλοσοφία und τὰ ἐκεῖ in *ep.* 1 klar, wird man an die scharfe Ablehnung alles Heidnischen erinnert, auch der Bildung und der Kultur, die die Stadt Athen für den frühen afrikanischen Kirchenvater Tertullian[13] symbolisierte.

Auch für den im vierten Jahrhundert lebenden Hieronymus stellte sich immer wieder das Problem der Bildungsaskese, greifbar in dem Gegensatz von *Ciceronianus* und *Christianus*.[14] Ein Vergleich des Eustathios mit Hieronymus ist erlaubt; schließlich forderte Hieronymus zeitweise nicht nur eine körperliche, sondern auch eine geistige Askese.[15] Eustathios von Sebaste war ebenfalls ein asketi-

[11] Bei den Kappadokiern nur hier.

[12] *Ep.* 223, 2, 1-12 (Übersetzung Hauschild [1993], wiedergegeben ohne Anmerkungen und Hervorhebungen); zur Datierung vgl. Fedwick (1981b) 17; Hauschild (1993) 192f. Anm. 79 und 82.

[13] Vgl. Tert. *praescr.* 7, 8f. (zitiert S. 138 Anm. 75) und dazu z. B. Gr. Naz. *c.* 1, 2, 10, 200-202 (von den heidnischen Philosophen): Τούτους ἂν εὕροις τοῖς μὲν ἄλλοις δόγμασιν / ἀσυνθέτους τε καὶ διεστῶτάς τισι / τοῖς περὶ νοητῶν καὶ ὁρωμένων λόγοις („diese wirst du finden, unschlüssig in unterschiedlichen Lehren und sich widersprechend in den Ausführungen über die geistig und sinnlich wahrnehmbaren Dinge") und 206-208: Ἐξ ὧν Στοαί τε καὶ προσώπων ὀφρύες, / Ἀκαδημίαι τε καὶ πλοκαὶ Πυρρωνίων, / σκέψεις, ἐφέξεις, τεχνικῶν ληρήματα („Von diesen kommen Stoa und hochgezogene Augenbrauen, die Akademie und die Zöpfe der Pyrrhonier, Skepsis, Vorbehalte, Künstlergeschwätz"). Auf die Gegensätze zwischen antikem Denken und der Wesensart des 'antiken' Menschen und dem Christlichen hat bereits Norden (1958) 2, 452-460, auch unter Anführung des o. a. Tertullian-Zitates (ebd. 2, 454), hingewiesen.

[14] Hier. *epist.* 22, 30 (vgl. oben Kapitel 4. 1. 2. 1).

[15] So z. B. *epist.* 22, 29, 6f. (CSEL 54, 188f.): *Quae enim communicatio luci ad tenebras, qui consensus Christo et Belial? Quid facit cum psalterio Horatius? cum evangeliis Maro? cum apostolo Cicero?* („Welche Beziehung besteht zwischen Licht und Schatten, welche Übereinstimmung zwischen Christus und Belial? Was macht Horaz mit den Psalmen? Vergil mit den Evangelien? Cicero mit Paulus?") und *in Gal.* 3 praef. (PL 26, 427D-428A): *Si quis eloquen-*

scher Eiferer, der wegen seines rigorosen Asketismus mehrfach von Kirchensynoden verurteilt wurde.[16] Seiner „Philosophie" jagt Basilius von Athen aus nach,[17] lässt aber τὰ ἐκεῖ, gleichzusetzen mit τὰ μαθήματα τῆς παρὰ τοῦ Θεοῦ μωρανθείσης σοφίας, hinter sich. Ein weiterer Grund, warum Basilius Athen verlassen wollte, ist der Wunsch, sein Verhalten und seinen Charakter zu bessern, denn beides sei durch den Umgang verdorben worden, den er lange Zeit mit schlechten (φαύλους) Menschen gepflegt habe. Dieser Hinweis steht im Widerspruch zu dem, was Gregor von Nazianz in seiner Leichenrede zumindest über den engeren Freundeskreises der beiden Kappadokier sagt.[18]

tiam quaerit, vel declamationibus delectatur, habet in utraque lingua Demosthenem et Tullium, Polemonem et Quintilianum. Ecclesia Christi non de Academia et Lyceo, sed de vili plebecula congregata est („Wenn einer schöne Sprache sucht oder sich an Schaureden erfreut, hat er in den beiden Sprachen Demosthenes und Cicero, Polemon und Quintilian. Die Kirche Christi setzt sich nicht aus Schülern Platons und des Aristoteles zusammen, sondern aus dem gemeinen Volk.").

16 Nach Hauschild (1982) 547 von einer Synode in Neocaesarea (339?), einer Synode in Antiochien (344?) und einer Synode in Melitene (358?); zur Synode von Gangra vgl. Rousseau (1994) 74f.

17 Vgl. die in *epp.* 1 und 223, 2 angegebene Reiseroute, die ihn auf den Spuren des Eustathius zeigt.

18 Gr. Naz. *or.* 43, 20, 19-26 (siehe unten); das Verhältnis zwischen Basilius und dem ebenfalls in Athen anwesenden späteren Kaiser Julian ist unklar. Besonders zwei Tatsachen lassen es nicht unmöglich erscheinen, dass beide eine engere Bekanntschaft geschlossen haben. Zunächst ist ein Briefwechsel, bestehend aus drei Briefen, teilweise im Corpus der Basilius-Briefe sowie der Julian-Briefe erhalten (Bas. *epp.* 39-41 [*ep.* 39 = Jul. *ep.* 32 (1, 2, 59-61 Bidez^2)]; zum Überlieferungsbefund vgl. Hauschild [1990] 189f. Anm. 203 und 211 sowie 191 Anm. 218), deren Echtheit allgemein angezweifelt, aber wohl nicht endgültig entschieden werden kann (vgl. ebd. mit Darstellung der verschiedenen Positionen; Van Dam 247 (2002) Anm 12; Courtonne [1957/66] 1, 94f. Anm. 1 hält sie für „exercises d'école"). Sollten sie echt sein, so ist der schroffe Ton in ihnen „nur denkbar auf dem Hintergrund einer einstmals bestehenden persönlichen Freundschaft" (Hauschild [1990] 191 Anm. 218). Ein gewichtigeres, bisher anscheinend nicht genanntes Argument für die Möglichkeit einer solchen Freundschaft ist die Tatsache, dass Gregor von Nazianz, wenn er über seine Einschätzung Julians während der Athener Zeit spricht (*or.* 5, 23f.), Basilius mit keinem Wort erwähnt, insbesondere nicht, als er diejenigen, die damals mit Julian zusammen waren und ihn hörten (*or.* 5, 24, 3), als Zeugen für seinen negativen, aber in seiner Sicht realistischen Eindruck hinzuzuziehen wünscht. Welcher Zeuge wäre glaubwürdiger gewesen als der μέγας Βασίλειος? So könnte dieses *argumentum ex silentio* unter Umständen eine vorhandene engere Beziehung zwischen Basilius und Julian nahelegen. Dagegen steht, dass Gregor gegen Ende seiner fünften Rede (5, 39, 11-16) Basilius und sich selbst als τῆς σῆς [sc. Julians] ἐγχειρήσεως ἀντίθετοι καὶ ἀντίτεχνοι („Widersacher und Taktiker gegen deinen Angriff") bezeichnet, die Julian als καὶ βίῳ καὶ λόγῳ καὶ τῇ πρὸς ἀλλήλους ὁμονοίᾳ περιφανεῖς καὶ γνωρίμους ἔτι ἀπὸ τῆς Ἑλλάδος („hervorragend in Eintracht von Lebensführung und Denken und noch von Griechenland her bekannt") kenne. Allerdings ist dies kein direkter Gegenbeweis, da eine Bekämpfung der Kulturpolitik Julians unabhängig von der früheren Beziehung stattgefunden haben kann. Im Gegenteil wird zumindest explizit erwähnt, dass Julian auch Basilius in Athen kennengelernt hat. Van Dam (2002) 100 und 181 geht davon aus, dass Basilius Athen verlassen habe, bevor Julian dort ankam; Belege dafür sind jedoch nicht vorhanden.

Aber auch drei weitere Zeugnisse deuten auf einen konstruierten Rückblick des Basilius auf seine Zeit in Athen hin und legen nahe, dass er sich nicht aus religiös-asketischen Motiven aus Athen zurückgezogen hat, sondern eine weltliche Laufbahn einschlagen wollte. Diese Zeugnisse sollen hier vorgestellt werden.

1) Der 13. Brief Gregors von Nyssa belegt als zeitlich frühestes Dokument[19], dass Basilius Schüler des Libanios war und anschließend selbst weltliche Wissenschaft gelehrt hat. Gregor von Nyssa stellt bewusst die Lehrer der göttlichen Weisheit – Paulus, Johannes und die übrigen Apostel – der weltlichen Weisheit gegenüber und sagt, an Libanios gerichtet:

Εἰ δὲ περὶ τῆς ὑμετέρας λέγοις σοφίας, [...] ἴσθι με μηδὲν ἔχειν λαμπρὸν ἐν τοῖς <περὶ> τῶν διδασκάλων διηγήμασιν, ἐπ᾽ ὀλίγον τῷ ἀδελφῷ συγγεγονότα καὶ τοσοῦτον παρὰ τῆς θείας γλώττης ἐκκαθαρθέντα, ὅσον ἐπιγνῶναι μόνον τὴν ζημίαν τῶν ἀμυήτων τοῦ λόγου.

„Wenn du eure Weisheit meinst, [...] so wisse, dass ich von den Ausführungen der Lehrer nichts Großartiges zu berichten weiß; denn ich war nur kurz bei meinem Bruder Schüler und wurde so sehr von der göttlichen Zunge gereinigt, dass ich die Strafe der in den Logos Uneingeweihten kennengelernt habe."[20]

2) Auch Gregor von Nazianz erklärt in seiner Trauerrede auf Basilius nach dem Bericht über den Abschied von Athen, Basilius und er selbst, hätten sich eine kurze Zeit „der Welt und der Bühne gefällig erwiesen", bevor sie zu sich selbst gekommen und aus Unbärtigen zu Erwachsenen geworden seien:[21]

Μικρὰ τῷ κόσμῳ καὶ τῇ σκηνῇ χαρισάμενοι καὶ ὅσον τὸν τῶν πολλῶν πόθον ἀφοσιώσασθαι – οὐ γὰρ αὐτοί γε εἴχομεν θεατρικῶς οὐδὲ ἐπιδεικτικῶς –, τάχιστα ἐγενόμεθα ἡμῶν αὐτῶν καὶ τελοῦμεν εἰς ἄνδρας ἐξ ἀγενείων, ἀνδρικώτερον τῇ φιλοσοφίᾳ προσβαίνοντες [...].

„Wir haben uns kurze Zeit der Welt und der Bühne gefällig erwiesen, so viel, um der Sehnsucht der Menge genüge zu tun, denn wir selbst verhielten uns weder dem 'Theater' noch der Schaurede entsprechend; wir kamen schnellstens zu uns und wurden von Bartlosen zu Männern, indem wir männlicher in der 'Philosophie' Fortschritte machten."[22]

[19] Die Datierung ist schwierig, da direkte Hinweise auf die Abfassungszeit fehlen; Teske (1997) 14 datiert den Brief nach 378.

[20] Gr. Nyss. *ep.* 13, 4. Diese Bemerkung muss auf die Zeit nach dem Studium in Athen bezogen werden, wenn man nicht annehmen will, Basilius habe zwischen seinen Aufenthalten in Athen und Konstantinopel eine 'Studienpause' eingelegt; vgl. Teske (1997) 103 Anm. 1; Maraval (1990) 199 Anm. 3; Hauschild (1990) 5.

[21] Da die ganze Rede als Beschreibung des Basilius stilisiert ist, dürfte auch hier der scheinbare Vorsatz, nur kurz die Tätigkeit eines Rhetors auszuüben, einer nachträglichen Betonung des frühen monastischen Charakters der beiden späteren Bischöfe zuzuschreiben sein.

[22] Gr. Naz. *or.* 43, 25, 1-6. Vgl. Wittig (1981) 14, der weitere Belege für eine rhetorische Tätigkeit auch Gregors von Nazianz angibt, u. a. Gr. Naz. *c.* 2, 1, 11, 265-276. Anderer Art ist freilich der Unterricht, den Gregor von Nazianz Hieronymus erteilte, vgl. Hier. *vir. ill.* 117

3) Der wichtigste Beleg ist eine Passage in der *Lebensbeschreibung der Heiligen Makrina* durch Gregor von Nyssa;[23] dieser berichtet von der Rückkehr des Basilius aus Athen:

[...] Ἐπάνεισιν ἐν τούτῳ τῶν παιδευτηρίων πολλῷ χρόνῳ προασκηθεὶς τοῖς λόγοις ὁ πολὺς Βασίλειος ὁ ἀδελφὸς τῆς προειρημένης. Λαβοῦσα τοίνυν αὐτὸν ὑπερφυῶς ἐπηρμένον τῷ περὶ τοὺς λόγους φρονήματι καὶ πάντα περιφρονοῦντα τὰ ἀξιώματα καὶ ὑπὲρ τοὺς ἐν τῇ δυναστείᾳ λαμπροὺς ἐπηρμένον τῷ ὄγκῳ, τοσούτῳ τάχει κἀκεῖνον πρὸς τὸν τῆς φιλοσοφίας σκοπὸν ἐπεσπάσατο, ὥστε ἀποστάντα τῆς κοσμικῆς περιφανείας καὶ ὑπεριδόντα τοῦ διὰ τῶν λόγων θαυμάζεσθαι πρὸς τὸν ἐργατικὸν τοῦτον καὶ αὐτόχειρα βίον αὐτομολῆσαι.

„[...] Zu dieser Zeit kam der große Basilius, der Bruder der Genannten [sc. Makrina], von den Schulen zurück, lange Zeit ausgebildet in den Reden. Sie nahm ihn auf – denn er war übermäßig eingebildet durch sein Können in den Reden, verachtete alle Ehrungen und war in seinem Stolz überheblich gegenüber den Einflussreichen in der Provinz – und rief auch ihn so schnell zum Blick auf die ‘Philosophie’ zurück, dass er sich vom Glanz der Welt abwandte und den Ruhm durch die Reden verachtete und sich dem tätigen und selbständigen Leben zuwandte.“[24]

Die Angabe des Basilius, die ‘Philosophie’ des Eustathios habe ihn veranlasst, Athen zu verlassen, ist offensichtlich falsch. Dies kann auch aus dem späteren Brief des Basilius an Eustathios erschlossen werden: Dort erklärt er, er habe erst nach seinen Reisen zu den Asketen in Ägypten, Palästina und Mesopotamien gesehen, „dass [auch] in der Heimat gewisse Leute jenen nachzueifern suchten,“ und

(219 Ceresa-Gastaldo). Dabei handelte es sich um Schriftauslegung, in der der bereits 50jährige Hieronymus von Gregor fortgebildet wurde (vgl. Wittig [1981] 34).

23 Über den Charakter dieser Schrift vgl. Cameron (1994) 37 („Es handelt sich um ein hochliterarisches, ja philosophisches Werk, das in der Darstellung der Unsterblichkeit der Seele auf Platons *Phaidros* zurückgeht“); dies. (1991) 158; ausführlicher Momigliano (1985) 448-453.

24 Gr. Nyss. *VSM* 6, 2-12. Maraval (1971) 161 Anm. 7 weist darauf hin, dass „la VSM ne dit mot de son professorat (tout en relevant sa prétention de jeune rhéteur frais émoulu de l'Université).“ Allerdings legt dieser Text zumindest nahe, dass die Motive für die Abreise aus Athen nicht ausschließlich in den in Bas. *ep.* 1 erwähnten zu finden sind. Nach Gr. Nyss. ebd. erfolgte die eigentliche ‘Bekehrung’ des Basilius erst in Neocaesarea durch seine Schwester Makrina; nach dieser Bekehrung verachtete (ὑπεριδόντα) er – Gregor von Nyssa zufolge – tatsächlich die Gegenstände seiner früheren heidnischen Ausbildung. Im Übrigen ist der Hinweis Maravals (1971) 162 Anm. 2 auf Bas. *ep.* 150 insofern unzutreffend, als Basilius hier im Namen eines anderen spricht. Das Motiv ist freilich ähnlich wie in den *epp.* 1 bzw. 223. Vgl. abermals Momigliano (1985), dessen Bemerkungen 449 bezüglich des Unterschieds im Sprechen Gregors von Nyssa über seinen Bruder bzw. seine Schwester sehr erhellend auch für die vorliegende Schrift sind: „Gregory speaks of his sister as his sister, but does not speak of his brother as his brother. Brother Basil is turned into a distant biblical figure, to be compared with Moses, Elijah, St. John the Baptist and St. Paul.“ Die ganze literarische Verbrämung der Gestalt des Basilius durch seinen Bruder ist nur durch die in der zitierten Textstelle geschilderte ‘Bekehrung’ möglich.

sich daraufhin dieser religiösen Richtung (trotz mancher Warnungen) angeschlossen gefunden.[25]

Es ist schließlich auffallend, dass Basilius in seiner *ep.* 1 trotz des christlichen Adressaten keine Schriftzitate verwendet; vielmehr finden sich eine Anspielung auf Platon[26] sowie mehrere Homer-Reminiszenzen[27] und andere Hinweise auf griechische Mythologie,[28] ungeachtet der brieflichen Konventionen,[29] deren Kenntnis Basilius durch die Verwendung der üblichen Brieftopik[30] belegt. Eine Erklärung für diesen 'unkonventionellen' Briefstil könnte die Absicht sein, die in der heidnischen Bildung erworbenen Kenntnisse zu belegen, wie dies zuweilen geschieht.[31] Ein wichtigerer Grund ist aber, dass Basilius die heidnischen Philosophen Athens durch den christlichen Philosophen Eustathios oder die in Athen erlernte Rhetorik (und Philosophie) durch die Philosophie des Eustathios austauschen will. Die fehlenden Schriftzitate und somit seine unzureichende christliche Bildung weisen dann auf eine Bedürftigkeit des Basilius hin, die ihn nach seiner bisherigen heidnischen Ausbildung einen neuen Lehrer suchen lassen, nämlich Eustathios. Ist das Spiel mit den Begriffen der christlichen Vorsehung und der heidnischen Tyche ein (bewusst oder unbewusst erfolgter) Hinweis auf den Einfluss des Libanios? Dessen Tychebegriff[32] ließe diese Möglichkeit zumindest zu.[33]

Es konnte nachgewiesen werden, dass Basilius in zwei Briefen seinen Aufenthalt in Athen als Fehlentscheidung und die Abreise aus Athen als bewusste Hinkehr zu den wahren und besseren Lehrern auslegt und Athen als Ort der heidnischen Bildung abwertet. Für die Einschätzung des Athenaufenthalts durch Gregor von Nazianz dient erneut das große autobiographische Gedicht als Quelle. Dort äußert er sich ganz anders über die Zeit in Griechenland. Es ist schon bezeichnend, dass er nur von der Stadt Athen spricht, wenn er den Erwerb heidnischer Bildung be-

[25] Bas. *ep.* 223, 3, 1-12. Die These, Basilius sei bereits in Athen mit den Ideen des Eustathios in Kontakt gekommen (Rousseau [1998] 75 mit Anm. 63), ist lediglich ein Versuch, verschiedene Berichte in Einklang zu bringen (ders. [1990] 50 mit Anm. 35). Es handelt sich aber bei Basilius' Äußerungen in *ep.* 1 offensichtlich um einen bewussten Einsatz des Motives 'Athen'.

[26] Vgl. Bas. *ep.* 1, 30-38 mit Pl. *Phdr.* 230d 6-e 4.

[27] Vgl. Bas. *ep.* 1, 14 mit *Od.* 12, 158-200, Bas. *ep.* 1, 24 mit *Od.* 4, 483, Bas. *ep.* 1, 40 mit *Od.* 11, 582-592.

[28] Vgl. Forlin Patrucco (1979); Pouchet (1992) 89.

[29] Vgl. Thraede (1968). Zur Briefliteratur in der Spätantike vgl. auch Zelzer (1997).

[30] So z. B. das Motiv des Trostes: Bas. *ep.* 1, 3f.: [...] ἀνεκαλέσω καὶ παρεμυθήσω τοῖς γράμμασι („du hast mich ermuntert und getröstet durch den Brief"). Vgl. Thraede (1968) 49f. (ausführlicher ders. [1970] 169f.).

[31] Vgl. die Anmerkung Bernardis (1992) 181 Anm. 5 zu Gr. Naz. *or.* 43, 25, 3f.

[32] Vgl. Wöhrle (1995) 7 mit Literaturhinweis.

[33] Pouchet (1992) 90 denkt bei der Bezeichnung des Eustathios als Philosoph und den Erwähnungen von ἀνάγκη, εἱμαρμένη und τύχη an ein Spiel mit dem Namen und der Lehre des kappadokischen Iamblich-Schülers und Philosophen Eustathios.

schreibt; lediglich in einer Randbemerkung wird Alexandrien genannt (κἀνθένδε γάρ τι τῶν λόγων ἐδρεψάμην[34]), als er seine stürmische Überfahrt nach Griechenland beschreibt.[35]

Gregor gibt zwei Motivationen an, eine unvernünftige und eine vernünftige. Er hat zum einen schon früh einen θερμὸς ἔρως τῶν λόγων verspürt. Dieser θερμὸς ἔρως und der Wunsch, sich Bildung anzueignen, beruhten andererseits aber nur auf einer Ursache:

Καὶ γὰρ ἐζήτουν λόγους / δοῦναι βοηθοὺς τοὺς νόθους τοῖς γνησίοις, / ὡς μήτ' ἐπαίροινθ' οἱ μαθόντες οὐδὲ ἓν / πλὴν τῆς ματαίας καὶ κενῆς εὐγλωττίας, / τῆς ἐν ψόφοις τε καὶ λάρυγξι κειμένης, / μητ' ἐνδεοίμην πλεκτάναις σοφισμάτων. / ἐκεῖνο δ' οὔποτ' εἰς ἐμὴν ἦλθε φρένα, / πρόσω τι θεῖναι τῶν ἐμῶν παιδευμάτων.

„Denn ich strebte danach, die Bastardbildung [d. i. die heidnische Bildung] der rechtmäßigen [d. i. die christliche Bildung] als Hilfe beizugeben, damit nicht die sich überheben, die nichts gelernt haben außer der törichten und leeren Schönrednerei, die in Schall und Kehlen begründet liegt, und damit ich nicht eingewickelt würde von den Schlingen der Sophistik. Jenes kam mir jedoch nie in den Sinn, etwas meiner [sc. bereits erworbenen] Ausbildung voranzustellen."[36]

Trotz dieser Absicht bricht er stürmisch aus Alexandrien auf und entschuldigt seinen übereilten Aufbruch mit jugendlicher Unvernunft. Trotz seines Vorsatzes rechnen sich seine Freunde Chancen aus, ihm einen Lehrstuhl für Rhetorik in Athen zu verschaffen[37] und erreichen, dass er im Gegensatz zu Basilius, dort zurückbleibt. Schließlich „stiehlt" (ἔκλεψα) er sich heimlich aus Athen davon.[38]

Stellt man die beiden Bewertungen der Studienzeit in Athen durch Basilius und Gregor von Nazianz einander gegenüber, ist der Unterschied offensichtlich. Da beide Schriften apologetischen Charakter tragen, werden die unterschiedlichen Strategien noch deutlicher:

Insbesondere *ep.* 223 des Basilius trägt einen apologetischen Zug, obwohl sie Athen nicht direkt erwähnt, aber – vor allem im Hinblick auf den parallelen Bericht in *ep.* 1 – doch nahelegt:[39] Basilius will zeigen, dass stets eine Übereinstim-

[34] Gr. Naz. *c.* 2, 1, 11, 129 („auch von dort habe ich mir etwas von den Reden gepflückt").
[35] Siehe oben S. 144. Dies muss allerdings nicht auf ein Bekehrungserlebnis in Athen hindeuten (so McGuckin [2001]), sondern kann etwa ausdrücken, dass Athen stellvertretend für heidnische Bildung und Kultur steht.
[36] Gr. Naz. *c.* 2, 1, 11, 113-120. Zu dem hier geschilderten Motiv vgl. Costanza (1984) 224f.; Demoen (1993) 237; unten Kapitel 4. 2. 1. 2.
[37] Gr. Naz. *c.* 2, 1, 11, 256: (seine Kameraden hielten Gregor in Athen zurück) ὡς δὴ λόγων δώσοντες ἐκ ψήφου κράτος („um aus einer Abstimmung heraus [sc. mir] die Macht der Reden zu geben").
[38] Gr. Naz. *c.* 2, 1, 11, 264: ἔκλεψα μικροῦ λάθρᾳ τὴν ἐκδημίαν („ich erschlich mir beinahe heimlich die Ausreise").
[39] Vgl. Hauschild (1993) 193 Anm. 83.

mung zwischen seinen Ansichten und denen des Eustathios geherrscht habe, wobei 'stets' meint: seit der Zeit, als er sich nach seinem auswärtigen Rhetorik-Unterricht, „wie aus tiefem Schlaf erwachend," dem Evangelium verpflichtete bis zum Beginn der Spannungen mit Eustathios über die dogmatische Frage der Anerkennung der Gottheit des Heiligen Geistes im Jahr 373.

Gregors großes autobiographisches Gedicht, „eine politische Verteidigungsschrift in Briefform,"[40] will nach dem Konzil von Konstantinopel 381 darstellen, wie er stets gezwungenermaßen in Ämter und Verpflichtungen eingesetzt wurde,[41] um so auch seine Leitungsfunktion auf dem Konzil, die er nach dem plötzlichen Tod des ursprünglichen Vorsitzenden einnahm, als unfreiwillig zu charakterisieren. Für diesen Anlass boten sich die von ihm kurz vorher[42] in seiner Leichenrede auf Basilius erwähnten und für den vorliegenden Zusammenhang relevanten Begebenheiten in Athen an, insbesondere der Umstand, dass man ihn – teilweise mit Gewalt – gezwungen hatte, länger in Athen zu bleiben, dass man ihm zu einem Lehrstuhl verholfen hatte und dass er sich heimlich aus Athen fortstehlen musste, um all dem zu entfliehen; dabei sind einige Momente ergänzt, die in der Leichenrede auf Basilius noch fehlen.[43]

Basilius schildert die Athener Zeit in den beiden Briefen an Eustathios als Gegensatz zu dem Weg, den er später einschlug, als Fehltritt, der nach der Hinwendung zur wahren Wissenschaft nur noch Verachtung verdient. Dies hat in *ep.* 1 die Funktion, seinen Eifer für den 'neuen' Glauben zu bezeugen und sich so als Schüler zu empfehlen, der dem Lehrer Eustathios entspricht. In *ep.* 223 stellt Basilius Athen auch als Fehltritt, die Menschen in Athen als für den Charakter verderblich, und die Abkehr von beidem und die Hinkehr zur asketischen Glaubensrichtung als Zeugnis der (zumindest früheren) Übereinstimmung mit Eustathios von Sebaste von Beginn seines eigenen aktiven Glaubenslebens an dar.

[40] Jungck (1974) 14.

[41] Vgl. Jungck (1974) 13.

[42] Gr. Naz. *c.* 2, 1, 11, 387-390: [...] ἐκφέρειν λόγον / κατ' ἀνδρός, ὃν νῦν εὐλογῶν ἐπαυσάμην – [...] τῶν φιλῶν ὁ φίλτατος, / Βασίλειος („[ich scheine] Reden gegen einen Mann vorzubringen, den zu loben ich gerade aufgehört habe [...] von den Freunden der liebste, Basilius.").

[43] Der parallele Charakter der beiden Texte wird vor allem jeweils am Beginn deutlich: Lügen sollen entkräftet bzw. widerlegt werden: Bas. *ep.* 223, 1, 38-41: Γένοιτο δὲ καὶ ἡμᾶς [...] λαβεῖν τινα ἐν τοῖς ἐλεγμοῖς δύναμιν, ὥστε ἐλέγξαντας ἡμᾶς ξηρᾶναι τὸν πικρὸν τοῦτον τῆς καθ' ἡμῶν ῥυείσης ψευδηγορίας χείμαρρον („Es werde auch uns zuteil, [...] Stärke in den Widerlegungen zu erlangen, damit wir diesen herben Strom an Verleumdungen, die gegen uns vorgebracht werden, durch Prüfung trocken legen."). Gr. Naz. *c.* 2, 1, 11, 43-45: Μικρὸν δ' ἄνωθεν τὰς ἐμὰς περιστάσεις / εἰπεῖν ἀνάγκη, κἂν δέῃ μακρηγορεῖν, / τοῦ μὴ καθ' ἡμῶν ἰσχύσαι ψευδεῖς λόγους („Es besteht die Notwendigkeit, weiter auszuholen, um meine Umstände darzulegen, auch wenn es zu lang zu werden droht, damit die Lügenreden gegen uns nicht erstarken.").

Gregor von Nazianz hingegen behauptet, seine Absicht sei von vornherein gewesen, die wahre Bildung und deren Verbreitung durch die heidnische Bildung zu stützen,[44] so dass er nur sein Ungestüm tadelt, mit dem er nach Athen aufbrach, nicht das Vorhaben an sich; dieses rechtfertigt er. Für ihn ist 'Athen' ein Grund, sich gern an die Studienzeit zu erinnern, und zwar gerade wegen des Umgangs, den er dort hatte, nämlich mit Basilius oder mit anderen, von denen er in der Rede auf Basilius sagt: „Nicht die Ausgelassensten, sondern die Sittsamsten waren unsere Freunde, nicht die Streitsüchtigsten, sondern die Friedfertigsten und deren Umgang den größten Nutzen gewährt."[45]

Athen bedeutet heidnische Bildung. Ein zu langer Aufenthalt dort kann schädlich sein, und man muss die Stadt und alles, was dort ist, verachten oder sich heimlich davonstehlen, um seine wahre Lebensbestimmung zu finden.

4. 2. 1. 2 Gregor von Nazianz 'über sich selbst' und über Athen: Verteidigung und Kritik

Die Funktion des großen autobiographischen Gedichtes Gregors von Nazianz (*c.* 2, 1, 11) wurde oben dargestellt.[46] Es hatte als Reaktion auf die Vorfälle während des Konzils in Konstantinopel vorwiegend eine apologetische Aufgabe. So wurde auch der Gang nach Athen zwar als unkontrollierter Affekt getadelt, die Intention dieses Studienabschnitts, sich eine Stütze für die christliche Verkündigung zu erarbeiten, sollte jedoch Kritik an diesem Bildungsweg entkräften.

Dasselbe Thema, Verteidigung des eigenen Bildungsweges, findet sich in anderen autobiographischen ('*de-se-ipso-*') Gedichten.[47] Dabei setzt Gregor sein Inter-

[44] Mit ähnlichen Argumenten rechtfertigt Gregor von Nyssa die Ausbildung seines Bruders Basilius in den heidnischen Wissenschaften (Gr. Nyss. *Vita Moysis*: GNO 7, 1, 68, 8-18).

[45] Gr. Naz. *or.* 43, 20, 19-21 (Übersetzung Röhm). Vgl. unten S. 202.

[46] Vgl. oben S. 173.

[47] Zur Problematik der Einteilung der Gedichte vgl. Lefherz (1958) 63 und 209f. Anm. 1. Die „außerordentlich unglückliche" (ebd. 63) Gliederung der Ausgabe von Migne bzw. der Mauriner ist noch nicht ersetzt. Die neueren Kommentare und Ausgaben behalten die alte Zählung mit zwei Büchern und je zwei Unterabteilungen bei (1, 1 = *Poemata dogmatica*; 1, 2 = *Poemata moralia*; 2, 1 = *Poemata de seipso*; 2, 2 *Poemata quae spectant ad alios*; außerhalb dieser Zählung, aber zu Buch 2 gezählt: *Epitaphia* und *Epigrammata*). – Die Erforschung des poetischen Werks des Gregor von Nazianz, die sich bisher weitgehend nur auf einzelne Gedichte erstreckt hat, ist in vielen Fragen noch zu keinem abschließenden Urteil gekommen. Beispielhaft dafür steht das Problem der Datierung seiner Gedichte: Für eine Einordnung in das Spätwerk zeichnen die bei Sundermann (1991) 19 Anm. 80 angegebenen Forscher, unter ihnen Mommsen (1886) und Altaner / Stuiber (1978), doch auch neuerdings Ferrante (1993) 404 und Wyss (1983) 796, der von dem „größten Teil seiner Gedichte" spricht. Sundermann, der selbst (a. a. O.) das von ihm behandelte Gedicht (*c.* 1, 2, 1) mit Szymusiak-Affholder (1971) auf 370/371 datiert, nennt noch Gallay (1943) und de Jonge (1910) als Vertreter einer 'Frühdatierung'. Eine Festlegung scheint nicht möglich. Das Gedicht 2, 1, 45 ist noch zu Lebzeiten des Vaters verfasst (vgl. 206-208), viele andere sicher erst nach dem Konzil von 381.– Ein Ergebnis wird zumindest in der neueren Forschung durchgängig festgehalten,

esse an literarischer Bildung, die er episch auch durch den Ausdruck κλέος λόγων umschreibt, mit seinen früheren Ausbildungsstätten gleich. Zum anderen vergisst er allerdings die bereits bekannte Verteidigung nicht, dass er die rhetorische, in paganer Tradition stehende Ausbildung dem christlichen Gott und der Verkündigung Christi dienstbar gemacht habe. So lauten einige Verse des ersten Gedichtes der historischen Abteilung in der noch maßgeblichen Gesamtausgabe:[48]

Μοῦνον[49] ἐμοὶ φίλον ἔσκε λόγων κλέος,[50] οὓς συνάγειραν / ἀντολίη τε δύσις[51] τε καὶ Ἑλλάδος εὖχος[52] Ἀθῆναι. / τοῖς ἔπι πόλλ' ἐμόγησα[53] πολὺν χρόνον, ἀλλὰ καὶ αὐτοὺς / πρηνέας ἐν δαπέδῳ Χριστοῦ προπάροιθεν ἔθηκα[54] / εἴξαντας μεγάλοιο Θεοῦ λόγῳ, ὅς ῥα καλύπτει / πάντα φρενὸς βροτέης στρεπτὸν πολυειδέα μῦθον.[55]	„Einzig lieb war mir der Ruhm der Reden, die mir zusammentrugen Sonnenaufgang und Sonnenuntergang und der Ruhm Griechenlands, Athen. Für sie habe ich lange Zeit viel Mühe aufgewendet, doch auch sie habe ich kopfüber auf dem Boden für Christus ausgebreitet, indem sie dem Wort des großen Gottes glichen, der jedes wendige und vielgestaltige Wort sterblichen Geistes in den Schatten stellt."[56]

nämlich die Zugehörigkeit vieler Gedichte zu dem Genus der Diatribe: Vgl. Sicherl in Zehles / Zamora (1996) 28f.; Beuckmann (1988) 20-29; Kertsch (1983) 171; Werhahn (1953) 17; zu den Quellen der 'gregorianischen Diatribe' vgl. Beuckmann (1988) 26-29. Allerdings ist der Begriff der Diatribe „in der Forschung heftig umstritten" (Beuckmann [1988] 21f.; 23-26 listet er Merkmale der Diatribe als literarischer Gattung auf. Vgl. Capelle / Marrou [1957], insbesondere zur christlichen Diatribe vgl. Marrou ebd. 1000-1005).

48 Es liegen bisher nur einzelne kritische und kommentierte Textausgaben vor; Gesamtausgaben sind in Deutschland (vgl. Zamora in Zehles / Zamora [1996] VIII im Vorwort zum Kommentar zu 355-689) und Frankreich (vgl. Bernardi [1995] 307) geplant; vgl. auch Meehan (1987) 19 Anm. 31. Eine größere Auswahl des poetischen Werks liegt mittlerweile in italienischer Übersetzung: Moreschini u. a. (1994) und Crimi / Costa (1999).

49 Ganz ähnlich in Gr. Naz. *or.* 4, 100, 10-12.

50 Vgl. Luc. *Halc.* 8: λόγων κλέος, οἷον παρέδοσαν πάτερες.

51 Vgl. A. *Pr.* 457f.; ähnlich Plb. 2, 14, 4 (ἀνατολή neben δυσμή); christlich bei *1Clem* 5, 6 (SC 167, 108) von Paulus: Κῆρυξ γενόμενος ἔν τε τῇ ἀνατολῇ καὶ ἐν τῇ δύσει, τὸ γενναῖον τῆς πίστεως αὐτοῦ κλέος ἔλαβεν („ein Bote geworden in Ost und West, empfing er den echten Ruhm für seinen Glauben").

52 Vgl. schon *Il.* 5, 285.

53 Zum Ausdruck vgl. *Od.* 16, 19.

54 Vgl. *Od.* 11, 577 vom ewigen Büßer Tityos κείμενον ἐν δαπέδῳ.

55 Zu diesem Vers vgl. *Il.* 20, 248f. Zu πολυειδής vgl. Lampe 1115 s. v. Das Wort wird in der christlichen Literatur meist von Irrlehren gebraucht. Bei Platon ist πολυειδής dem (göttlichen) μονοειδής gegenübergestellt, vgl. *R.* 10, 612a 3-6; *Phd.* 80a 10-b 6. Zur ablehnenden Haltung Gregors gegenüber dem Mythos vgl. Kertsch (1983) 170 Anm. 16 sowie Beuckmann (1988) zu 1, 2, 28, 234 und 247. Vgl. ferner dazu Knecht (1972) zu Gr. Naz. *c.* 2, 1, 29, 123f., der zwei unterschiedliche Bedeutungen dieses Wortes bei Gregor von Nazianz ausmacht: Zunächst als „'Sage (ohne Wahrheitsgehalt)'" und dann „in seiner alten Vieldeutigkeit"; in letzterer Bedeutung, meint Knecht, „benutzt [Gregor] das Wort als episches Synonym zu λόγος." Eine detaillierte Differenzierung der Verwendungen von μῦθος bei Gregor hat Demoen (1993) 212-216 vorgenommen.

56 Gr. Naz. *c.* 2, 1, 1, 96-101.

Das Gedicht[57] – „une longue prière de six cent trente-quatre hexamètres que le poète adresse à Dieu dans son désarroi pour lui confier son chagrin et lui demander son aide,“[58] – suggeriert eine Rechtfertigung nicht nach außen, sondern sich selbst und Gott gegenüber. Seine Ausbildung hatte Gregor schon in den vorhergehenden Versen damit relativiert, dass er die zahlreichen Entbehrungen seines Lebens aufzählte und es ausschloss, irgendwelche Ambitionen gehegt zu haben, die auf eine weltliche Karriere hätten hinauslaufen können.[59]

An anderer Stelle wehrt sich Gregor dagegen, das christliche Ideal einer Bildungslosigkeit zu akzeptieren, ja, er geht sogar zum Gegenangriff über: Für die Kenntnis und Notwendigkeit rhetorischer und anderer wissenschaftlicher Bildung bei Christen und deren Indienstnahme zu pastoralen Zwecken führt Gregor Gestalten des Neuen Testaments an. Auch der Aufenthalt des Paulus in Athen[60] findet in den Gedichten Erwähnung, so etwa in dem apologetischen[61] Gedicht *de se ipso et de episcopis*.[62] Gregor klagt dort über die mangelnde Bildung vieler Bischöfe. Er widerlegt den möglichen Einwand, auch die Gestalten des Neuen Testaments seien (in ihrer Unbildung) den zeitgenössischen Bischöfen vergleichbar, und weist auf die Glaubensfestigkeit der biblischen Figuren hin und darauf, dass sie vom Heiligen Geist erfüllt gewesen seien. Dann führt Gregor die Schriften des Neuen Testaments selbst an, die so reich an Inhalt und Diskussionsstoff seien, dass auch er, der von Kindheit an in der Beschäftigung mit dem Wort aufgezogen wurde ([sc. ἡμεῖς] οἱ τοῖς λόγοις ἄνωθεν ἐντεθραμμένοι[63]), sich mit viel Anstrengung um eine freilich nur unvollständige Interpretation dieser Werke bemühen muss. Er geht auch auf Einzelheiten der *Apostelgeschichte* ein, indem er weiter über die Verfasser und Charaktere der neutestamentlichen Schriften fragt:

57 Bernardi (1995) 319 datiert dieses Gedicht auf ca. 371. Das hexametrische Gedicht hat, wie die Wortwahl bezeugt, homerischen Charakter. Vgl. auch Costanza (1976). Demoen (1993) 62 (mit Anm. 119) klassifiziert dieses Gedicht als ‘elegisch’ unter den autobiographischen Gedichten Gregors von Nazianz.

58 Bernardi (1995) 319.

59 Gr. Naz. *c*. 2, 1, 1, 86f.: Οὐδὲ δίκης με θρόνων ποθ’ ἕλεν πόθος, οἷσιν ἔμελλον / κλεινὸς ἐφεδρήσσων ὑπὲρ ὀφρύας ὕψος ἀείρειν („Niemals ergriff mich der Wunsch nach den Thronen der Richter, auf denen ruhmvoll sitzend ich die Augenbrauen unnatürlich hoch gezogen hätte.“). Der Hinweis auf das ‘Rümpfen’ der Augenbrauen wird häufig auf die Sophisten und Philosophen bezogen.

60 Vgl. dazu ausführlicher unten Kapitel 4. 2. 3.

61 Vgl. Demoen (1993) 63.

62 Gr. Naz. *c*. 2, 1, 12. Das Gedicht ist nach Meier (1989) 17 mit Anm. 13 und 87 zu 101 sowie 164f. zu 818 unmittelbar unter dem Eindruck der (von Gregor nicht erwarteten [vgl. Meier (1989) 15]) Annahme seines Rücktrittsgesuches als Leiter des Konzils und Bischof von Konstantinopel noch vor dem großen autobiographischen Gedicht verfasst worden. Vgl. zum Hintergrund McGuckin (2001a) 167-177.

63 Gr. Naz. *c*. 2, 1, 12, 233.

Πόθεν βασιλεῖς[64] τε καὶ πόλεις[65] καὶ συλλόγους, / κατηγοροῦντας,[66] εὐθύνοντας[67] ἐν λόγοις,[68] / πρὸ βημάτων[69] τε καὶ θεάτροις ἐν μέσοις,[70] / σοφούς, νομικούς, Ἕλληνας ὠφρυωμένους / δημηγοροῦντες, εὐστομοῦντες καίρια[71] / ἔπειθον, ἐξήλεγχον ἐν παρρησίᾳ,[72] / εἰ μὴ λόγου μετεῖχον, οὗ σὺ μὴ δίδως;

„Woher hätten sie die Könige und Städte und die Versammlungen, die anklagten und in Reden zurechtwiesen, vor Gericht und mitten im Theater, die Weisen, Gesetzeskundigen und Griechen mit hochgezogener Augenbraue, in Volksreden und in schönen Vorträgen überzeugen und mit ihren offenen Reden überführen können, wenn sie nicht an der Bildung teilgehabt hätten, die du ihnen absprichst?“[73]

Auch in diesen Versen liegt neben der Kritik an der Unbildung seiner Bischofskollegen eine Verteidigung des Studiums in Athen, denn es ist nicht abwegig, die vordergründig allgemein gehaltenen „Weisen, Gesetzeskundigen und Griechen mit hochgezogener Augenbraue“ (241: σοφούς, νομικούς, Ἕλληνας ὠφρυωμένους; alle drei Attribute haben natürlich einen ironisch-negativen Unterton) mit

[64] Paulus spricht *Act. Ap.* 26, 2-23 vor dem als βασιλεύς eingeführten Herodes Agrippa II. in Caesarea, woraufhin dieser sagen kann: Ἀπολελύσθαι ἐδύνατο ὁ ἄνθρωπος οὗτος εἰ μὴ ἐπεκέκλητο Καίσαρα („Der Mann könnte freigelassen werden, wenn er nicht den Kaiser angerufen hätte“ 26, 32).

[65] Πόλις hier metonymisch für die Einwohner: vgl. z. B. *Act. Ap.* 13, 44 (von Antiochia in Pisidien); 14, 21 (von Derbe).

[66] Paulus muss sich verschiedentlich verteidigen, meist gegen Anklagen der jüdischen Gemeinde; vgl. oben zu 238 (βασιλεῖς) und auch schon *Act. Ap.* 24, 10-21 (Verteidigungsrede vor Felix, dem Statthalter Caesareas) und 25, 6-12 (Gespräch mit Festus, dem Nachfolger des Felix).

[67] Christlich meist in der Bedeutung „refute“, vgl. Lampe 565 s. v.; so allerdings nicht im Neuen Testament. Meier (1989) *ad loc.* nennt *Act. Ap.* 5, 28, wo der Hohepriester die Apostel vor dem Hohen Rat befragt, und übersetzt „zurechtweisen.“

[68] Die Verbindung εὐθύνω ἔν τινι oder κατηγορέω ἔν τινι ist bei LSJ und Lampe nicht belegt.

[69] Vgl. zum Ausdruck *Act. Ap.* 25, 6.

[70] Im Theater von Ephesos versammelte sich die Menge, um gegen das Wirken der Christen in ihrer Stadt zu protestieren (*Act. Ap.* 19, 29-40). Dort spricht allerdings der Stadtschreiber (γραμματεύς), keiner der Apostel. Vgl. Meier (1989) *ad loc.*: „Daß G(regor) aus dem Gedächtnis zitierte Ereignisse nicht immer korrekt wiedergibt, ist nicht ungewöhnlich.“ Eine Lösung kann zwar nicht angeboten werden, doch ist die von Meier (1989) vermutete Verwechslung fragwürdig. Es handelt sich schließlich nicht um profane Ereignisse oder Personen (vgl. auch Anm. 64 und 66), sondern um den ‘Heiligen Paulus’; ‘Flüchtigkeitsfehler’ beim Zitieren oder Paraphrasieren neutestamentlicher Ereignisse sind in einem Gedicht „an die Bischöfe“, das mit Kritik an deren mangelnder Bildung nicht spart, unwahrscheinlich.

[71] Vgl. zum Ausdruck Gr. Naz. *ep.* 7, 10, 1; 183, 7, 7. In beiden Fällen spricht Gregor vom Schaden „am Wesentlichen (τὰ καιριώτερα / περὶ τὰ καίρια)“; gemeint ist der christliche Glaube und das Seelenheil.

[72] Vgl. zu diesem und dem vorhergehenden Vers *Act. Ap.* 18, 28: Εὐτόνως γὰρ τοῖς Ἰουδαίοις διακατηλέγχετο δημοσίᾳ ἐπιδεικνὺς διὰ τῶν γραφῶν εἶναι τὸν χριστὸν Ἰησοῦν („Er widerlegte die Juden vollständig und zeigte öffentlich anhand der Schrift, dass Jesus der Gesalbte sei.“).

[73] Gr. Naz. *c.* 2, 1, 12, 238-244.

den Athenern der *Apostelgeschichte* gleichzusetzen:[74] In der *Apostelgeschichte* sucht man die Worte σοφός und νομικός zwar vergeblich, allerdings werden σοφός und σοφία im Neuen Testament, sofern sie mit der „weltlichen" Weisheit in Verbindung stehen, als nichtige Eigenschaft und nichtiges Wissen bezeichnet.[75] Νομικός wird im Neuen Testament vorwiegend für Schriftgelehrte verwendet;[76] in nicht-christlicher Literatur bezeichnet das Wort auch einen Aspekt rhetorischer Ausbildung und Praxis, das Genus der Gerichtsrede.[77] Beide Interpretationen lassen sich auf den Abschnitt der *Apostelgeschichte* über Athen beziehen: Im ersten Fall ist auf die Juden angespielt, mit denen sich Paulus in der Synagoge auseinandersetzte, im anderen Fall auf die Gelehrten, die sich auf der Agora versammeln, ein Bild, das auch Basilius von Caesarea mit Athen in Verbindung bringt.[78]

Dass Paulus in der Lage war, Diskussionen mit den Exponenten heidnischer Weisheit zu führen, nämlich mit den Gelehrten in Athen, ist zum einen Zeichen für seine Bildung. Gleichzeitig ist es aber auf diesem Hintergrund verständlich, warum auch Gregor in Athen seine Ausbildung beschloss: Wo kann man besser die Auseinandersetzung mit paganer Bildung üben bzw. mit deren Techniken und 'Spitzfindigkeiten' vertraut werden als an dem Ort, wo sich die Elite der paganen Weisheit konzentriert? Schließlich, so legt Gregor nahe, zeigte ja auch Paulus seine Gewandtheit im Umgang mit heidnischer Weisheit am deutlichsten, als er mit den Weisen, Rechtskundigen und Sophisten in Athen diskutieren musste.

Wenn es auch im gesamten poetischen Corpus Gregors schwierig ist, jeweils eine Abfassungszeit für einzelne Gedichte anzugeben, werden doch die beiden zitierten *carmina* aufgrund biographischer Andeutungen im allgemeinen auf die Zeit nach der Abdankung Gregors in Konstantinopel 381 datiert.[79] Ähnliches gilt für zwei Epitaphien,[80] in denen Gregor auch Athen erwähnt: eines auf sich selbst und eines auf Basilius:

[74] Anders Meier (1989) 100 zu 238-244, der σοφούς und Ἕλληνας ὀφρυομένους auf die Athener in *Act. Ap.* 17, 18-32, νομικούς aber „z. B." auf den „Anwalt Tertullus" (*Act. Ap.* 24, 1-9) bezieht. Dies ist nicht auf einer lexikalischen Parallele begründet, denn Tertullus wird in der *Apostelgeschichte* nicht mit dem Attribut νομικός, sondern der Berufsbezeichnung ῥήτωρ versehen; νομικός passt aber besser zu der oben ausgeführten Charakterisierung der Athener in der *Apostelgeschichte* (die Athener führen Paulus an den Gerichtsort Areopag) und den anderen angeführten Quellen (vgl. Chariton unten S. 216 Anm. 254).

[75] Z. B. *1Ep. Cor.* 3, 19: Ἡ γὰρ σοφία τοῦ κόσμου τούτου μωρία παρὰ τῷ θεῷ ἐστιν („Denn die Weisheit dieser Welt ist eine Torheit bei Gott").

[76] Vgl. *Ev. Matt.* 22, 35; *Ev. Luc.* 10, 25; *Ep. Tit.* 3, 13.

[77] Vgl. Philostr. *VS* 1, 22, 1 (2, 35 Kayser; über Dionysios von Milet, einen Rhetor des 1./2. Jh.): [...] ὡς ἐν ἅπασι μὲν τοῖς εἰρημένοις δεδήλωται τῷ Διονυσίῳ, λογικοῖς τε καὶ νομικοῖς καὶ ἠθικοῖς ἀγῶσι („Dies wird von Dionysios in allen seinen Reden gezeigt, in wissenschaftlichen Reden, Gerichtsreden und Reden mit ethischen Themen.").

[78] Vgl. unten S. 227f.

[79] Vgl. dagegen oben S. 176 Anm. 57.

[80] Zur These, die Epitaphien seien erst nach Gregors Tod veröffentlicht worden Beckby (1965) 446.

1) Das Epitaphium, das er auf sich selbst geschrieben hat und das (wie alle seine Epitaphien auf sich selbst) ein Vermächtnis seines Lebens darstellen soll, zeigt zum einen die Begeisterung für Athen, zum anderen aber auch die bekannte Verteidigungsstrategie: Griechenland (= Athen) und seine Jugend seien Christus bereitwillig gewichen, heißt es dort:

Ἑλλὰς ἐμὴ νεότης τε φίλη καὶ ὅσσα πεπάμην, / καὶ δέμας,[81] ὡς Χριστῷ εἴξατε προφρονέως. / εἰ δ᾽ ἱερῆα φίλον με Θεῷ θέτο μητέρος εὐχή[82] / καὶ πατρὸς παλάμη, τίς φθόνος; ἀλλά, μάκαρ, / σοῖς με, Χριστέ, χοροῖσι δέχου καὶ κῦδος ὀπάζοις[83] / υἱέι Γρηγορίου, σῷ λάτρι[84] Γρηγορίῳ.

„Mein Griechenland, liebe Jugend und alles, was ich erworben habe, und die Gestalt, wie gerne seid ihr Christus gewichen. Wenn mich das Gebet der Mutter zu einem Priester gemacht hat, der Gott lieb ist, und auch die Hand des Vaters: Welchen Neid gibt es darüber? Aber, seliger Christus, nimm mich in deinen Reigen auf und gib mir Ruhm, dem Sohn Gregors, deinem Diener Gregor.“[85]

Das ‘Weichen’ muss man hier wohl so verstehen, dass ‘Griechenland’ und die Ereignisse der ‘Jugend’ ihren Selbstzweck verloren haben und in den Dienst Christi gestellt wurden.

Das Gedicht steht in einer Reihe von neun ‘Epitaphien,’[86] die Gregor auf sich selbst verfasst hat. Viele hier genannte Aspekte seines Lebens erscheinen auch in den anderen Epitaphien immer wieder: Die Weihe durch seine Mutter an Gott,[87] die (unfreiwillige) Priesterweihe durch seinen Vater,[88] die Hingabe an Christus.[89] Aber auch die Beredsamkeit wird des Öfteren erwähnt, sogar noch durchgängiger als die anderen Motive: So sagt er an einer Stelle, das Wort (λόγος = Christus) habe ihm eine zweischneidige Rede (μῦθον) gegeben,[90] und an einer anderen, er habe freiwillig alles (τὰ πάντα) in seinem kurzem Erdenleben Christus zur Ver-

[81] Vgl. *c.* 1, 2, 15, 149-151: Καὶ γὰρ διπλόος εἰμί· τὸ μὲν δέμας ἔνθεν ἐτύχθη [...] / Ψυχὴ δ᾽ ἔστιν ἄημα Θεοῦ („Denn ich bin in zwei Teile geteilt: Die Gestalt ist von hier [sc. der Erde] gemacht [...], die Seele aber ist ein Hauch Gottes.“).

[82] In den homerischen Epen nur *Od.* 10, 526.

[83] Zum homerischen Charakter dieser Wendung vgl. *Il.* 8, 141: Τούτῳ Κρονίδης Ζεὺς κῦδος ὀπάζει („Ihm gewährte der Kronossohn Zeus Ruhm“).

[84] Oft von Dienern der Götter, vgl. LSJ 1032 s. v.; Lampe 794 s. v.; so auch von dem Engel Gabriel bei Sophronios (von Jerusalem, 7. Jh.) *or.* 2 (*Homilia in annuntiationem*), 26 (PG 87, 3429B).

[85] Gr. Naz. *c.* 2, 1, 94 (PG 37, 1449A *Aliud* [sc. *epitaphium in se ipsum*]) = *AP* 8, 80 Beckby.

[86] Gr. Naz. *cc.* 2, 1, 92-99 (PG 37, 1447-1452); über die Echtheit von *c.* 2, 1, 99 vgl. Werhahn (1962) 342f.

[87] Gr. Naz. *cc.* 2, 1, 92, 3f.; 2, 1, 93, 1f.; 2, 1, 95, 3f.

[88] Gr. Naz. *c.* 2, 1, 95, 1. Vgl. dazu *c.* 2, 1, 11, 345-351; Wittig (1981) 18; Wyss (1983) 795. Gregor zog sich nach dieser unfreiwilligen Weihe an den Pontos zurück, kehrte aber bald wieder nach Nazianz zurück.

[89] Gr. Naz. *cc.* 2, 1, 96, 3f.; 2, 1, 97, 1f.; 2, 1, 98, 3.

[90] Gr. Naz. *c.* 2, 1, 93, 4.

fügung gestellt, einschließlich (σὺν τοῖς [sc. πᾶσι]) der geflügelten Rede (πτερόεντα λόγον).[91] Die Indienstnahme der weltlichen Bildung zur Erkenntnis und Verbreitung des Glaubens liegt auch der Formulierung zugrunde, er habe „mittels der Weisheit die Weisheit (σοφίῃ σοφίης δεδραγμένος) ergriffen und [so schon] als Jüngling die auf den Himmel gerichtete Hoffnung als einzigen Reichtum besessen."[92] Das Motiv des Verzichts auf (materielle) Mittel ist also in diesen Epitaphien, aber auch in den anderen *de-se-ipso*-Gedichten verbreitet.

2) Dieses Motiv lässt sich versteckt auch in einem Epitaphium auf Basilius finden. In diesem 52 Verse umfassenden Epitaphium nennt Gregor zahlreiche Hinweise auf die λόγοι, die Bemühungen um die Redekunst kulminieren aber an der Stelle, an der Gregor die in seinen Augen glückliche Zeit in Athen erwähnt; die vorhergehenden Verse sind sozusagen eine Hinführung,[93] die folgenden nur noch ein Nachklang. Die Passage über Athen lautet:

Ὦ μῦθοι, ὦ ξυνὸς φιλίης δόμος, ὦ φίλ' Ἀθῆναι, / ὦ θείου βιότου τηλόθε συνθεσίαι,[94] / ἴστε τόδ', ὡς Βασίλειος ἐς οὐρανόν, ὡς ποθέεσκεν, / Γρηγόριος δ' ἐπὶ γῆς χείλεσι δεσμὰ φέρων.[95]	„O ihr Reden, o gemeinsames Haus der Freundschaft, o liebes Athen, o von fern her die Verpflichtung zu göttlichem Leben, wisset, dass Basilius, wie er gewünscht, gen Himmel ist, Gregor aber noch auf Erden weilt, Fesseln am Mund tragend."[96]

Es ist bemerkt worden, dass zwischen dem vorliegenden Epitaphium und der Leichenrede für Basilius eine „sostanziale concordanza" bestehe, gleichzeitig aber der dort so ausführlich beschriebene Athenaufenthalt hier „viene rapidamente tratteggiato in un distico."[97] Eine zu ausführliche Beschreibung der heidnischen Bildung und ihres Zentrums soll wohl vermieden werden, um Basilius in erster Linie als kirchlichen Würdenträger in Erinnerung zu halten und seinen paganen Bildungshintergrund nicht über Gebühr zu betonen.

[91] Gr. Naz. *c.* 2, 1, 97, 1f.
[92] Gr. Naz. *c.* 2, 1, 96, 3f.
[93] Vgl. etwa 11: ὤλετο κῆρυξ. 15f.: Αἲ αἴ, Βασσιλίου δὲ μεμυκότα χείλεα σιγῇ / ἔγρεο καὶ στήτω σοῖσι λόγοισι σάλος. 17f.: σὺ γὰρ μόνος ἶσον ἔφηνας / καὶ βίοτον μύθῳ καὶ βιότητι λόγον. 21: ἄγγελον ἀτρεκίης ἐριηχέα. 31f. (vgl. oben *AP* 8, 80): πάντα δὲ Χριστῷ / δῶκας ἄγων ψυχὴν σῶμα λόγον παλάμας. Im Anschluss 40: βροντὴ σεῖο λόγος, ἀστεροπὴ δὲ βίος. 43f.: Βένθε' ἅπαντ' ἐδάης τὰ πνεύματος, ὅσσα τ' ἔασιν / τῆς χθονίης σοφίης. 49: (von der Grabinschrift) μῦθος ὅδ' ὃν φιλέεσκες.
[94] Schon *Il.* 2, 339: Πῇ δὴ συνθεσίαι τε καὶ ὅρκια βήσεται ἡμῖν; („Wo werden uns nun hingehen die Verträge und die Eide?" [Übersetzung Schadewaldt]).
[95] Dieser Vers legt eine Abfassung in der Fastenzeit des Jahres 382 nahe, in der Gregor sich die Bußübung des Schweigens auferlegt hatte, vgl. Oberhaus (1991) 1-10.
[96] Gr. Naz. *epitaph.* 119, 35-38 (PG 38, 74A) = *AP* 8, 8. Beckby (1965) 610 bezieht den letzten Vers auf die Abdankung in Konstantinopel und datiert das Epitaphium daher mehrere Jahre nach den Tod des Basilius. Vgl. Consolino (1989) 418-423.
[97] Consolino (1989) 418.

Athen wird in den vorliegenden Versen wie in den Briefen als Ort der Freundschaft und der gemeinsamen Studien gefeiert, und den λόγοι, der φιλία, der Stadt Athen (Ἀθῆναι) und den συνθεσίαι wird die Neuigkeit zugerufen, Basilius sei zwar verstummt, aber seinem Wunsch entsprechend in den Himmel aufgestiegen, Gregor selbst hingegen, gezwungenermaßen verstummt, weile noch auf Erden. Es ist wohl richtig, dass diese Passage des Epitaphiums von Anspielungen auf die kritische Situation der Kirche sowohl in Caesarea als auch insgesamt umgeben ist;[98] doch das Lob, das in diesen Versen liegt, bezieht sich sowohl auf die kirchenpolitische Bedeutung wie auf die rhetorische Begabung des Basilius: Beides geht ineinander über.

Es handelt sich bei den beiden Gedichten, die zuletzt besprochen wurden, um Epitaphien, also Grabinschriften. Die Anthologia Palatina hat das auf Basilius verfasste Epitaphium in Abschnitte zerlegt, um so dem apophthegmatischen Charakter dieser Sammlung gerecht zu werden.[99] Daher ist es gerechtfertigt, ebenso wie im Fall des von der Patrologia Graeca als Ganzes zusammengestellten Gedichtes auf Basilius, auch die Gedichte, die Gregor auf sich selbst verfasst hat, als Einheit zu betrachten[100] (was durch die Länge eine Abfassung mit dem Ziel der tatsächlichen Verwendung als Epitaphium unwahrscheinlich macht). In diesen Gedichten ist die Betonung der Redekunst herausgearbeitet worden; dass in diesem Zusammenhang Athen erscheint, jeweils im Umfeld des Adjektives φίλος,[101] und Gregor ebenso jeweils auf die Weihe dessen an Gott hinweist, was er mit Athen verbindet (Reden,[102] Jugend, Freundschaft, Lebensführung, ja sogar der Körper und schließlich „alles, was ich erworben hatte"), ist eine weitere auffallende Parallele.

Gregor benutzt offenbar gerade seine Gedichte als Forum für die Verteidigung seiner Bildung. In den Gedichten, die natürlich durch die Form der gebundenen Rede und in ihrer Anlehnung an epischen Ausdruck für sich genommen schon seinen paganen Bildungshintergrund repräsentieren, kann er aber gleichzeitig auch demonstrieren, wie er diese Bildung in den Dienst des Glaubens stellt. Dies wird zum einen an den zahlreichen sogenannten 'dogmatischen' Gedichten deutlich, die sich in der ersten Abteilung seines poetischen Corpus finden; zum anderen kommt der 'didaktische' Charakter seiner Dichtung eben darin zum Ausdruck, dass er allenthalben die Unzulänglichkeit einer Bildung demonstriert, die um ihrer selbst

98 Consolino (1989) 418f.

99 Das *c.* 2, 1, 119 findet sich in *AP* 8, 2-12.

100 Consolino (1989) 412 zu den auf Basilius in der Anthologia Palatina getrennt aufgeführten Epigrammen: „per ottenere un profilo completo di Basilio e della sua forte personnalità, è necessario leggere tutti i carmi, che concorrono a formare un' unica immagine connettendosi fra loro come tessere dello stesso mosaico."

101 So bereits oben *c.* 2, 1, 1, 96: Μοῦνον ἐμοὶ φίλον ἔσκε λόγων κλέος.

102 Beckby (1965) übersetzt in *AP* 8, 8 μῦθοι mit „Gespräche."

willen oder aus Motiven erworben wird, die nicht auf die Durchdringung und Verbreitung des Glaubens zielen.

4. 2. 1. 3 Strategische Sentimentalität: Athen als Ausdruck der Übereinstimmung in Glauben und Lebensführung

Die vorhergehenden Abschnitte aus den Schriften des Basilius und Gregors hatten die Absicht, eine Distanzierung von dem, was man in christlichen Kreisen mit Athen verbindet, zu vermitteln. Die beiden Kappadokier versuchten, den jeweiligen Lesern klarzumachen, dass trotz des Aufenthaltes oder nach dem – im Rückblick zuweilen als Fehler betrachteten – Studium in Athen, eine umfassende Übereinstimmung im christlichen Glauben vorhanden ist.

Eine andere, gleichwohl verwandte Absicht findet sich in der Korrespondenz des Gregor von Nazianz mit Basilius. Der Nazianzener beginnt einen Brief[103] an Basilius mit der Beteuerung, dieser sei stets (ἀπ' ἀρχῆς καὶ νῦν) für Gregor „Führer in der Lebensweise und Lehrer in den Lehren" und auch sonst in jeder Hinsicht gut gewesen.[104] Nach weiteren Hinweisen auf seine Ergebenheit und Beteuerungen der Freundschaft, nach der Bitte, sich über das Folgende nicht zu ärgern, und der Bemerkung, dass der Vorwurf der Gottlosigkeit (ἀσέβεια) ihnen gegenüber schon öfters geäußert worden sei, beginnt Gregor, eine Begebenheit zu erzählen, die sich unlängst (νεωστί) ereignet habe; es handelte sich um ein Gastmahl (συμπόσιον), an dem er teilgenommen hatte, und nach einleitenden Worten sagt er, bevor er zu dem eigentlichen Vorfall kommt:

Οὔπω πότος ἦν, καὶ λόγος ἦν περὶ ἡμῶν, ὅπερ ἐν τοῖς συμποσίοις φιλεῖ συμβαίνειν ἀντ' ἄλλου τινὸς ἐπεισοδίου προτιθεμένων· πάντων δὲ τὰ σὰ θαυμαζόντων καὶ προστιθέντων ἡμᾶς ὡς τὰ ἴσα φιλοσοφοῦντας καὶ τὴν φιλίαν λεγόντων καὶ τὰς Ἀθήνας καὶ τὴν ἐν πᾶσι σύμπνοιάν τε καὶ ὁμόνοιαν, δεινὸν τὸ πρᾶγμα ποιεῖται ὁ δῆθεν φιλόσοφος.

„Es wurde noch nicht getrunken, und die Rede ging von uns, was bei den Gastmählern anstelle eines anderen Vorspanns oft zu geschehen pflegt. Alle bewunderten dich und schilderten uns, die wir dasselbe 'philosophieren', und erzählten von der Freundschaft und Athen und der Übereinstimmung und Eintracht in allen Dingen: Da machte der scheinbare 'Philosoph' etwas Schlimmes."[105]

[103] Gr. Naz. *ep.* 58. Abfassungszeit wird September 374 sein, vgl. Hauschild (1990) 207 Anm. 324. 326 und Anm. 330 zum Antwortschreiben des Basilius auf diesen Brief (Bas. *ep.* 71). Zum Hintergrund vgl. McGuckin (2001b) 216-218.

[104] Gr. Naz. *ep.* 58, 1: Ἐγώ σε καὶ βίου καθηγητὴν καὶ δογμάτων διδάσκαλον καὶ πᾶν ὅ τι ἂν εἴποι τις τῶν καλῶν ἐθέμην τε ἀπ' ἀρχῆς καὶ νῦν τίθεμαι· καὶ εἴ τις ἄλλος ἐπαινέτης τῶν σῶν, ἢ μετ' ἐμοῦ πάντως ἢ μετ' ἐμέ („Ich habe dich stets als Führer in der Lebensweise und Lehrer in Lehren und, was an Gutem einer sonst noch sagen könnte, angesehen und sehe dich auch jetzt noch so. Und wenn es einen anderen Lobredner für dich gibt, so steht er darin neben oder hinter mir.").

[105] Gr. Naz. *ep.* 58, 4.

Der genannte Philosoph wirft im Verlauf des Gastmahls Basilius vor, er leugne die Gottheit des Heiligen Geistes, und Gregor, der Basilius zwar verteidigte, so weit es ihm möglich war, bittet nun darum, er, Basilius, solle ihn lehren, wie er mit der geschilderten Situation umzugehen habe.[106]

In diesem Brief ist es nicht der Hinweis auf die Abkehr von Athen, sondern der zweifache Hinweis (ἀπ' ἀρχῆς[107] und τὰς 'Αθήνας) auf die gemeinsame Zeit in Athen, der den Adressaten geneigt machen soll. Hier fungiert Athen also nicht als Repräsentantin der heidnisch-antiken Bildung, sondern als Ort des Beginns einer Freundschaft und der Übereinstimmung in religiösen Fragen. Die gesamte Struktur und das Vokabular[108] des Briefes bis zum Beginn der Schilderung des Vorwurfes gegen Basilius legen nahe, dass die Erwähnung Athens in diesem Brief nicht geschieht, um den Verlauf des Symposions realitätsnah wiederzugeben, sondern vielmehr, um eine bis zu diesem Zeitpunkt nahezu[109] ungetrübte Freundschaft und Einmütigkeit in allen Fragen zu bezeugen.[110] So kommt es nicht von ungefähr, dass Gregor gegen Ende des Briefes an den Anfang, nämlich die Einleitungsworte seines Briefes zurückkehrt und Basilius als ἱερὰ καὶ θεία κεφαλή[111] anspricht.

Eine ähnliche Strategie findet sich deutlicher in einem früheren Brief[112] Gregors von Nazianz. Diesmal geht es um eine Angelegenheit von weniger wichtiger Be-

106 Gr. Naz. *ep.* 58, 14: Σὺ δὲ δίδαξον ἡμᾶς, ὦ θεία καὶ ἱερὰ κεφαλή, μέχρι τίνος προϊτέον ἡμῖν τῆς τοῦ Πνεύματος θεολογίας καὶ τίσι χρηστέον φωναῖς καὶ μέχρι τίνος οἰκονομητέον, ἵν' ἔχωμεν ταῦτα πρὸς τοὺς ἀντιλέγοντας („Du aber, heiliges Haupt, lehre uns, wie weit wir in der Lehre vom Heiligen Geist gehen sollen, welche Worte wir gebrauchen sollen und wie weit das eingeschränkt werden muss, damit wir dies gegen unsere Widersacher vorbringen können.").

107 Damit muss der Beginn der Freundschaft in Athen gemeint sein, nicht die erste Bekanntschaft in Caesarea, vgl. Gr. Naz. *or.* 43, 14, 8f.

108 In einem ersten Abschnitt, aus dem der Anfang zitiert wurde, findet sich neben Ausdrücken wie ἥττημαί σου τῆς εὐλαβείας („ich werde besiegt von der Scheu vor dir") oder οὕτω καθαρῶς εἰμι σός („in so reiner Weise bin ich der Deine") zweimal das Wort συνουσία. In einem zweiten Abschnitt wird betont, dass der Vorwurf der Gottlosigkeit stets beide, Basilius und Gregor selbst, getroffen habe (*ep.* 58, 3: Πολλοὶ κατεγνώκασιν ἡμῶν, ὡς περὶ τὴν πίστιν οὐκ ἰσχυροῶν, ὅσοι κοινοποιοῦσι τὰ ἡμέτερα καλῶς ποιοῦντες [„Viele haben uns angeklagt, dass wir im Glauben nicht stark seien; dabei haben sie unsere Angelegenheiten zusammengeworfen, und sie haben das in schöner Weise getan."]). Diese Linie führt auch die im Haupttext zitierte Einleitung des Symposions fort.

109 Unstimmigkeiten gab es aus Anlass der wohl 370 bevorstehenden Wahl des Basilius zum Bischof von Caesarea, vgl. Gr. Naz. *ep.* 40.

110 Vgl. dazu auch Gr. Naz. *ep.* 1 (siehe unten Kapitel 4. 2. 2. 1).

111 Der Gebrauch von κεφαλή als pars pro toto unter Hinzufügung positiver Attribute hat episch-poetischen Charakter, vgl. LSJ 945 s. v. κεφαλή I 2 und Gallay (1964/67) 1, 123 Anm. 5 zu 42.

112 Gr. Naz. *ep.* 46; Gallay (1964/67) 1, 59 datiert auf „370, après septembre," setzt allerdings eine bestimmte Situation voraus, die nicht zwingend angenommen werden muss (vgl. unten S. 184f. Anm. 117).

deutung, was schon der Anklang an das Vokabular der Komödie am Beginn erkennen lässt. Gregor reagiert auf einen Vorwurf des Basilius:

Πῶς ἐπιφυλλὶς[113] ἡμῖν τὰ σά, ὦ θεία καὶ ἱερὰ κεφαλή;	„Wie sind für uns deine Angelegenheiten Kleinigkeiten, o göttliches und heiliges Haupt?
ποῖον σε ἔπος φύγεν ἕρκος ὀδόντων;[114]	Welches Wort entfloh dem Gehege deiner Zähne?
ἢ πῶς τοῦτο εἰπεῖν ἐθάρρησας, ἵνα τι καὶ αὐτὸς θαρρήσω μικρόν. Πῶς ἡ διάνοια ὥρμησεν ἢ μέλαν ἔγραψεν ἢ χάρτης ἐδέξατο; Ὦ[115] λόγοι καὶ Ἀθῆναι καὶ ἀρεταὶ καὶ λόγων ἱδρῶτες· μικροῦ γάρ με καὶ τραγῳδὸν οἷς γράφεις ποιεῖς.	Oder wie konntest du dich erkühnen, das zu sagen? Damit auch ich etwas kühner werde? Wie trieb dich dein Sinnen an oder schrieb dir die Tinte oder ertrug es das Blatt? O ihr Reden und Athen und Tugendhaftigkeit und Schweiß um die Reden. Fast machst du mich mit dem, was du schreibst, zu einem ‘Tragöden’.“[116]

In *ep.* 58, die die Ereignisse bei einem Gastmahl behandelte, hatte Gregor am Ende noch einmal in einem kleinen Hinweis die gemeinsame Arbeit mit der Literatur angesprochen; so war die Möglichkeit ausgeschlossen, dass Basilius in dem gesamten Schreiben einen Vorwurf Gregors selbst sah. In der jetzt vorliegenden *ep.* 46 reagiert Gregor auf eine Verstimmung des Basilius. Daher hebt er massiv mit Hilfe stilistischer Kunstgriffe die eigene und auch gemeinsame Beschäftigung mit Literatur hervor:[117] Auf eine anaphorische Reihe (πῶς [ποῖον]) aus Fragen folgt

[113] Hier wahrscheinlich als Anklang an Aristophanes' *Frösche* 92, wo Dionysos von zeitgenössischen Tragödiendichtern sagt: Ἐπιφυλλίδες ταῦτ' ἐστὶ καὶ στωμύλματα, / χελιδόνων μουσεῖα, λωβηταὶ τέχνης, / ἃ φροῦδα θᾶττον, ἢν μόνον χορὸν λάβῃ / ἅπαξ προσουρήσαντα τῇ τραγῳδίᾳ („Wilde Triebe sind das und seichtes Gerede, Musensitz der Schwalben, Schimpf der Kunst, [noch] schneller wieder verschwunden, wenn sie denn einen Chor bekommen haben, einmal die Tragödie angepisst.“). Eigentlich sind ἐπιφυλλίδες nach den Scholien zu dieser Aristophanesstelle kleine Weintrauben, obwohl die Bezeichnung und genaue Bedeutung auch dem Scholiasten nicht klar gewesen zu sein scheint; vgl. Schol. Ar. *Ran.* ad loc. [Schol. Ar. 3, 1[a], 18 Chantry; 3, 1[b], 18f. Chantry] sowie LSJ 672 s. v. ἐπιφυλλίς.

[114] *Il.* 4, 350 u. ö.; *Od.* 1, 64 u. ö.

[115] Die Partikel ὦ hat in der vorliegenden Form poetischen Charakter und deutet einen gespielten Götteranruf an, vgl. LSJ 2029 s. vv. ὦ and ὤ II 1 mit Hinweis auf A. *Th.* 69: Ὦ Ζεῦ τε καὶ Γῆ καὶ πολισσοῦχοι θεοί, / Ἀρά τ' Ἐρινὺς πατρὸς ἡ μεγασθενής („O Zeus und Ge und ihr göttlichen Schirmer, Erinys, des Vaters hochgewaltiger Fluch.“). Vgl. auch Gr. Naz. *ep.* 5, 5, 7f.

[116] Gr. Naz. *ep.* 46, 1f.

[117] Gr. Naz. *ep.* 46 wird von Wittig (1981) 243 mit zwei kurzen Anmerkungen nur unzureichend kommentiert. Als Inhalt der Klage des Basilius ist die Beschäftigung Gregors mit einer Rede anzunehmen, die er in einer nach Ansicht des Basilius nicht angemessenen Weise würdigte; dies kann aus den zahlreichen Hinweisen auf Rhetorik und Literatur (neben den im zitierten Abschnitt genannten z. B. ἡ μεγάλη φωνὴ καὶ σάλπιγξ, τὸ τῶν λόγων βασίλειον, μία δὲ κατὰ πάντων φωνὴ ἡ σή, ἡ σὴ μεγαλοφωνία, alle auf Basilius bezogen) geschlossen werden und aus der Bemerkung, das einzige, was höher stehe als die Redekunst des Basilius,

ein in das Gewand eines Götteranrufes gekleideter Hinweis auf die lange Zeit der gemeinsamen Studien in Athen. Dann kann Gregor fortfahren mit einer erneuten Frage, nämlich ob Basilius trotz der Zeit in Athen ihn, Gregor, nicht kenne – oder sogar sich selbst vergessen habe.

Gregor beschwört also erneut die Athener Zeit, aber nicht die Freundschaft, nicht das Fernbleiben von den Versuchungen der Weltstadt, nicht die dort gelebte Gemeinschaft im christlichen Glauben, sondern die Erinnerungen an die intensive Beschäftigung mit der Rhetorik, für die Athen, mitten unter den λόγοι und den λόγων ἱδρῶτες, steht und deren Ergebnis Gregor sozusagen *in praxi* zur Schau stellt.

In diesen beiden Briefen ist es nicht die gemeinsame Abkehr von Athen, sondern das Gegenteil, nämlich der Hinweis auf die Zeit dort, die man gemeinsam verbracht hat, und die gemeinsame Beschäftigung mit all dem, was zu dem genannten Komplex gehört, die eine Übereinstimmung in Glauben und Lebensführung demonstrieren sollen. Während etwa in den Gedichten Gregors von Nazianz aus biographischen Gründen Athen genannt wurde oder genannt werden musste und sogleich eine Einschränkung, Relativierung oder Verteidigung erfolgte, ist es hier umgekehrt: Um sich gegen den Vorwurf, ungerechtfertigte Kritik zu üben, zu verteidigen oder die Unmöglichkeit eines Dissenses zum Ausdruck zu bringen, wird mit dem Anstrich der Sentimentalität die idealisierte gemeinsame Zeit in Athen in Erinnerung gerufen.

4. 2. 1. 4 Vitamin A: Athen in der Korrespondenz mit den zeitgenössischen Sophisten

Die Briefe des Basilius und Gregors von Nazianz an Sophisten haben oft die Aufgabe, einen Schüler zu empfehlen und ihn der Sorge der Adressaten in besonderer Weise anheimzustellen. Bei den Adressaten handelt es sich u. a. um Sophisten des vierten Jahrhunderts, die heute noch als die bedeutendsten gelten. Zu ihnen zählt an erster Stelle Libanios.[118] Ferner finden sich Briefe an den berühmten, in Konstantinopel tätigen Themistios[119] und zahlreiche andere Rhetoren.

sei die von Gregor praktizierte ‘Philosophie’. Anders Gallay (1964/67) 1, 59 Anm. 1, der eine Kritik des Basilius daran annimmt, dass Gregor ihn nach seiner Erhebung zum Bischof von Caesarea nicht besucht habe. Mc Guckin (2001b) 177-179 möchte den ironischen Ton dieses Briefes dahingehend interpretiert wissen, dass Gregor versteckte Kritik an einer ‘Überheblichkeit’ des Basilius vermitteln will.

118 Wenn auch dessen Briefwechsel mit Basilius einer eingehenderen Diskussion bedarf, so ist es doch nicht strittig, dass beide sich gekannt haben; dass sie in brieflichem Kontakt standen, ist um so wahrscheinlicher, als Briefe der anderen beiden großen Kappadokier an Libanios als authentisch gelten: Gr. Nyss. *epp.* 12f.; Gr. Naz. *ep.* 236.

119 Z. B. Gr. Naz. *epp.* 24; 38.

Hier sollen drei Teile einer 'alltäglichen' Geschichte nachgezeichnet werden, die sich in den Werken Gregors von Nazianz rekonstruieren lässt: Ein Jugendlicher aus der Oberschicht plant sein Studium. Die Geschichte beginnt mit einer fiktiven Diskussion, welcher Studienort der richtige für einen Angehörigen der gehobenen Gesellschaftsschicht sein könnte; anschließend werden Empfehlungen ausgesprochen, damit der Betreffende Jugendliche auch bei dem richtigen Lehrer 'landet'. Ein anderer Lehrer ist schließlich beleidigt, dass er nicht als Ausbilder in Betracht gezogen wurde; eine mühevolle Konfliktlösung wird versucht.

1) Die Diskussion um den Studienort und das Studium: werbende Dichtung? Es wurde bereits erwähnt,[120] dass Gregor von Nazianz im *carmen Nicobuli patris ad filium*[121] Athen als einen der Studienorte nennt, die für seinen Neffen in Frage kommen könnten. Dieses Gedicht[122] geht zunächst auf eine Anfrage des Neffen ein. Nikobulos (= Gregor) legt seinem Sohn den richtigen Lebensweg nahe; dabei beschreibt er drei Formen der Lebensführung. Er selbst habe den mittleren zwischen dem niedrigen, der als Ziel die ewige Verdammnis habe,[123] und dem hohen, der, nur wenigen zugänglich, in den Himmel führe,[124] gewählt, den mittleren, dessen Anfang oder höchstes Gut das Wort sei.[125] Nach einem Lob der Rhetorik und der Macht des Wortes sagt der Vater Nikobulos (bzw. Gregor in dessen Namen) dem Sohn, er könne mit seinem Segen gehen, wohin es ihm beliebe:

Εἴτε σέ γ' Ἀτθὶς ἔτερψεν ἀηδονίς,[126] εἴτε σε τερπνῆς / Φοινίκης κλυτὸν ἄστυ, νόμων ἕδος Αὐσονιήων,[127] / εἴτε σ'	„Sei es, dass dich die attische Nachtigall, sei es, dass dich die berühmte Stadt des fröhlichen Phöniziers erfreut, Sitz der auso-

[120] Vgl. oben S. 156.

[121] Gr. Naz. *c*. 2, 2, 5.

[122] Vgl. im allgemeinen zu der Gruppe der *carmina quae spectant ad alios* Sykes (1989) und Demoen (1997), hier 5f., der ebd. Anm. 26 die Authentizität verteidigt (gegen Costanza [1984] 228-230).

[123] Gr. Naz. *c*. 2, 2, 5, 124-127.

[124] Gr. Naz. *c*. 2, 2, 5, 129-133.

[125] Gr. Naz. *c*. 2, 2, 5, 154: Ἡμεῖς δ' αὖ μεσάτην ὁδὸν ἴομεν [...]. 158f.: Τούτου δὴ πρώτιστον ἐμοὶ λόγος ἐστὶ βίοιο, / πλοῦτον ἀλήϊστον, κτέαρ ἄκλοπον, ἐσθλὸν ἔχοντος. Vgl. auch 165f.: Μῦθοι γὰρ βιότοιο θεμείλιον, οἵ μ' ἀπὸ θηρῶν / ἔσχισαν.

[126] Gemeint ist mit der „attischen Nachtigall" Athen. Poetische Erwähnungen beziehen sich oft auf den klagenden Charakter des Gesangs dieses Vogels, vgl. Thompson (1936) 16-22. Die vorliegende Anspielung ist nicht eindeutig zu klären. Es kann ein Hinweis auf den Mythos der Verwandlung Proknes, der Tochter des athenischen Königs Pandion, in eine Nachtigall sein: Vgl. Mart. 1, 53, 9 (*Sic ubi multisona fervet sacer Atthide lucus*); Ov. *Met.* 6, 667f.; weitere Stellen zum Mythos bei Thompson (1936) 20. Andererseits war die Nachtigall gerade bei den Griechen Symbol der Dichter (Stellenangaben z. B. bei Richter [1975] 1555), und hier dürfte Athen als Sinnbild der Beredsamkeit gemeint sein; vgl. Steier (1927) 1865.

[127] Wyss (1962) 6 versteht unter dieser Umschreibung Berytos. Dort befand sich in römischer Zeit „eine bed. Akademie mit bekanntem juristischen Zweig" (Leisten [1927] 585), was vermutlich die Ursache für die Bezeichnung als νόμων ἕδος Αὐσονιήων ist, denn das römische Recht wurde im ganzen Reich gelehrt (vgl. Men. Rhet. 363, 11-14 oben S. 154 Anm.

'Αλεξάνδροιο πέδον μέγα,[128] ἔνθα τε πολλῶν / φορτίδα πλησάμενός τις, ἑὰ πρὸς δώματ' ἐλαύνει· / πᾶσα μὲν ὑμετέροισιν ἐπίτροχος αἶα πέλοιτο / ποσσὶν ἐπειγομένοισι, καὶ ἄνθεα καλὰ φύοιτο.

nischen Gesetze, sei es die große Ebene des Alexander, wo einer, sein Schiff angefüllt mit großer Fracht, zu seiner Heimat zurückkehrt: Geht mit stürmischen Schritten in jedes Land, und lasst schöne Blüten wachsen."[129]

Gregor von Nazianz lässt hier Nikobulos den Älteren seinem Sohn ausgerechnet zwei Orte vorschlagen, an denen er, Gregor, selbst studiert hatte, nämlich Athen und Alexandria. Bei der Erwähnung Phöniziens ist zumindest an Gregors eigenen Studienort Caesarea zu denken; Gregor wird auf der Reise dorthin auch Berytos kennengelernt haben. Dabei handelt es sich um jeweils unterschiedliche Fachrichtungen, die Gregor durchspielt: Athen als Zentrum der Rede- und Dichtkunst, der phönizische Ort als Hort der Rechtswissenschaft und Alexandria, berühmt als Hochburg der Medizin.

Wenn Gregor in dieser Reihe Athen zuerst nennt, so greift er versteckt die Worte auf, die er ausgerechnet Nikobulos dem Jüngeren in den Mund gelegt hatte; ihn ließ er nämlich zuvor sagen, er wünsche eigentlich nur eines: in der Rhetorik erfolgreich und gut zu sein,[130] und anschließend bezeichnete er die Grammatik als „die beste Helferin der edlen griechischen Zunge."[131] Dass Gregor die Rhetorik favorisiert, ist also unzweifelhaft, und so weist er den Neffen indirekt auf seinen eigenen Bildungsweg hin.

Handelt es sich hier vielleicht um „Werbung für Athen"? Sicher nicht als Werbung für die Stadt als solche. Es wäre übertrieben, die Erwähnungen Athens als ausdrücklichen Hinweis auszulegen, jeder Jugendliche, der sich rhetorisches Geschick erwerben will, solle nach Athen gehen, verlieren sie sich doch im poetischen Corpus, in der „ungeheuren Zahl von nahezu 20000 Versen."[132] Aber sie sind ein Beispiel für die Werbung, die Gregor in seinen Dichtungen tatsächlich betreibt und die von Walter Ackermann schon 1903 deutlich herausgearbeitet wurde. Von ihm und anderen wurde auf Gregors *c.* 2, 1, 39 hingewiesen, in dem er die Motive für seine Dichtung darlegt und auch seine Adressaten nennt. Neben der eigenen Begrenzung durch das Metrum (34-37), der erneuten Erwähnung des Motivs, dass er den Heiden nicht in den λόγοι unterlegen sein wolle (47-53), sowie dem Unterhaltungscharakter, den für ihn in seinem Alter (κύκνος ὡς γέρων)

163). Ansonsten wäre in der Reihe der Städte, die Gregor als Studienort gedient hatten, auch Caesarea (Palästina) denkbar.

[128] Vgl. oben s. 131 mit Anm. 34.

[129] Gr. Naz. *c.* 2, 2, 5, 226-231.

[130] Gr. Naz. *c.* 2, 2, 4, 58: Ὦ πάτερ ἓν ποθέω, μύθων κράτος, ἀντί νυ πάντων („O Vater, das eine nur will ich, Herrschaft in der Redekunst, vor allem anderen").

[131] Gr. Naz. *c.* 2, 2, 4, 64: Ἑλλάδος εὐγενέος γλώσσης ἐπίκουρος ἀρίστη.

[132] Ackermann (1903) 6. Demoen (1993) 238 spricht von „totally some 17,000 verses".

das Dichten habe (54-57), nennt er an zweiter Stelle einen Grund, der die Adressaten einbezieht: Er wolle Jugendlichen, denen es eigen sei, eine besondere Freude an den Reden zu verspüren, eine angenehme und überzeugende Hilfestellung geben und das manchmal Unangenehme und Bittere durch seine eigene Kunstfertigkeit versüßen.[133]

Thematisch bezieht sich dieser belehrende Charakter der Gedichte auf die Glaubensinhalte, dann aber auch, wie bei der Betrachtung der athenischen Philosophen noch zu sehen sein wird, auf heidnisch-antike philosophische Systeme und deren Repräsentanten, schließlich auf das Verhältnis von heidnischer und christlicher Bildung insgesamt. Wenn in diesem Kontext die Ausbildung an heidnischen Hochschulen diskutiert, ja sogar einem jungen Mann mit dem Hinweis auf den reichen Gewinn empfohlen wird, den man sich dort erwerben könne, und diese Empfehlung ein Mann ausspricht, der selbst an diesen Hochschulen ausgebildet wurde, kann man sich dem Eindruck einer Werbung für diese Ausbildung im allgemeinen nur schwer entziehen.[134]

[133] Gr. Naz. *c.* 2, 1, 39, 37-46: Δεύτερον δὲ τοῖς νέοις, / καὶ τῶν ὅσοι μάλιστα χαίρουσι λόγοις, / ὥσπερ τι τερπνὸν τοῦτο δοῦναι φάρμακον, / πειθοῦς ἀγωγὸν εἰς τὰ χρησιμώτερα, / τέχνῃ γλυκάζων τὸ πικρὸν τῶν ἐντολῶν· / φιλεῖ δ' ἀνίεσθαί τε καὶ νευρᾶς τόνος· / εἴ πως θέλεις καὶ τοῦτο· εἰ μή τι πλέον, / ἀντ' ᾀσμάτων σοι ταῦτα καὶ λυρισμάτων. / Παίζειν δέδωκα, εἴ τι καὶ παίζειν θέλεις, / μή τις βλάβη σοι πρὸς τὸ καλὸν συλωμένῳ („Als zweites möchte ich den Jungen und allen, die sich am meisten freuen an den Reden, dieses als ein erfreuliches Heilmittel geben, das zu größerer Überzeugungskraft führt, indem ich mit Kunstfertigkeit das Bittere der Aufträge versüße: Auch die Spannung der Saite wünscht, gelockert zu werden. Wenn auch du dieses beachten willst; wenn nicht, sei dies dir als Gesang und Spielerei angesehen. Ich gestattete zu spielen, wenn du spielen willst, dass dir kein Schade werde, der du das Gute suchst.").

[134] Nur beiläufig sei die Problematik angerissen, dass Gregor an anderer Stelle nahezu alles Irdische und Innerweltliche verwirft, so etwa in dem Gedicht *de exterioris hominis vilitate* (*c.* 1, 2, 15), wo es 63-66 von dem Schlechten heißt: Δῆρις, πόντος, ἄρουρα, μόγος, ληΐστορες ἄνδρες, / κτῆσις, δασμογράφοι, πράκτορες, εὐρυβόαι, / ῥητῆρες, βίβλοι τε, δικασπόλοι, ἀρχὸς ἀλιτρός (vgl. Gr. Naz. *c.* 1, 1, 1, 9-13 und dazu Sykes [1982] 1127f.), / πάντα τάδ' ἐστὶ βίου παίγνια λευγαλέου („Kampf, Meer, Feld, Mühe, Räuber, Gewinn, Steuerschreiber, Eintreiber, Schreihälse, Rhetoren, Bücher, Richter, Erzverbrecher, all dies sind Spielereien dieses traurigen Lebens") und etwa 67f. von dem 'Guten': Δέρκεο καὶ ὅσα τερπνά· κόρος, βάρος, ᾆσμα, γέλωτες, / τύμβος ἀεὶ πλήρης μυδαλέων νεκύων („Betrachte auch das Angenehme: Sättigung, Fülle, Gesang, Gelächter, ein Grab, das immer voll ist von faulenden Toten."). Es handelt sich hierbei wohl um eine derjenigen Dichtungen, in denen nach Ackermann das „elegische Element" überwiegt. Ackermann sieht derartige 'Ausbrüche' einerseits durch äußere Einflüsse bedingt, andererseits durch innere geistige oder geistliche Erwägungen und spekuliert: „Es tritt gewissermassen neben den körperlichen und seelischen Schmerz ein metaphysischer, wenn der Dichter sich bewusst wird, dass der Mensch, dies Ebenbild Gottes (in seiner gewaltigen Bedeutung für die organische und anorganische Welt), durch die Sünde der reinen Gottgleichheit verlustig ging" (Ackermann [1903] 25). Sicher richtig ist, dass die frühe Prägung durch asketische Einflüsse, die Gregor immer wieder zur Flucht in die Einöde antrieb, auch am Ende seines Lebens ihre Wirkungen zeitigt (zum Einblick in die Persönlichkeit Gregors von Nazianz durch seine Gedichte vgl. Musurillo [1970] 46).

2) Die Empfehlung. Hat sich ein Jugendlicher für eine Stadt entschieden, wird der richtige Lehrer ausgesucht. Gregor von Nazianz empfiehlt beispielsweise zwei Jugendliche, Pronoios und den bereits bekannten Nikobulos, an zwei Rhetoren in Athen: Pronoios wird zu dem Sophisten Eustochios geschickt, Nikobulos zu Stageirios.

Das Empfehlungsschreiben an Eustochios (*ep.* 189) beginnt folgendermaßen:

Μίμησαί μοι τὸν Ἀλέξανδρον, ὦ θαυμάσιε· καὶ ὥσπερ ἐκεῖνος, ἵν' Ἀθηναίοις ἀρέσῃ, φιλοτιμότερος ἦν, διὰ ταῦτά τοι καὶ θέατρον ἀεὶ τῆς ἑαυτοῦ βασιλείας τὰς Ἀθήνας ὠνόμαζεν,[135] οὕτω καὶ σὺ τὸ καθ' ἡμᾶς εἶναί τι νομίσας, εἰ καὶ μηδαμῇ, ἀλλ' ἢ τῶν γε λόγων εἵνεκα καὶ τῶν Ἀθηνῶν αὐτῶν, πρὸς δὲ καὶ τοὺς κοινοὺς πατέρας τῶν λόγων αἰδούμενος, διπλασιάσαι προθυμήθητι τῷ καλῷ Προνοίῳ τὴν περὶ λόγους σπουδήν.

„Ahme mir den Alexander nach, o Erstaunlicher, und wie jener, um den Athenern zu gefallen, ehrgeiziger war und deshalb Athen auch immer das Theater seines Königreiches nannte, so habe auch du Mut, für den schönen Pronoios den Eifer um die Rede zu verdoppeln, wenn du denn meinst, dass unsere Angelegenheiten etwas bedeuten (wenn das auch nicht so ist, tu es um der Rede und Athens selbst willen und in Ehrfurcht vor den gemeinsamen Vätern der Redekunst)."[136]

Gregor beginnt sein Empfehlungsschreiben mit einer Begebenheit, die er wahrscheinlich Plutarch entlehnt hat, und er beendet den Brief später mit einem Zitat des Simonides.[137] Damit ist für die Korrespondenz eine Grundlage geschaffen, denn Gregor kann so zeigen oder in Erinnerung rufen, dass auch er die Kunst der Rede und die standesgemäßen Umgangsformen beherrscht.

Zumindest der Hinweis auf die Alexander-Biographie ist noch in anderer Hinsicht sehr geschickt gewählt: Hier kann sich Gregor gleich zweimal auf die Zeit in Athen berufen: Zum einen indirekt, indem er auf Alexander anspielt: Alexander hatte die Athener zu den Richtern für seine Handlungen erkoren. Gregor setzt sich mit den Athenern dieser Episode gleich und kann so mittelbar die Handlungen des Eustochios mitverfolgen und bewerten. Zum anderen erinnert Gregor in seinen direkten Hinweisen auf die Zeit, die er mit Eustochios in Athen verbracht hat, an die Gemeinsamkeiten, die einst von Bedeutung waren und auch jetzt noch ein gemeinsames Anliegen wachrufen sollen: die Reden, Athen und die Redelehrer samt ihrer mehr oder weniger organiserten Studentengruppen. Diese alte Bindung will er dem Rhetor Eustochios in Erinnerung rufen und so erneuern.

[135] Diese Begebenheit berichtet Plutarch *Alex.* 60, 6 unter Berufung auf den Schriftsteller Onesikritos. Im Rahmen des Indienfeldzugs, genauer gesagt bei der durch ungünstiges Wetter stark behinderten Überquerung des Hydaspes vor der Schlacht mit dem Heer des Poros, soll Alexander gesagt haben Ὦ Ἀθηναῖοι, ἆρά γε πιστεύσαιτ' ἂν ἡλίκους ὑπομένω κινδύνους ἕνεκα τῆς παρ' ὑμῖν εὐδοξίας; („O ihr Athener, wisst ihr eigentlich, wieviele Gefahren ich auf mich nehme, um bei euch Ruhm zu erlangen?")

[136] Gr. Naz. *ep.* 189, 1f.

[137] Simonid. *Frg.* 77 = 582 Page.

Der zweite Empfehlungsbrief an den Rhetoren Stageirios[138] (*ep.* 188), zu dem Nikobulos geschickt werden soll, beginnt mit den Worten:

Ἀττικὸς σὺ τὴν παίδευσιν; Ἀττικοὶ καὶ ἡμεῖς. Νέων προκαθέζῃ; Πάσης ἡλικίας ἡμεῖς. Τυποῖς πρὸς λόγον; Ἡμεῖς πρὸς ἦθος. Πολλὰ κοινὰ πρὸς ἀλλήλους ἡμῖν· ἓν δὲ ἀντὶ πάντων καὶ πρὸ πάντων, ὁ γλυκύτατος υἱὸς ἡμῶν Νικόβουλος ἐν μέσῳ κείμενος.

„Du bist attisch von deiner Erziehung her? Auch wir sind attisch. Du unterrichtest die Jugend? Wir alle Altersstufen. Du bildest zur Redekunst aus? Wir zum Charakter. Wir haben viel miteinander gemein, eines aber ist für alles bezeichnend und gilt mehr als alles [andere], unser liebster Sohn Nikobulos, um den es hier geht."[139]

Gregor fährt fort, im Andenken an die lange Freundschaft, die sie beide, ihn und Stageirios, verbinde, solle er sich in besonderer Weise um Nikobulos bemühen.

Neben dem direkt ausgesprochenen Hinweis auf die gemeinsame Bildung ist hier das Adjektiv ἀττικός von Interesse. Dieses Adjektiv meint wohl nicht die in Attika, d. h. Athen erworbene Bildung,[140] sondern vielmehr allgemein „griechische" Bildung, so wie auch an anderen Stellen das zugehörige Verb ἀττικίζειν als unterschiedslose Variante zu ἑλλενίζειν gebraucht wird.[141] Stilistische Beobachtungen machen eine enger gefasste attizistische Auslegung unwahrscheinlich.[142]

3) Der Streit und dessen Beilegung. Eustochios ist beleidigt: Gregor muss einen Brief erhalten haben, in dem sich Eustochios heftig darüber beklagt, dass Gregor seinen Neffen Nikobulos einem direkten Konkurrenten, nämlich Stageirios, als Schüler zugeführt hat. Man erinnert sich an die Technik, die Gregor in seinem Besänftigungsschreiben an Basilius (*ep.* 46) angewendet hat, wenn er versucht, die Wogen zwischen ihm und Eustochios in einem Brief (*ep.* 190) zu glätten:

Ὦ Ὀδυσεῦ, μάλα πώς με καθίκεο,[143]

σταγειρισμὸν[144] ὀνειδίζων καὶ κατασοφιστεύων ἡμῶν ἐπιμελέστατα. Καὶ σοῦ

„O Odysseus, du hast mich sehr getroffen,

indem du mir 'Stageirismus' vorwirfst und gegen uns sehr sorgfältig 'Sophistik' be-

[138] Berücksichtigt man die Anreden in anderen Briefen sowie weitere geäußerte Freundschaftsbekundungen, muss auch hier von einer längeren Bekanntschaft ausgegangen werden: Vgl. Gr. Naz. *epp.* 166, 1, 1: ὦ θαυμάσιε, ὄφελος. 188, 3, 2: τὴν ἡμετέραν φιλίαν.

[139] Gr. Naz. *ep.* 188, 1f.

[140] So Gallay (1964/67) 2, 78 Anm. 2.

[141] Kurmann (1988) 53f. zu Gr. Naz. *or.* 4, 5. Vgl. Gr. Naz. *or.* 4, 107, 4 und einen ähnlichen Gebrauch in der *ep.* 224, 2 an Aphrikanos.

[142] Der Stil wird von Norden (1958) 2, 563-565 als asianisch beschrieben, u. a. mit Hinweis auf die (möglichen) Lehrer Himerios und Polemon: „Daraus würden wir von vornherein nach dem über diese beiden früher Gesagten den Schluß ziehen, daß er in seiner Diktion nicht eigentlich ein Anhänger der attizistischen Klassizisten war" (563). „Gemäßigter 'Asianismus' ist, um es kurz zu sagen, das Wesen der Rhetorik Gregors" (564).

[143] *Il.* 14, 104: Agamemnon zu Odysseus.

[144] Gregor wurde von Eustochios σταγειρισμός vorgeworfen, ein von dem Sophisten Stageirios (Σταγείριος) abgeleitetes Wort, das eine Verehrung für ihn beinhaltet. Ob eine Anspielung des Eustochios auf Aristoteles vorlag (Gr. Naz. *c.* 1, 2, 25, 261 und *c.* 2, 1, 12, 304 wird

τὴν παρρησίαν ἐπαινῶν ἐφ' οἷς γράφεις ἃ γράφεις (κρεῖσσον γὰρ ἐκλαλεῖν τὸ λυποῦν ἢ ἐρήμην αἱρεῖν ἀγνοοῦντας), ἔχω τι καὶ ἐγκαλεῖν. Ὅμως δέ, ἵνα νόμον φυλάξω δικαστικόν, ἀπολογήσομαι πρότερον, εἶτα κατηγορήσω, καὶ ἀμφότερα μετὰ τῆς ἴσης εὐνοίας. Τῷ καλῷ Σταγειρίῳ προσῆλθεν Νικόβουλος ὁ ἐμός,

οὔ τι καθ' ἡμέτερόν γε νόον,[145]

μὴ τοῦθ' ὑπολάβῃς· οὐχ οὕτως ἢ τῶν Ἀθηνῶν ἐπιλήσμων ἐγώ, ἢ τῆς σῆς φιλίας καὶ ἑταιρείας.

treibst. Obwohl ich deine Offenheit lobe, mit der du schreibst, was du schreibst (denn es ist besser auszusprechen, was beschwert, als Unwissende still zu verurteilen), habe auch ich etwas zu sagen. Gleichwohl aber, um die Sitte bei Gericht zu wahren, werde ich mich erst verteidigen und dann anklagen, und beides mit demselben Wohlwollen. Mein Nikobulos ging zu dem schönen Stageirios

nicht in unserem Sinn,

das darfst du nicht denken. So leicht vergesse ich Athen nicht oder deine Freundschaft und Kameradschaft."[146]

Nachdem die Beschäftigung mit der Literatur (*Ilias*) und auch der Redekunst (νόμον ... δικαστικόν) als Fundament der 'Konversation' gelegt ist, kann die eigentliche Auseinandersetzung mit dem Thema des Vorwurfes beginnen. Hier wird die Zeit in Athen als Ausdruck und selbstverständliche Gewähr lebenslanger Freundschaft und Unterstützung verstanden.[147] Es reicht aber jetzt nicht mehr, neben Athen die Dinge zu nennen, die eine Freundschaft begründen, sondern in der verfahrenen Situation muss die Freundschaft und Kameradschaft direkt angesprochen werden. Athen hat sein Gewicht als Ort, in dem diese Freundschaft begann, in den Augen Gregors nicht verloren.

In Grundzügen soll noch der Ausgang der Geschichte beschrieben werden: Gregor ruft in dem Schreiben, dessen Eingangsworte zuletzt zitiert wurden, zur Besonnenheit der beiden Sophisten untereinander (es muss wohl eine heftige Auseinandersetzung in Athen stattgefunden haben) und auch ihm, Gregor selbst gegenüber auf, und zwar zum Nutzen ihrer Schüler, die durch einen derart unwürdigen Streit verdorben würden (*ep.* 190, 4-10). Die Besänftigung und der Aufruf ist fehlgeschlagen: Ein Brief Gregors ist erhalten (*ep.* 191), der zu erkennen gibt,

Aristoteles als Σταγειρίτης bezeichnet. Aristoteles stammte aus der Stadt Στάγειρος / Στάγειρα auf der Chalkidike), ist unklar, da es sich um ein Hapax legomenon handelt.

[145] *Il.* 9, 108: Nestor zu Agamemnon. Dabei hat er die Entehrung im Blick, die dieser Achill zugefügt hatte. Agamemnon hatte Achilleus die Kriegsgefangene Briseïs abgenommen. Dies hatte zum Streit zwischen Agamemnon und Achilleus, dessen Fernbleiben vom Kampf und für die Achaier bedrohlichen Situationen geführt.

[146] Gr. Naz. *ep.* 190, 1-3.

[147] Vgl. das beleidigt klingende Ende der *ep.* 191 Gregors von Nazianz, ebenfalls an Eustochios, der auf die *ep.* 190 anscheinend nicht versöhnlich reagiert hatte (191, 3): Πλὴν ὑγιαίνοις καὶ σῶμα καὶ ψυχήν, καὶ τὴν γλῶσσαν κατέχοις, εἰ δυνατόν· ἀλλὰ νῦν τό γε ἡμέτερον στέρξομεν („Im Übrigen mögest du an Leib und Seele gesund sein und deine Zunge nach Möglichkeit zurückhalten. Wir hingegen werden jetzt mit unseren Belangen zufrieden sein.").

dass Eustochios' Ärger nicht verflogen ist, sondern sich in Beschimpfungen auf Gregor Luft verschafft hat. Der letzte Brief in dieser Reihe ist an Stageirios gerichtet (*ep.* 192): Gregor bittet ihn, ihm Nikobulos zu übergeben (μεταδοίης), um die Feindschaft mit einem Freund, gemeint ist wohl Eustochios, zu verhindern. Es ist unklar, ob die Freundschaft mit Stageirios wirklich das Motiv ist, denn Gregor deutet auch an, dass das drohende Zerwürfnis mit Eustochios keinen positiven Ausgleich durch den Unterricht bei Stageirios erfahre. Vielleicht war der Unterricht des Nikobulos bei Stageirios einfach nicht von Erfolg gekrönt.

Basilius von Caesarea und Libanios. Zuletzt soll der Briefwechsel zwischen Basilius und Libanios angesprochen werden.[148] Wie bereits angedeutet, ist es nahezu sicher, dass die Bekanntschaft zwischen Basilius und Libanios von der Studienzeit in Konstantinopel herrührt.[149] Dass sie brieflich in Kontakt standen, ist daher wahrscheinlich und wäre selbst dann möglich, wenn sie sich nicht vom Unterricht her persönlich kannten; so empfiehlt auch Gregor von Nazianz Schüler sowohl an Libanios als auch an andere Sophisten, die nicht seine Lehrer waren.[150]

Die Echtheit des Briefwechsels ist umstritten. Die drei Briefe, die Athen explizit erwähnen, sollen hier betrachtet werden, da sie zumindest in das Umfeld des Basilius gehören. Auf die Authentizität der einzelnen Briefe wird nur kurz eingegangen.

1) Es handelt sich zunächst um ein Schreiben des Libanios an Basilius, das man weithin als authentisch ansieht, da es auch im Corpus der Basiliusbriefe überliefert ist und direkt auf den Athenaufenthalt Bezug nimmt.[151] In diesem Fall

[148] Literatur zu dieser Korrespondenz: Pouchet (1992) 151-175; Fatouros / Krischer (1980) 450-452; Petit (1957) 125-128; Bessierès (1923) 165-174; Laube (1913); Maas (1912b); Seeck (1906) 30-34; 468-471; Sievers (1868) 294-296.

[149] Laube (1913) 18 bezweifelt dies aufgrund des kurzen Aufenthaltes des Basilius in Konstantinopel, schließt es aber nicht aus.

[150] Vgl. Gr. Naz. *epp.* 188; 236.

[151] Bas. *ep.* 336 = Lib. *Ep.* 1581 (Bd. 11, 573-575 der Ausgabe Försters). Bereits Sievers (1868) 294 weist auf stilistische Argumente für die Echtheit hin und bemerkt gleichzeitig, dass „derjenige, der dem Libanios den Brief untergeschoben hätte, sich nicht wenig in seine Verhältnisse hineingelebt haben" müsse. Ungeachtet dessen führt er auch Ungereimtheiten dieses Briefes sowohl prosopographischer Natur als auch bezüglich der Haltung des Libanios zur Entscheidung des Basilius für den christlichen Glauben an (vgl. dazu aber Wöhrle [1995] 80 mit Lit.). Seeck (1906) 32 nimmt ebenfalls die Echtheit an, verlegt aber zu deren Nachweis den Ort des Unterrichts bei Libanios von Konstantinopel nach Nikomedia. Dem schließt sich auch Maas (1912b) 1121 an. Laube (1913) hat 31-37 den vorliegenden Brief aufgrund historischer „Fehler" sowie verschiedener Widersprüche zu anderen Briefen des Libanios als Fälschung bezeichnet (Diskussion und teilweise Widerlegung der Thesen Laubes bei Petit [1957] 126 Anm. 168). Bessierès (1923) hat die Echtheit dieses Briefes nahezu erwiesen. Im Rahmen der Briefgruppe 335-343, die in der ältesten Handschriftengruppe an exponierter Stelle überliefert ist und die sich auch bei der Einzelbetrachtung als kongruent mit den historischen Gegebenheiten („par suite de la contre-épreuve historique" 173) herausstellt, wird auch dieser Brief besprochen (172f.); die in ihm genannten Personen Kelsos und Phirminos

ist Athen nicht, wie in den zuletzt besprochenen Briefen, der Ort, an dem eine Freundschaft begründet wurde. Libanios spricht den Wechsel des Basilius von einem anderen Studienort nach Athen an. Er beginnt seinen Brief mit einer Reaktion darauf, dass ein Kappadokier bei ihm vorstellig geworden ist, den Basilius ihm empfohlen hatte. Basilius muss Libanios in einem Empfehlungsschreiben zugleich den Vorwurf gemacht haben, er gewinne den Eindruck, vergessen worden zu sein. Libanios lobt den Brief des Basilius und fährt fort:

Ἐγὼ γὰρ ὃν ἐπιλελῆσθαί σου νομίζεις, καὶ πάλαι νέον ὄντα ᾐδούμην, σωφροσύνῃ τε πρὸς τοὺς γέροντας ἁμιλλώμενον ὁρῶν (καὶ ταῦτα ἐν ἐκείνῃ τῇ πόλει τῇ ταῖς ἡδοναῖς βρυούσῃ) καὶ λόγων ἤδη μοῖραν κεκτημένον μεγάλην. Ἐπειδὴ δὲ ᾠήθης δεῖν καὶ τὰς Ἀθήνας ἰδεῖν καὶ τὸν Κέλσον ἔπειθες, συνέχαιρον τῷ Κέλσῳ τῆς σῆς ἐξηρτημένῳ ψυχῆς.

„Denn ich, von dem du glaubst, dass ich dich vergessen habe, verehrte schon den noch Jungen,[152] als ich sah, dass er sowohl an Besonnenheit mit den Alten in Wettstreit trat (und das gerade in der Stadt, die an Vergnügungen strotzt) als auch sich schon in der Rhetorik einen guten Teil erworben hatte. Nachdem du aber meintest, auch Athen sehen zu müssen und auch den Kelsos überzeugtest, freute ich mich für Kelsos, dass er mit deiner Seele verbunden war.“[153]

Athen wird an dieser Stelle, ähnlich wie in der Rede des Gregor von Nazianz auf Basilius, in Gegensatz oder vielmehr in ein Verhältnis zu anderen Bildungszentren gesetzt. Von der Stadt, in der Basilius und Libanios zusammentrafen, sowie dem Aufenthalt des Basilius dort werden drei Dinge gesagt: 1) Sie war eine Stätte, an der man sich den Umgang mit den λόγοι aneignete; darin hatte sich Basilius schon dort eine μοῖρα erworben. 2) Sie war eine Stadt, „die von Vergnügungen

werden in Bezug zu übereinstimmenden Zeugnissen sowohl des Libanios als auch des Ammianus Marcellinus (zu Kelsos z. B. Amm. Marc. 22, 9, 13) und des Basilius selbst gesetzt. Fedwick (1981b) 5f. Anm. 19, sieht diesen Brief – ohne weitergehende Begründung – im Anschluss an die Studien Bessierès' als echt an. Die jüngste ausführliche Beschäftigung mit dem Briefwechsel zwischen Libanios und Basilius findet sich bei Pouchet (1992) 151-175. Er äußert 161 die interessante, wenn auch nicht begründete („à notre avis“) These, dieser Brief umschließe zwei ursprünglich getrennt verfasste Briefe, die den heutigen Paragraphen 1 und 2 entsprechen. Eine endgültige Entscheidung scheint unmöglich; die Echtheit wird dennoch aufgrund der in der Forschung geäußerten persönlichen und handschriftlichen Argumente angenommen, wobei die Erwähnung des Kelsos als bleibende Schwierigkeit, die ein Studium des Basilius auch in Nikomedia voraussetzt und ein Zusammentreffen mit Libanios dort nahelegt (vgl. Seeck [1906] 32), im Raum stehen bleiben muss. Bessierès (1923) 168 stellt als mögliche Lösung die Überlegung an, dass Basilius zwar in Konstantinopel studiert, aber den Unterricht des Libanios in Nikomedia gehört habe: „La distance des deux villes n'est pas telle, d'ailleurs, que S. Basile n'ait pu, de Constantinople, venir fréquenter les leçons de Libanios à Nicomédie par intermittence.“

[152] D. h. „dich, als du noch jung warst.“

[153] Bas. *ep.* 336, 1 = Lib. *Ep.* 1581, 2 (11, 573f. Förster).

strotzte."[154] 3) Die Besonnenheit, die Basilius (gerade) in dieser Stadt an den Tag legte, war außergewöhnlich und auffallend.

Der folgende Ausdruck ἐπειδὴ δὲ ᾠήθης δεῖν καὶ τὰς Ἀθήνας ἰδεῖν deutet eine Steigerung an: Basilius glaubte, Athen biete eine noch größere Gelegenheit, sich Wissen und rhetorische Fähigkeiten anzueignen; größere Gefahren sah er offensichtlich nicht in Athen.[155] Libanios schließt sich diesem Urteil an. Der Wunsch, nach Athen zu gehen, ist für Libanios ein wichtiger Teil in der Erinnerung an Basilius, ebenso wie die Tatsache, dass Basilius auch andere Libanios-Schüler dazu brachte, sich ihm anzuschließen. Dass sich Basilius in Athen, der höchstmöglichen Steigerung des Bildungserwerbs, aufgehalten hat, empfiehlt ihn Libanios als Korrespondenten. Mit ihm in brieflichem Kontakt zu stehen, bereitet dem überzeugten Heiden Libanios auch dann keine Schwierigkeiten, als er von der christlich-asketischen Wende des Basilius erfahren hatte.[156]

[154] Übersetzung nach Hauschild (1993) 165.

[155] Der einfache Ausdruck συνέχαιρον lässt wenigstens keine Kritik an Athen erkennen. Dies führt auch zum Ausschluss einer ironischen Interpretation dieser Stelle, die den Eifer des Basilius als übertrieben charakterisieren würde im Sinne der Gr. Naz. *or.* 43, 14, 6 allerdings ebenfalls positiv genannten καλὴ περὶ τὴν παίδευσιν ἀπληστία.

[156] Der Vollständigkeit halber sei eine weitere Erwähnung Athens in diesem Brief erwähnt. Libanios erkundigt sich nach einem beiden bekannten Phirminos, ein Kappadokier und ebenfalls ehemaliger Schüler des Libanios. Offensichtlich wurde er von den Behörden Caesareas oder allgemeiner in Kappadokien dazu gedrängt, eine Stellung dort anzunehmen. Libanios schreibt (Bas. *ep.* 336, 2, 10-16 = Lib. *ep.* 1581, 6. 8): [...] βαρεῖα δὲ ἡ βουλὴ καὶ πᾶσα ἀνάγκη μένειν, ἢ τίνες εἰσὶν ἐλπίδες ὡς αὖθις ἔσται Λόγων κοινωνός; [...] Εἰ δὲ Ἀθήνησι νῦν ὁ Φιρμῖνος ἐτύγχανεν ὤν, τί ἂν ἔδρων οἱ βουλευόντες παρ' ὑμῖν; Ἢ τὴν Σαλαμινίαν ἔπεμπον ἂν ἐπ' αὐτόν; („Lastet der Rat schwer auf ihm und besteht jede Notwendigkeit zu bleiben? Oder welche Hoffnungen gibt es, dass er wieder Teilnehmer an den Reden wird? [...] Wenn Phirminos jetzt in Athen wäre, was würde der Rat bei euch tun? Schickten sie etwa die Salaminia zu ihm?") Phirminos war Libanios durch Basilius empfohlen worden, hatte Unterricht bei ihm und musste anschließend wieder in seine Heimat, um dort eine behördliche Tätigkeit zu übernehmen, entweder obwohl er selbst kein Interesse daran hatte oder obwohl Libanios ihn für die Rhetorik hatte gewinnen wollen (Λόγων κοινωνός). Letzteres legt Hauschild (1993) 245 Anm. 624 nahe (zu Phirminos vgl. Seeck [1906] 156 [Firminus II]; 462). Im vorliegenden Briefausschnitt handelt es sich um eine witzige Übertreibung, deren Stoff aus der Geschichte genommen ist, ähnlich wie dies Basilius – in ernstem Zusammenhang – in *ep.* 74 dem Politiker Martinianos gegenüber tut (vgl. unten S. 227f.). Zum athenischen Staatsschiff mit dem Namen Salaminia vgl. Miltner (1949). Gleichwohl ist der Vergleichspunkt im vorliegenden Brief nicht eindeutig. Während Hauschild (1993) 245 Anm. 625 die Erwähnung auf die Rückrufung des Alkibiades von der sizilischen Expedition bezieht, nennt Courtonne (1957/66) 2, 294 Anm. 1 die Aufgabe des Transportes der Theoren. Hauschilds Anregung scheint die einleuchtendere zu sein, zum einen wegen der Formulierung (vgl. Th. 6, 53, 1: Καταλαμβάνουσι τὴν Σαλαμινίαν ναῦν ἐκ τῶν Ἀθηνῶν ἥκουσαν ἐπί τε Ἀλκιβιάδην [...] καὶ ἐπ' ἄλλους [„Sie finden die Salaminia, die aus Athen zu Alkibiades kam [...] und zu anderen."] und bes. 6, 61, 4: πέμπουσιν οὕτω τὴν Σαλαμινίαν [...] ἐπί τε ἐκεῖνον [„so schickten sie die Salaminia (...) gegen jenen"]), zum anderen wegen der Unterscheidung bei Schol. Ar. *Av.* 147 (Schol. Ar. 2, 3, 28 Holwerda; vgl. Miltner [1949] 1210), wo die Aufgabe der Salaminia genannt wird: τοὺς ἐκκαλουμένους εἰς κρίσιν ἦγεν („sie brachte die Vorgeladenen vor Gericht"), die Paralos dagegen fungierte zum Transport der 'Theorien'. Es ist dennoch merkwürdig, dass die Salaminia Phirminos aus

2) Der zweite Brief in der vorliegenden Korrespondenz, in dem Athen zur Sprache kommt, stammt von Basilius:

Ἀνέγνων τὸν λόγον, σοφώτατε, καὶ ὑπερτεθαύμακα. Ὦ Μοῦσαι καὶ Λόγοι καὶ Ἀθῆναι, οἷα τοῖς ἐρασταῖς δωρεῖσθε. Οἵους κομίζονται τοὺς καρποὺς οἱ βραχύν τινα χρόνον ὑμῖν συγγινόμενοι. Ὦ πηγῆς πολυχεύμονος, οἵους ἔδειξε τοὺς ἀρυομένους.	„Ich habe die Rede gelesen, Weisester, und sie sehr bewundert. O Musen und Reden und Athen, was ihr doch euren Liebhabern schenkt. Welche Früchte verschaffen sich die, die auch nur kurze Zeit mit euch zusammen waren. O wasserreiche Quelle, wozu hast du die geformt, die aus dir schöpfen.“[157]

Es folgen nur wenige kurze lobende Hinweise auf eine von Libanios erhaltene Rede. Dieser Brief ist Teil einer Reihe von Briefen, die in der Regel geschlossen überliefert sind und Reaktionen auf Reden oder Homilien enthalten, die dem Schreiber vom jeweils anderen zugesendet wurden.[158] Ihre Authentizität wird meistens bestritten.[159] Im vorliegenden Brief scheint neben den überlieferungsgeschichtlichen[160] und formalen[161] Gesichtspunkten in erster Linie ein inhaltlicher Aspekt für die Unechtheit zu sprechen, auf den bereits Laube[162] hingewiesen hat: Eine derartige Glorifizierung der Rhetorik und vor allem Athens, die Bezug auf die eigene Studienzeit nimmt, findet man bei Basilius sonst nicht, und sie passt auch nicht zu seiner Haltung nach der asketischen Wende, selbst wenn er in der Korrespondenz mit der gehobenen Schicht durchaus seine Ausbildung zur Schau stellt und ein Brief an einen Studienfreund wehmütige Erinnerungen an die schöne Zeit des gemeinsamen Studiums wachrufen kann.[163]

Athen nach Kappadokien bringen soll, während doch Alkibiades nach Athen zurückgeführt werden sollte.

157 Bas. *ep.* 353 = Lib. *Ep.* 1598, 1 (11, 593 Förster).

158 Es handelt sich um die Briefe Bas. *epp.* 351-356 = Lib. *Epp.* 1596-1601.

159 Pouchet (1992) 157f.; Fedwick (1981b) 5f. Anm. 19; Laube (1913) 49f.; Maas (1912b) 1122; vorsichtiger Seeck (1906) 34.

160 Pouchet (1992) 157 weist darauf hin, dass die Gruppe am Ende der Handschriftenklasse steht und dass zwei weitere Briefe zwar ebenfalls in dieser Libanios-Basilius-Korrespondenz überliefert würden, aber als Teil eines Briefwechsels zwischen Gregor von Nyssa und Stageirios identifiziert worden seien (vgl. auch Hauschild [1993] 249 Anm. 651f.); dies berechtige Zweifel an der Authentizität. Er hält diese Briefserie für das Elaborat einer oder mehrerer Sophistenschulen oder -schüler.

161 Maas (1912b) 1122 Anm. 1 weist auf Parallelen zu Iul. *ep.* 14 (= *ep.* 97 [1, 2, 177-179 Bidez[2]] hin; ebenfalls kann als Parallele der oben zitierte 46. Brief Gregors von Nazianz angeführt werden, wenn auch die Situation nicht direkt vergleichbar ist. Laube (1913) erklärt 49 hinsichtlich des einzig sinnvollen Bezugs von βραχύν τινα χρόνον auf Ἀθήνας „talis usus insolens cum omnino excusari non possit tum in Basilii scriptis non invenitur.“ Die Formulierung erinnert jedoch an die Leichenrede Gregors von Nazianz, vgl. oben S. 169.

162 Laube (1913) 50 „Posteriore autem tempore Basilium ita cecinisse Athenarum laudes non quadrat ad illius mores“; der Hinweis auf Gr. Naz. *or.* 43, wo Basilius Athen als κενὴ μακαρία bezeichnet, ist allerdings kein Argument.

163 Vgl. Bas. *ep.* 271.

3) In der gleichen Briefgruppe findet sich eine weitere Erwähnung Athens, diesmal in einem Brief des Libanios, der hier den Stil einer Rede des Basilius mit dem Hinweis auf Athen charakterisiert. Der Brief lautet folgendermaßen:

Ἆρα, Βασίλειε, μὴ τὰς Ἀθήνας οἰκεῖς καὶ λέληθας σεαυτόν; Οὐ γὰρ τῶν Καισαρέων οἱ παῖδες ταῦτα ἀκούειν ἠδύναντο. Ἡ γλῶττα γάρ μοι τούτων ἐθὰς οὐκ ἦν, ἀλλ' ὥσπερεί τινα κρημνὸν διοδεύοντος πληγεῖσα τῇ τῶν ὀνομάτων καινοτομίᾳ ἐμοί τε τῷ πατρὶ ἔλεγε· Πάτερ, οὐκ ἐδίδαξας. Ὅμηρος οὗτος ἀνήρ, ἀλλὰ Πλάτων, ἀλλ' Ἀριστοτέλης, ἀλλὰ Σουσαρίων ὁ τὰ πάντα ἐπιστάμενος. Καὶ ταῦτα μὲν ἡ γλῶττα, σὲ δὲ εἴη, Βασίλειε, τοιαῦτα ἡμᾶς ἐπαινεῖν.	Wohnst du etwa in Athen, Basilius, oder hast du dich selbst vergessen? Denn die Kinder von Caesarea konnten das nicht hören. Meine Zunge war nämlich daran nicht gewöhnt, sondern wie wenn ich einen Abgrund überquerte, war sie erschüttert durch die Neuheit der Ausdrücke und sagte zu mir, dem Vater: 'Vater, das hast du nicht gelehrt. Ein Homer ist dieser Mann, oder ein Platon, ein Aristoteles, ein Susarion, der alles weiß.' Und dies sagte meine Zunge, es sei aber, Basilius, dass du uns damit lobst."[164]

Im allgemeinen wird angenommen, dass dieser Brief auf die in Bas. *ep.* 354 (= Lib. *Ep.* 1599) geforderte Zusendung des κατὰ μέθης λόγος reagiert.[165] Athen wird in diesem Brief als Heimat und Wohnstätte der größten rhetorischen Begabung angesprochen, während Caesarea einer solchen Predigt des Basilius unwürdig war. Die Rede sei vielmehr eine rhetorische Darbietung, die Athen angemessen gewesen wäre. Inhaltlich ist der Brief zunächst vergleichbar mit der bereits erwähnten *ep.* 336 des Libanios in der Korrespondenz des Basilius (= Lib. *Ep.* 1581), in der es um die Ausbildung in der Rhetorik ging. Doch fällt der Vergleich mit Aristoteles, Platon und Susarion auf, der eine inhaltliche Ebene im Blick ha-

164 Bas. *ep.* 355 = Lib. *Ep.* 1600.

165 So Hauschild (1993) 250 Anm. 670; in der Tat passt der Inhalt zusammen, und nach dem Zeugnis Bessierès', der die Reihenfolge der Briefe in den einzelnen Handschriften notiert, ist die Überlieferung zwar nicht einhellig, aber die Mehrheit weist doch die Reihenfolge *ep.* 354 vor *ep.* 355 auf. Zwingende inhaltliche Gründe liegen allerdings für eine Abhängigkeit der Briefe nicht vor, so dass Hauschilds (1993) Formulierung, *ep.* 355 „setzt die Zusendung von Basilius' *Homilie* Nr. 14 voraus" (250 Anm. 669) zu weit greift. Hauschild wirft ebd. Anm. 669 die Frage auf, „ob ein Fälscher nicht deren Titel (= den Titel der Predigt 'Gegen die Trunkenbolde') korrekt zitiert hätte" und meint damit den in PG 31, 444 angegebenen Titel κατὰ μεθυόντων. Doch liegt der in *ep.* 355 genannte Titel im Grunde näher, betrachtet man Bas. *homilia in ebriosos* 2 (PG 31, 447A), wo nach der 'Vorrede' das Thema mit den Worten eingeleitet wird: Μέθη, ὁ αὐθαίρετος δαίμων, ἐξ ἡδονῆς ταῖς ψυχαῖς ἐμβαλλόμενος, μέθη, κακίας μήτηρ, ἀρετῆς ἐναντίωσις, τὸν ἀνδρεῖον δειλὸν ἀποδείκνυσι, τὸν σώφρονα ἀσελγῆ. Die letzten beiden Erwähnungen des thematischen Titelstichwortes finden sich hier ebenfalls nicht in Form eines Partizips, sondern als Substantiv (μέθη; PG 31, 461A. C). Die Erwähnung der Rede macht es zudem nicht erforderlich, dass sie dem Verfasser des Briefes schriftlich vorlag. Gegen diesen Brief erheben sich die gleichen Zweifel wie gegen *ep.* 353; an inhaltlichen Problemen ist der Vergleich mit Platon, Aristoteles und insbesondere Susarion zu nennen. Letzterer würde nach Laube (1913) 50f. im Gesamtwerk des Libanios nur hier genannt.

ben muss. Konkrete Hinweise, warum der Verfasser des Briefes diese Personen nennt, konnten bisher nicht ermittelt werden.

4. 2. 1. 5 Zwischenergebnisse

Die Hauptquellen dieses Abschnittes waren die Briefe des Gregor von Nazianz und des Basilius, die sich auf das Studium in Athen beziehen. Die unterschiedliche Anzahl an Belegstellen ist auffallend und charakteristisch. Für Basilius konnte im gesamten gesichert authentischen Briefcorpus eine einzige Erwähnung Athens als ehemaligem Studienort verzeichnet werden. Dort distanziert er sich von seinem Ausbildungsort, spricht sogar von Verachtung, in der er ihn verlassen habe. Gregor von Nazianz spricht häufiger von Athen. In den Briefen, die Athen erwähnen, sind für ihn die Freundschaften, die er dort geschlossen, und die Redekunst, deren Beherrschung er dort erworben hat, die entscheidenden Themen. Für die Bewertung der Hinweise auf Athen oder der Schilderungen der Athener Zeit ist bei beiden Kirchenvätern der Adressat und die Situation des Briefes oder des jeweiligen Werkes von besonderer Bedeutung.

1) Generell kann man festhalten, dass Athen meist der einzige Ort der Studienzeit ist, der überhaupt ausdrücklich erwähnt wird. Dies macht zumindest den Stellenwert Athens deutlich: Alle anderen Orte sind von untergeordneter Bedeutung; Athen ist nicht nur Höhe- und Zielpunkt der rhetorischen Ausbildung, die Stadt ist das Symbol schlechthin für diese Ausbildung.

2) Im brieflichen Dialog mit christlichen Bildungskritikern leugnet Basilius jegliche positive Seite seiner Zeit in Athen. Den Erwerb heidnischer Bildung – erneut repräsentiert durch das Schlagwort Athen – will er vorgeblich zugunsten einer christlichen Unterweisung durch einen neuen Lehrer ausgleichen. Die Zeugnisse, die diese retrospektive Haltung widerlegen, dienen gleichzeitig als Erweis für einen strategischen Einsatz Athens: Abkehr von Athen kann Hinkehr zu christlichen Idealen bedeuten. Gregor von Nyssa bestätigt das: Er, der die Ausbildung seines Bruders nur im Ergebnis, nämlich nach der Rückkehr des Basilius von den Bildungsstätten, beurteilen kann, stellt einen schlechten Einfluss auf den Charakter seines Bruders fest; die Auswirkungen heidnischer Bildung müssen seiner Ansicht nach durch Personen korrigiert werden, die in christlicher Askese gefestigt sind.

3) Nicht immer müssen die Ausbildung in Athen und Athen selbst in Bausch und Bogen abgelehnt werden. Gregor von Nazianz gibt sich streitlustig, wenn er zu seiner Entscheidung steht, bewusst nach Athen gegangen zu sein. Die Strategie variiert allerdings: Jugendlicher Übermut führt ihn dorthin, wenn er sich verteidigt, und der Wille, das Christentum überzeugend den gebildeten Heiden vermitteln zu können, wenn er die Verteidigung mit einem Angriff verbindet. Mancher Bischof, so suggeriert er, täte gut daran, sich etwas Bildung anzueignen, um Situationen wie die Feuerprobe des Paulus in Athen überstehen zu können. Hier wird

deutlich: Rhetorik, 'Athen' ist nicht unchristlich, vielmehr ist in Athen erworbene Ausbildung die beste Stütze für eine glaubhafte Weitergabe christlicher Lehren.

4) Aber nicht nur Verleugnung oder Verteidigung Athens sind möglich, man kann sich auch positiv auf diese Stadt berufen: Die dort gemeinsam verbrachte Zeit bezeichnet in der Korrespondenz der beiden Kappadokier, die zusammen bei den Rhetoren Athens studiert haben, ihre Übereinstimmung in allen Fragen des Lebens und des Glaubens. Eine solche Berufung auf Athen dient dazu, möglichen Verstimmungen durch gezielt eingesetzte Sentimentalität entgegenzuwirken.

5) Sind andere gebildete Christen oder auch nichtchristliche Sophisten angesprochen, dient die Erwähnung der Ausbildung in Athen zusammen mit Belegen für die eigene Bildung als Selbstempfehlung und Integration in den Kreis der gebildeten Oberschicht des Reiches. Anlässe wie die Empfehlung von Jugendlichen an einen Sophisten in Athen bringen dies zum Ausdruck: Der Hinweis auf ein Studium in Athen soll die persönliche Empfehlung, nach einem heute geflügelten Wort das 'Vitamin B', noch durch ein weiteres 'Vitamin', nämlich A(then), unterstützen.

4. 2. 2 Christliche Philosophie in Athen und heidnische Philosophie in Kappadokien

Der Begriff 'Philosophie' hat im Munde christlicher und vorher bereits jüdischer Schriftsteller eine andere Bedeutung erlangt als im heidnischen Sprachgebrauch.[166] Ein Zeugnis für diesen 'neueren' Gebrauch des Wortes φιλοσοφία konnte bereits im vorigen Abschnitt notiert werden:[167] Im ersten Brief des Basilius wurde die christliche Philosophie als Philosophie des Eustathios von Sebaste in einen Gegensatz zur Studienzeit in Athen gebracht; um der christlichen Philosophie willen, so gibt Basilius vor, habe er Athen verlassen.

Im Folgenden soll untersucht werden, inwiefern die christliche Philosophie der Stadt Athen als der Repräsentantin heidnischer Philosophie gegenübergestellt wird und ob einzelne heidnische Philosophen, die aus Athen stammen oder dort wirken, wegen dieser Herkunft einen besonderen Platz in den Schriften der Kappadokier einnehmen, wie das etwa bei Eusebius von Caesarea beobachtet werden konnte.

[166] Vgl. Malingrey (1961). Einen kurzen Überblick über den Gebrauch des Wortes 'Philosophie' bei christlichen Schriftstellern vor den Kappadokiern findet man bei Bardy (1949).

[167] Vgl. oben S. 165f.

4. 2. 2. 1 Christliche Philosophie und die Hochburg heidnischer Weisheit

Gregor von Nazianz spricht vom Philosophieren, wenn er in einem Brief an Basilius,[168] der in etwa zur gleichen Zeit wie *ep.* 1 des Basilius[169] abgefasst ist, die in Athen geschlossene Freundschaft erwähnt und beginnt:

Ἐψευσάμην, ὁμολογῶ, τὴν ὑπόσχησιν συνέσεσθαί σοι καὶ συμφιλοσοφήσειν καθομολογήσας[170] ἐκ τῶν Ἀθηνῶν ἔτι καὶ τῆς ἐκεῖσε φιλίας καὶ συμφυΐας·[171] οὐ γὰρ ἔχω τι τούτων εἰπεῖν οἰκειότερον.	„Ich gestehe, ich habe das Versprechen gebrochen, mit dir zusammen zu sein und mit dir zusammen zu philosophieren, was ich noch von Athen her zugesagt hatte und von der Freundschaft dort her und der Verwachsenheit, denn ich habe nicht Angemesseneres als das zu sagen."[172]

Beide Briefe, der vorliegende Brief Gregors und *ep.* 1 des Basilius, stehen am Beginn der Sammlungen,[173] beide Briefe erwähnen Athen und, in enger Verbindung damit, die Philosophie. Mit dieser Philosophie ist nicht die Philosophie gemeint, die in Athen gelehrt wird, Basilius will diese ja gerade nicht mehr lernen, sondern geht von ihr zu der christlichen Philosophie des Eustathios über. Gregor seinerseits spricht davon, mit Basilius in Athen eine Übereinkunft getroffen zu haben, nach ihrer Rückkehr von Athen nach Kappadokien weiterhin Philosophie zu treiben, aber nicht die Philosophie, die man üblicherweise mit Athen in Verbindung bringt, sondern ebenfalls die christlich-monastische Askese.

[168] Gr. Naz. *ep.* 1.

[169] Siehe oben S. 165f.

[170] Συμφιλοσοφεῖν hat hier die Bedeutung, die diesem Terminus spätestens seit Epikur beigegeben ist: in einer Lebensgemeinschaft 'Philosophie' treiben (vgl. Malingrey [1961] 65f. und 249 Anm. 57). Allerdings kann der Begriff Philosophie in der Korrespondenz der beiden Kappadokier Basilius von Caesarea und Gregor von Nazianz auch das zurückgezogene Leben in der Einsiedelei des Pontos bedeuten: Vgl. dazu Rousseau (1994) 65-68, ebd. auch zum Kontext des Briefes.

[171] Eine übertragene Bedeutung in diesem Sinn ist im klassischen Griechisch nicht belegt, vgl. LSJ s. vv. συμφυΐα (1688) und σύμφυσις (1689).

[172] Gr. Naz. *ep.* 1, 1.

[173] Gregor hat seine Briefe teilweise selbst 'herausgegeben' (vgl. *epp.* 51-54 sowie Gallay [1964/67] 1, XXI-XXIII); aus dieser Briefsammlung dürften auch einzelne Sammlungen der Briefe des Basilius hervorgegangen sein, denn er sagt (*ep.* 53, 1): Ἀεὶ προτιμήσας ἐμαυτοῦ τὸν μέγαν Βασίλειον [...] καὶ νῦν προτιμῶ [...] Διὰ τοῦτο προθεὶς τὰς ἐκείνου ἐπιστολάς, τὰς ἐμὰς ὑποτίθημι („Den großen Basilius habe ich immer vor mir selbst geehrt [...] und ehre ihn auch jetzt noch [sc. mehr als mich selbst]. [...] Deshalb stelle ich seine Briefe voran und führe meine eigenen anschließend an." Vgl. Jülicher [1897] 53 und Deferrari [1926/34] 1, XXXVIIIf. Anm. 1). Wittig (1981) 244 Anm. 155 setzt die hier geschilderte Sammlung auf die Jahre 384-390 an. Bessierès (1923) 146-152 vermutet, dass die Handschriftengruppe Aa, die älteste der vorliegenden Handschriftengruppen, auf die erste Sammlung des Gregor von Nazianz zurückgeht; in den sie vertretenden Codices ist mit Ausnahme der jüngsten, erst aus dem 16. Jahrhundert stammenden Handschrift stets *ep.* 1 als erster Brief überliefert.

Bei Gregor von Nazianz stößt man auf eine weitere indirekte Gegenüberstellung von Athen und Philosophie. Oben[174] wurde bereits sein 46. Brief zitiert, in dem er durch 'strategische Sentimentalität' die Verstimmung des Basilius auffangen wollte und zu diesem Zweck die „Reden, Athen, die Tugendhaftigkeit und den Schweiß um die Reden" in Erinnerung rief. Er beendet diesen Brief mit den Worten:

Ἀλλ' ὅτι φιλοσοφοῦμεν, ἀγανακτεῖς; Δὸς εἰπεῖν, τοῦτο μόνον καὶ τῶν λόγων τῶν σῶν ὑψηλότερον.	„Verdrießt es dich, dass wir 'philosophieren'? Gib zu: Das allein ist wichtiger selbst als deine Reden."[175]

In diesen letzten Worten deutet Gregor an, dass sich der Begriff der christlichen Philosophie nicht nur als Gegensatz zur heidnischen Philosophie verstehen lässt (wie z. B. in *ep.* 1 des Basilius), sondern auch als Gegensatz zur Beschäftigung mit dem gesamten Inhalt der heidnischen Bildung, hier der Rhetorik (den λόγοι). Gleichzeitig spielt Gregor auf die Sehnsucht des Basilius nach dieser Philosophie an, die Basilius bereits in seiner *ep.* 1 angesprochen hatte.

Aufschluss über den Gebrauch des Begriffes 'Philosophie' gibt abermals die 43. Rede des Gregor von Nazianz, die Leichenrede auf Basilius von Caesarea. Er habe Basilius in Athen kennengelernt und ihn nach dem oben[176] geschilderten Streitgespräch mit armenischen Rhetorik-Schülern aufgemuntert. Dann fährt Gregor in seinem Bericht fort und schildert, wie sie einander nähergekommen seien: Nach und nach habe sich für sie beide die 'Philosophie' als Objekt einer Sehnsucht (πόθος) herausgestellt. Dieses gemeinsame Ziel habe ihrer Freundschaft einen ungeheuren Schub gegeben: „Da waren wir einander alles, Hausgenossen, Lebensgefährten, ein Gewächs, ein Ziel vor Augen, immer dem anderen die Sehnsucht noch heißer und stärker machend."[177] Er erläutert daraufhin diese Aussage, indem er zunächst das körperliche Verlangen (οἱ μὲν γὰρ τῶν σωμάτων ἔρωτες) als vergänglich beschreibt; dauerhaft sei dagegen die Liebe, die „vernünftig und auf Gott gerichtet ist." Sie richte sich ja auf etwas Beständiges, und je

[174] Vgl. S. 184.
[175] Gr. Naz. *ep.* 46, 6.
[176] Vgl. S. 154f.
[177] Gr. Naz. *or.* 43, 19, 1-5: Ὡς δὲ προιόντος τοῦ χρόνου τὸν πόθον ἀλλήλοις καθωμολογήσαμεν καὶ φιλοσοφίαν εἶναι τὸ σπουδαζόμενον, τηνικαῦτα ἤδη τὰ πάντα ἦμεν ἀλλήλοις, ὁμόστεγοι, ὁμοδίαιτοι, συμφυεῖς, τὸ ἓν βλέποντες, ἀεὶ τὸν πόθον ἀλλήλοις συναύξοντες θερμότερόν τε καὶ βεβαιότερον („Im Laufe der Zeit gestanden wir uns einander unsere Sehnsucht und, dass die 'Philosophie' das Angestrebte ist, und da waren wir einander alles, Hausgenossen, Lebensgefährten, ein Gewächs, ein Ziel vor Augen, immer dem anderen die Sehnsucht noch heißer und stärker machend."). Φιλοσοφία dürfte hier in demselben Sinn gebraucht sein wie am Beginn der *Constitutiones asceticae* des Basilius, die er mit den Worten beginnt Τὴν κατὰ Χριστὸν φιλοσοφίαν ἐπανελόμενος (PG 31, 1321); vgl. Malingrey (1961) 241. Ὁμόστεγος in gleichem Zusammenhang bei Gr. Naz. *c.* 2, 1, 11, 477.

bewusster die Schönheit werde, desto mehr seien auch die Liebhaber dieser beständigen Schönheit untereinander verbunden.[178]

Bereits zuvor hatte Gregor die Philosophie als Hauptziel des Basilius genannt und sie ergänzend erläutert; Philosophie sei „das Bemühen, sich von der Welt zu lösen und bei Gott zu sein, das, was denen (hier) unten das, was oben ist, vermittelt und den Wankelmütigen und Unsteten das Beständige und Bleibende verschafft."[179]

Dass Gregor und Basilius diesen Eifer, der hier als Eigenschaft des Basilius geschildert wird, auch in die Tat umsetzten, legen als Parallelstelle einige Verse der großen Autobiographie Gregors nahe, die sein Verhältnis zu Basilius zum Thema haben. Auch dort erwähnt er das Leben, das ihn und Basilius einander vertraut gemacht habe und das einen Schritt wie den des Basilius, ihn aus kirchenpolitischen Gründen zum Bischof von Sasima zu machen,[180] eigentlich hätte verhindern sollen. Zugleich wird dort auch das Versprechen erwähnt, nach dem Aufenthalt in Athen in asketisch-monastischer Gemeinschaft zu leben.

Τοιαῦτ' Ἀθῆναι καὶ πόνοι κοινοὶ λόγων, / ὁμόστεγός τε καὶ συνέστιος βίος, / νοῦς εἷς ἐν ἀμφοῖν, οὐ δύω, θαῦμ' Ἑλλάδος·[181] / καὶ δεξιαί, κόσμον μὲν ὡς πόρρω βαλεῖν / αὐτοὺς δὲ κοινὸν τῷ θεῷ ζῆσαι βίον / λόγους τε δοῦναι τῷ μόνῳ σοφῷ λόγῳ.

„Das war Athen und die Mühe um die Reden, ein Leben unter einem Dach und an einem Herd, ein Sinn in beiden, nicht zwei, ein Wunder in Griechenland. Und die rechte Hand darauf, die Welt weit von uns zu werfen und ein Leben zu suchen für Gott und Reden nur dem einen weisen 'Logos' zu halten."[182]

Im weiteren Verlauf der Leichenrede[183] auf Basilius nennt Gregor diese φιλοσοφία und diesen νόμος ἔρωτος mit den Worten Pindars die „goldenen Pfeiler"[184] ihrer Studienzeit, und wie dieses Zitat andeutet, geht er dann dazu über, den Verlauf des Unterrichts, den Studienalltag und das sich entwickelnde Verhältnis zu Basilius und anderen Rhetorik-Schülern eingehender zu beschreiben.

[178] Gr. Naz. *or.* 43, 19, 9-13: Οἱ δὲ κατὰ Θεόν τε καὶ σώφρονες [sc. ἔρωτες], ἐπειδὴ πράγματος ἑστῶτός εἰσι, διὰ τοῦτο καὶ μονιμώτεροι, καὶ ὅσῳ πλέον αὐτοῖς τὸ κάλλος φαντάζεται, τοσούτῳ μᾶλλον ἑαυτῷ τε καὶ ἀλλήλοις συνδεῖ τοὺς τῶν αὐτῶν ἐραστάς.

[179] Gr. Naz. *or.* 43, 13, 30-33: Φιλοσοφία δὲ ἡ σπουδὴ καὶ τὸ ῥαγῆναι κόσμου καὶ μετὰ Θεοῦ γενέσθαι, τοῖς κάτω τὰ ἄνω πραγματευόμενον καὶ τοῖς ἀστάτοις καὶ ῥέουσι τὰ ἑστῶτα καὶ μένοντα κατακτώμενον. Vgl. Malingrey (1961) 256; Rousseau (1994) 70 mit Anm. 40; zu ῥαγῆναι Lampe 1216 s. v. ῥήγνυμι c. gen. „break away from".

[180] Vgl. dazu Giet (1941) 67-82.

[181] Zur Streitsucht der Athener Philosophen vgl. oben S. 138 Anm. 75.

[182] Gr. Naz. *c.* 2, 1, 11, 476-481.

[183] Zumindest dieser Abschnitt der Leichenrede trägt stark autobiographische Züge. Daher ist es berechtigt, wenn Bernardi (1993) diese Rede neben zwei Gedichten Gregors als Autobiographie behandelt.

[184] Vgl. Pi. *O.* 6, 1-3.

Dieser Abschnitt in der Trauerrede schließt sich unmittelbar an das Streitgespräch mit armenischen Rhetorik-Schülern an. Es folgt ein weiterer Hinweis auf andere Studenten in Athen sowie auf die Studien selbst:

Ἑταίρων τε γὰρ ὡμιλοῦμεν οὐ τοῖς ἀσελγεστάτοις, ἀλλὰ τοῖς σωφρονεστάτοις, οὐδὲ τοῖς μαχιμωτάτοις, ἀλλὰ τοῖς εἰρηνικωτάτοις καὶ οἷς συνεῖναι λυσιτελέστατον, εἰδότες ὅτι κακίας ῥᾷον μεταλαβεῖν ἢ ἀρετῆς μεταδοῦναι, ἐπεὶ καὶ νόσου μετασχεῖν μᾶλλον ἢ ὑγίειαν χαρίσασθαι. Μαθημάτων δὲ οὐ τοῖς ἡδίστοις πλέον ἢ τοῖς καλλίστοις ἐχαίρομεν, ἐπειδὴ κἀντεῦθεν ἔστιν ἢ πρὸς ἀρετὴν τυποῦσθαι τοὺς νέους ἢ πρὸς κακίαν.

„Wir hatten nicht Umgang mit solchen Kommilitonen, die am meisten feierten, sondern mit den Besonnensten, und nicht mit solchen, die sich die meisten Schlachten lieferten, sondern mit den Friedfertigsten und mit denen zusammen zu sein am gewinnbringendsten war; wir wussten ja, dass es einfacher ist, Schlechtigkeit zu erwerben als an Tugend teilzuhaben, denn es ist doch auch leichter, krank zu werden als sich der Gesundheit zu erfreuen. Was die Lehrstoffe angeht, so hatten wir die größte Freude nicht an denen, die am angenehmsten waren, sondern an den schönsten, denn auch von dort her kann man als Jugendlicher entweder zur Tugend oder zur Schlechtigkeit geformt werden.“[185]

Darauf stellt Gregor heidnische und christliche Lehrer gegenüber und erwähnt die Schädlichkeit der Stadt für andere Schüler.[186]

Bei diesem Abschnitt der Leichenrede sind zwei Aspekte hervorzuheben: Zunächst betont Gregor von Nazianz, dass in einer heidnischen Stadt, umgeben von zahlreichen Anfeindungen, die Grundlage der christlichen Philosophie nötig ist. Mit ihr als Fundament ist es möglich, den Versuchungen dieser Stadt zu widerstehen und die angemessene Auswahl an Freunden, Wissenschaften und Beschäftigungen zu treffen.

Als zweiten und für diesen Abschnitt wichtigeren Aspekt dürfte man die Tatsache anführen, dass die eben geschilderten Gefahren in *der* Stadt lauern, die Ursprung und Sitz der größten philosophischen Schulen und Richtungen ist. Im Gegensatz zu diesen philosophischen Richtungen – mit Gregor von Nazianz könnte man hier Πλάτωνες καὶ Χρύσιπποι καὶ ὁ λαμπρὸς Περίπατος καὶ ἡ σεμνὴ Στοὰ καὶ οἱ τὰ κομψὰ λαρυγγίζοντες („Leute wie Platon, Chrysippos, der herrliche Peripatos und die ehrwürdige Stoa und die, die ‘geschwollen daherreden’“)[187] anführen – muss die christliche Philosophie den Weg zu einem Leben weisen, das den beiden Kappadokiern und allen anderen Christen angemessen ist.

185 Gr. Naz. *or.* 43, 20, 19-26.
186 Siehe oben S. 160.
187 Gr. Naz. *or.* 4, 43, 1.

4. 2. 2. 2 Philosophen Athens?

Die eben zitierte Aufzählung von Philosophen und Philosophenschulen – gemeint sind an dieser Stelle die Lehrer des Julian, wahrscheinlich mit Bezug auf die Ausbildung in Athen – kann zu einem weiteren Aspekt des Themenfeldes Philosophie in Athen überleiten. Denn die oben erwähnten Schlagwörter bezeichnen insgesamt die in Athen entstandenen philosophischen Hauptschulen: Platon und die Akademie, Chrysippos und die Stoa, Peripatos und (zu ergänzen) Aristoteles. Als viertes Element in dieser Aufzählung liest man in einer ironischen Formulierung die Rhetorik.[188] Doch trifft man andernorts auf ähnliche Verurteilungen derselben Philosophenschulen unter Einschluss der vierten philosophischen Hauptrichtung, des Epikureismus, sowie des in Athen entstandenen Kynismus, die beide an der zitierten Stelle nicht genannt sind.

Zunächst zur Charakterisierung der Lehrer des Julian: Gregor beschreibt in den ersten Kapiteln seiner vierten Rede dessen geistige Entwicklung und die Ausbildung. Dabei verschweigt er nicht, dass auch Julian neben der Erziehung in den allgemeinen Wissenschaften eine religiöse Erziehung genossen hatte: Er und sein Halbbruder Constantius Gallus hätten in der Jugend die gesamte ἐγκύκλιος παίδευσις genießen können, „aber sie beschäftigten sich mit unserer 'Philosophie' sogar noch mehr."[189] Später kommt Gregor auf die Ausbildung in der heidnischen Philosophie zu sprechen. Als die beiden Brüder älter geworden seien, hätten sie – eine fatale Entwicklung – sich auch mit der (zu ergänzen: anderen) Philosophie auseinandergesetzt. Diese Wissenschaft könne zwei Wirkungen zeitigen: Für gute Menschen (τοῖς μὲν ἐπιεικέσιν) sei sie eine Zurüstung für den Tugenderwerb (ἀρετῆς ὅπλον), für schlechte Menschen (τοῖς δὲ μοχθηροτέροις) ein Ansporn zur Schlechtigkeit (κέντρον κακίας). Julian habe offenbar zu der zweiten Sorte von Menschen gehört, und am Ende habe er die Gottlosigkeit nicht mehr nur in

[188] Κομψὰ λαρυγγίζειν ist ein Oxymoron, wobei dieses Urteil geschickt zumindest teilweise mit den Begriffen gefällt wird, die von den ebenfalls dem Urteil verfallenden Philosophen herangezogen werden: Vgl. LSJ 977 s. v. κομψός 2: „in Pl(ato) and Arist(otle), usu(ally) clever, esp. *skilful in technique*, with at most a slight irony"; vgl. Coulie (1983) 43: „le terme κομψός est fréquent chez Platon pour désigner ironiquement les sophistes."

[189] Gr. Naz. *or.* 4, 23, 1-6: Ἐπεὶ δὲ ἦγον ἀπὸ πάντων σχολήν, τῆς μὲν βασιλείας μελλούσης ἔτι καὶ μελετωμένης, τῆς δὲ ἡλικίας ἅμα καὶ τῆς ἐλπίδος ταῖς δευτέραις τῶν ἀρχῶν οὐ προσαγούσης, ἐχρῶντο μὲν καὶ τῶν ἄλλων παιδευταῖς μαθημάτων, πᾶσαν τὴν ἐγκύκλιον παίδευσιν ἐκπαιδεύοντος αὐτοὺς τοῦ θείου καὶ βασιλέως, ἐχρῶντο δὲ καὶ τῇ καθ' ἡμᾶς φιλοσοφίᾳ πλέον („Da sie [sc. Julian und sein Halbbruder Constantius Gallus] vor allem Ruhe hatten, die Königsherrschaft noch bevorstand und besorgt wurde und Alter und Hoffnung nicht auf den zweiten Platz in der Herrschaft drängten, besuchten sie auch Lehrer anderer Fächer, wobei der Göttliche und Königliche [sc. Kaiser Constantius II.] sie in der ganzen 'enzyklopädischen' Bildung unterrichtete, sie beschäftigten sich aber mit unserer 'Philosophie' sogar noch mehr.").

der persönlichen Beschäftigung mit der Philosophie verarbeiten können, sondern sie auch nach außen tragen müssen.[190]

Im weiteren Verlauf der Rede erwähnt Gregor, dass Constantius II. die Cäsarenwürde an Julian übergeben habe, und versucht, diesen verhängnisvollen Schritt damit zu begründen, dass Constantius ein unschuldiges Gemüt gehabt habe. Gregor weist auf die Unberechenbarkeit der Sünde hin und sagt dann von Julian:

Ὁπότε κἀκεῖνος ἐξ ὧν εὐνούστερος φανῆναι δίκαιος ἦν καὶ εἴ τι κακίας εἶχεν ἐμπύρευμα τοῦτο ἀνελεῖν, ἐκ τούτων εἰς μεῖζον ἀνήφθη μῖσος καὶ ὅπως ἂν ἀμύνηται τὸν εὐεργέτην ἐσκόπει. Ταῦτα Πλάτωνες αὐτὸν καὶ Χρύσιπποι καὶ ὁ λαμπρὸς Περίπατος καὶ ἡ σεμνὴ Στοὰ καὶ οἱ τὰ κομψὰ λαρυγγίζοντες ἐξεπαίδευσαν· ταῦτα ἡ τῆς γεωμετρίας ἰσότης καὶ οἱ περὶ δικαιοσύνης λόγοι καὶ τὸ χρῆναι ἀδικεῖσθαι μᾶλλον αἱρεῖσθαι ἢ ἀδικεῖν· ταῦτα οἱ γενναῖοι διδάσκαλοι καὶ τῆς βασιλείας συναγωνισταί τε καὶ νομοθέται, οὓς ἐκ τῶν τριόδων καὶ βαράθρων ἑαυτῷ συνελέξατο.

„Das, was gerechterweise Julian hätte zur Einsicht bringen und den Brand der Leidenschaft hätte ersticken sollen, entfachte ja noch mehr seinen Hass und weckte das Verlangen, sich an dem zu rächen, der sein Wohltäter war.[191] Das hatten ihn Leute wie Platon, Chrysippos, der ‘herrliche’ Peripatos und die ‘ehrwürdige’ Stoa und die, die ‘geschwollen daherreden,’ gelehrt, das hatten ihn die Gleichheit der ‘Geometrie’ und die Reden über die Gerechtigkeit und die Rede, dass es nötig sei, sich dafür zu entscheiden, das Unrecht zu leiden und nicht das Unrecht zu tun, und die edlen Lehrer und Mitstreiter um die Königsherrschaft und die Gesetzgeber gelehrt, die er sich von den Dreiwegen und Abgründen zusammengesucht hatte.“[192]

Eine Erwähnung der großen Philosophenschulen, die ihren Ursprung in Athen hatten, impliziert nicht zwangsläufig eine Anspielung auf diese Stadt. Diese philosophischen Systeme sind in der Spätantike in allen Bildungszentren verbreitet, und so dürfte sich eine Erwähnung zunächst tatsächlich nur auf die entsprechende Richtung beziehen, nicht auf den Ursprungsort.

An der vorliegenden Stelle kann jedoch ein direkter Hinweis auf die athenischen Ausbildungsstätten vorliegen, und zwar durch das Wort βάραθρον als Ort, von

[190] Gr. Naz. *or.* 4, 30, 1-6: Ἐπεὶ δὲ εἰς ἄνδρας προϊόντες ἤδη τῶν ἐκ φιλοσοφίας δογμάτων ἥψαντο, ὡς μήποτε ὤφελον, καὶ τὴν ἐκ τοῦ λόγου προσελάμβανε δύναμιν, ἣ τοῖς μὲν ἐπιεικέσιν ἀρετῆς ὅπλον, τοῖς δὲ μοχθηροτέροις κέντρον κακίας γίνεται, οὐκέτι κατέχειν ὅλην τὴν νόσον οἷός τε ἦν οὐδὲ παντελῶς τὸν τῆς ἀσεβείας δόλον ἐν ἑαυτῷ μόνῳ φιλοσοφεῖν („Als sie aber zu Männern wurden und bereits die Lehren der Philosophie berührt hatten, was nie hätte passieren dürfen, schöpfte er [d. i. Julian] auch diese Stärke aus der Lehre, die den Anständigen eine Waffe zum Erwerb von Tugend, den Schlechten aber ein Stachel der Schlechtigkeit ist, und er war nicht mehr in der Lage, die ganze Krankheit zu beherrschen und die List der Gottlosigkeit nur ganz bei sich selbst allein zu bedenken.“).

[191] Bis hier in der Übertragung von Haeuser (1928). Mit dem ‘Wohltäter’ ist Constantius II. gemeint.

[192] Gr. Naz. *or.* 4, 42, 6-43, 7. Zur Stelle vgl. Lugaresi (1993) 277-279.

dem her Julian sich die genannten 'Weisheiten' erworben habe.[193] Obgleich auch dieses Wort nicht zwangsläufig einen Bezug zu Athen haben muss,[194] legt die Verbindung mit dem Ausdruck ἐκ τριόδων einen Hinweis auf die verschiedenen Etappen der Ausbildung des Julian nahe. Unterstützend sei auf die Äußerungen des Eunapios über Julians Lehrer hingewiesen[195] sowie auf Eunapios' Worte über Maximos von Ephesos (mit den Worten des Eusebios aus Myndos); dieser Maximos habe seine Schüler „morgens im Heiligtum der Hekate“ (ἐς τὸ Ἑκατήσιον) versammelt, um Publikum für seine Darlegungen zu haben.[196] Die Verbindung von Zauberei, Dreiweg und Hekate[197] ist eindeutig, und so bezeichnet das Nebeneinander von Todesschlucht und Dreiweg in Gregors Rede gegen Julian zwei Teile der Ausbildung Julians: Die Ausbildung in Athen wird durch das βάραθρον ausgedrückt, die (frühere) theurgische Unterweisung durch Maximos von Ephesos durch die τρίοδοι.

Im weiteren Verlauf der Rede gegen Julian heißt es in einer Synkrisis,[198] die zunächst einen Lobpreis der Christen schildert, von einigen Exponenten griechischer Geisteskultur:

Ταῦτα[199] μὲν ἤδη καὶ πολλῷ τιμιώτερα τῆς Σόλωνος ἀπληστίας, τοῦ σοφοῦ τε καὶ νομοθέτου, ἣν Κροῖσος ἤλεγξε τῷ

„Das war doch um vieles ehrvoller als die Unersättlichkeit des Solon, des Weisen und Gesetzgebers, die Kroisos mit lydischem

[193] Zu βάραθρον in seiner ursprünglichen Bedeutung vgl. auch Bas. *ep.* 14, 2, 42 mit den entsprechenden Anmerkungen bei Hauschild (1990) 172 (Anm. 107) und Courtonne (1957/66) 1, 45.

[194] Vgl. Kurmann (1988) 146; der Charakter eines 'Sprichwortes' oder einer Redensart an den dort angegebenen Stellen ist zweifelhaft, da mit Aristophanes (vgl. z. B. *Eq.* 1362; *Nu.* 1450; *Ra.* 574; *Pl.* 431 mit Schol.; siehe auch Hdt. 7, 133, 1; X. *HG* 1, 7, 20) und Demosthenes ausschließlich in Athen wirkende Verfasser genannt sind, so dass von daher die Verbindung mit Athen zwangsläufig vorhanden ist. Die Verbindung mit Athen ist außerdem natürlich durch den Inhalt z. B. der Komödien gegeben. Vgl. auch LSJ 306 s. v. βάραθρον. Nicht unwahrscheinlich ist eine weitere Bezugnahme auf das βάραθρον in Athen bei Bas. *ep.* 74, 3, 18-20, wo (vgl. unten S. 228 mit Anmerkungen) der Ort Podandos hintereinander mit dem spartanischen Keadas und (19f.) dem βάραθρον genannt sind. Es heißt dort: Ὅταν δὲ Ποδανδὸν εἴπω, τὸν Κεάδαν με οἴου λέγειν τὸν Λακωνικὸν ἢ εἴ που τῆς οἰκουμένης εἶδες βάραθρον αὐτοφυές („Wenn ich Podandos sage, dann denke von mir, dass ich den spartanischen Keadas meine oder wenn du sonstwo in der Oikumene einen natürlichen Abgrund [βάραθρον] kennst.“).

[195] Zu Eusebios und Chrysanthios sowie Maximos vgl. Eun. *VS* 7, 2.

[196] Eun. *VS* 7, 2, 7: Οὗτος διὰ μέγεθος φύσεως καὶ λόγων ὑπεροχὴν καταφρονήσας τῶν ἐν τούτοις ἀποδείξεων, ἐπὶ μανίας τινὰς ὁρμήσας καὶ δραμών, συνεκάλεσεν ἡμᾶς πρῴην τοὺς παρόντας ἐς τὸ Ἑκατήσιον, καὶ πολλοὺς ἐδείκνυ τοὺς καθ' ἑαυτοῦ μάρτυρας („Dieser verachtete aufgrund seiner Körpergröße und seiner übermäßigen Redegabe diese Darbietungen, und verstieg sich zu gewissem Wahn. Er versammelte uns, die wir da waren, morgens in das Heiligtum der Hekate und bot [auf diese Weise] viele Zeugen für sich selbst dar.“).

[197] Vgl. Heckenbach (1912) 2775.

[198] Vgl. Kurmann (1988) 20-24.

[199] Gemeint ist christlicher Lebenswandel und der Heldenmut im Martyrium.

Λυδίῳ χρυσῷ,[200] καὶ τῆς Σωκράτους φιλοκαλίας – αἰδοῦμαι γὰρ εἰπεῖν παιδεραστίας, κἂν σεμνοποιῆται ταῖς ἐπινοίαις[201] –, καὶ τῆς Πλάτωνος λιχνείας τῆς Σικελικῆς, δι' ἣν καὶ πιπράσκεται[202] καὶ οὐδ' ὑπό τινος ἐξωνεῖται τῶν αὐτοῦ μαθητῶν ἢ ὅλως Ἕλληνος.

Gold offenlegte, und als des Sokrates Schönheitsliebe – ich scheue mich nämlich zu sagen: Knabenliebe, auch wenn sie durch Überlegungen schöngeredet wird –, und als die Habgier des Platon in Sizilien, durch die er dann auch verkauft wurde und von keinem seiner Schüler, ja von keinem Griechen überhaupt, losgekauft wurde […].“[203]

Es folgen Angriffe gegen Xenokrates,[204] Diogenes[205] und dann auch gegen Epikur, dessen Philosophie „kein größeres Gut definiert als die Lust,“[206] sowie weitere Invektiven gegen Krates, Zenon, Antisthenes, Ammonios Sakkas,[207] Homer, Kleanthes, Anaxagoras und Heraklit.

Unter diesen heidnischen Gelehrten, die christlichen Märtyrern gegenübergestellt werden, befinden sich einige der größten athenischen Philosophen: Sokrates, Platon, Epikur und auch Solon. Ferner hat Xenokrates als Nachfolger des Speusippos in der Akademie in Athen gewirkt; was Diogenes von Sinope angeht, so haben „die meisten Anekdoten […] Athen als Schauplatz.“[208] Der Kyniker Krates hatte sich in Athen aufgehalten, und ihm schloss sich Zenon an, der spätere Begründer der Stoa. Sein Schüler wiederum wurde Kleanthes. Antisthenes stammt

[200] Vgl. Kurmann (1988) ad loc., der gegen Asmus (1910) 338f. (wo dieser, Bezug nehmend auf die Invektive gegen Alkmaion in Gr. Naz. *c.* 1, 2, 10, 294-305 [vgl. unten S. 245f.], zwischen νομοθέτου und ἣν <καὶ τῆς 'Αλκμαίωνος> ergänzt) hier eine Verwechslung Solons mit Alkmaion durch Gregor annimmt (unter Hinweis auf Hdt. 6, 125) „wie er § 59, 3 Aristaios und Aristeas verwechselt.“

[201] Vgl. Kurmann (1988) ad loc.; zur Gestalt des Sokrates bei Gregor von Nazianz und den anderen Kappadokiern vgl. Kapitel 4. 2. 2. 3. Zu diesem und anderen antiplatonischen Topoi bei Gregor vgl. Düring (1941) 167f.

[202] Vgl. Kurmann (1988) ad loc. mit dem Hinweis auf die ausführliche Darstellung bei Gaiser (1983), der zahlreiche Belege zusammenstellt.

[203] Gr. Naz. *or.* 4, 72, 2-9; zur Struktur dieses Kapitels vgl. Coulie (1982) und (1983).

[204] Vgl. Kurmann (1988) ad loc. (4, 72, 9); erneut gegen Asmus (1910) 339 behält Kurmann (1988) den überlieferten Text bei und bringt andere Beispiele für eine Person, die in verschiedenem Kontext unterschiedlich bewertet wird. Im vorliegenden Fall liegt die Problematik darin, dass Xenokrates *c.* 1, 2, 10, 777-786 „rückhaltslos als ein Muster weiser Mäßigung gepriesen“ wird (Asmus 339). Kurmann (1988) weist ferner auf Überlieferungen hin, die Xenokrates als Sieger bei einem Trinkwettbewerb darstellen (Ath. 10, 49, 437b [2, 450 Kaibel]; Ael. *VH* 2, 41).

[205] Vgl. Kurmann (1988) ad loc.

[206] Gr. Naz. *or.* 4, 72, 12-14: […] καὶ τῆς Ἐπικούρου φιλοσοφίας, οὐδὲν ὑπὲρ τὴν ἡδονὴν ἀγαθὸν ὁρίσαντος […] („[…] und als die Philosophie des Epikur, der kein größeres Gut definiert als die Lust […]“).

[207] Unklar, vgl. Kurmann (1988) 246f.: Stellen aus Platons *Symposion* sind bezogen auf eine Person, die nicht lange vor der Abfassungszeit gelebt habe. Der Identifikation mit Ammonios Sakkas, der „die Fähigkeit zur mystischen Versenkung und Ekstase hatte“ (Kurmann [1988] 246), stammt nach Kurmann von Cataudella.

[208] Dörrie (1975) 47.

aus einer Athener Familie. Anaxagoras hielt sich ungefähr in den Jahren 461-431 u. a. als Lehrer des Perikles in Athen auf.[209] Allerdings werden unterschiedslos auch Persönlichkeiten hinzugefügt, die nicht mit Athen in Verbindung gebracht werden können: So liegt über Ammonios Sakkas, wenn die Identifizierung korrekt ist, keine Überlieferung von einem Athenaufenthalt vor, gleiches gilt für Homer[210] und Heraklit. Ferner ist der Ort Athen nicht erwähnt. An dieser Stelle kann keine direkte Bezugnahme auf den Herkunfts- oder Wirkort der Philosophen festgestellt werden.

Anhand vier weiterer Beispiele soll untersucht werden, wie die Kappadokier Philosophen aus Athen einordnen, denn die vierte Rede Gregors von Nazianz hat zwei mögliche Ergebnisse nahegelegt: Im ersten Fall hatte die Nennung der Philosophen vielleicht direkt Bezug auf Athen genommen, im zweiten Fall nicht.

2) Die meisten Abschnitte, an denen auf die Philosophen hingewiesen wird, haben eine negative Konnotation; so findet sich – erneut bei Gregor von Nazianz – ein weiterer Hinweis auf die großen athenischen Schulen und Philosophen. Mit Blick auf den Betrug, den er durch den Kyniker Maximos[211] erlitten hatte, sagt er in seiner großen Autobiographie (*c.* 2, 1, 11):

Τοιαῦτα φιλοσοφοῦσιν οἱ νυνὶ κύνες – / κύνες ὑλάκται,[212] τοῦτο καὶ μόνον κύνες. / τί Διογένης τοιοῦτον ἢ 'Αντισθένης; / τί δαὶ πρὸς ὑμᾶς ὁ Κράτης; διάπτυε / τοὺς περιπάτους[213] Πλάτωνος· οὐδὲν ἡ Στοά. / ὦ Σώκρατες, τὰ πρῶτα μέχρι νῦν φέρεις. / φθέγξωμ' ἐγώ τι πιστότερον τῆς Πυθίας; / ἀνδρῶν ἁπάντων Μάξιμος σοφώτατος.	„Derartiges 'philosophieren' die Hunde heute – Kläfferhunde, nur darin Hunde. Was haben mit euch Diogenes oder Antisthenes oder Krates zu tun? Spucke auf die Wandelhalle Platons. Nichts ist die Stoa. O Sokrates, du trägst bisher noch den Siegeskranz davon. Soll ich etwas verkünden, das zuverlässiger ist als Spruch der Pythia? Der weiseste Mann von allen ist Maximos."[214]

[209] Vgl. Pietsch (1996) 667 und oben zu Anaxagoras bei Eusebius.

[210] Vgl. aber oben bei Eusebius von Caesarea die Theorie, dass Homer an der ionischen Wanderung teilgenommen habe; diese wurde nach Meinung vieler antiker Quellen von Athen initiiert. Auch das *Certamen Homeri et Hesiodi* (275-280 Allen) erwähnt einen Athenaufenthalt Homers; vgl. ferner die *Vita Herodotea* Homers 27f. (372-398 Allen).

[211] Vgl. Hauser-Meury (1960) 119-121 s. v. Maximus II; Maximos hatte in Konstantinopel das Vertrauen Gregors erlangt und versuchte anschließend auf Betreiben des Bischofs Petros von Alexandrien, Gregor vom Bischofsstuhl in Konstantinopel zu verdrängen und nach einer heimlich durchgeführten Weihe diesen zu besteigen. Sein Plan war allerdings fehlgeschlagen. Vgl. ausführlich McGuckin (2001b) 311-324.

[212] Zur Form vgl. Jungck (1974) ad loc.; *or.* 25, 2, 14-17 sagt Gregor über Maximos καὶ κύων, [...] οὐδὲ τὴν ὑλακήν, ἀλλὰ τὴν φυλακὴν τοῦ καλοῦ καὶ τὸ ὑπὲρ τῶν ψυχῶν ἄγρυπνον („und ein Hund, [...] nicht was das Bellen angeht, sondern im Schutz des Schönen und in der Wacht über die Seelen").

[213] Während in Gr. Naz. *or.* 4, 43, 2 mit περίπατος die Schule des Aristoteles gemeint ist (mit Bernardi [1983], der Περίπατος schreibt, gegen Kurmann [1988] ad loc.), handelt es sich hier in der Tat um die Akademie, vgl. Jungck (1974) ad loc.

[214] Gr. Naz. *c.* 2, 1, 11, 1030-1037.

Die Verbindungen der genannten Philosophen mit Athen wurde schon dargestellt. Die kynische Schule, vertreten durch Antisthenes, Diogenes und Krates, hat ihren Ursprung im Gymnasion Kynosarges in Athen;[215] namentlich sind ferner Platon und die Stoa sowie Sokrates genannt. Sie sind Gegenbeispiele zu Maximos, der seinem eigenen Verständnis nach Kyniker war. Der Kontext wirft ein negatives Bild auf die genannten Personen. Zum einen sind die Kyniker die 'Lehrer' des Maximos, insofern sie die Schule begründet haben, der er sich verschrieben hatte, andererseits ist Maximos eine Steigerung der genannten Philosophen, denn er ist noch schädlicher als sie.[216]

3) Denselben Maximos, den er in seiner poetischen Autobiographie derart schilt, hatte er noch während seines ungetrübten Verhältnisses zu ihm in einer Lobrede gepriesen. Während er ihm in dem genannten Abschnitt des großen Gedichtes ironisch den Verdienst anrechnet, die großen Philosophen an 'Weisheit' übertroffen zu haben, sagte er in seiner 25. Rede auf Maximos, der einen Mittelweg zwischen dem Dünkel (ἀλαζόνεια) der heidnischen Philosophie und der Weisheit (σοφία) der christlichen Philosophie gefunden habe:

Διὰ τοῦτο Περιπάτους μὲν καὶ Ἀκαδημίας καὶ τὴν σεμνὴν Στοὰν καὶ τὸ αὐτόματον Ἐπικούρου μετὰ τῶν ἀτόμων καὶ τῆς ἡδονῆς, ἐρίῳ στέψας, ὥς τις ἐκείνων φησὶ τὸν ποιητήν, ὡς πορρωτάτω πέμπει καὶ ἀποκρούεται. Κυνικῆς δὲ τὸ μὲν ἄθεον διαπτύσας τὸ δ' ἀπέριττον ἐπαινέσας, τοῦτό ἐστιν ὃ νῦν ὁρᾶται, κύων κατὰ τῶν ὄντως κυνῶν καὶ φιλόσοφος κατὰ τῶν ἀσόφων [...].

„Daher hat er die Peripatoi und Akademien und die heilige Stoa und das 'Selbständige' des Epikur samt den Atomen und der Lust, mit Wolle gekrönt, wie einer von ihnen den Dichter gekrönt haben soll, möglichst weit weggeschickt und von sich gestoßen. Er spuckte auf das Gottlose des Kynismus und lobte das Einfache, und das ist es, was man nun sieht: einen Hund gegenüber den tatsächlichen Hunden und einen Philosophen gegenüber den Unweisen [...].“[217]

Der wahren Philosophie oder zumindest einem Mittelweg zwischen der wahren und der falschen Philosophie stehen die großen Philosophenschulen mit ihren Wahrheitsansprüchen und ihrem Gehabe also im Wege. Athen wird aber in diesem Zusammenhang weder negativ noch positiv erwähnt. Dies wird damit zusammenhängen, dass Maximos in Alexandria ausgebildet wurde, und daher sind in den genannten beiden Textbeispielen die Schulgründer lediglich als Repräsentanten ihrer an den meisten Hochschulorten und auch in Alexandria vertretenen Schulen genannt.

[215] Direkte Erwähnung des Kynosarges in Gr. Naz. *or.* 4, 105, 9, dort als Ort der Erziehung von Halbbürgern.

[216] Jungck (1974) ad loc. weist darauf hin, dass „Gregor selbst or. 25, 1208B die Überlegenheit des christlichen Kynikers Maximus über Antisthenes, Diogenes und Krates in vollem Ernst behauptet hatte.“

[217] Gr. Naz. *or.* 25, 6, 1-7.

4) In der ersten Theologischen Rede wendet sich Gregor an die Anhänger des arianischen Eunomios.[218] Im folgenden Abschnitt stellt er Eunomios und den Eunomianern, die er als „disputiersüchtige Schwätzer“[219] bezeichnet, alternative Tätigkeiten vor, da er ihre Behandlung von Glaubensfragen missbilligt:

Βάλλε μοι Πυθαγόρου τὴν σιωπήν, καὶ τοὺς κυάμους τοὺς Ὀρφικούς, καὶ τὴν περὶ τὸ «Αὐτὸς ἔφα» καινοτέραν ἀλαζονείαν· βάλλε μοι Πλάτωνος τὰς ἰδέας, καὶ τὰς μετενσωματώσεις καὶ περιόδους τῶν ἡμετέρων ψυχῶν, καὶ τὰς ἀναμνήσεις, καὶ τοὺς οὐ καλοὺς διὰ τῶν καλῶν σωμάτων ἐπὶ ψυχὴν ἔρωτας· Ἐπικούρου τὴν ἀθείαν καὶ τὰς ἀτόμους καὶ τὴν ἀφιλόσοφον ἡδονήν· Ἀριστοτέλους τὴν μικρόλογον πρόνοιαν καὶ τὸ ἔντεχνον καὶ τοὺς θνητοὺς περὶ ψυχῆς λόγους καὶ τὸ ἀνθρωπικὸν τῶν δογμάτων· τῆς Στοᾶς τὴν ὀφρύν, τῶν Κυνῶν τὸ λίχνον τε καὶ ἀγοραῖον.

„Wirf doch mit dem Schweigen des Pythagoras und den Bohnen der Orphiker und der neuen Prahlerei über das ‘Er selbst hat es gesagt’ um dich! Oder mit den Ideen Platons und den Wiedergeburten und dem Flug unserer Seelen, und den Wiedererinnerungen und den nicht so schönen Liebschaften der Seele durch die schönen Körper; oder der Gottlosigkeit des Epikur und seinen Atomen und der unphilosophischen Lust; oder mit der kleingeistigen Vorsehung des Aristoteles und der Kunstfertigkeit und den sterblichen Reden über die Seele und das Menschliche der Lehren; oder mit der hochgezogene Augenbraue der Stoa; oder mit dem Lüsternen und Pöbelhaften der Kyniker.“[220]

Zu den bekannten Athener Philosophen treten hier Pythagoras und die Orphiker, und bei allen genannten Gruppen und Personen wird auf die Lehre näher eingegangen, die den Eunomianern Diskussionsstoff bieten könnte; von dem athenischen Ursprung der entsprechenden Philosophen sagt Gregor nichts.

5) Vereinzelt werden auch positive Aspekte bestimmter Philosophen angesprochen; wenn aber mehrere mehrere athenische Schulen oder Philosophen aufgezählt werden, wie es in erster Linie bei Gregor von Nazianz geschieht, dann liegt – das zumindest haben die genannten Beispiele gezeigt – in der Regel eine pauschale Verurteilung der genannten philosophischen Schulen vor.

Dies trifft allerdings nur bedingt auf das folgende Textbeispiel zu: In der Leichenrede auf seinen verstorbenen Bruder Kaisarios stellt Gregor von Nazianz in Antithesen dem, was der Tod seinem Bruder entrissen habe, das gegenüber, was

[218] Eunomios von Kyzikos (gest. 394) lehrte eine Unterordnung des Sohnes unter den Vater sowie ein unterschiedliches Wesen (οὐσία) der beiden göttlichen Personen. Zu Eunomios vgl. Ritter (1982). Nach Ritter (1982) 527 hatte Eunomios als Wesensmerkmal (οὐσία) des Vaters das ἀγέννητος festgesetzt; ist das Wesen des Sohnes aber, γεννητός zu sein, können Gott Vater und Gott Sohn nicht ὁμοούσιος sein, wie es das Konzil von Nikaia 325 gelehrt hatte.

[219] Gr. Naz. *or.* 27, 8, 1 ὦ διαλεκτικὲ καὶ λαλέ (Übersetzung Barbel).

[220] Gr. Naz. *or.* 27, 10, 1-10; vgl. Barbel (1963) ad loc.

er ihm schenke. In einer längeren Aufzählung kommt er auch auf die philosophischen Beschäftigungen und Kenntnisse des Kaisarios zu sprechen:

Οὐ καλλωπιεῖται τοῖς Πλάτωνος καὶ Ἀριστοτέλους καὶ Πύρρωνος καὶ Δημοκρίτοις δή τισι καὶ Ἡρακλείτοις καὶ Ἀναξαγόραις, Κλεάνθαις τε καὶ Ἐπικούροις, καὶ οὐκ οἶδ' οἷστισι τῶν ἐκ τῆς σεμνῆς Στοᾶς καὶ Ἀκαδημίας; Ἀλλ' οὐδὲ φροντίσει ὅπως διαλύσῃ τούτων τὰς πιθανότητας.

„Er wird sich nicht [mehr] mit irgendwelchen Lehren des Platon und Aristoteles und Pyrrhon und gar mit denen des Demokrit und Heraklit und Anaxagoras, Kleanthes und Epikur und mit irgendwelchen von der Stoa und Akademie schmücken [können]. Aber er wird sich auch nicht [mehr] darum kümmern [müssen], wie er ihre Sophistereien auflöst.“[221]

Vielleicht stellt Gregor in diesem Abschnitt die Gewohnheiten des Kaisarios seiner eigenen Einstellung gegenüber. Kaisarios war verschiedentlich mit seiner Familie und mit Gregor in Konflikt geraten. Ihm war eine Laufbahn in den staatlichen Einrichtungen und vor allem bei Hofe wichtiger als eine glaubenskonforme Lebensweise. Insbesondere seine unter Julian fortgeführte Tätigkeit als oberster Hofarzt brachte seine Familie gegen ihn auf. Gregor selbst erwähnt aber, dass Julian seinen Bruder Kaisarios nicht vom Glauben abbringen konnte, ihn aber dennoch nicht des Hofes verwies, „denn ein großes Verlangen hielt den König gefangen, mit der Bildung des Kaisarios zusammen zu sein und sich ihrer zu rühmen.“[222] Kaisarios liebte die Beschäftigung mit den Philosophen und das Gespräch über sie. Die Aussicht, sich fortan keine Gedanken mehr darüber machen zu müssen, wie er ihre überzeugenden Darstellungen auflösen könne, entspringt eher der Einstellung Gregors.

Die zitierten Abschnitte können als repräsentativ für Gregor von Nazianz gelten. In den Aufzählungen oder Erwähnungen von Philosophen, die aus Athen stammten oder dort wirkten, konnte lediglich ein Fall ausgemacht werden, wo Athen möglicherweise als Ausbildungsstätte angedeutet wird, und dann in einem negativen Kontext.[223] Einzelnennungen sind ebenfalls nicht ertragreich für diese

[221] Gr. Naz. *or.* 7, 20, 22-27.

[222] Gr. Naz. *or.* 7, 13, 13f.: Καὶ γὰρ δεινὸς ἔρως εἶχε τὸν βασιλέα τῇ Καισαρίου παιδεύσει συνεῖναι καὶ καλλωπίζεσθαι.

[223] Neben den zitierten Passagen und den Abschnitten über Sokrates bzw. Epikureer und Stoiker, die unten (Kapitel 4. 2. 2. 3 und 4. 2. 3) separat behandelt werden, finden sich folgende Aufzählungen von Athener Philosophen, wobei vornehmlich die vier großen Schulen und ihre Begründer berücksichtigt sind: *C.* 1, 2, 10, 25-58 wird u. a. nach dem Nutzen der Kenntnisse, die Platon, Aristoteles und Pyrrhon vermitteln, gefragt; ebd. 198-213 kritisiert Gregor die Uneinigkeit der einzelnen Schulen, der Stoa, der Akademie und des Pyrrhon (alle werden im Plural genannt); ebd. 285-287 wird der ‘Brunnen’ des Kleanthes und das bescheidene Leben des Sokrates gelobt, aber darauf folgt (287): τἄλλα δ' ὡς ἀσχήμονα, mit Blick auf die Knabenliebe (vgl. unten S. 245). Später (306-340) werden Platon, Aristippos und Speusippos zwar Weisheit und Anmut in der Rede zugebilligt, aber ihrer Philosophie die Fähigkeit abgesprochen, zu einem glücklichen Leben zu führen. *Or.* 32, 25, 1-7 wird der, der nicht die

Untersuchung, weder im Hinblick auf die Herkunft der einzelnen Philosophen aus Athen noch auf ihre Tätigkeit in Athen.[224]

Weder Basilius von Caesarea noch Gregor von Nyssa weisen ähnlich umfangreiche Aufzählungen von Philosophen auf. Ebenso wie Gregor von Nazianz erwähnen sie Athen nicht, wenn sie einzelne Philosophen nennen. Bemerkenswert ist allerdings, dass die Brüder bei den einzelnen Philosophen oft Parallelen zum christlichen Glauben finden.

Basilius von Caesarea nennt und zitiert Platon in seinem Werk *An die Jugend über den Nutzen aus der heidnischen Bildung* dreimal in positivem Kontext, wobei er einmal sogar die Worte Platons mit denen des Paulus vergleicht.[225] Gleiches gilt für die Briefe, wo er Zitate Platons, dessen Stil sowie den Stil anderer Verfasser von Dialogen als Vorbild für einen Presbyter anführt.[226] In Auseinandersetzung mit seinen Widersachern im kirchlichen Bereich hingegen, den Eunomianern, kritisiert er die Übertragung weltlicher Wissenschaft, hier der Arbeiten des Aristoteles, in den kirchlichen Bereich und in Zusammenhänge des Glaubens.[227] In diesem Kontext weist auch sein Bruder Gregor von Nyssa, der das Werk des Basilius fortsetzt, auf Aristoteles und Platon hin. Diese beiden Philosophen werden vornehmlich in seinem Werk gegen Eunomios angeführt, und zwar als Vorbilder

Kunst der Rede und Philosophie beherrscht, dem gegenübergestellt, der sich mit dieser Kenntnis brüstet. Auch jener, heißt es dort, finde Erlösung und Seelenheil; dazu bedürfe es nicht der 'Sprüche und Rätsel der Weisen'. Genannt werden Pyrrhon (τὰς Πύρρωνος ἐνστάσεις ἢ ἐφέξεις ἢ ἀντιθέσεις), Chrysippos (τῶν Χρυσίππου συλλογισμῶν τὰς διαλύσεις), Aristoteles (τῶν 'Αριστοτέλους τεχνῶν τὴν κακοτεχνίαν) und Platon (τῆς Πλάτωνος εὐγλωττίας τὰ γοητεύματα). Dies habe sich vielmehr wie die ägyptischen Plagen in die Kirche eingeschlichen. In *c.* 2, 1, 12, 303-308 weist Gregor von Nazianz die Bischöfe darauf hin, dass sie ihre Predigten nicht nach dem Vorbild von Leuten wie Sextos, Pyrrhon, Chrysippos, Aristoteles oder Platon anfertigen sollen (vgl. Meier [1989] ad loc.; dass allerdings die Reihenfolge der Nennung eine besondere Bedeutung hat, wie Meier [1989] 105f. zu 303ff. meint, ist bei einem Vergleich der verschiedenen Reihenfolgen, in denen die Schulen oder Schulgründer genannt werden, eher zweifelhaft).

224 Zu Platon vgl. Gr. Naz. *epp.* 24, 4 (an Themistios, der in Konstantinopel lehrte und dessen intensive Beschäftigung mit platonischen und auch aristotelischen Schriften Photios [*Bibl.* 74, 52a 15-21] erwähnt); 31, 4; 178, 5; *or.* 4, 70, 15 indirekt (Anspielung auf den Selbstmord des Kleombrotos nach der Lektüre des *Phaidon*, vgl. Kurmann [1988] ad loc.; dasselbe *Exemplum c.* 1, 2, 10, 680-683); *or.* 4, 113, 1-5; *c.* 1, 2, 24, 303-324; zu Aristoteles vgl. *epp.* 32, 5; 234, 1; *or.* 23, 12, 11-14; zu den Epikureern vgl. *or.* 28, 8, 5-13.

225 Bas. *leg. lib. gent.* 6, 18-26; 9, 80-85; 9, 61-69 vergleicht er Pl. *R.* 6, 498b 6 mit *Ep. Rom.* 13, 14.

226 Bas. *ep.* 3, 1, 5-22; *ep.* 135 differenziert Basilius zwischen den Dialogen des Aristoteles und Theophrasts und denen Platons, dem er den höchsten Rang unter den Vorbildern für christliche Schriftsteller gibt (vgl. Courtonne [1957/66] 2, 50 Anm. 1).

227 Bas. *Eun.* 1, 5, 43f. (SC 299, 172-174): Ἢ τῶν 'Αριστοτέλους ὄντως ἡμῖν καὶ Χρυσίππου συλλογισμῶν ἔδει πρὸς τὸ μαθεῖν ὅτι ὁ ἀγέννητος οὐ γεγέννηται („Oder brauchen wir wirklich die Syllogismen des Aristoteles oder Chrysippos, um zu lernen, dass der Ungewordene nicht geworden ist?"); 1, 9 (SC 299, 198-200).

des Arianers, wobei Gregor von Nyssa sie zum Teil positiv, manchmal neutral und an einigen Stellen auch ausschließlich negativ apostrophiert. Eunomios habe sich, so Gregor an einer Stelle, seine Argumentation dem 'Geschwätz' (φλυαρίας) Platons entlehnt, da er dessen „schönen Stil" bestaunt habe (περικτυπηθεὶς τῇ καλλιφωνίᾳ τῆς Πλατωνικῆς λέξεως),[228] den er hier dem *Kratylos*, an anderer Stelle dem *Phaidros*[229] zuschreibt. An einer weiteren Stelle legt er neutral dar, dass derjenige kein Christ sei, der sich wie Eunomios den Lehren der Juden oder Platons, der einen anderen Schöpfer (τινα ὑπεράνωθεν κτίστην καὶ ποιητήν) als den christlichen lehre, anschließe.[230] Die Syllogismen und Lehren des Aristoteles werden oft als Ursprung oder Hilfsmittel für die Irrlehren des Aetios[231] gebrandmarkt,[232] wobei eine direkte Ablehnung dieser aristotelischen Lehren allerdings nicht anzunehmen ist; vielmehr wird der Missbrauch durch Leute wie Eunomios oder Aëtios getadelt.

Insgesamt wird aber deutlich, dass an keiner dieser Stellen, weder bei Gregor von Nyssa noch bei Basilius, sei es in positiver oder negativer Sicht, sei es durch neutrale Hinweise oder Bemerkungen, mit diesen Philosophen ihre Herkunft oder Ausbildungs- oder Wirkstätte Athen verbunden wird.

4. 2. 2. 3 Sokrates

Eine Persönlichkeit wird von Gregor von Nazianz häufig mit Athen verbunden: Sokrates. Diese Gestalt soll hier gesondert behandelt werden.

In einem Brief an seinen[233] und des Kaisarios[234] Studienfreund Philagrios lobt Gregor die Beschäftigung des Philagrios mit der Philosophie, und zwar sowohl mit der christlichen als auch mit der heidnischen: Er habe gedanklich alles Christliche und alles Heidnische verarbeitet und sei sozusagen in Beidem erzogen worden und gleichzeitig in Beidem ein Erzieher für andere.[235]

228 Gr. Nyss. *Eun.* 2, 404-406 = GNO 1, 344, 13-26.
229 Gr. Nyss. *Eun.* 3, 7, 33f. = GNO 2, 227, 3-8.
230 Gr. Nyss. *ref. conf. Eun.* 48 = GNO 2, 332, 4-14.
231 Aëtios von Antiochien war einer der Erzieher des Julian und der Lehrer des Eunomios. Wie dieser unterscheidet Aëtios zwischen der οὐσία des Vaters und des Sohnes. Gott Sohn ist 'geworden', während Gott Vater 'ungeworden (ἀγέννητος) ist.
232 Gr. Nyss. *Eun.* 1, 46 = GNO 1, 37, 19-22; bezeichnenderweise hat sich in den Text mancher Handschriften kurz nach dieser Stelle das von Jäger athetierte „interpretamentum" ἡ Ἀριστοτέλους κακοτεχνία (Gr. Nyss. *Eun.* 1, 55 = GNO 1, 41, 4f.) eingeschlichen, eine auch aus Gr. Naz. bekannte Bezeichnung der Werke des Aristoteles. Ferner Gr. Nyss. *Eun.* 2, 411 = GNO 1, 346, 4-6; 2, 620 = GNO 1, 407, 25-30; 3, 5, 6 = GNO 2, 162, 10-16 und 3, 10, 50 = GNO 2, 309, 7-14. Unklar bei 3, 7, 15 = GNO 2, 220, 1-6. Zu Platon vgl. noch Gr. Nyss. *ep.* 27, 1, und zu den dort genannten unklaren Πλάτωνος ἄδυτα vgl. Maas (1912a) 997 mit Anm. 4.
233 Vgl. Gallay (1964/67) 1, 123 Anm. 2 zu Seite 37; Ensslin (1938); Seeck (1906) 237.
234 Vgl. Hauser-Meury (1960) 145f. s. v. Philagrius II.
235 Gr. Naz. *ep.* 32, 4: Πάντα ἐπῆλθες δηλαδὴ τῇ διανοίᾳ, ὅσα ἡμέτερα, ὅσα ἀλλότρια,

In diesem Brief nimmt Gregor eine ausgewogene Position gegenüber den heidnischen Philosophen ein: Er tadelt in bestimmter Hinsicht Aristoteles, während er die Anhänger der Stoa lobt, und zwar weil sie lehrten, μηδὲν κωλύειν [...] πρὸς εὐδαιμονίαν τὰ ἔξωθεν („dass das, was von außen kommt, in keiner Weise an der Glückseligkeit hindern kann").[236]

Er fährt dann fort und legt dar, dass von seiner Seite sowohl christliche als auch heidnische Philosophen Bewunderung verdienten, wenn sie „sich für das Gute in Gefahr begeben oder tapfer ihr Schicksal ertragen haben."[237] Unter den Fremden (τῶν ἔξωθεν) nennt er Anaxarchos, Epiktet und Sokrates.[238] Er begründet seine Bewunderung für diese drei Philosophen mit ihrem vorbildlichen Verhalten, denn sie hätten bei ihren Handlungen die Hülle des Körpers vernachlässigt.[239] Für Anaxarchos und Epiktet berichtet Gregor die Begebenheiten, in denen sie sich bewährten, und wenn er diejenigen nennt, die ihnen Unangenehmes zufügten, so bleibt er bei relativ abstrakten Bezeichnungen: ὁ τύραννος im Falle des Anaxarchos (gemeint ist der Tyrann Nikokreon von Salamis auf Zypern), während im Falle des Epiktet der Urheber der Folter gar nicht genannt ist. Von Sokrates hingegen wird gesagt:

Σωκράτης δὲ τὸν θάνατον ὑπ' Ἀθηναίων κατακριθεὶς καὶ οἰκῶν, ὡς οἶσθα, τὸ δεσμωτήριον, τέως μὲν ὡς ὑπὲρ ἄλλου δεσμωτηρίου τοῦ σώματος διελέγετο τοῖς μαθηταῖς καὶ φυγεῖν ἐξὸν ἀπηξίωσεν· ἐπειδὴ δὲ προσηνέχθη τὸ κώνειον, δέχεται μάλα ἡδέως, ὥσπερ οὐκ ἐπὶ θανάτῳ δεχόμενος, ἀλλὰ φιλοτησίας προπινόμενος.

„Als Sokrates von den Athenern zum Tode verurteilt war und, wie du weißt, im Gefängnis lag, da unterhielt er sich mit seinen Schülern wie über ein anderes Gefängnis über den Körper, und obwohl es offen stand, die Flucht zu ergreifen, lehnte er es ab. Als nun der Schierlingsbecher gereicht wurde, da nahm er ihn sehr freudig entgegen, so als ob er ihn nicht für die Todesstrafe, sondern als Freundschaftstrank erhalten habe."[240]

ὡς ἀνὴρ πεπαιδευμένος ἐν ἀμφοτέροις καὶ παιδευτὴς ἄλλων („Du bist natürlich in Gedanken alles durchgegangen, was zu uns und was zu Fremden gehört, wie ein Mann, der in beidem erzogen wurde und ein Lehrer für andere ist.").

236 Gr. Naz. *ep.* 32, 7.

237 Gr. Naz. *ep.* 32, 8 (Übersetzung Wittig).

238 Vgl. Gr. Naz. *or.* 4, 70, 12-15 und *c.* 1, 2, 10, 684-696, wo das Verhalten derselben Personen als unvermeidlich beschrieben und daher das Lob wirkungslos gemacht wird. Zur negativen Darstellung des Sokrates bei Tertullian vgl. Döring (1979) 155.

239 Zu Anaxarchos vgl. Kaerst (1894) 2080 (mit Stellenangaben); zu Epiktet vgl. Spanneut (1962) bes. 600 und 645f. Die Begebenheit, die hier über Epiktet beschrieben wird, ist umstritten: Vgl. Gallay (1964/67) 1, 42 Anm. 1 (ad loc.); Spanneut (1962) 600; Kelsos bei Origenes *Cels.* 7, 53f. (GCS Orig. 2, 203).

240 Gr. Naz. *ep.* 32, 11.

Zwei Aspekte seien hier hervorgehoben. Zunächst findet man sowohl inhaltliche als auch lexikalische Anspielungen auf die Person Jesu:[241] die Verurteilung zum Tode,[242] die Bezeichnung der Schüler des Sokrates als μαθηταί, der gängige Ausdruck des Neuen Testamentes für die Jünger Jesu,[243] das Trinken des Schierlings im Vergleich zum Trinken des Kelches beim letzten Abendmahl.[244] Diese starke Parallelisierung des Sokrates mit Christus, die nicht durch Namensnennung erfolgt, aber faktisch vorhanden ist, ist außergewöhnlich in der Tradition des Sokratesbildes bei den frühchristlichen Schriftstellern.[245]

Zweitens werden im *Exemplum* des Sokrates die Täter namentlich genannt: die Athener.[246] Man könnte annehmen, dieser Hinweis diene lediglich der Veranschaulichung der historischen Situation, so wie z. B. Basilius und auch Gregor selbst gelegentlich Athen als bekannte Stadt in historischem Kontext erwähnen.[247] Doch die Übereinstimmungen mit der neutestamentlichen Terminologie, die folgende Bemerkung Gregors, er „hätte diesen [sc. Anaxarchos, Epiktet und Sokrates] auch unseren Hiob hinzugefügt, wenn ich nicht gewusst hätte, dass du fern von dessen Leiden mit Gott(es Hilfe) bist und sein wirst"[248] und der Hinweis auf den 72. Psalm lassen die Interpretation zu, dass die pauschale Erwähnung der 'Athener' – immerhin war Sokrates selbst auch ein Athener[249] – durch die negative Charakterisierung der Bevölkerung Athens in der *Apostelgeschichte* beein-

[241] Dies ist nicht nur hier der Fall. Insbesondere Basilius stellt zuweilen Bezüge zwischen dem Verhalten des Sokrates und dem Verhalten Jesu her; vgl. *leg. lib. gent.* 7, 23-38; 9, 120-123. Zur Gestalt des Sokrates insgesamt bei den Kirchenvätern vgl. Baumeister (1983); Döring (1979) 143-161; Malingrey (1975); Benz (1950); Deman (1944) 9-26; Geffcken (1908a); Harnack (1906).

[242] Vgl. die Formen von κατακρίνω bei *Ev. Matt.* 20, 18; *Ev. Marc.* 10, 33. 64.

[243] Vgl. die Übersicht der neutestamentlichen Stellen, an denen μαθητής in seinen Flexionen die Jünger oder einzelne Jünger Jesu bezeichnet, bei Schmoller (1953) 320f.

[244] Vgl. dazu *Ev. Luc.* 22, 17, wo die Formulierung δεξάμενος ποτήριον und der Auftrag an die Jünger, den Inhalt des Gefäßes aufzuteilen, durch den folgenden Vers unmittelbar mit dem Hinweis auf den bevorstehenden Tod verbunden ist.

[245] Vgl. z. B. Döring (1979) 152 zu Justin; übrigens stattet Gr. Naz. auch den Tod des Basilius mit Reminiszenzen an Schilderungen über den Tod des Sokrates aus, vgl. Gr. Naz. *or.* 43, 79, 8-14. Nicht ungewöhnlich ist dagegen die Parallelisierung des Martyriums von Christen mit dem Tod des Sokrates, vgl. die Märtyrerakten (Musurillo [1972] 7, 41 = Μαρτύριον τοῦ Ἁγίου καὶ Πανευφήμου Ἀποστόλου Ἀπολλώ, τοῦ καὶ Σακκάα [Martyrium des heiligen und hochlobwürdigen Apostels Apollo, der auch Sakkaa genannt wird]): Ὥσπερ οὖν Σωκράτους οἱ Ἀθηναῖοι συκοφάνται ἀδίκως κατεψηφίσαντο, πείσαντες καὶ τὸν δῆμον, οὕτως καὶ τοῦ καθ' ἡμᾶς διδασκάλου τε καὶ σωτῆρος ἔνιοι τῶν πανούργων κατεψηφίσαντο δήσαντες αὐτόν, ὥσπερ καὶ τοὺς προφήτας („Wie also die Sykophanten in Athen Sokrates ungerecht verurteilten und auch das Volk überzeugten, so haben auch einige der Schurken unseren Lehrer und Retter verurteilt und ihn gefesselt, genau wie sie es mit den Propheten gemacht haben.").

[246] Zu ähnlichen Formulierungen bei Eusebius von Caesarea vgl. oben Kapitel 3. 2. 4. 3.

[247] Vgl. z. B. Bas. *ep.* 74 (siehe unten S. 227-230).

[248] Gr. Naz. *ep.* 32, 12.

[249] Vgl. aber Anm. 245, wo ebenfalls im Bericht des Martyriums οἱ Ἀθηναῖοι genannt sind.

flusst ist. Die folgende Untersuchung über die Rezeption des genannten Abschnittes der *Apostelgeschichte* wird zeigen, dass diese Perikope den Kirchenvätern vertraut war und häufig als *Exemplum* angeführt wird.

4. 2. 2. 4 Zwischenergebnisse

In drei Abschnitten wurde untersucht, ob die Kappadokier Philosophen Athens oder die Philosophie, deren Zentrum schon früh Athen war, und die dort entstandenen Philosophenschulen mit Athen direkt in Verbindung bringen. Diese Teiluntersuchungen weisen im Ergebnis frappierende Unterschiede auf:

1) In der ersten Teiluntersuchung konnte eine Tendenz festgestellt werden, gerade im Kontext Athens den Begriff 'Philosophie' in seinem christlichen Gebrauch zu erwähnen. Als einzige Quelle diente dazu Gregor von Nazianz, wobei allerdings die *ep.* 1 des Basilius in eine ähnliche Richtung weist. Offenbar verbinden die Kappadokier gerade Athen mit Philosophie, und zwar heidnischer Philosophie im allgemeinen, und wollen dadurch, dass sie betonen, gerade dort die christliche Philosophie praktiziert zu haben, einen Gegenpol aufbauen.

2) Dass Athen nur mit der heidnischen Philosophie im diffus-allgemeinen Sinn verbunden wird, zeigt die zweite Teiluntersuchung. Die Kappadokier erwähnen die großen Athener Philosophen, allen voran die Schulgründer, oder die Philosophenschulen selbst, unabhängig von ihrem Ursprung. Uneinheitlich ist die Bewertung der heidnisch-philosophischen Koryphäen. Je nach Adressat und Absicht der Schrift können sie als negative oder als positive Vorbilder genannt sein. Man findet an einigen Stellen im Corpus des Gregor von Nazianz Aufzählungen, zum Teil Kataloge der verschiedenen philosophischen Schulen und Richtungen; sie sind häufig negativ konnotiert und wollen die heidnischen Philosophenschulen insgesamt treffen. Der Entstehungsort wird wegen der Verbreitung und Vertretung etwa von Akademie, Peripatos und Stoa an allen bedeutenden Schulorten des vierten Jahrhunderts nicht mehr spontan mit diesen Schulen in Verbindung gebracht.

3) Zwei Besonderheiten sind ebenso erkennbar: Der Apostat Julian, der sich gleichzeitig mit den Kappadokiern in Athen zum Studium aufhielt, erhält Gregor von Nazianz zufolge Unterricht von Philosophen, und dieser Unterricht verdirbt ihn. Möglicherweise ist direkt die philosophische Ausbildung in Athen angesprochen. Sokrates wiederum wird von den Athenern umgebracht; der häufig positiv bewertete Philosoph, der auch eine Parallelisierung mit Jesus Christus erfährt, erleidet in Athen sein Martyrium.

4. 2. 3 Die Athener der Apostelgeschichte – ein biblisches Exemplum

4. 2. 3. 1 „Wie die Geschichte von den Athenern erzählt“

Die *Apostelgeschichte* zeigt erstmals eine direkte Konfrontation des neuen christlichen Glaubens mit der heidnisch-antiken Bildung und Philosophie; dies geschieht in Athen. Paulus diskutiert mit stoischen und epikureischen Philosophen auf der Agora und hält eine Rede auf dem Areopag.[250]

Das Milieu ist bewusst gewählt und spielt mit dem, was die Leser von Athen, dem Zentrum der antiken Bildung, erwarten;[251] hier findet man eine der seltenen[252] Stellen, an denen sich Lukas „erläuternd unmittelbar an die Leser“[253] wendet.

Den Kirchenvätern bot diese Episode und insbesondere die Erläuterung des Evangelisten (Lukas galt in der Spätantike als Verfasser der *Apostelgeschichte*) einen Anknüpfungs- und Vergleichspunkt. Durch die Nennung zweier Philosophengruppen und deren Charakterisierung sowie die der ganzen Stadt in der Schrift war – so könnte man meinen – das Urteil über die Bildungsmetropole bereits gefällt, zumal diese Charakterisierung nicht spezifisch christlich zu sein scheint: Auch der griechische Roman beispielsweise urteilt über Athen in scharfer und wenig einladender Form.[254]

In der *Apostelgeschichte* wird die Stadt als κατείδωλος[255] bezeichnet, die Stoiker und Epikureer nennen Paulus einen σπερμολόγος,[256] einen „Schwätzer“,

[250] *Act. Ap.* 17, 16-34; umfassend zu altkirchlichen Bezugnahmen auf diese Perikope Fiedrowicz (2002).

[251] Vgl. Conzelmann (1972) 104f. Haenchen (1977) 499 schreibt zu v. 21: „wahr ist freilich, daß Lukas alle Motive sammelt, die man als für Athen charakteristisch kannte.“ Vgl. Norden (1958) 2, 475 Anm. 1 zur Areopagrede: „Der Beweis der Unechtheit gehört zu den a b s o l u t sicheren Ergebnissen der Forschung“ mit älterer Literatur; Norden setzt ebd. die Areopagrede auf die erste Hälfte des zweiten Jahrhunderts an und hält sie für den „frühesten [...] katholischen Kompromißversuch zwischen Christentum und rein hellenischer Stoa.“

[252] Haenchen (1977) 499.

[253] Haenchen (1977) 499. Vgl. Schille (1989) 355. Gemeint ist u. a. *Act. Ap.* 17, 21.

[254] So Charito 1, 11, 5f.: Οὐκ ἤρκεσε δὲ Θήρωνι τῆς πόλεως ἡ περιεργία. μόνοι γὰρ ὑμεῖς οὐκ ἀκούετε τὴν πολυπραγμοσύνην τῶν Ἀθηναίων; δῆμός ἐστι λάλος καὶ φιλόδικος, ἐν δὲ τῷ λιμένι μύριοι συκοφάνται πεύσονται, τίνες ἐσμὲν καὶ πόθεν ταῦτα φέρομεν τὰ φόρτια („Dem Theron gefiel die Neugier der Stadt nicht. ‘Hört ihr allein nicht von der Geschäftigkeit der Athener? Ein geschwätziges und streitsüchtiges Volk ist das. Im Hafen werden hundert ‘Sykophanten’ fragen, wer wir sind und woher wir diese Waren einführen.“). Vgl. auch Herakleides Fragment I 4 bei Pfister (1951) 74: Διατρέχουσι δέ τινες ἐν τῇ πόλει λογογράφοι, σείοντες τοὺς παρεπιδημοῦντας καὶ εὐπόρους τῶν ξένων („Es laufen aber in der Stadt auch einige Winkeladvokaten herum, die die vorübergehend anwesenden wohlhabenden Fremden erpresserisch ausbeuten.“ [Übersetzung Pfister]).

[255] LSJ 923 s. v. führt nur die vorliegende Stelle an; vgl. Bruce (1990) 376. Erst Spätere gebrauchen vereinzelt dieses Wort, z. T. allerdings lediglich beim Zitieren der *Apostelgeschichte*, so z. B. Thdt. *h. e.* 5, 39, 4 (GCS N. F. 5, 343). Vgl. ferner Cyr. Alex. *frg. Cant.* 4, 8 (PG 69, 1288C) vom Libanos-Gebirge sowie Thdt. *Os.* 12, 11 (PG 81, 1620C) von den Städten Gilead und Gilgal; vgl. Lampe 728 und Fitzmyer (1998) ad loc. 606

[256] Vgl. D. 18, 127 und Wankel (1976) 677f. Bei Demosthenes ist σπερμολόγος zusammen mit

und der Kernsatz für die spätere Auseinandersetzung mit dieser Stelle ist der 21. Vers des 17. Kapitel:

Ἀθηναῖοι δὲ πάντες καὶ οἱ ἐπιδημοῦντες ξένοι εἰς οὐδὲν ἕτερον ηὐκαίρουν ἢ λέγειν τι ἢ ἀκούειν τι καινότερον.	„Alle Athener und die Fremden, die dort sind, verbringen ihre Zeit mit nichts anderem, als immer etwas Neueres zu sagen oder zu hören."[257]

Diese Stelle wird mehrfach von den Kirchenvätern aufgegriffen, und es ist auffällig, dass gerade Gregor von Nyssa, der sonst kaum Athen erwähnt, sie häufiger als die anderen beiden Kappadokier als Exemplum anführt.

So setzt er beispielsweise den radikalen Arianer Eunomios[258] in der Anklageschrift, die er gegen ihn nach dem Tode seines Bruders Basilius verfasste, mit den Athenern der *Apostelgeschichte* gleich. Eunomius' Lehre weiche offensichtlich von der Wahrheit ab, Basilius dagegen vertrete die Lehre und werde dennoch verleumdet:[259]

Τοιαύτην ἔσχε καὶ Παῦλος αἰτίαν παρ' Ἀθηναίοις ποτέ, πρὸς αὐτῶν ἐκείνων κατηγορούμενος[260] ὡς ξένα καταγγέλ-	„Einen solchen Vorwurf musste auch Paulus bei den Athenern ertragen, als gerade jene ihm vorwarfen, er verkünde fremde

περίτριμμ' ἀγορᾶς („geriebener Markthocker" [Wankel]) und ὄλεθρος γραμματεύς als Schimpfwort gegen Aischines gebraucht. Wankel (1976) 679 bezeichnet diese drei Ausdrücke als „Invektive im Vokabular der Komödie."

257 Diese Charakterisierung Athens und der Athener ist allerdings kein Novum: Oudot (1992) legt, ausgehend von dem Roman des Chariton von Aphrodisias sowie anderer Parallelen (Heliodoros; Philostrats *Leben des Apollonios von Tyana*), dar, dass Athen schon in den vorchristlichen Jahrhunderten bis hin zu Aristophanes, Thukydides und Isokrates wenn nicht dieselben, so doch vergleichbare Eigenschaften beigelegt wurden; im Zusammenhang des Chariton-Romans wird die πολυπραγμοσύνη der Athener betont (vgl. Anm. 254) und sie werden als ein δῆμος [...] λάλος καὶ φιλόδικος bezeichnet (Charito 1, 11, 6; vgl. z. B. Th. 2, 40, 2; Ar. *Av*. 39-41; bei Heliodoros wird mit Athen ein ungerechter Prozess verbunden, der zur Verurteilung des Knemon führt). Oudot (1992) 107 begründet die Ablehnung Athens in den beiden Romanen zweifach: mit der Absicht des Romans zu belustigen sowie der Betonung seiner literaturgeschichtlichen Unabhängigkeit von Athen, die die verschiedenen Verfasser herauszustellen bemüht seien. Auch Bruce (1990) 378 weist auf Parallelen bei Thukydides und Demosthenes hin. Joh. Chrys. *in Act. hom. 38* 1, 20 (PG 60, 268) sagt über die Athener: Λάλων πόλις ἡ πόλις ἐκείνων ἦν („Ihre [sc. der Athener] Stadt war eine Stadt von Schwätzern."). Vgl. noch im 6. Jh. Paul. Sil. *Soph*. 125-127 (230 Friedländer) und dazu Cavarra (1992) 149.

258 Zu Eunomios vgl. oben S. 209 Anm. 218.

259 Gr. Nyss. *Eun*. 3, 2, 163 = GNO 2, 105, 23-26: Βασίλειος ὡς ἀτιμάζων τὸν υἱὸν διαβάλλεται, ὁ τιμῶν αὐτὸν καθὼς τιμᾶται ὁ πατήρ, καὶ Εὐνόμιος τῆς τιμῆς τοῦ μονογενοῦς ὑπερμάχεται, ὁ τῆς ἀγαθῆς φύσεως τοῦ πατρὸς ἀφορίζων („Basilius wird verleumdet, als ob er den Sohn entehrte, er, der ihn ehrt, wie der Vater geehrt wird, und Eunomios kämpft gegen die Ehre des Einziggeborenen, er, der ihn von der guten Natur des Vaters trennt.").

260 Die Terminologie könnte nahelegen, dass Gregor von Nyssa die Rede vor dem Areopag (dann als traditioneller Gerichtshof verstanden) als Gerichtsrede auffasst; diese Interpretation wird meistenteils abgelehnt, vgl. Conzelmann (1972) 105 (mit Diskussion von *Act. Ap*. 17, 19); Bauernfeind (1939) 216; Plepelits (1976) 167 Anm. 45, neuerdings aber verstärkt wie-

λων δαιμόνια, ὅτε τὴν περὶ τοὺς δαίμονας πλάνην τῶν εἰδωλομανούντων διήλεγχε καὶ πρὸς τὴν ἀλήθειαν ἐχειραγώγει, καταγγέλλων ἐν τῷ Ἰησοῦ τὴν ἀνάστασιν. ταῦτα καὶ νῦν οἱ νέοι Στωϊκοὶ καὶ Ἐπικούρειοι τῷ μιμητῇ τοῦ Παύλου προφέρουσιν, οἱ εἰς οὐδὲν ἕτερον εὐκαιροῦντες, καθὼς περὶ τῶν Ἀθηναίων ἡ ἱστορία φησίν, ἢ εἰς τὸ λέγειν τι καὶ ἀκούειν καινότερον.

Götter, als er die Verirrung über die ‘Dämonen’ bei diesen auf Götzenbilder Versessenen nachwies und die Hand für die Wahrheit führte, indem er die Auferstehung in Jesus verkündete. Das werfen nun die neuen Stoiker und Epikureer dem Nachahmer des Paulus vor, sie, die nichts anderes im Sinn haben, wie die Geschichte von den Athenern erzählt, als immer etwas Neueres zu sagen und zu hören.“[261]

Diese Formulierung erinnert an eine Wendung des Basilius. Auch er führt einen Ausschnitt aus dem genannten Kapitel der *Apostelgeschichte* in einer seiner Psalmenhomilien an, wenn er im Zusammenhang des Psalmverses 46, 11 (LXX *Ps.* 45, 11) Σχολάσατε καὶ γνῶτε, ὅτι ἐγώ εἰμι ὁ Θεός („Seid ruhig und erkennt, dass ich der Gott bin“) lehrt, des Menschen ganzer Eifer und sein ganzes Interesse müsse dem Glauben, der Beschäftigung mit dem Glauben und der Erkenntnis Gottes gelten. So kann er den Vorwurf des Pharao aus dem Buch *Exodus* (5, 17) Σχολάζετε, σχολασταί ἐστε· διὰ τοῦτο λέγετε Πορευθῶμεν θύσωμεν τῷ θεῷ ἡμῶν[262] („Ihr tut nichts, ihr seid faul; deshalb sagt ihr: Wir wollen gehen und unserem Gott opfern“) als Lob auffassen und zum Kontrast auf die Athener der *Apostelgeschichte* hinweisen:

Αὕτη μὲν οὖν ἡ σχολὴ[263] ἀγαθὴ τῷ σχολάζοντι καὶ ὠφέλιμος, ἡσυχίαν ἐμ-

„Diese Muße [sc. die in *Ex.* 5,17 geschilderte] ist gut für den, der müßig ist, und

der angenommen: Bruce (1990) 377f.; Gill (1994) 447f.; Hemer (1989) 117 Anm. 40, der ad *Act. Ap.* 17, 34 zu Ἀρεοπαγίτης darauf hinweist, dass dies „is the correct title for a member of the court.“

261 Gr. Nyss. *Eun.* 3, 2, 163 = GNO 2, 105,26-106, 7.

262 So LXX; Basilius nennt folgende Fassung: Σχολάζετε, σχολασταί ἐστε, καὶ λέγετε· Κυρίῳ τῷ Θεῷ ἡμῶν προσευξόμεθα.

263 Vgl. zum Begriff σχολή bei Basilius auch *hex.* 8, 8: Ὁ μὴ κυβεύων, σχολὴν δὲ ἄλλως ἄγων, τί οὐ φθέγγεται τῶν ματαίων; Τί οὐκ ἀκούει τῶν ἀτόπων; Σχολὴ γὰρ ἄνευ φόβου θεοῦ πονηρίας διδάσκαλος τοῖς ἀκαιρουμένοις ἐστίν („Der nicht würfelt, aber auf andere Weise die freie Zeit verbringt, was redet er nicht für einen Unsinn? Was hört er nicht an Merkwürdigem? Muße ohne Gottesfurcht ist nämlich eine Lehrerin der Schlechtigkeit für die Nichtstuer.“) und *hex.* 9, 4: Ἃ γὰρ οἱ κατὰ πολλὴν σχολὴν τοῦ βίου καθεζόμενοι μόλις ἐξεῦρον οἱ τοῦ κόσμου σοφοί, τὰς τῶν συλλογισμῶν λέγω πλόκας, ταῦτα δείκνυται παρὰ τῆς φύσεως ὁ κύων πεπαιδευμένος („Was haben die, die in der häufigen Muße ihres Lebens saßen, die Weisen der Welt, nicht mühevoll herausgefunden, ich meine die ausgesponnenen ‘Syllogismen’: Das zeigt von der Natur her der erzogene Hund.“). Nach einer kurzen Beschreibung der natürlichen Befähigung des Hundes zur Entdeckung eines Syllogismus fragt Basilius: Τί περισσότερον ποιοῦσιν οἱ ἐπὶ τῶν διαγραμμάτων σεμνῶς καθεζόμενοι καὶ τὴν κόνιν καταχαράσσοντες, τριῶν προτάσεων ἀναιροῦντες τὰς δύο καὶ ἐν τῇ λειπομένῃ τὸ ἀληθὲς ἐξευρίσκοντες; („Was machen diejenigen denn Großartigeres, die würdevoll vor den geometrischen Zeichnungen sitzen und im Sand herumkratzen, von drei Vorgaben zwei wegnehmen und in der verbleibenden die Wahrheit finden?“)

ποιοῦσα πρὸς τὴν τῶν σωτηρίων διδαγμάτων ἀνάληψιν· πονηρὰ δὲ σχολὴ ἡ τῶν Ἀθηναίων,[264] οἷς Εἰς οὐδὲν ἄλλο εὐκαίρουν ἢ λέγειν τι καὶ ἀκούειν καινότερον· ἣν καὶ νῦν τινες μιμοῦνται, τῇ τοῦ βίου σχολῇ πρὸς τὴν ἀεί τινος καινοτέρου δόγματος εὕρεσιν ἀποχρώμενοι. Ἡ τοιαύτη σχολὴ φίλη ἐστὶν ἀκαθάρτοις καὶ πονηροῖς πνεύμασι.

nützlich, sie bewirkt Ruhe, um die Lehren des Erlösers zu erfassen. Schlecht ist die Muße der Athener, die auf nichts andres aus waren als immer etwas Neueres zu sagen und zu hören. Diese Muße ahmen auch jetzt noch gewisse Leute nach, die die Muße im Leben dazu missbrauchen, ständig etwas Neueres in der kirchlichen Lehre dazu zu erfinden. Eine solche Muße ist den unreinen und schlechten Geistern lieb."[265]

Die bisher nur mangelhafte Erforschung der Psalmenhomilien – es liegen weder moderne Editionen noch Monographien vor – macht eine Identifizierung der Adressaten dieser Spitze kaum möglich.[266] Selbst wenn diese Stelle genannt wird, ist lediglich von 'Irrlehrern' die Rede.[267] Vielleicht sind auch mit diesen Häretikern, wie bei Gregor von Nyssa, die Eunomianer gemeint oder aber diejenigen, die sich gegen die Gottheit des Heiligen Geistes wehren. Denn diese Gruppe wird bei Basilius explizit mit den Athenern der *Apostelgeschichte* verglichen.

In dem zeitlich späteren Werk[268] *de Spiritu Sancto*, das der Bischof von Caesarea auf Bitten des Amphilochios von Ikonium,[269] des Vetters Gregors von Nazianz, verfasste,[270] geht er u. a. auf eine nicht näher zu identifizierende Gruppe von Theologen ein, die sich mit dem Problem der ὑπεραρίθμησις[271] des Heiligen Geistes unter Vater und Sohn beschäftigt hatte. Die Schrift *de Spiritu Sancto* lässt sich auf die Mitschrift eines Streitgespräches zwischen Basilius und Eustathios von Sebaste aus dem Jahr 372 zurückführen, so dass als Adressat des im folgenden Abschnitt erwähnten Angriffs Eustathios von Sebaste und die um ihn versammelte Gruppe der Pneumatomachen (Bekämpfer der Gottheit des Heiligen Geistes) zu identifizieren ist.[272] Basilius gibt zunächst deren Position wieder, der-

[264] Falsch verstanden von Rousseau (1994) 40, der aus dem Kontext löst und „school of impurity" übersetzt.
[265] Bas. *in Ps. 45 hom.* 8 (PG 29, 429A).
[266] Hauschild (1990) 232 datiert die Psalmenhomilien auf „nach 368 bis ca. 375."
[267] Lau (1985) 659.
[268] Vgl. Hauschild (1993) 6 und 278f.; Hauschild ebd. und Rist (1997) 191 setzen diesen Traktat auf 375 an. Ausführlichst darüber Drecoll (1996) 183-269.
[269] Vgl. Gstrein (1966) 133-135 sowie Brennecke (1993).
[270] Vgl. Sieben (1993) 30.
[271] Rist (1981) 197: „In fact we have to admit we do not know the precise origin of the technical language in this chapter [sc. Bas. *Spir.* 17, 41]: the only thing we do seem to know is that it is neither Platonic nor Neoplatonic." Norris (1991) identifiziert diese Terminologie mit der des Eunomios, vgl. *ad* Gr. Naz. *or.* 31, 20. Drecoll (1996) 234f. Anm. 98 führt das Wort συναρίθμησις u. a. auf Neuplatoniker Porphyrius zurück. Vgl. auch Gr. Naz. *or.* 31, 20, 6.
[272] Zurück geht diese These auf Heinrich Dörries, De Spiritu Sancto, Göttingen 1956; seine These wird geschildert und akzeptiert von Sieben (1993) 34-39; ausführliche Darstellung der These bei Drecoll (1996) 183-195, der den Gesprächscharakter als rhetorische Technik erklärt und Dörries These verwirft.

zufolge eine 'Beizählung' (συναρίθμησις) für diejenigen angemessen sei, die das gleiche Maß an Ehre besitzen (τοῖς μὲν ὁμοτίμοις), eine 'Unterzählung' (ὑπεραρίθμησις[273]) aber für diejenigen, die weniger Ehre besitzen (τοῖς δὲ πρὸς τὸ χεῖρον παρηλλαγμένοις).[274]

Basilius zieht den Sinn dieser Unterscheidung in Zweifel und fragt, ob diese Leute tatsächlich der Zahl (τῷ ἀρίθμῳ) eine so große Bedeutung zumäßen. Nach verschiedenen Denkspielen zwischen Metallen unterschiedlichen Werts und dem Verhältnis zwischen Edelsteinen und Gold[275] sagt er dann:

'Αλλὰ τί οὐκ ἂν εἴποιεν «οἱ εἰς μηδὲν ἄλλο εὐκαιροῦντες ἢ λέγειν τι καὶ ἀκούειν καινότερον;» Ὀνομαζέσθωσαν λοιπὸν μετὰ Στωϊκῶν καὶ Ἐπικουρείων οἱ διαψηφισταὶ[276] τῆς ἀσεβείας.	„Aber was würden die nicht alles sagen, die auf nichts anderes aus sind als immer irgend etwas Neueres zu sagen und zu hören? Man soll diese Schatzmeister der Gottlosigkeit fortan in einem Zug mit den Stoikern und Epikureern nennen.“[277]

Mit diesen Worten leitet Basilius einen neuen Abschnitt in seiner Abhandlung ein und geht von verschiedenwertigen zu gleichwertigen Dingen unterschiedlicher Gestalt über[278] und letztendlich zu der Kernfrage (τὰ συνέχοντα[279]), dem Verhältnis zwischen den drei Gestalten des christlichen Gottes.

Gregor von Nyssa nimmt am ausführlichsten in seiner Rede *de deitate Filii et Spiritus Sancti*[280] auf den Bericht der *Apostelgeschichte* Bezug. Diese Bezugnahme ist sehr ausgedehnt und erstreckt sich über einen weiten Teil des recht kurzen Werks. Man nimmt an, dass die Rede an das Volk, d. h. die Gemeinde von Konstantinopel gerichtet ist, mit der sich Gregor väterlich (πατρικῶς) unterhalten

[273] Vgl. die Übersetzung bei Sieben (1993).

[274] Bas. *Spir.* 17, 42, 2-4 (SC 17bis, 396): Ἡμεῖς τοῖς μὲν ὁμοτίμοις φαμὲν τὴν συναρίθμησιν πρέπειν· τοῖς δὲ πρὸς τὸ χεῖρον παρηλλαγμένοις τὴν ὑπεραρίθμησιν („Wir sagen, dass die 'Beizählung' denen, die die gleiche Ehre haben, zukommen soll; denen aber, die geringere Ehre haben, soll die 'Unterzählung' (ὑπεραρίθμησις) zukommen.“).

[275] Bas. *Spir.* 17, 42, 5-12 (SC 17bis, 396): „Soll etwa Gold dem Gold mitgezählt, Blei aber der Mitzählung nicht würdig sein, sondern dem Gold untergezählt werden, da sein Stoff billig ist? [...] Wirst du also auch das Gold wiederum den Edelsteinen unterzählen und den schöneren und größeren unter ihnen wiederum die weniger leuchtenden und kleineren?“ (Übersetzung Sieben).

[276] In der Bedeutung noch Pseudo-Nil. (= Evagr. Pont., vgl. Clavis Patrum Graecorum nr. 2447) *Eulog.* 20 (PG 71, 1120A: κακογνώμοσιν [...] διαψηφισταῖς); bei Basilius *ep.* 215, 1, 5.

[277] Bas. *Spir.* 17, 42, 13-15 (SC 17bis, 396).

[278] Bas. *Spir.* 17, 42, 17-26 (SC 17bis, 396-398): „Wie wird zum Beispiel ein kupferner Obolus einem goldenen Stater untergezählt? – Indem man nicht sagt, lautet ihre Antwort, daß man zwei Münzen erworben habe, sondern man habe einen Obolus und einen Stater. [...] Wenn man jeden für sich zählt, schafft man eine Gleichheit der Ehre durch die gleiche Weise der Zählung. Wenn aber das, was an zweiter Stelle gezählt wird, untergezählt wird, liegt es dann nicht beim Zählenden, mit der Zählung bei der kupfernen Münze anzufangen?“ (Übersetzung Sieben)

[279] Bas. *Spir.* 17, 42, 27 (SC 17bis, 398).

[280] Gehalten auf einem Konzil zu Konstantinopel 383; vgl. May (1971) 60; Bernardi (1968) 327.

will (διαλεχθήσομαι). Ursache für die mahnenden Worte dürfte der starke Zuspruch sein, den der Arianismus in Konstantinopel fand.[281]

Gregor berichtet eingangs, er wolle nach der Sitte der Armen vorgehen, die sich nicht scheuten, Teile der Speisen für den nächsten Tag mitgehen zu lassen, wenn sie eines üppigen Mahles gewürdigt worden seien.[282] Im Sinne eines inneren Monologes fragt er, welche diese Reste seien, und fährt dann fort:

Ἡ τῶν ἀποστολικῶν πράξεων ἱστορία τὴν ἐν Ἀθήναις ἐπιδημίαν τοῦ Παύλου ἡμῖν διηγήσατο, πῶς εἰδωλομανοῦντος τοῦ τῇδε λαοῦ καὶ τοῖς ἐπιβωμίοις κνίσαις[283] προστετηκότος τὸ πνεῦμα τὸ ἅγιον ἐν τῷ μακαρίῳ παρωξύνετο Παύλῳ, οἷόν τι ῥεῦμα πλημῦρον ἐν τῇ ψυχῇ τοῦ ἀποστόλου στενοχωρούμενον καὶ μὴ εὑρίσκον ἐν τοῖς ἀναξίοις τὴν διέξοδον.

„Die *Apostelgeschichte* erzählte uns die Reise des Paulus nach Athen, wie sich im seligen Paulus der Heilige Geist erregte wie ein reißender Fluss, der in der Seele des Apostels beengt wurde und bei den Unwürdigen keinen Ausweg fand, da das Volk dort im Wahn der Götterbilder und dem Fettdampf auf den Altären ergeben war."[284]

Er berichtet weiter, dass daher Paulus mit den Vertretern der philosophischen Richtungen zusammengekommen sei (συμπλέκεται). Und um sie zur Erkenntnis Gottes zu bringen, habe seine Rede mit einer Erscheinung begonnen, die für sie nicht ungewöhnlich gewesen sei: dem in der Schrift erwähnten Altar.[285] Fragend fährt er dann fort:

Εἰς τί τοίνυν ἐμνήσθην τοῦ ἀναγνώσματος; ὅτι καὶ νῦν εἰσι κατ' ἐκείνους τοὺς Ἀθηναίους, εἰς οὐδὲν ἕτερον εὐκαιροῦντες ἢ λέγειν τι καὶ ἀκούειν καινότερον· χθιζοί τινές τε καὶ πρωϊζοὶ ἐκ τῶν βαναύσων ἐπιτηδευμάτων ὁρμώμενοι, αὐτοσχέδιοί τινες τῆς θεολογίας δογματισταί, τάχα τινὲς οἰκέται καὶ μαστιγίαι καὶ τῶν δουλικῶν διακονημάτων δραπέται, σεμνῶς ἡμῖν περὶ τῶν ἀλήπτων φιλοσοφοῦσιν.

„Wozu erwähne ich jetzt diese Erzählung? Weil es auch jetzt Leute wie diese Athener gibt, die auf nichts anderes aus sind als etwas Neueres zu sagen oder zu hören. Gestern oder vorgestern aus handwerklichen Berufen aufgebrochen, aus dem Stegreif Lehrmeister der Theologie, gerade noch Diener, Taugenichtse und Flüchtlinge von ihrer Sklavenarbeit, philosophieren uns solche Menschen würdevoll über unfassbare Dinge."[286]

[281] Vgl. Bernardi (1968) 327f.
[282] Gr. Nyss. *deit.*: GNO 10, 2, 119, 17-120, 3.
[283] Κνίσα erinnert stark an die homerische Götterwelt. Vgl. *Il.* 1, 317 u. ö.; bes. auffällig *Od.* 12, 356-361. Siehe auch LSJ 965 s. v.
[284] Gr. Nyss. *deit.*: GNO 10, 2, 120, 4-10.
[285] Diese den Athenern adäquate Vorgehensweise nimmt Bezug auf die Charakterisierung Athens als κατείδωλος (vgl. oben Gr. Nyss. *Eun.* 3, 2, 163 εἰδωλομανούντων [GNO 2, 105, 26-106, 3]). Darauf weist auch Johannes Chrysostomus verschiedentlich hin (z. B. *adv. Jud.* 5, 3 [PG 48, 886]; *proph. obsc.* 3 [PG 56, 179]).
[286] Gr. Nyss. *deit.*: GNO 10, 2, 120, 14-121, 2.

Er führt erläuternd verschiedene Orte der Stadt und verschiedene Berufsstände an, die bei jeder Gelegenheit unaufhörlich Gespräche über das Verhältnis der göttlichen Personen führten, z. B. erhalte man auf die Frage nach dem Preis philosophische Spekulationen über das 'geworden' und 'ungeworden' zur Antwort, und wenn man sich erkundige, was das Brot koste, werde einem erwidert: Der Vater ist größer und der Sohn ihm unterworfen.[287] Und so kann Gregor nach der Reihe der Beispiele zusammenfassend sagen: „Daher behaupte ich, dass die Erzählung von dem Apostel auf solche (sc. Menschen) zielt. Denn was die Schrift von den Athenern erzählt, kann man heute bei diesen sehen."[288] Der Nyssener fügt noch hinzu, dass die Athener der *Apostelgeschichte*, da sie ja die vollständige Erkenntnis des Göttlichen durch die Altaraufschrift[289] für unmöglich hielten, sogar weniger zu schelten seien als seine Zeitgenossen; diese rühmten sich, die Gottheit ebenso gut zu kennen wie diese sich selbst. Im weiteren Verlauf der Rede werden dann Vergleiche zwischen den Theorien der Stoiker und Epikureer und denen der von Gregor sogenannten 'neuen' Stoiker bzw. Epikureer gezogen.

Für die Rezeption des Athen-Kapitels der *Apostelgeschichte* bei den Kappadokiern soll abschließend ein Text des Gregor von Nazianz besprochen werden. Er hält, wahrscheinlich in Konstantinopel im Jahr 379,[290] eine Rede auf den später heiliggesprochenen Athanasius,[291] in der er zunächst dessen Bildung, Frömmigkeit und heiligmäßiges Leben darstellt. Bevor er zu Athanasius' Rolle auf dem Konzil zu Nikaia kommt – zu dieser Zeit war Athanasius noch Diakon des damaligen Bischofs Alexander von Alexandria –, beschreibt er in zwei Kapiteln zunächst allgemein – wobei er wahrscheinlich auf Missstände in Konstantinopel anspielt[292] –, dann anhand der Person des Arius Irrlehren der frühen Kirche. Früher, so Gregor, seien der christliche Glaube und die christliche Religion natürlicher, und das

[287] Gr. Nyss. *deit.*: GNO 10, 2, 121, 7-10: Ἐὰν περὶ τῶν ὀβολῶν ἐρωτήσῃς, ὁ δέ σοι περὶ γεννητοῦ καὶ ἀγεννητοῦ ἐφιλοσόφησεν· κἂν περὶ τιμήματος ἄρτου πύθῃ· μείζων ὁ πατήρ, ἀποκρίνεται, καὶ ὁ υἱὸς ὑποχείριος („Wenn du nach dem Preis fragst, 'philosophiert' er dir etwas über das 'geworden' und 'ungeworden' vor. Und wenn du fragst, was das Brot kostet: Der Vater ist größer, antwortet er, und der Sohn ihm unterworfen.").

[288] Gr. Nyss. *deit.*: GNO 10, 2, 121, 15-17: Διὰ τοῦτό φημι πρὸς τούτους βλέπειν τὴν κατὰ τὸν ἀπόστολον ἱστορίαν. ἃ γὰρ περὶ τῶν Ἀθηναίων ἡ γραφὴ διεξέρχεται, ταῦτα νῦν ἔστιν ἐπὶ τούτων ἰδεῖν.

[289] Zur Echtheitsfrage der Aufschrift „dem unbekannten Gott" (Ἀγνώστῳ θεῷ) vgl. Bruce (1990) 381; Hemer (1989) 117 mit Anm. 41; Haenchen (1977) 500f. mit Anm. 6; Conzelmann (1972) 106f.; Dibelius (1968) 39-41; Bauernfeind (1939) 216f. Siehe auch Paus. 1, 1, 4.

[290] Bernardi (1995) 189; Mossay (1980) 99f. stellt diese Datierung in Frage.

[291] Zu Athanasius vgl. Metzler (1997) und Gentz (1950). Athanasius (295-373) setzte sich vehement für die Behauptung des nizänischen Glaubensbekenntnisses gegen die Arianer ein. Seit 328 Bischof von Alexandria, wurde er mehrfach von Synoden suspendiert oder zum Exil verurteilt. Zur Rede des Gregor von Nazianz vgl. die Einleitung bei Mossay (1980) 86-103, der sie 95-98 als Enkomion und Panegyrikos klassifiziert.

[292] Vgl. Mossay (1980) 134 Anm. 1.

heißt: einfacher und unbeschwerter verstanden und gelebt worden. Frömmigkeit habe in einfachen und zugleich edlen und ehrwürdigen Worten gelegen. Erst in der jüngeren Zeit habe viel Überflüssiges, Umständliches und Künstliches (τὸ μὲν περιττὸν τοῦτο καὶ κατεγλωττισμένον[293] τῆς θεολογίας καὶ ἔντεχνον) Eingang in die Kirche (εἰς τὰς θείας αὐλάς) gefunden.[294] Das komme geradezu einer Krankheit gleich:

Ἀφ' οὗ δὲ Σέξτοι καὶ Πύρρωνες[295] καὶ ἡ ἀντίθεος γλῶσσα, ὥσπερ τι νόσημα δεινὸν καὶ κακόηθες, ταῖς Ἐκκλησίαις ἡμῶν εἰσεφθάρη·[296] καὶ ἡ φλυαρία παίδευσις ἔδοξε καί, ὅ φησι περὶ Ἀθηναίων ἡ βίβλος τῶν Πράξεων, εἰς οὐδὲν ἄλλο εὐκαιροῦμεν ἢ λέγειν τι καὶ ἀκούειν καινότερον.

„Seitdem sind aber diese Leute wie Sextos und Pyrrhon und die gottlose Zunge wie eine schlimme und verderbliche Krankheit in unseren Kirchen am Vernichtungswerk. Und Geschwätz hält man für Bildung und hat nichts anderes im Sinn als das, was die *Apostelgeschichte* von den Athenern berichtet: etwas Neueres zu sagen oder zu hören."[297]

Es gibt im Werk der drei Kappadokier weitere Hinweise auf den Athenbesuch des Paulus sowie Charakterisierungen der Stoiker und Epikureer. Dabei werden teilweise Formulierungen der *Apostelgeschichte* aufgegriffen, meistens setzen sich die Kirchenväter jedoch unabhängig von dieser Quelle mit den Inhalten ihrer Philosophie auseinander.[298]

[293] In der vorliegenden Bedeutung „written in rare or far-fetched language" erst in nachchristlicher Zeit (LSJ 887 s. v.), und zwar ausschließlich im *part. perf. pass.* (s. Lampe 706 s. v.; für christliche Schriftsteller ist nur dieser Gebrauch überliefert.).

[294] Gr. Naz. *or.* 21, 12, 1-8: Ἦν ὅτε ἤκμαζε τὰ ἡμέτερα καὶ καλῶς εἶχεν, ἡνίκα τὸ μὲν περιττὸν τοῦτο καὶ κατεγλωττισμένον τῆς θεολογίας καὶ ἔντεχνον οὐδὲ πάροδον εἶχεν εἰς τὰς θείας αὐλάς, ἀλλὰ ταὐτὸν ἦν ψήφοις τε παίζειν τὴν ὄψιν κλεπτούσαις τῷ τάχει τῆς μεταθέσεως ἢ κατορχεῖσθαι τῶν θεατῶν παντοίοις καὶ ἀνδρογύνοις λυγίσμασι, καὶ περὶ Θεοῦ λέγειν τι καὶ ἀκούειν περίεργον· τὸ δὲ ἁπλοῦν τε καὶ εὐγενὲς τοῦ λόγου εὐσέβεια ἐνομίζετο („Es gab eine Zeit, als unsere Sache noch gut stand, als dieses Überflüssige und weit Hergeholte in der Theologie und das Künstliche keinen Weg in die göttlichen Häuser fand, sondern es war einerlei, ob man mit Steinen spielte, die durch die Schnelligkeit ihrer Bewegung vor dem Blick verborgen waren, oder vor einem Publikum tanzte in vielerlei weibischen Verrenkungen oder über Gott etwas Vorwitziges hörte. Vielmehr wurde das einfache und edle Wort für Frömmigkeit gehalten." – Vgl. *or.* 2, 50, wo Gregor betont, in der Theologie wie beim Tanz und Flötenspiel sei eine lange Zeit des Lernens und Übens nötig.). Zum Ausdruck λυγίσμασι vgl. Gr. Naz. *c.* 2, 1, 11, 268.

[295] Zu Pyrrhon (365-ca. 275) vgl. noch Gr. Naz. *or.* 7, 20, 23 und 32, 25, 3. Zu seiner Lehre und zu Sextos (sog. Sextus Empiricus) vgl. Hossenfelder (1985) 147-166.

[296] Christlich meist von Häretikern gebraucht, bei den Kappadokiern häufig von Eunomios und seinen Anhängern: Bas. *Eun.* 1, 1, 26-31 (SC 299, 144); Gr. Nyss. *Eun.* 1, 504 = GNO 1, 172, 9.

[297] Gr. Naz. *or.* 21, 12, 8-13.

[298] Direkte Hinweise auf die *Apostelgeschichte* finden sich weiterhin bei Gr. Nyss. *Eun.* 3, 10, 4 = GNO 2, 290, 5-291, 3; ferner in dem Werk über das Geburtsfest Christi *diem nat.*: GNO 10, 2, 241, 15-242, 13, wo er das „Ende der Unwissenheit" aus der Areopagrede aufgreift; auch in dem an Platon erinnernden Dialog mit seiner Schwester Makrina über die Seele und die Auferstehung lässt er diese von den Stoikern und Epikureern sprechen. Gregor selbst, der

Die zitierten Stellen bilden die Gesamtheit der Texte, in denen die Kappadokier ausführlich auf die Charakterisierung der Athener in der *Apostelgeschichte* zurückgreifen. Bei all diesen Stellen lassen sich Gemeinsamkeiten finden. Besonders auffallend ist dabei die variierte Formulierung „wie damals in Athen … so auch jetzt bei uns“[299] oder der Hinweis darauf, dass dies ein Bericht der *Apostelgeschichte* sei.[300] Ganz ohne Hinweis auf Athen findet sich die Formulierung lediglich in Basilius' *de Spiritu Sancto*, wo nur die beiden Philosophengruppen genannt werden, nicht aber die Bevölkerung der Stadt.

Gregor von Nyssa führt diese Stelle neutral an: Es ist eine der Stellen der Schrift, die sich zur Charakterisierung zeitgenössischer Gegner eignen;[301] gleichwohl findet sich bei ihm das starke Wort εἰδωλομανεῖν,[302] eine im Sinne des Verfassers der *Apostelgeschichte* vielleicht korrekte, aber immerhin recht harsche und bei den anderen beiden Kappadokiern nicht übliche Paraphrase des neutestamentlichen κατείδωλος. Ansonsten macht sich der Nyssener keine Polemik gegen Athen zu eigen. Die bei ihm beobachtete Neutralität in der Anwendung dieser 'beispielhaften' Begebenheit fällt auch bei den beiden anderen Kappadokiern auf. Wenn Basilius in der zitierten Psalmenhomilie sagt: „verwerflich ist die Muße der Athener […]; diese [Muße] ahmen auch jetzt einige nach,“ so impliziert dies, dass der Zustand der *Apostelgeschichte* als Vergangenheit betrachtet wird. Über seine eigenen Erfahrungen in Athen verliert er kein Wort. In dem späteren Traktat *Über den Heiligen Geist* nennt er nicht mehr die Stadt, sondern lediglich die Personengruppen; dabei verändert er den biblischen Text. Gregor von Nazianz, der sich länger in Athen aufhielt als Basilius und diese Zeit häufig in Erinnerung ruft,

in diesem Dialog den *advocatus diaboli* spielt, wird dabei mit den Philosophen des biblischen Athen verglichen: *an. et res.*: PG 46, 21A/B; dabei ist auffällig, wie genau die angeblich in den weltlichen Wissenschaften Ungebildete (vgl. *VSM* 3, 6-26) die epikureische Philosophie kennt, und Momigliano (1985) 445 geht sogar soweit, im Hinblick auf die Verwandtschaft dieses Dialogs mit Platons *Phaidon* zu sagen: „Macrina is here Socrates to her brother Gregory.“ Stoa oder Stoiker sind weiterhin erwähnt Bas. *ep.* 151, 1, 14; Gr. Naz. *ep.* 32, 7; *c.* 1, 2, 10, 198-213; Epikur oder Epikureer u. a. bei Gr. Naz. *or.* 28, 8, 5-13; Gr. Nyss. *Eun.* 2, 124 = GNO 1, 262, 7-11; 2, 410 = GNO 1, 345, 25-346, 6. Zum Lob Epikurs für seine σωφροσύνη im Abschnitt Gr. Naz. *c.* 1, 2, 10, 773-792 vgl. North (1966) 341: „All these Gregory praises, but as being untypical of pagan morality, whose true standards are to be found in the licentious behavior of Zeus, Aphrodite, and the other gods.“

299 Vgl. die Zitate oben: Gr. Nyss.: παρ' Ἀθηναίοις ποτέ … καὶ νῦν οἱ νέοι Στωϊκοὶ καὶ Ἐπικούρειοι oder ἡ τῶν … πράξεων ἱστορία … διηγήσατο … ὅτι καὶ νῦν εἰσι κατ' ἐκείνους Ἀθηναίους. Bas.: πονηρὰ δὲ σχολὴ ἡ τῶν Ἀθηναίων … ἣν καὶ νῦν τινες μιμοῦνται. Diese Technik entspricht dem Prinzip des analogen *Exemplum*, vgl. Demoen (1993) 39.

300 So bei Gregor von Nazianz siehe oben *or.* 21, 12.

301 Fiedrowicz (2002) 87f. spricht von einem „Topos anti-arianischer Polemik“.

302 Gregor von Nazianz spricht zwar von der großen Anzahl an εἴδωλα, setzt die μανία jedoch in Beziehung zu den Sophisten, und Subjekte des σοφιστομανεῖν sind τῶν νέων οἱ πλεῖστοι (Gr. Naz. *or.* 43, 15, 11); damit deutet er an, dass es nicht 'die Athener' sind, sondern die aus aller Welt kommenden Studenten.

führt die *Apostelgeschichte* bewusst als – wenn auch kanonisiertes – Buch an. Es geht ihm offensichtlich nur um die treffende Formulierung, die er auf die Gegner des rechten Glaubens anwenden möchte. Nicht grundlos scheint er diese Begebenheit lediglich einmal so ausführlich zu erwähnen. Er selbst kann die Charakterisierung der Athener in der *Apostelgeschichte* aus seinen eigenen Erfahrungen nicht bestätigen und erwähnt sie deshalb nach Möglichkeit auch nicht. Die Athener der *Apostelgeschichte* sind für die drei Kappadokier Personen einer Geschichte. Dennoch ist ihre Charakterisierung als polemischer Einwurf gegen – insbesondere philosophisch gebildete – Widersacher geeignet.

In diesem Zusammenhang soll auch auf die Tatsache hingewiesen werden, dass die Verbindung zwischen Sokrates und der *Apostelgeschichte* nicht thematisiert wird,[303] obwohl sich zahlreiche Parallelen finden: Sokrates wurde der Einführung neuer Götter bezichtigt (z. B. Σωκράτη φησὶν ἀδικεῖν [...] θεοὺς οὓς ἡ πόλις νομίζει οὐ νομίζοντα, ἕτερα δὲ δαιμόνια καινά[304]) – die Athener mutmaßen, Paulus wolle fremde Götter verkünden (ξένων δαιμονίων δοκεῖ καταγγελεὺς εἶναι[305]); Sokrates sprach auf der Agora (z. B. διὰ τῶν αὐτῶν λόγων [...] δι' ὧνπερ εἴωθα λέγειν καὶ ἐν ἀγορᾷ ἐπὶ τραπεζῶν[306]) – und auch Paulus spricht ἐν τῇ ἀγορᾷ κατὰ πᾶσαν ἡμέραν πρὸς τοὺς παρατυγχάνοντας.[307]

Zuletzt sei eine möglicherweise unbewusste oder versteckte Anspielung auf den Bericht der *Apostelgeschichte* angemerkt: Gregor hatte in seiner Leichenrede auf Basilius die 'Schädlichkeit' Athens für die Schüler an den zahlreichen εἴδωλα[308] festgemacht. Dies kann auf die Charakterisierung Athens als κατείδωλος in der *Apostelgeschichte* hinweisen, denn gerade die Verehrung heidnischer Kultbilder bewirkte den Unmut des Paulus in Athen. Jede weitere lexikalische Berührung fehlt allerdings, so dass nur der Reichtum an heidnischen Kultobjekten diese Parallele nahelegt.

4. 2. 3. 2 Zwischenergebnisse

1) Die Athen-Episode der *Apostelgeschichte* ist für die Kappadokier ein Exemplum, nicht mehr und nicht weniger. Die negative Beschreibung der Athener, vor

303 Vgl. Schille (1989) 354; Weiser (1985) 458.
304 Pl. *Apol.* 24b 8-10.
305 *Act. Ap.* 17, 18; vgl. dazu Norden (1913) 53 und ebd. Anm. 3 zum Verhältnis von καινός und ξένος. Conzelmann (1972) weist ferner auf den Ausdruck διελέγετο *Act. Ap.* 17, 17 und im Vergleich dazu Pl. *Apol.* 19d 6 διαλεγομένου hin. Vgl. ferner Xen. *Mem.* 1, 1, 1 καινὰ δαιμόνια εἰσφέρων mit *Act. Ap.* 17, 20 ξενίζοντα γάρ τινα εἰσφέρεις εἰς τὰς ἀκοὰς ἡμῶν.
306 Pl. *Apol.* 17c 7-9.
307 *Act. Ap.* 17, 17. Vgl. Bruce (1990) *ad. loc.*
308 Gr. Naz. *or.* 43, 21, 22. Vgl. oben S. 160 mit Anm. 195.

allem der Philosophen in der *Apostelgeschichte* führt dazu, dass die Ausdrücke 'die Athener der *Apostelgeschichte*' und 'die Stoiker und Epikureer' zu einem Schimpfwort werden, das man kirchlichen Gegnern beilegt.

2) Bezüge zum zeitgenössischen Athen fehlen an den Stellen, an denen das Exemplum der *Apostelgeschichte* herangezogen wird. Es sind eben 'die Athener der *Apostelgeschichte*', die als Vergleichspunkt gelten, nicht 'die Athener' schlechthin. Zwar gibt es 'auch heute noch' Leute, die man mit diesen Stoikern und Epikureern vergleichen oder gleichsetzen kann, aber sie sind überall: Wie die Philosophen, die in Athen wirkten, und die Philosophenschulen, die dort entstanden sind, kaum mit der Stadt in Verbindung gebracht werden, erfahren auch die 'Stoiker und Epikureer' Athens sowie 'die Athener der *Apostelgeschichte*' nur noch durch ihren Formelcharakter eine Bindung an die Stadt; inhaltlich fehlt jeder Bezug zum neutestamentlichen Athen.

4. 2. 4 Athen als Paradigma – heidnische Athen-Exempla

Gegenstand der letzten Teiluntersuchung zu Athen bei den kappadokischen Kirchenvätern soll Athen als Paradigma oder *Exemplum* für die Gegenwart der drei Kappadokier sein. Das Athen und die Athener der *Apostelgeschichte* waren bereits ein solches *Exemplum*. Allerdings war dort die Stoßrichtung bereits vorgegeben: Das Urteil der Heiligen Schrift über die Athener, mit denen Paulus zusammentraf, sowie die Einschätzungen des Evangelisten konnten nicht in Zweifel gezogen werden.

Es dürfte daher interessant sein zu beobachten, wie die Kappadokier *Exempla* aus der heidnischen Geschichte und Kultur sowie der Mythologie Athens in ihre Schriften einbauen und ob sie diese, ähnlich wie den Passus der *Apostelgeschichte*, eher als negative Vergleichspunkte heranziehen.[309]

Hier kann keine Vollständigkeit beansprucht werden. Die angeführten *Exempla* sind durch Parallelen angereichert und dienen ihrerseits exemplarisch dazu zu veranschaulichen, inwieweit ein persönliches Athenbild den Charakter Athens als *Exemplum* beeinflussen kann.[310]

[309] Demoen (1993) 45f. unterscheidet (anhand von Quintilian *inst.* 5, 11) in „– the historical exemplum (*verae res*); – the poetic exemplum (*neque verae neque verisimiles res*), distinguished in *fabula* ('material for tragedy': mythology) and *fabella* (Aesopian fable, which is recovered in this way); – the *exemplum verisimile* (*verisimiles res*): fictitious events and characters from literature ('material from comedy')."

[310] Zu einer theoretischen Grundlegung vgl. Demoen (1996) 35-56. Der Begriff *Exemplum* wird in der vorliegenden Arbeit sehr weit gebraucht; er schließt das historische *Exemplum* und den Vergleich (*similitudo* / παραβολή) ein. Zu einem so weit gefassten *Exemplum*-Begriff vgl. Demoen (1993) 44 mit Anm. 63, in der Quint. *inst.* 5, 11, 1f. zitiert wird.

4. 2. 4. 1 Über den Nutzen aus Geschichte und Kultur Athens

Die Agora und die Akropolis von Athen. Ein erstes Beispiel für den Hinweis auf die Stadt Athen als historischen Bezugspunkt und für den exemplarischen Charakter dieser Stadt und ihrer Einwohner findet sich bei Basilius von Caesarea. Er hatte, wie oben[311] dargestellt, in seinen Psalmenhomilien die Muße der Athener aus der *Apostelgeschichte* gescholten. In *Act. Ap.* 17, 17f. heißt es, Paulus habe mit den Juden in der Synagoge diskutiert (διελέγετο) „[...] und auf dem Markt täglich mit denen, die zufällig anwesend waren. Auch traf er einige der epikureischen und stoischen Philosophen."[312] Basilius hatte sich in jener Psalmenhomilie auf diese Stelle sowie auf die später erfolgende Charakterisierung der Athener bezogen und die Athener (der *Apostelgeschichte*) dafür kritisiert.

In den gleichen Zeitraum, auf den die Psalmenhomilien angesetzt werden,[313] fällt ein Brief, in dem Basilius ebenfalls auf die Zusammenkünfte von Gebildeten auf der Agora Athens hinweist. Er schreibt ihn an den politischen Funktionär Martinianos,[314] den er infolge der Teilung der Provinz Kappadokien[315] – wie den Pentheus die Mänaden hätten man die Provinz zerrissen, schreibt er – um Fürsprache beim Kaiser bittet. Eines Simonides oder – er verbessert sich – eines Aischylos[316] bedürfe es zur Schilderung des Leides der Provinz. Diese Schilderung zu geben, schickt sich daraufhin Basilius selbst an, indem er beginnt:

[311] Siehe S. 218.

[312] [...] καὶ ἐν τῇ ἀγορᾷ κατὰ πᾶσαν ἡμέραν πρὸς τοὺς παρατυγχάνοντας. τινὲς δὲ καὶ τῶν Ἐπικουρείων καὶ Στωϊκῶν φιλοσόφων συνέβαλλον αὐτῷ.

[313] Vgl. Fedwick (1981b) 9 mit Anm. 31; Hauschild (1990) 232 und oben S. 218 mit Anm. 266.

[314] Zu Martinianos vgl. Hauser-Meury (1960) 117f.; auf ihn hat Gregor von Nazianz verschiedene Epitaphien verfasst (*AP* 104-117), in denen er ihn u. a. als Ῥώμης πρόθρονον bezeichnet. Er war vermutlich Heide (Hauschild [1990] 208 Anm. 336), denn wie hier bei Basilius fehlen christliche Anspielungen auch bei Gregor von Nazianz. Zu Martinianos und zum vorliegenden Brief vgl. ferner Treucker (1961) 43-46. Er weist auf das enge Verhältnis zu Basilius hin, das in den Briefen zum Ausdruck komme, begründet u. a. aus der gemeinsamen Herkunft, sowohl sozial (Adel) als auch geographisch (Kappadokien). Er mutmaßt sogar, Martinianos sei ein alter Studiengefährte des Basilius gewesen, was allerdings unwahrscheinlich ist, da jeglicher Hinweis auf die gemeinsame Studienzeit fehlt. Vgl. auch Pouchet (1992) 222-225.

[315] Zum Vorfall vgl. Hauschild (1990) 24f. und 208 Anm. 336; Strobel (1997) 974f.; Van Dam (2002) 28-32. Kaiser Valens hatte 371/372 die Teilung der Provinz Cappadocia in Cappadocia Prima mit der Hauptstadt Caesarea und Cappadocia Secunda mit der Hauptstadt Tyana verfügt. Christlich wird die Motivation für die Teilung meist in der Schwächung des nizänisch eingestellten Basilius vermutet, doch „vielmehr entsprach sie der seit Diokletian verfolgten Tendenz, die Provinzen zu verkleinern und damit zu effektiver zu verwaltenden Einheiten zu machen" (Hauschild [1990] 24).

[316] Vgl. dazu Thdt. *h. e.* 3, 7, 6 (GCS N. F. 5, 183). Ähnlich bei Gr. Naz. *or.* 4, 92, 1f.: Dort erfleht sich Gregor die Muße und Sprache (σχολήν τε καὶ γλῶσσαν) eines Herodot und Thukydides, um die Schlechtigkeit Julians der Nachwelt zu überliefern. Simonides hat – in Athen lebend – einen Threnos auf die Gefallenen bei den Thermopylen (*Frg.* 26 = 531 Page) verfasst (vgl. auch *Frg.* 24 = 529 Page); für Simonides' Threnoi als beispielhafte Klagegesänge vgl. Aristid. 31, 2 Keil (Epikedeion auf Eteoneus): Ποῖος ταῦτα Σιμωνίδης θρηνή-

Σύλλογοι μὲν γὰρ ἐκεῖνοι καὶ λόγοι, αἱ κατ' ἀγορὰν συντυχίαι τῶν ἐλλογίμων ἀνδρῶν καὶ ὅσα πρότερον ἐποίει τὴν ἡμετέραν ὀνομαστὴν πόλιν ἡμᾶς ἐπιλελοίπασιν. Ὥστε τῶν περὶ παιδείαν καὶ λόγους ἧττον ἂν φανείη νῦν τις ἐμβαλὼν τῇ ἀγορᾷ ἢ Ἀθήνησι πρότερον οἱ ἀτιμίαν κατεγνωσμένοι ἢ τὰς χεῖρας ὄντες μὴ καθαροί.

„Jene Gespräche und Reden, die Zusammenkünfte der berühmten Männer auf der Agora, und all das, was unsere Stadt bekannt gemacht hat, haben uns verlassen. Und so erscheint heute seltener einer der Gebildeten oder ein Rhetor, der auf die Agora geht, als in Athen diejenigen, die mit der Atimie belegt sind, oder die, die keine reinen Hände haben."[317]

Basilius fährt mit der Schilderung der Verlassenheit der Stadt unter Aufwendung zahlreicher historischer und mythologischer Anspielungen fort (er behauptet, der größte Teil des Rates hätte sogar den unwirtlichen Ort Podandos[318] der Stadt Caesarea vorgezogen, vergleicht Podandos mit dem spartanischen Keadas und ordnet diese Stadt dem Oberbegriff „Charoneia" zu[319]) und fordert Martinianos erneut zur Fürsprache am kaiserlichen Hof auf. Zwei mögliche Ergebnisse seines Einschreitens stellt Basilius dann Martinianos vor:

Ἢ γὰρ ἐγένου τι ὄφελος τοῖς κοινοῖς ἢ τό γε τοῦ Σόλωνος πεποιηκὼς ἔσει, ὃς ἀμύνειν αὐτοῖς τῇ ἐλευθερίᾳ οὐκ ἔχων, τῆς ἀκροπόλεως ἤδη κατεχομένης, τὰ ὅπλα ἐνδὺς πρὸ τῶν θυρῶν ἐκαθέζετο, εὔδηλος ὢν τῷ σχήματι τοῖς γινομένοις μὴ συντιθέμενος.

„Denn entweder warst du nützlich für die Gemeinschaft, oder du wirst einer sein, der das getan hat, was Solon gemacht hat, der seine Rüstung anzog und sich vor die Türen setzte, um öffentlich zu bekunden, dass er mit den Geschehnissen nicht übereinstimmte, da keine Möglichkeit mehr bestand, ihnen [sc. den Athenern] die Freiheit zu verteidigen, nachdem die Akropolis bereits eingenommen war."[320]

Beide historischen Beispiele schöpfen ihren Gehalt aus dem Blick auf Athen, und dies ist deutlich gekennzeichnet, indem Basilius einmal Athen selbst nennt und im

σει, τίς Πίνδαρος ποῖον μέλος ἢ λόγον τοιοῦτον ἐξευρών; τίς χορὸς [Στησίχορος coni. Taylor] ἄξιον φθέγξεται τοιούτου πάθους; („Welcher Simonides wird das beklagen, welcher Pindar wird ein solches Lied oder eine solche Rede verfassen? Welcher Chor wird etwas singen, das dieses Leides würdig ist?") Aischylos hat u. a. in den *Persern* – aus der Sicht der Perser – die vernichtende Niederlage bei Salamis geschildert. Er hat aber auch Elegien verfasst; in diesem Zusammenhang soll er Simonides in einem Wettstreit unterlegen gewesen sein: Vita Aesch. 332, 7 (ed. Page): [sc. Αἴσχυλος] κατὰ δὲ ἐνίους ἐν τωι εἰς τοὺς ἐν Μαραθῶνι τεθνηκότας ἐλεγείωι ἡσσηθεὶς Σιμωνίδηι („Manchen zufolge soll Aischylos in der Elegie auf die in Marathon Gefallenen dem Simonides unterlegen gewesen sein").

317 Bas. *ep.* 74, 3, 1-6.

318 Podandos lag „mitten im Taurusgebirge in einer Talweitung des tief eingeschnittenen Çakitsu" (Bittel [1951] 1136).

319 Zum spartanischen Keadas, einem dem athenischen βάραθρον vergleichbaren Ort, siehe Paus. 4, 18, 4-7; möglicherweise sollte Podandos die Hauptstadt der Provinz Cappadocia Secunda werden, vgl. Van Dam (2002) 29f. 33f. und oben S. 205 Anm. 194.

320 Bas. *ep.* 74, 3, 35-39.

zweiten Fall die Akropolis und Solon, der mit der Verfassungsgeschichte Athens in enger Verbindung steht. Die beiden *Exempla* stehen gleichzeitig für zwei Teile der traditionellen *laudes Athenarum*.

1) Im ersten Beispiel stellt Basilius die verlassene Agora Caesareas der gefüllten Agora Athens gegenüber. Er sagt, man könne auf der Agora Caesareas seltener Gebildete und Gelehrte antreffen als früher in Athen solche, die mit Atimie belegt worden seien oder Blut an ihren Händen gehabt hätten. Der jetzt verlassene, früher aber von den geistigen Größen der Stadt besuchte Markt von Caesarea kann mit dem Athen der *Apostelgeschichte* verglichen werden. Es handelt sich bei dem, was Basilius vermisst, um ungezwungene Treffen. Der σύλλογος z. B. wird oft der formellen ἐκκλησία gegenübergestellt,[321] συντυχία ist ein noch weiter gefasster Begriff; er bezeichnet explizit ein „zufälliges Zusammentreffen." Mit den λόγοι ist der διάλογος in der Form vergleichbar,[322] wie er von Paulus in Athen mit den Philosophen, den ἐλλόγιμοι, geführt wurde. Die ἀτιμίαν κατεγνωσμένοι[323] allerdings hätten wohl zu derartigen Treffen gehen können; ihnen war lediglich der Gang zu den offiziellen Veranstaltungen, insbesondere den religiösen Handlungen, verwehrt[324] sowie das Stimmrecht entzogen und die Möglichkeit genommen, Anträge in der Volksversammlung einzubringen. Basilius scheint aus Gründen des Stils bewusst diese zwei Bedeutungen von ἀγορά, nämlich ein-

[321] Vgl. LSJ 1673 s. v. σύλλογος mit Hinweis auf Th. 2, 22, 1; Pl. *Leg.* 6, 764a 5f. u. a.

[322] Vgl. LSJ 1059 s. v. λόγος VI 3 a und c.

[323] Vgl. dazu Kahrstedt (1934) 116-123 mit 116 Anm. 1. Atimie wurde verhängt z. B. beim Versuch der Einrichtung einer Tyrannis, bei Mordverdacht vom Augenblick der Anklage bis zum endgültigen Urteil usw. Zur „'Fernhaltung von der ἀγορά', denn das Fernhalten von den νόμιμα, den ἱερά und den ὅσια, vom staatlichen und kultischen Leben der Gemeinde, ist bei den erhaltenen Definitionen der Atimie das Charakteristische" (Kahrstedt [1934] 116), vgl. bes. D. 24, 60: Πολὺ γὰρ δήπου μᾶλλον οἱ προδιδόντες τι τῶν κοινῶν, οἱ τοὺς γονέας κακοῦντες, οἱ μὴ καθαρὰς τὰς χεῖρας ἔχοντες [zum Ausdruck vgl. Wayte [1893] *ad loc.*], εἰσιόντες δ' εἰς τὴν ἀγοράν, ἀδικοῦσιν („Viel größeres Unrecht begehen diejenigen, die Verrat am Gemeinwesen begehen, die ihre Eltern schlecht behandeln, die unreine Hände haben und trotzdem auf die Agora gehen."). Siehe auch Aeschin. 3, 176: Ὁ μὲν τοίνυν νομοθέτης τὸν ἀστράτευτον καὶ τὸν δειλὸν καὶ τὸν λιπόντα τὴν τάξιν [Fahnenflucht, Schildverlust, Überlaufen zum Feind usw. wurden ebenfalls mit der Atimie geahndet] ἔξω τῶν περιραντηρίων τῆς ἀγορᾶς ἐξείργει καὶ οὐκ ἐᾷ στεφανοῦσθαι οὐδ' εἰσιέναι εἰς τὰ ἱερὰ τὰ δημοτελῆ („Der Gesetzgeber schließt den Ungedienten, den Feigen und den, der die Schlachtreihe verlässt, von den geweihten Orten der Agora aus und duldet nicht, dass er bekränzt wird oder an den heiligen Handlungen des Volkes teilnimmt.") sowie dazu Richardson (1889) *ad loc.* (ἀγορᾶς) „not the market-place but the *assembly*". Der Ausdruck τὰς χεῖρας ὄντες μὴ καθαροί erinnert an A. *Eum.* 313-317: Τὸν μὲν καθαρὰς χεῖρας προνέμοντ' / οὔτις ἐφέρπει μῆνις ἀφ' ἡμῶν, / ἀσινὴς δ' αἰῶνα διοιχνεῖ / ὅστις δ' ἀλιτῶν ὥσπερ ὅδ' ἀνὴρ / χεῖρας φονίας ἐπικρύπτει („Denn welcher die Hand schuldrein sich bewahrt, auf den niemals stürzt unsere Wut, unversehrt durchwallt er sein Leben; wer aber wie der dort frevelbewußt die blutigen Hände verheimlicht [...]" [Übersetzung Droysen]). Eine knappe Übersicht über Tatbestände, die zur Atimie führen können, und deren Folgen bei Thür (1997); ausführlicher Ruschenbusch (1968) 16-21.

[324] Vgl. dazu z. B. Lycurg. *Leocrat.* 5.

mal als „Marktplatz," d. h. Stadtzentrum und allgemeiner Versammlungsort, und andererseits als Tagungsort der ἐκκλησία im 'klassischen' Athen, nahezulegen, denn so hat er die Möglichkeit zu einer drastischen Schilderung der Lage in Caesarea. Außerdem stellt er die Bildungsschicht Caesareas in eine Linie mit den durch die Atimie Entrechteten in Athen und ruft gleichzeitig die Demokratie in Erinnerung, für die Athen Sinnbild ist.

2) Das zweite Beispiel arbeitet mit einer anderen Technik: Es appelliert ebenso an den Freiheits- und Demokratiegedanken, der wie der Bildungsgedanke stets ein Bestandteil des Athenlobes war. Diesen Demokratiegedanken repräsentiert hier nicht eine anonyme Gruppe, sondern Solon während der Einrichtung der Tyrannis durch Peisistratos. Basilius scheint diese Anekdote aus dem Gedächtnis zu erzählen, denn der Gang der Ereignisse bei Plutarch, der diese Episode aus dem Leben Solons ebenfalls berichtet,[325] ist leicht verändert; in der Intention finden sich allerdings keine Unterschiede.[326]

Das Ideal der Freiheit Athens. Auch andere Athen-Exempla in den Werken der Kappadokier arbeiten mit Topoi der *laudes Athenarum*: So baut Gregor von Nazianz historische Begebenheiten oder Anekdoten in seine Briefe ein. Ein Beispiel war schon oben im Briefwechsel mit dem Sophisten Eustochios erwähnt worden, wo sich Gregor eines Ausspruchs Alexanders des Großen über Athen zur Veranschaulichung der Situation bediente.[327] Zwei weitere Beispiele können genannt werden, die die bei Basilius beobachtete Tendenz weiterführen, sich Aspekte des Athenlobs in den *Exempla* nutzbar zu machen.

[325] Plu. *Sol.* 30. Die dort vorliegende Folge der Ereignisse hätte sich für Basilius sogar angeboten: Plutarch berichtet, Peisistratos habe sich selbst eine Wunde zugefügt und sei dann auf dem Marktplatz erschienen, um eine Leibwache zu beantragen, die ihm das Volk auch – ohne die Größe festzulegen – bewilligt habe und mit deren Hilfe er sich der Akropolis bemächtigt habe. Während Megakles und die übrigen Alkmaioniden geflohen seien, habe Solon auf dem Markt eine Rede gehalten, in der er das Volk dazu aufforderte, die Tyrannis zu stürzen. Plutarch fährt *Sol.* 30, 7 fort: Οὐδενὸς δὲ προσέχοντος αὐτῷ διὰ τὸν φόβον, ἀπῆλθεν εἰς τὴν οἰκίαν τὴν ἑαυτοῦ, καὶ λαβὼν τὰ ὅπλα καὶ πρὸ τῶν θυρῶν θέμενος εἰς τὸν στενωπόν, «ἐμοὶ μὲν» εἶπεν «ὡς δυνατὸν ἦν βεβοήθηται τῇ πατρίδι καὶ τοῖς νόμοις» („Da ihm aber aus Angst keiner zuhörte, ging er in sein Haus, ergriff seine Waffen und legte sie vor der Tür auf die Straße und sagte: 'Ich habe, soweit es möglich war, dem Vaterland und den Gesetzen geholfen.'").

[326] Basilius zitiert Solon in dem Traktat *ad adolescentes* (*leg. lib. gent.*) noch zweimal. Zunächst *leg. lib. gent.* 5, 46-50, wo nach einer Darstellung der homerischen Dichtung als Lob der Tugendhaftigkeit Solon als weiterer Vertreter einer solchen Poesie angeführt und *Frg.* 15, 2-4 West² zitiert wird, ferner in *leg. lib. gent.* 9, 106-108, wo Basilius erneut einen Vers aus den Fragmenten Solons (*Frg.* 13, 71 West²) wiedergibt, um die negativen Eigenschaften des Anhäufens von Reichtümern darzustellen. Zur Abhängigkeit dieser Stellen von Plutarch vgl. Morelli (1963); Oberhaus (1991) 125; zur generellen Abhängigkeit der Schrift *ad adolescentes* von Plutarchs Schrift *de audiendis poetis* vgl. Büttner (1908) 67-70; Valgiglio (1975); Naldini (1984) 26-30. Zu Basilius' Schrift *ad adolescentes* allgemein vgl. Helleman (1990).

[327] Vgl. S. 189.

Nach seinem Befinden gefragt, antwortet Gregor einem nicht weiter bekannten Anysios:[328]

Πῶς ἔχει τὰ πράγματα ἡμῖν ἐρωτᾷς. Μετά τινος ἱστορίας ἀποκρινούμεθα. Ἐπρέσβευον Ἀθηναῖοι πρὸς Λακεδαιμονίους, φησίν, ἡνίκα ἐτυραννοῦντο· ἡ πρεσβεία δὲ ἦν γενέσθαι τι αὐτοῖς ἐκεῖθεν φιλάνθρωπον. Ὡς δ᾽ ἐπανῆκον ἐκ τῆς πρεσβείας, ἔπειτα ἤρετό τις· «Πῶς ὑμῖν οἱ Λακεδαιμόνιοι; – Ὡς μὲν δούλοις, ἔφασαν, λίαν χρηστῶς· ὡς δὲ ἐλευθέροις, λίαν ὑβριστικῶς.»	„Wie unsere Angelegenheiten stehen, fragst du? Wir wollen mit einer Erzählung antworten: Als die Athener unter der Tyrannis standen, schickten sie eine Gesandtschaft nach Sparta. Sie sollte erwirken, dass sie von dorther etwas Menschenfreundliches erhalten. Als sie von der Gesandtschaft zurückkehrten, fragte einer: 'Wie verhielten sich die Spartaner euch gegenüber?' – Sie antworteten: 'Wenn wir Sklaven sind, sehr freundlich, wenn wir Freie sind, sehr hochmütig.'"[329]

Gregor fährt fort und bezieht diese Begebenheit, für die bisher keine Quelle ausgemacht werden konnte,[330] und insbesondere die Antwort der Gesandten auf seine eigene Situation. Dabei versetzt er sich in die Rolle der Athener, während die Spartaner diejenigen sind, die ihn, wie er sagt, „freundlicher als die Verworfenen, aber unverschämter als die, um die Gott sich sorgt" behandelten.[331] Dabei handelt es sich wohl um Bischöfe der Provinz, die ihn, der nach den Ereignissen von Konstantinopel nach Nazianz zurückgekehrt war, mit der Leitung des dortigen Bistums betrauen wollten, ohne einen Nachfolger zu wählen. Dies muss aus dem Umfeld, in dem dieser Brief sich befindet, erschlossen werden, da er selbst keine

[328] Zu Anysios vgl. Hauser-Meury (1960) 34. Der Adressat ist allerdings nicht klar. Darauf geht Gallay (1964/67) 1, 129 Anm. 3 zu 111 ein. Er macht den Herausgeber Billy (S. Patris nostri Gregorii Nazianzeni Theologi opera edd. Jac. Billius / Fed. Morellius, Köln ³1690) verantwortlich für diese Verwirrung. In dessen Ausgabe ging, so Gallay, diesem Brief ein Brief an einen Prokopios voraus. Billy habe grundlos die Überschrift τῷ αὐτῷ (an denselben) dem Brief vorangestellt, während die *editio princeps* diesen Fehler vermieden habe. Der Handschriftenbefund ist allerdings nicht so einhellig, wie Gallay es in seiner Ausgabe darstellt, vgl. Hauser-Meury (1960) 149 Anm. 305. Sie weist diesem Brief Prokopios als Adressaten zu; die inhaltliche Interpretation bleibt aber davon unberührt. Gleichwohl ist die überwiegende Anzahl der Handschriften mit der Angabe Ἀνυσίῳ ein Indiz für die Zuweisung an diese Person.

[329] Gr. Naz. *ep.* 90, 1f.

[330] Eine direkte Parallele dieser Erzählung, die wohl auf das Verhältnis zwischen Athen und Sparta in den Jahren 404-400 anspielt, kann nicht genannt werden. Wittig (1981) und Gallay (1964/67) nennen ebenfalls keine Quelle für diesen Bericht. Es fragt sich, ob Gregor ἐτυραννοῦντο auf die Oberherrschaft Spartas bezieht oder auf die Oligarchie in Athen in dieser Zeit. Vgl. X. *H. G.* 2, 3, 48 (in der Rede des Theramenes): [...] καὶ τοῖσδέ γ᾽ αὖ ἀεὶ ἐναντίος εἰμὶ οἳ οὐκ οἴονται καλὴν ἂν ἐγγενέσθαι ὀλιγαρχίαν, πρὶν ἂν εἰς τὸ ὑπ᾽ ὀλίγων τυραννεῖσθαι τὴν πόλιν καταστήσειαν („Und wiederum bin ich immer ein Gegner jener, die glauben, es könne keine gute 'Oligarchie' geben, bis sie es erreicht haben, dass die Stadt unter der 'Tyrannis' weniger steht.").

[331] Gr. Naz. *ep.* 90, 3 (Übersetzung Wittig).

Anhaltspunkte für eine Einordnung bietet.[332] Wie im Solon-Beispiel des Basilius sind es hier die ἐλευθερία, die Freiheit, und der Demokratie-Gedanke, die mit Athen verbunden werden.

Ein guter Brauch im alten Athen. Auch einen anderen Brief beginnt Gregor mit einer 'Anekdote' aus dem 'alten Athen'. Eudoxios, ein Rhetor, war von ihm um die Unterweisung seines Neffen Nikobulos gebeten worden, bevor dieser später dem Sophisten Stageirios empfohlen wird.[333] Gleichzeitig beginnt Gregor aber auch, Eudoxios an den christlichen Glauben heranzuführen.[334] Ein zweiter Brief mit dieser Absicht hat folgende Eingangsworte:

Νόμος ἦν Ἀθήνησι παλαιός, ὡς δ' ἐγῷ φημι, καὶ κάλλιστα ἔχων, ἐπειδὰν φθάσαιεν εἰς ἥβην οἱ νέοι, πρὸς τέχνας ἄγεσθαι, ἄγεσθαι δὲ τοῦτον τὸν τρόπον· προτίθεσθαι δημοσίᾳ τέχνης ἑκάστης ὄργανα καὶ προσάγεσθαι τούτοις τοὺς νέους· ὅτῳ δὲ τύχοι χαίρων ἕκαστος καὶ προστρέχων, τούτου καὶ τὴν τέχνην διδάσκεσθαι· ὡς τοῦ μὲν κατὰ φύσιν ἐπιτυγχάνοντος ὡς τὰ πολλά, τοῦ δὲ παρὰ φύσιν διαμαρτάνοντος.

„In Athen gab es einen alten und, wie ich meine, sehr schönen Brauch: Wenn die Kinder zur Reife gelangten, wurden sie zu den Künsten geführt, und zwar auf folgende Weise: Öffentlich wurden die Werkzeuge jedes Handwerks aufgestellt, und zu diesen wurden die Kinder geführt. Welches Werkzeug einem jeden gefiel und wo es hinlief, dessen Handwerk wurde es gelehrt, so als ob das Naturgemäße zutrifft, das Widernatürliche aber fehlerhaft ist."[335]

Gregor wendet diese Anekdote auf Eudoxios an. Er rät ihm, „die 'Philosophie' nicht zu vernachlässigen", und zwar nicht ὅτι ἀρίστη μόνον ἐστίν, ἀλλ' ὅτι καὶ προσφυεστέρα („weil sie nur die beste ist, sondern weil sie auch angemessener ist"), und zwar angemessener *für* Eudoxios und *als* die Rhetorik.

Im weiteren Verlauf werden verschiedene positive Eigenschaften genannt, die Eudoxios für die Philosophie, d. h. den christlichen Glauben oder die Askese geeignet erscheinen lassen, und zwar geeigneter als für die Rhetorik.[336] Wie im vor-

[332] In *ep.* 89, an Bosporios, den Bischof von Koloneia, gerichtet, beklagt sich Gregor über die ungerechte Behandlung durch die Bischöfe und kündigt seinen Rückzug von den Amtsgeschäften an. *Ep.* 91 wendet sich an den Nachfolger Gregors in Konstantinopel, Nektarios; Gregor äußert sich darin angenehm über die Ruhe, die er derzeit genieße (vgl. zum Hintergrund McGuckin [2001a] 170f.).

[333] Vgl. Kapitel 4. 2. 1. 4.

[334] Vgl. Gr. Naz. *ep.* 177. Dies nimmt Hauser-Meury (1960) 67f. s. v. Eudoxius II zum Anlass, in ihm einen noch jungen Rhetoren zu sehen. „Ein solches Ansinnen hätte Gregor wohl kaum an einen arrivierten Sophisten gestellt. Wir können also annehmen, daß E. Privatlehrer des Nicobulus war." Sie deutet Gr. Naz. *ep.* 178, 8: εἰ δὲ καὶ τὰ πρῶτα τῶν ἐνταῦθα δοίημεν als Hinweis darauf, dass Eudoxios in Kappadokien oder der Umgebung unterrichtete.

[335] Gr. Naz. *ep.* 178, 1f. Zur Einleitung eines Briefes mit einer solchen Anekdote und dem folgenden τί μοι βούλεται τὸ διήγημα vgl. Maas (1912a) 998f.

[336] Vgl. z. B. Gr. Naz. *ep.* 178, 7: Ἀλλὰ ῥήτωρ καλούμενος, πάντα πρότερον ἢ κατὰ τὸ ἦθος τελεῖς εἰς ῥήτορας („Obwohl man Dich Redner nennt, zählst Du für alles eher zu den Rednern als wegen Deines Charakters").

hergehenden Fall ist auch an dieser Stelle die Quelle oder ein Parallelbericht über den νόμος in Athen, den Gregor beschreibt, nicht bekannt.[337] Allerdings ist im Städtelob der Antike auch die Versiertheit in Bezug auf die τέχναι ein stehender Topos, und gerade Athen rühmt sich der Erfindung zahlreicher Handwerke.[338]

Es dürfte deutlich geworden sein, dass es vor allem der Demokratie und Freiheitsgedanke ist, der die Wahl von Exempla aus der Geschichte Athens motiviert. Im letzten Fall spielt auch die herausgehobene Rolle mit, die Athen in den τέχναι zugesprochen wird, sowie der Anspruch der Athener, 'Erfinder' zahlreicher Kulturgüter zu sein.[339]

Perikles und Sokrates. Daneben gibt es bestimmte Persönlichkeiten aus Athen, die exemplarisch genannt werden. Ihr vorbildliches Verhalten und ihre positive Rolle in der Geschichte bedingen deren Einsatz als Exemplum auch bei den Christen. Die folgende Erzählung über Perikles[340] findet sich bei Basilius; sie ist, ähnlich wie die Begebenheit über Solon,[341] in einer von Plutarch abweichenden Form wiedergegeben. In seiner Abhandlung *An die Jugend* behandelt Basilius zunächst die heidnischen Schriften, aus denen man auch als Christ Nutzen ziehen könne. Später geht er dann zu den Taten über,[342] und er führt als erstes Beispiel für 'vorbildliche' Taten Perikles ein:

Οἷον, ἐλοιδόρει τὸν Περικλέα τῶν ἐξ ἀγορᾶς τις ἀνθρώπων· ὁ δὲ οὐ προσεῖχε· καὶ εἰς πᾶσαν διήρκεσαν τὴν ἡμέ-

„Zum Beispiel: Einer von denen auf der Agora beschimpfte Perikles. Dieser achtete nicht darauf. Und so ging es den ganzen

337 Wittig (1981) und Gallay (1964/67) *ad loc.* nennen ebenfalls keinen Hinweis.

338 Pl. *Mx.* 238b 2-6 sagt Sokrates (Aspasia), die Götter hätten die Athener als erste in den τέχναι unterwiesen. In einer anonymen Pythagorasvita (Phot. *Bibl.* 249, 441a 22-30) wird die Kunstfertigkeit der Athener ebenfalls gerühmt: Διὸ καί, ὡς Πλάτων φησίν, ὅ τι ἂν καὶ παρὰ βαρβάρων μάθημα λάβωσιν οἱ Ἕλληνες, τοῦτο ἄμεινον ἐκφέρουσι, μάλιστα δὲ τῶν ἄλλων Ἑλλήνων οἱ Ἀθηναῖοι. Διόπερ καὶ στρατηγικοὶ γεγένηνται ἀρχῆθεν καὶ γραφικῆς εὑρετικοὶ καὶ πάσης τέχνης βαναύσου τε καὶ πολεμικῆς, ἔτι δὲ καὶ λόγων καὶ μαθημάτων. Διὸ καὶ οὐδ' ἐπείσακτός ἐστιν, ὡς εἰπεῖν, ἡ παιδεία ἐν ταῖς Ἀθήναις, ἀλλ' ἐκ φύσεως ὑπάρχουσα, τοῦ τοιούτου ἀέρος ἰσχνοτάτου ὄντος καὶ καθαρωτάτου („Daher haben auch die Griechen, wie Platon sagt, alle Kenntnisse, die sie von den Barbaren übernommen haben, verbessert, am meisten aber von allen Griechen die Athener. Daher waren sie auch von Anfang an im Kampf versiert und Erfinder der Malerei und jeder handwerklichen und zum Krieg gehörenden Kunstfertigkeit, aber auch der Rhetorik und Wissenschaften. Daher ist die Bildung in Athen auch nicht sozusagen von außen dazugekommen, sondern von Natur aus vorhanden, denn die Luft dort ist sehr trocken und sehr rein."). Als einzelne τέχναι werden z. B. die Keramik (Critias *Frg.* B 2, 12-14 = Martin L. West [Hg.], Iambi et elegi Graeci 2 [Oxford ²1992] 53) oder die Pferdezucht (vgl. S. *O.C.* 707-719) genannt.

339 Zum Schiffbau als Erfindung der Athener vgl. unten S. 248-252.

340 Bei Plu. *Pericl.* 5, 2.

341 Vgl. oben S. 228-230.

342 Vgl. Naldini (1984) 21; er gibt dort die griffige Unterteilung in λόγοι τῶν ἔξωθεν und πράξεις τῶν ἔξωθεν, die sich in dieser Formulierung bei Basilius allerdings nicht findet.

ραν, ὁ μὲν ἀφειδῶς πλύνων αὐτὸν τοῖς ὀνείδεσιν, ὁ δὲ οὐ μέλον αὐτῷ. Εἶτα, ἑσπέρας ἤδη καὶ σκότους, ἀπαλλατόμενον μόλις ὑπὸ φωτὶ παρέπεμψε[343] Περικλῆς, ὅπως αὐτῷ μὴ διαφθαρείη τὸ πρὸς φιλοσοφίαν γυμνάσιον.

Tag: Dieser wusch ihm schonungslos den Kopf mit Beleidigungen, jener [sc. Perikles] achtete nicht darauf. Dann, als es bereits Abend war und die Dunkelheit einbrach, ließ Perikles ihm, der sich mit Mühe entfernte, unter Licht Geleit geben, damit ihm die Übung in der Philosophie nicht verloren ginge."[344]

Der Bischof von Caesarea fährt dann fort, indem er ein vergleichbares Beispiel über Euklid von Megara (einen Schüler des Sokrates!) erzählt und gewissermaßen als Moral dieser beiden Episoden darauf hinweist, wie wertvoll es sei, wenn einem zornigen Menschen diese Beispiele in Erinnerung kämen.[345]

Die gleiche Erzählung liest man auch bei Gregor von Nazianz in seinem Gedicht *Gegen den Zorn*:

Κἀκεῖνο δ' οἷον, ὡς ἐπαίνων ἄξιον; / ἐλοιδόρει τις τὸν μέγαν Περικλέα, / πολλοῖς ἐλαύνων καὶ κακοῖς ὀνείδεσι / (τῶν οὐδὲ τιμίων τις[346]), ἄχρις ἑσπέρας. / ὁ δ' ἡσυχῇ τὴν ὕβριν, ὡς τιμήν, φέρων, / τέλος καμόντα καὶ βαδίζοντ' οἴκαδε / προὔπεμψε λύχνῳ,[347] τὸν χόλον τ' ἀπέσβεσεν.

„Und jenes beispielsweise: Wie ist es nicht des Lobes würdig! Es schmähte einer den großen Perikles, wobei er viele üble Beleidigungen anführte (es war kein edler Mensch), bis zum Abend. Dieser trug gelassen den Hochmut wie eine Ehre, und als der Schmäher endlich erschöpft war und nach Hause gehen wollte, führte er ihn mit einer Leuchte und löschte so den Zorn aus."[348]

[343] Zu den Bedeutungsmöglichkeiten dieses Wortes vgl. Valgiglio (1975) 74.

[344] Bas. *leg. lib. gent.* 7, 2-11. Die Episode endet bei Plutarch nicht mit der moralischen Ergänzung. Allerdings war vorher von dem Einfluss des Anaxagoras auf die Erziehung des Perikles die Rede und von der Bewunderung des Perikles für den Philosophen aus Klazomenai. Dies habe dazu geführt, dass er sich viele gute Eigenschaften angeeignet habe. Unmittelbar vor der Schilderung der hier wiedergegebenen Geschichte heißt es Plu. *Pericl.* 5, 1: [...] 'Αλλὰ καὶ προσώπου σύστασις ἄθρυπτος εἰς γέλωτα καὶ πρᾳότης πορείας καὶ καταστολὴ περιβολῆς πρὸς οὐδὲν ἐκταραττομένη πάθος ἐν τῷ λέγειν καὶ πλάσμα φωνῆς ἀθόρυβον καὶ ὅσα τοιαῦτα πάντας θαυμαστῶς ἐξέπληττε („Aber auch das Annehmen einer Miene, die sich nicht zum Lachen verweichlichen lässt, die Sanftheit des Gangs, das Herablassen des Gewands, der auch nicht beim Reden in irgendeine Unordnung gebracht wurde, und der unaufgeregte Klang der Stimme und was sonst noch alle auf wundersame Weisen erstaunte [sc. verdankte Perikles dem Anaxagoras]").

[345] Bas. *leg. lib. gent.* 7, 14-16: Πόσου ἄξιον τῶν τοιούτων τι παραδειγμάτων εἰσελθεῖν τὴν μνήμην, ἀνδρὸς ὑπὸ ὀργῆς ἤδη κατεχομένου; („Wieviel ist es doch wert, wenn diese Beispiele in Erinnerung kommen, wenn ein Mann bereits vom Zorn ergriffen ist.").

[346] Zur Seite gesprochener Einwurf als Ausdruck der „Lebhaftigkeit des Diatribenstils", Oberhaus (1991) zu Gr. Naz. *c.* 1, 2, 25, 294.

[347] Vgl. Oberhaus (1991) 125f. zu 278-284 und zu 284. Er weist darauf hin, dass Gregor sowohl von Plutarch als auch von Basilius darin abweicht, dass Perikles den Schmäher selbst nach Hause geleitet. Dennoch nimmt er an, dass „Gregor aus Basileios geschöpft haben" wird.

[348] Gr. Naz. *c.* 1, 2, 25, 278-284.

Dieser Abschnitt findet sich in dem Teil des Gedichts, der „Vorbilder der Zornbeherrschung“ behandelt (253-303); ihm gehen alttestamentliche und neutestamentliche *Exempla* voraus.[349] Vor dem genannten Beispiel nennt Gregor „ein sehr weit verbreitetes Apophthegma“ über Aristoteles, das allerdings „gewöhnlich Platon zugeschrieben“ wird;[350] bezeichnet ist Aristoteles als Σταγειρίτης. Dann geht Gregor zu einer ebenfalls öfters überlieferten Anekdote über Alexander den Großen über.[351] Die Beliebigkeit dieses Beispiels wird durch die Ungenauigkeit der Angaben deutlich, so wenn es heißt, der Feldherr Parmenion habe zu Alexander gesprochen πόλιν τιν' ἐξελόντι [sc. 'Αλεξάνδρῳ] τῶν Ἑλληνίδων („als er irgendeine griechische Stadt einnahm“). Insofern ist die nun folgende Episode über Perikles nicht mit dem Schauplatz des Ereignisses, Athen, in Verbindung zu bringen. Bei Basilius trifft das eher zu, da dort abermals die ἀγορά erwähnt wird.

Es ist nicht selbstverständlich, dass das Perikles-*Exemplum*, zusammen mit mehreren anderen *Exempla* aus der heidnischen Geschichte und Literatur, in einem Gedicht genannt ist, besonders wenn man den didaktischen (und zwar auf das Christentum ausgerichteten) Charakter einer Vielzahl der Gedichte Gregors berücksichtigt und in Betracht zieht, dass die übrigen Passagen aus den Schriften der Kappadokier, die bisher genannt wurden und die noch erwähnt werden, sich zum größten Teil in Briefen entweder an heidnische Funktionäre oder aber an Sophisten richten, die mit diesem rhetorischen Mittel vertraut sind. Die Adressaten der Gedichte, zumindest derjenigen, die zahlreiche *Exempla* auch aus der heidnischen Geschichte anführen, werden junge intellektuelle Christen sein, Christen, die denselben Lebensweg durchlaufen haben wie Gregor selbst.[352]

Das zuletzt zitierte Gedicht *Gegen den Zorn* richtet Gregor an sich selbst:[353] Es ist die Frucht seiner Überlegungen, wie er den eigenen Zorn überwinden könne.

[349] Das Verhältnis zwischen biblischen und heidnischen *Exempla* bei Gregor von Nazianz ist noch nicht geklärt (vgl. Demoen [1993] 57f.); Demoen (1993) 325f. sieht in beiden Gruppen von *Exempla* formal eine Manifestation der rhetorischen Bildung: „no systematic distinction can be made between pagan and biblical subject matter: the presence of Greek rhetoric ist revealed in the same manner in pagan and biblical παραδείγματα.“ Zur Verteilung der einzelnen *Exempla* auf verschiedene Gruppen von Gedichten sowie ihrer Ausgestaltung und Funktion vgl. aber ebd.

[350] Vgl. Oberhaus (1991) 123 zu 261-270 mit Parallelen.

[351] Vgl. Oberhaus (1991) 124 zu 270-277 mit Parallelen.

[352] Junge christliche Intellektuelle werden von Demoen (1993) 65f. anhand von Gr. Naz. *c.* 1, 2, 10 als Adressaten der didaktischen Poesie ausgemacht (vgl. Demoen [1993] 66: „In other words, Gregory seems to aim at readers with the profile of his great-nephew Nicobulus.“). Zu Nikobulos vgl. oben S. 156 und S. 186ff.

[353] Gr. Naz. *c.* 1, 2, 25, 1-3: Θυμῷ χολοῦμαι τῷ συνοίκῳ δαίμονι, / οὗτος δίκαιος τῶν χόλων ἐμοὶ μόνος, / εἰ δεῖ τε καὶ πάσχειν γε τῶν εἰωθότων („Dem Zorn zürne ich, dem ständigen Begleiter; dieser Zorn ist für mich der einzig gerechte.“). Vgl. dazu Oberhaus (1991) 1 „Vielmehr spricht er in Wahrheit vom Zorn gegen seinen eigenen Zorn darauf, daß er seinen Zorn auf andere noch nicht besiegen konnte. Diesen Zorn gegen die eigene Unvollkommenheit läßt er allein als berechtigt gelten.“

Als ein weiteres Werk, das in der Folge der Eindrücke des Konzils zu Konstantinopel entstanden ist,[354] fasste Gregor den Text während einer Periode längeren Schweigens ab,[355] die ihm auch – als offizieller Leiter des Bischofssitzes von Nazianz – unangenehme Rechtfertigungszwänge für sein Verhalten auferlegte.

Bemerkenswert ist in der Reihe der personengebundenen *Exempla* auch eines, das den Ring zwischen Heidentum und Christentum schließt. In der oben bereits zitierten Schrift des Basilius *An die Jugend* heißt es nach den beiden *Exempla* über Perikles und Euklid über Sokrates:

Ἔτυπτέ τις τὸν Σωφρονίσκου Σωκράτην εἰς αὐτὸ τὸ πρόσωπον ἐμπεσὼν ἀφειδῶς· ὁ δὲ οὐκ ἀντῆρεν, ἀλλὰ παρεῖχε τῷ παροινοῦντι τῆς ὀργῆς ἐμφορεῖσθαι, ὥστε ἐξοιδεῖν ἤδη καὶ ὕπουλον αὐτῷ τὸ πρόσωπον ὑπὸ τῶν πληγῶν εἶναι. Ὡς δ' οὖν ἐπαύσατο τύπτων, ἄλλο μὲν οὐδὲν ὁ Σωκράτης ποιῆσαι, ἐπιγράψαι δὲ τῷ μετώπῳ λέγεται, ὥσπερ ἀνδριάντι τὸν δημιουργόν, ὁ δεῖνα ἐποίει· καὶ τοσοῦτον ἀμύνασθαι. Ταῦτα σχεδὸν εἰς ταὐτὸν τοῖς ἡμετέροις φέροντα πολλοῦ ἄξιον εἶναι μιμήσασθαι τοὺς τηλικούτους φημί. Τουτὶ μὲν γὰρ τὸ τοῦ Σωκράτους ἀδελφὸν ἐκείνῳ τῷ παραγγέλματι, ὅτι τῷ τύπτοντι κατὰ τῆς σιαγόνος καὶ τὴν ἑτέραν παρέχειν προσῆκε, τοσούτου δεῖν ἀπαμύνασθαι [...].

„Einer griff Sokrates, den Sohn des Sophroniskos, schonungslos an und schlug ihn grade ins Gesicht. Er erhob sich nicht dagegen, sondern gestattete dem Betrunkenen, sich an seinem Zorn zu sättigen, so dass sein Gesicht schon anschwoll und wund war von den Schlägen. Als er zu schlagen aufhörte, soll Sokrates nichts anderes gemacht haben als auf sein Gesicht geschrieben haben (wie der Künstler auf eine Statue): 'Dieser hat es getan' und sich so gewehrt haben. Ich behaupte, dass es sehr wertvoll ist, dass so junge Menschen dieses Beispiel, das ungefähr dasselbe ist wie bei uns [sc. Christen], nachahmen. Denn dieses Beispiel des Sokrates ist verwandt mit dem Schriftwort: 'Du sollst dem, der dich auf die Wange schlägt, auch die andere hinhalten,' und dass es nur soviel zur Verteidigung braucht."[356]

Hier ist das Verhalten des Sokrates, des Heiden aus Athen, als der 'Bruder' des Gebotes Jesu bezeichnet. Athen ist in diesem Abschnitt nur mittelbar durch die Gestalt des Sokrates präsent. Dadurch aber, dass zuvor die Begebenheit von Perikles auf der Agora erzählt wurde und eine ähnliche Episode über Euklid folgte, ist die Verbindung, die Sokrates ohnehin mit Athen hat, noch deutlicher hervorgerufen. Dies muss auffallen, obgleich an der vorliegenden Stelle nicht so sehr das Lokalkolorit die Aufmerksamkeit auf sich zieht, sondern vielmehr die Freizügigkeit, mit der Basilius Parallelen zwischen Heiden und Christen zieht.

Historische Exempla. Schließlich führen die Kappadokier zuweilen historische Begebenheiten in ihren Briefen an, die lediglich ihre gehobene Bildung demonst-

[354] Vgl. Oberhaus (1991) 4.
[355] Gr. Naz. *c.* 1, 2, 25, 543: καὶ ταῦτα σιγῆς („auch dies ein Werk des Schweigens").
[356] Bas. *leg. lib. gent.* 7, 6.

rieren sollen. So findet sich ein *Exemplum* aus der allgemeinen griechischen Geschichte in den Briefen Gregors von Nyssa, wenn er auf einen Brief des Sophisten Stageirios reagiert,[357] der um eine Lieferung Holzstämme bittet. Stageirios hatte die Zahl dieser Stämme angegeben mit „viele Hunderte." Gregor antwortet darauf, indem er zuvor den Vorwurf der Habgierigkeit der Bischöfe zurückgewiesen und ihn an die Sophisten selbst gerichtet hatte:

Ἐγὼ δὲ σοὶ τῷ κατὰ τὰς μελέτας τοῖς Μηδικοῖς ἐμπομπεύοντι ἰσαρίθμους τοῖς ἐν Θερμοπύλαις ἀγωνιζομένοις στρατιώταις[358] στρωτῆρας δοθῆναι προσέταξα, πάντας εὐμήκεις καὶ κατὰ τὸν σὸν Ὅμηρον δολιχοσκίους[359] – οὓς μοι σώους ὁ ἱερὸς Δίος[360] ἀποκαταστήσειν κατεπηγγείλατο –, λέγων μὴ μυρίους μηδὲ δισμυρίους στρωτῆρας, ἀλλὰ τοσούτους ὅσους τῷ τε αἰτηθέντι χρῆσθαι τῷ τε λαβόντι εὐχερὲς ἀποδοῦναι.

„Ich habe angeordnet, dass Dir, der du in deinen Übungen mit den Perserkriegen großtust, ebenso viele Balken gegeben werden, wie Soldaten bei den Thermopylen kämpften, alle schön groß und, um mit deinem Homer zu sprechen, langschattig – der heilige Dios hat mir zugesagt, er werde sie unversehrt übergeben; dabei sagte ich nicht tausend und nicht zweitausend Balken, sondern so viele, wie für den, der um sie gefordert wurde, leicht zu geben und dem, der sie empfängt, leicht zu bezahlen sind."[361]

In ähnlicher Weise wie der vorliegende Brief – er wird wie die Korrespondenz des Nysseners insgesamt von Paul Maas einem vernichtenden Urteil unterworfen[362] – weist ein Schreiben Gregors von Nazianz auf die Perserkriege hin. Er beginnt seine *ep.* 233 an einen noch jungen Sophisten mit folgenden Worten:

Πυνθάνομαί σε σοφιστικῆς ἐρᾶν, καὶ τὸ σχῆμα εἶναι θαυμάσιον, οἷον σοβαρὸν φθέγγεσθαι, μέγα βλέπειν, βαδίζειν

„Ich erfahre, dass du die Redekunst liebst und dein Auftreten wundersam ist, beispielsweise schwülstig reden, große Augen

[357] Hauschild (1993) 249 Anm. 651 favorisiert die Zuweisung Gr. Nyss. *epp.* 26f. an Gregor von Nyssa, da sie in dessen Corpus – im Gegensatz zu der Überlieferung im Corpus der Basilius-Briefe (*epp.* 347f.) – z. T. ausführlicher erhalten sind und „einen inhaltlichen Sinn" ergeben.

[358] An den Thermopylen kämpften dreihundert Spartaner unter Leonidas, vgl. Hdt. 7, 205, 2 sowie Maraval (1990) 305 Anm. 2.

[359] Nach LSJ 443 homerisches Epitheton für das ἔγχος (z. B. *Il.* 3, 346).

[360] Der vorliegende Text ist nach Maraval (1990) 305 Anm. 4 die *lectio difficilior*. „Que ce prénom assez rare ait été ensuite modifié dans les manuscrits s'explique mieux que l'inverse." Über die Person ist allerdings nichts weiter bekannt („le nom Dios est celui d'un saint cappadocien [...] et pouvait donc être porté par un habitant de cette région." Maraval a. a. O.). Pasquali (1998) übernimmt die Konjektur δεῖνα (Wilamowitz). Der Handschriftenbefund schwankt zwischen δίος, δῖος und διός. Δίος ist die Lesart der ältesten Handschrift der Briefe Gregors von Nyssa, allerdings auch der einzigen, die diesen Brief überliefert. Weitere Namen sind *var. lect.* in der Libanios-Ausgabe Försters.

[361] Gr. Nyss. *ep.* 27, 4 = Bas. *ep.* 348, 10-14 = Lib. *ep.* 1593, 2.

[362] Vgl. Maas (1912a) oben zu Gr. Naz. *ep.* 178. Er sagt (1912a) 999: „An diesem scheinbar nebensächlichen Zug [sc. der Einleitung mit einer fernliegenden Sentenz] zeigt sich die Inferiorität des Nysseners den drei großen Rhetoren seiner Zeit gegenüber [sc. Basilius, Gregor von Nazianz, Libanios] besonders klar. Er ist Sklave der Rhetorik, über die jene als Meister verfügen."

ὑψηλὸν καὶ μετέωρον, τὸ λῆμά σοι φέρειν ἐκεῖσε εἰς Μαραθῶνα καὶ Σαλαμῖνα, ταῦτα δὴ τὰ ὑμέτερα καλλωπίσματα, καὶ μηδὲν ἐννοεῖν ὅτι μὴ Μιλτιάδας καὶ Κυναιγείρους, Καλλιμάχους τε καὶ Λαμάχους, καὶ πάντα ἐσκευάσθαι σοφιστικῶς καὶ ὅτι ἐγγύτατα τῆς ἐγχειρήσεως.

machen, hochmütig und erhaben einherschreiten, deinen Stolz dorthin nach Marathon und Salamis tragen (dies ist euer Schmuck), nichts anderes im Kopf haben als Leute wie Miltiades und Kynaigeiros, Kallimachos und Lamachos und alles 'sophistisch' aufbereiten und möglichst nahe an dem jeweiligen Fall."[363]

In beiden Fällen wurde der Hinweis auf die Geschichte Athens nicht als Vergleichspunkt herangezogen, sondern vielmehr als stereotypes Beschäftigungsfeld der Sophisten. Allerdings ist auffällig, dass Gregor von Nazianz in seinem zuletzt zitierten Brief indirekt eine Technik verwirft, die er selbst anwendet, nämlich *Exempla* aus der Geschichte zur Verdeutlichung aktueller Fragen oder Ereignisse anzuführen.

Zusammenfassend lässt sich feststellen, dass Basilius und Gregor von Nazianz, wenn sie zur Verdeutlichung der eigenen oder einer aktuellen Situation auf Athen zurückgreifen, auf Aspekte der traditionellen *laudes Athenarum* anspielen. Dies geschieht nicht immer durch eine direkte Erwähnung der Stadt, sondern zuweilen auch durch die Nennung repräsentativer Persönlichkeiten, teilweise ergänzt durch erläuternde Hinweise (z. B. die Erwähnung der ἀγορά). Diese Technik, die sich vorwiegend in Briefen an Sophisten oder heidnische Funktionäre findet, greift vor allem auf die demokratische Verfassung der Polis Athen zurück, zum Teil repräsentiert in der Gestalt des Solon, sowie auf den damit verbundenen Freiheitsgedanken. Andererseits scheuen sich die beiden Kirchenväter auch nicht, Parallelen zwischen den Gestalten des klassischen Athen und christlichen Personen zu ziehen, bis hin zu einer Gegenüberstellung von Sokrates und Christus.

Besonders bemerkenswert erscheint die Tatsache, dass selbst Basilius von Caesarea, der sonst so sparsam Athen erwähnt, hinsichtlich der *Exempla* zum einen im Rahmen der Korrespondenz mit den Sophisten, aber auch in der Unterweisung der Jugend der Oberschicht diese Zurückhaltung aufgibt.

In den Schriften Gregors von Nyssa ist eine direkte Anspielung auf die Geschichte Athens oder historische Personen, die exemplarisch für Athen genannt wären, nicht zu finden.

Die historischen *Exempla* Athens nehmen keine Sonderstellung im Rahmen der Gesamtheit historischer *Exempla* ein.

[363] Gr. Naz. *ep.* 233, 1 mit Anlehnungen an die Übersetzung von Wittig (1981).

4. 2. 4. 2 Eulen in Kappadokien – mythische Exempla über Athen

Ist der Mythos für Christen angemessen? In den Statistiken, die Pyykkö über die 'griechischen Mythen bei den großen Kappadokiern' aufgestellt hat,[364] fällt auf, dass sich bei Gregor von Nazianz zahlreiche mythologische Anspielungen finden. Dem steht die geringe Anzahl mythologischer Figuren oder Erzählungen im Werk Gregors von Nyssa gegenüber. Unter ihnen findet sich keine, die mit Athen in Zusammenhang gebracht werden könnte. Nicht viel umfangreicher ist die Liste der mythischen Gestalten, die Basilius von Caesarea erwähnt.[365]

Allerdings gibt dieser in seinen Briefen indirekt eine Begründung für den spärlichen Einsatz mythischer *Exempla*. Die briefliche 'Rezension' eines der Werke des antiochenischen Presbyters und späteren Bischofs Diodoros von Tarsos[366] bietet ihm die Möglichkeit, sich auch zum Stil dieses Werkes – es handelt sich um zwei Dialogbücher – zu äußern:

Καὶ τῷ μὲν δευτέρῳ [sc. βιβλίῳ] ὑπερήσθην, οὐ διὰ τὴν βραχύτητα μόνον, [...] ἀλλ' ὅτι πυκνόν τε ἅμα ἐστὶ ταῖς ἐννοίαις καὶ εὐκρινῶς ἐν αὐτῷ ἔχουσιν αἵ τε ἀντιθέσεις τῶν ὑπεναντίων καὶ αἱ πρὸς αὐτὰς ἀπαντήσεις, καὶ τὸ τῆς λέξεως ἁπλοῦν καὶ ἀκατάσκευον πρέπον ἔδοξέ μοι εἶναι προθέσει χριστιανοῦ οὐ πρὸς ἐπίδειξιν μᾶλλον ἢ κοινὴν ὠφέλειαν γράφοντος.

„Und über das zweite habe ich mich besonders gefreut, nicht nur wegen seiner Kürze [...], sondern weil es kompakt ist in den Gedankengängen und die Argumente der Gegner und die Antworten darauf klar darin ausgedrückt sind. Auch ist die Ausdrucksweise einfach und nicht zurechtgemacht, und das scheint mir passend für das Werk eines Christen zu sein, der nicht zur Präsentation als vielmehr für den allgemeinen Nutzen schreibt."[367]

Vielleicht lässt sich mit diesem Lob des einfachen 'christlichen' Stils auch die Sparsamkeit im Gebrauch der Mythen begründen, die Basilius in seinen eigenen Werken pflegt.[368] Dies ist um so wahrscheinlicher, da Basilius diese Kritik nicht

[364] Pyykkö (1991) 21-26 und 147-159. Sie sind allerdings nicht vollständig: So wird z. B. Alkmaions Erwähnung in Gr. Naz. *c.* 1, 2, 10, 294 in beiden Statistiken nicht aufgeführt.

[365] Für Gregor von Nyssa führt Pyykkö ([1991] 23) 31 Stichwörter an, für Basilius (ebd. 21) 37 Stichwörter. Gregor von Nazianz hingegen erwähnt nach Pyykkö (ebd. 22) 167 (+1) mythologische Gestalten und Themen (Pyykkö nennt Personen, Personengruppen, Heroen, Götter, Ungeheuer usw., aber auch Themenbereiche wie z. B. 'Sterne' oder 'Unterwelt' und übergeordnete Kategorien wie 'Götter' oder 'Ungeheuer'). – Der sparsame Einsatz mythologischer Exempla bei diesen beiden Kappadokiern hat eine Parallele in den Jugendwerken des Johannes Chrysostomos. Auch Chrysostomos ist recht zurückhaltend in der Verwendung klassischen Bildungsgutes, also der Mythen oder auch mythologischer Reminiszenzen aus der Literatur z. B. mittels eines Homer-Zitates; dies zeigt schon die Statistik, die in dem umfangreichen Gesamt-Corpus des Chrysostomos nur 123 Belege anführen kann; vgl. Pyykkö (1991) 24f. Über den Gebrauch der „heidnischen παραδείγματα" in den Jugendschriften des Johannes Chrysostomos vgl. Fabricius (1962) 140-142.

[366] Zu Diodoros vgl. Hauschild (1973) 165 Anm. 113 und besonders Schäublin (1981).

[367] Bas. *ep.* 135, 1, 2-9.

[368] Zu diesem Stilideal Kustas (1981) 251 Anm. 104 sowie Pyykkö (1991) 54f.

an einen rhetorisch ungebildeten Christen schickt. Aus einem Brief des Apostaten Julian ist bekannt, dass auch Diodoros in Athen eine Ausbildung in Philosophie und Rhetorik genossen hat.[369] Basilius scheint „dem Dialog als literarischer Kunstform mit lebendiger Ausgestaltung eines Gesprächs [...] eine Absage" erteilen zu wollen.[370] Darauf dürfte auch die fehlende Ausschmückung der Schriften des Basilius durch Mythen zurückzuführen sein, die eine κοινὴ ὠφέλεια aus christlicher Sicht verhindert, denn einen moralischen 'Gewinn' für sein Publikum beabsichtigt Basilius, der keine Dialoge verfasst hat, vorwiegend mittels der Homilien und Traktate.

Die genannte Statistik und die Argumentation des Basilius lässt nicht den Schluss zu, dass Gregor von Nazianz im Gegensatz zu Basilius die Mythen beliebig und unterschiedslos eingebracht habe. Friedhelm Lefherz[371] weist im Zusammenhang der Untersuchung einiger mythologischer Besonderheiten bei Gregor von Nazianz auf die Tatsache hin, dass in den meisten Reden keine mythologischen Anspielungen zu finden sind. Vielmehr kann man hauptsächlich in den polemischen Reden gegen den Kaiser Julian, der die Christen von den Lehrstühlen der Rhetorik verbannen wollte, und in der Leichenrede auf Basilius von Caesarea, die in schriftlicher Form ausgearbeitet wurde, mehrere sowie in drei weiteren der 45 Reden Gregors einige Stellen anführen, die die Mythologie intensiver heranziehen.[372] Ferner sind es die Briefe, Gedichte und Epitaphien und Epigramme, in denen

[369] Iul. *ep.* 90: 1, 2, 174, 26-175, 5 Bidez²: *Iste enim malo communis utilitatis Athenas navigans et philosophans inpudenter musicarum participatus est rationum et rhetoricis confictionibus odibilem armavit linguam adversus caelestes deos, usque adeo ignorans paganorum mysteria omnemque miserabiliter imbibens, ut aiunt, degenerum et inperitorum eius theologorum piscatorum errorem* („Dieser segelte nämlich zum allgemeinen Schaden nach Athen und 'philosophierte' und nahm schamlos an den musischen Künsten teil und bewaffnete seine hassenswerte Zunge mit rhetorischen Erfindungen gegen die himmlischen Götter, wobei er so sehr die 'Mysterien' des Volkes verachtete und sich in erbärmlicher Weise den ganzen Irrtum seiner verkommenen und unerfahrenen 'theologischen' Fischer 'antrank', wie man sagt."); vgl. Van Dam (2002) 167.

[370] Voss (1970) 173. Zur Verdeutlichung sei die Kritik an dem ersten Buch des Diodoros vollständig angeführt (= Bas. *ep.* 135, 1, 9-19; Übersetzung Hauschild): „Das erste Buch, welches in der Sache zwar dieselbe Kraft hat, aber mit einer komplizierten Ausdrucksweise, bunten Redefiguren und dialogischen Feinheiten geziert ist, schien mir viel Zeit, um es zu bewältigen, und viel Scharfsinn, um seine Gedanken zu erfassen und im Gedächtnis zu behalten, zu erfordern. Denn die zwischendrin eingestreuten Verunglimpfungen der Gegner und Empfehlungen der Unsrigen scheinen zwar einige dialektische Reize in die Schrift zu bringen, zerreißen aber dadurch, daß sie ablenken und aufhalten, den Gedankenzusammenhang und verwässern den straffen Gang einer Streitschrift."

[371] Lefherz (1958) 35-38.

[372] Lefherz (1958) betont 36: „In weitaus den meisten Reden erwähnt er Derartiges [sc. Mythisches] nicht, und zwar nicht nur deshalb, weil das wenig gebildete Volk in Nazianz dies ja doch nicht verstanden hätte! Denn auch in den in Konstantinopel gehaltenen Reden fehlt die Mythologie meist."

Gregor häufiger auf mythische *Exempla* zurückgreift. Sie treten teils neben biblischen *Exempla* auf, teils aber auch isoliert.[373]

Sprichwörter über Athen. Es ist unter diesen Voraussetzungen nicht verwunderlich, dass in den Briefen des Basilius nur zwei Anspielungen auf die Mythologie Athens ausgemacht werden konnten. In beiden Fällen handelt es sich 'lediglich' um ein Sprichwort.

1) So rügt Basilius in einem Brief an einen sonst unbekannten Landbischof Timotheos, dass dieser neben seinen religiös-pastoralen auch noch politische Verpflichtungen auf sich genommen habe. Er will dem Adressaten klarmachen, dass man sich nicht auf zwei Dinge gleichzeitig konzentrieren könne. Dazu führt er zunächst Beispiele aus dem Alltag an. Anschließend sagt er zu Beispielen aus der Heiligen Schrift, diese dem Adressaten aufzuzeigen, „wäre nicht weniger lächerlich als, wie man sagt, Eulen nach Athen zu tragen."[374]

2) Ebenso weist Basilius in einem Sprichwort auf die Befreiung Athens von den Menschenopfern an den kretischen König Minos hin, näherhin auf die Rettung des Theseus, der diese Leistung vollbringt, durch Ariadne: Er gibt einem Kalligraphen Anweisungen für die richtige Schreibweise. Bei der Lektüre eines früheren Briefs, der von diesem Kalligraphen geschrieben worden war, sei er irritiert gewesen:

Τῶν γὰρ στίχων κειμένων κλιμακηδόν, ἡνίκα ἔδει μεταβαίνειν ἐφ' ἕτερον ἀφ' ἑτέρου, ἀνάγκη ἦν ἐξορθοῦν πρὸς τὸ τέλος τοῦ προσιόντος. Ἐν ᾧ μηδαμοῦ φαινομένης τῆς ἀκολουθίας ἀνατρέχειν ἔδει πάλιν καὶ τὴν τάξιν ἐπιζητεῖν ἀναποδίζοντα καὶ παρεπόμενον τῷ αὔλακι, καθάπερ τὸν Θησέα τῷ μίτῳ τῆς Ἀριάδνης φασί.

„Denn da die Zeilen wie eine Treppe lagen, war es nötig, als es Zeit war, von der einen zur nächsten zu gehen, den Blick aufzurichten zum Ende der vorigen. Da die Reihenfolge dabei überhaupt nicht klar wurde, war es wieder nötig, zurückzugehen und die Ordnung im Zurückgehen zu suchen und die Furche zu verfolgen, wie im Sprichwort Theseus den Faden der Ariadne [verfolgt]."[375]

[373] Zur Übersicht über die mythologischen Themen bei Gregor von Nazianz vgl. auch die Tabelle von Demoen (1993) 425-433.

[374] Bas. *ep.* 291, 28-30: Τὰ δὲ ἐκ τῶν Γραφῶν σοι διηγεῖσθαι οὐχ ἧττόν ἐστι καταγέλαστον ἢ γλαῦκα, φησίν, Ἀθηναίοις ἄγειν („Dir dies aus den Schriften darzulegen, wäre nicht weniger lächerlich als, wie man sagt, Eulen nach Athen zu tragen."). Vgl. zu diesem Sprichwort Bühler (1982) 114-122 s. v. γλαὺξ εἰς Ἀθήνας, wo zahlreiche Belege aus antiken Schriftstellern angeführt sind, und Kienzle (1936) 48. Quellen sind z. B. Ar. *Av.* 301; *Lys.* 760; Köhler (1881) 43 weist ferner auf Hor. *sat.* 1, 10, 34f., Cic. *fam.* 6, 3, 4; 9, 3, 2 und *ad Q. fr.* 2, 16, 4 hin.

[375] Bas. *ep.* 334, 10-15. In der antiken Proverbienliteratur scheint diese Redensart nicht vertreten zu sein. Zur Diskussion um den 'Faden' der Ariadne vgl. Wulff (1892) 161-165, zum Weiterleben im Märchen und in der Sage bis in die heutige Zeit vgl. Radermacher (1968) 281; Ranke (1977); nur durch einen Literaturhinweis erwähnt bei Röhrich (1991). Zur Formulierung καθάπερ ... φασί vgl. Schwyzer (1988) 245 und 479 sowie Blass / Debrunner §§ 453 und 482.

Athen und Jerusalem. Im Folgenden soll die Bandbreite des Einsatzes mythischer Athen-*Exempla* durch Gregor von Nazianz anhand fünf solcher *Exempla* aufgezeigt werden.

1) Schwalben und Schwäne. In den Briefen Gregors von Nazianz findet sich lediglich ein direkter Hinweis auf die athenische Mythologie, und zwar handelt es sich um denselben Mythos, auf den bereits im Kontext des Gedichtes 2, 2, 5[376] hingewiesen worden war:

In einem Schreiben an den Richter Keleusios,[377] an den Gregor bereits zwei frühere Briefe gerichtet hatte, spricht er die Kritik an, die dieser Richter an seinem Verhalten äußert. Gregor hat ihn empfangen, aber während dieses Besuches Schweigen bewahrt.[378] In den beiden vorausgehenden Briefen hatte Gregor diese Haltung gerechtfertigt. Keleusios muss seine Kritik wiederholt haben. Daraufhin folgt der vorliegende Brief. In ihm versucht Gregor die Verteidigung seines Schweigens mit Hilfe einer Fabel,[379] in der das Verhältnis des Gesanges zwischen Schwalben und Schwänen zum Thema gemacht wird.[380] Die Schwalben[381] werfen den Schwänen[382] vor, sich abzusondern und in Einsamkeit zu singen. Von sich selbst sagen die Schwalben:

Ἡμῶν δέ, ἔφασαν, αἱ πόλεις καὶ οἱ ἄνθρωποι καὶ οἱ θάλαμοι, καὶ περιλαλοῦ-	„Uns, sagten sie, gehören die Städte, die Menschen und die Zimmer, und wir

[376] Vgl. oben S. 156 und S. 186.

[377] Zu Keleusios vgl. Van Dam (1996) 45-47. Er identifiziert anhand der *epp*. 112 und 113 Gregors von Nazianz Keleusios als Provinzstatthalter und zweifelt 47 Keleusios als Adressaten der (hier besprochenen) *ep*. 114 an.

[378] Zur Situation vgl. oben S. 235f.

[379] Zum Stilmittel der Fabel vgl. Lausberg (1990) 1, 533f. (§§ 1107-1110) sowie Theon *Progymnasmata* 4 περὶ μύθου [30-38 Papillon]; Gr. Naz. *ep*. 114, 6 fährt nach der Erzählung der Fabel fort: Σύνες ὅ τοι λέγω, φησὶν ὁ Πίνδαρος [= *Frg*. 105a Mähler], κἂν εὕρῃς τὴν ἐμὴν ἀφωνίαν ἀμείνω τῆς σῆς εὐγλωττίας ... („Begreife, was ich meine, sagt Pindar, und wenn du erkennst, dass meine Sprachlosigkeit besser ist als deine Schönrederei [...]").

[380] Es handelt sich dabei um eine Fabel, die im Corpus des Aesop überliefert ist: Aes. 416b Halm (neuere Editionen verzeichnen diese Fabel nicht mehr, daher wird hier Halm zitiert).

[381] Schwalben galten in der Antike als geschwätzig, vgl. Gossen (1921a). Auf das Nisten der Schwalben in den Häusern und ihren Gesang dort gibt *Od*. 21, 411 und 22, 240 einen Hinweis. Über den 'barbarischen' Charakter des Gesanges der Schwalben vgl. auch Thompson (1936) 320f. Zum häufigen Vorkommen der Schwalben in Griechenland und ihrem Gesang Keller (1913) 114f.; allgemein über die Schwalben in der griechischen Antike Pollard (1977) 30-33.

[382] Gregor vergleicht sich auch sonst mit einem Schwan, so z. B. *c*. 2, 1, 39, 54-57 über seine Motive, Poesie zu treiben: Τέταρτον εὗρον τῇ νόσῳ πονούμενος / παρηγόρημα τοῦτο, κύκνος ὥς γέρων, / λαλεῖν ἐμαυτῷ τὰ πτερῶν συρίγματα, / οὐ θρῆνον, ἀλλ' ὕμνον τιν' ἐξιτήριον („Viertens fand ich, durch die Krankheit beschwert, dies als Trost, wie ein alter Schwan, dass das Pfeifen der Flügel zu mir selbst spricht, nicht einen Klagegesang, sondern einen Todesgesang."), wo auf die Eigenart des Schwans angespielt wird, beim nahenden Tod zu singen. Der Schwan stand in der Antike z. T. als Sinnbild für den Dichter, vgl. Gossen (1921b) 790 sowie Thompson (1936) 182. Der Gesang der Schwäne ist der am meisten behandelte Aspekt dieses Tieres in der Antike; vgl. Pollard (1977) 144-146.

μεν τοῖς ἀνθρώποις καὶ τὰ ἡμέτερα διηγούμεθα, ταῦτα δὴ τὰ ἀρχαῖα καὶ ἀττικά, τὸν Πανδίονα,[383] τὰς Ἀθήνας,[384] τὸν Τηρέα,[385] τὴν Θράκην, τὴν ἀποδημίαν, τὸ κῆδος,[386] τὴν ὕβριν,[387] τὴν ἐκτομήν, τὰ γράμματα, καὶ ἐπὶ πᾶσι τὸν Ἴτυν,[388] καὶ ὡς ἐγενόμεθα ἐξ ἀνθρώπων ὄρνιθες.	sprechen mit den Menschen und erzählen unsere Sachen, dieses alte Attische: Pandion, Athen, Tereus, Thrakien, die Flucht, Verwandtschaft, Hochmut, Verstümmelung, Schriftzeichen und vor allem Itys und, wie wir aus Menschen Vögel geworden sind."[389]

Die Fabel wirkt im vorliegenden Zusammenhang spitz. Die Rede, die sie den Schwalben in den Mund legt, behandelt deren eigene Geschichte, also ihre (mythische) Entstehung durch Vergewaltigung, Verstümmelung, Mord, Kannibalismus und Verfolgung. Es ist wahrscheinlich, dass Gregor auf diese Weise die 'Rede' des Keleusios bei dem Besuch und auch seine Richtertätigkeit charakterisieren will,[390] schließlich auch die Art und Weise, entweder wie Keleusios auf den Richterstuhl gelangt ist oder wie er sich auf dem Richterstuhl, dann zu ergänzen: charakterlich und als Christ,[391] entwickelt hat. Der letzte Aspekt findet im letzten

[383] Vgl. Stoll (1897/1902) 517. Pandion war der fünfte attische König, daher τὰ ἀττικά. Seine Töchter waren Prokne und Philomele.

[384] Von Wittig (1981) falsch als „Athene" übersetzt.

[385] Vgl. Höfer (1916/24). Tereus war thrakischer König (vgl. das folgende τὴν Θράκην sowie z. B. Th. 2, 29; Ov. *Met.* 6, 424).

[386] Vgl. Th. 2, 29, 3 zur Unterscheidung zwischen Teres, einem König der Odrysen, und Tereus, dem Ehemann der Prokne und Schwiegersohn des Pandion: [...] εἰκός τε καὶ τὸ κῆδος Πανδίονα ξυνάψασθαι τῆς θυγατρὸς διὰ τοσούτου ἐπ' ὠφελίᾳ τῇ πρὸς ἀλλήλους μᾶλλον ἢ διὰ πολλῶν ἡμερῶν ἐς Ὀδρύσας ὁδοῦ („Es ist auch wahrscheinlich, dass Pandion die Verschwägerung durch seine Tochter nur auf diese Entfernung hin schloss, zu gegenseitiger Hilfe, und nicht über so viele Tagesreisen bis zu den Odrysen" [Übersetzung Landmann]). Pandion hatte dem Tereus für geleistete Waffenhilfe im Kampf gegen äußere Feinde seine Tochter Prokne zur Frau gegeben.

[387] Vgl. [D.] 60, 28.

[388] Zu diesem und zu den zuvor genannten Stichworten vgl. Steuding (1890/94) sowie die Schilderung Ov. *Met.* 6, 411-674. Tereus hatte Philomele, die Schwester der Prokne, vergewaltigt (τὴν ὕβριν) und, um sich ihres Schweigens zu versichern, ihr die Zunge herausgeschnitten (τὴν ἐκτομήν). Philomele konnte allerdings durch ein Tuch, in das sie die Ereignisse einwob, ihrer Schwester das ihr widerfahrene Unheil mitteilen (τὰ γράμματα). Zusammen töten die Schwestern Itys, den Sohn des Tereus und der Prokne, und setzen ihn dem Ehebrecher zum Mahl vor.

[389] Gr. Naz. *ep.* 114, 3. Belege und ältere Literatur bei Thompson (1936) 20. Die drei Beteiligten werden zu Vögeln: Tereus verwandelt sich in einen Wiedehopf (ἔποψ); den beiden Töchtern des Pandion werden verschiedene Vögel zugeschrieben. Thompson (1936) 22: „In Greek authors Philomela is the name of the Swallow, and Procne of the Nightingale (Ar. Av. 665). The Latins generally reverse this." Gregor steht in der griechischen Tradition, da er den Schwalben das charakteristische Fehlen der Zunge zuschreibt (*ep.* 114, 5).

[390] In *ep.* 112 an denselben Keleusios sagt Gregor (in der Übertragung Wittigs [1981]): „Läutere also Dein Gericht, damit nicht von zwei (Möglichkeiten) eine (gewiß) eintritt: entweder, daß Du ein Bösewicht wirst, oder dafür gehalten wirst. Schamlose Schauspiele zu erlauben, heißt, sich selbst an den Pranger zu stellen."

[391] Vgl. Hauser-Meury (1960) 52 s. v. Celeusius I.

indirekten Fragesatz der Fabel seinen Ausdruck: Die beiden Schwestern und Töchter des Pandion sowie Tereus sind aus Menschen zu Vögeln geworden; insofern muss auch eine Veränderung in der Persönlichkeit des Keleusios zu beobachten sein, entweder äußerlich oder innerlich.

2) Sinnlose Selbstaufopferung. Bei der Frage, welchen Stellenwert Sokrates in den Schriften der Kappadokier einnimmt, war bereits eine Stelle aus *carmen* 1, 2, 10 des Gregor von Nazianz zur Sprache gekommen. Dort erschien das Verhalten des Sokrates als unvermeidlich, und so wurde die bereitwillige Inkaufnahme der Todesstrafe entwertet.[392] In diesem Gedicht werden christliche Martyrien denen auch anderer Heiden gegenübergestellt – es handelt sich also um eine Synkrisis unter dem Gesichtspunkt der Tapferkeit.[393] In den Versen 676-696 desselben Gedichts werden Beispiele aus dem heidnischen Bereich genannt, 697-732 folgen dann die christlichen Gegenbeispiele und solche Beispiele, die die Überlegenheit christlicher Märtyrer gegenüber denen der Heiden ausdrücken sollen; dabei werden keine Personen, sondern lediglich die Vielzahl der Arten des christlichen Martyriums geschildert. Der historische Sokrates bildet in der Reihe der heidnischen Beispiele das letzte, ein mythologisches Beispiel aus Athen das erste:

Τί ταῦτα; Τοῦ Λεὼ δὲ σὺ θαυμάζεις κόρας,[394] / τὰς τῶν Ἀθηνῶν προσφαγείσας ἀσμένως, / [...] Καὶ Σωκράτους τὸ κώνειον, φιλοτησίαν / ξένην τοσοῦτον

„Was ist das? Du bewunderst die Töchter des Leo, die gern für Athen geopfert wurden [...]. Und den Schierlingsbecher des Sokrates, den Freundschaftstrunk, der so

[392] Vgl. oben S. 213 mit Anm. 238.

[393] Zu einer Gliederung der Verse 177-998 dieses Gedichts vgl. Kertsch (1983) 171-174. Gregor behandelt folgende Aspekte (nach Kertsch): die Einstellung zu Hab und Gut, die Enthaltsamkeit, die Tapferkeit, die Keuschheit (σωφροσύνη) und die „christliche ‘Phronesis’“. Zur Struktur des gesamten Gedichts vgl. Crimi / Kertsch (1995) 37ff.

[394] Die Töchter des attischen Königs Leos sollen entweder auf Veranlassung ihres Vaters oder aus freien Stücken den Tod in Kauf genommen haben, um das Vaterland von einer Hungersnot zu befreien. Ihnen wurde aus Dankbarkeit ein Heiligtum errichtet, das Leokoreion. Vgl. [D.] 60, 29: Ἠκηκόεσαν Λεωντίδαι μυθολογουμένας τὰς Λεὼ κόρας, ὡς ἑαυτὰς ἔδοσαν σφάγιον τοῖς πολίταις ὑπὲρ τῆς χώρας [„Die Leontiden hatten von den Töchtern des Leos gehört; von ihnen wird erzählt, wie sie sich selbst den Bürger als Schlachtopfer für das Land dargeboten hatten.“]; Ael. *VH* 12, 28: Λεωκόριον Ἀθήνησιν ἐκαλεῖτο τὸ τέμενος τῶν Λεὼ θυγατέρων Πραξιθέας καὶ Θεόπης καὶ Εὐβούλης· ταύτας δὲ ὑπὲρ τῆς πόλεως τῆς Ἀθηναίων ἀναιρεθῆναι λόγος ἔχει, ἐπιδόντος αὐτὰς τοῦ Λεὼ εἰς τὸν χρησμὸν τὸν Δελφικόν. ἔλεγε γὰρ μὴ ἂν ἄλλως σωθῆναι τὴν πόλιν, εἰ μὴ ἐκεῖναι σφαγιασθεῖεν [„‘Leokorion’ wird in Athen der heilige Bezirk der Töchter des Leos, Praxithea, Theope und Eubule, genannt: Von diesen erzählt die Sage, dass sie für die Stadt der Athener getötet worden seien, wobei Leos sie nach dem Orakel von Delphi ausgeliefert haben soll. Es sagte nämlich, dass die Stadt nur gerettet würde, wenn jene geopfert würden.“] und D. S. 17, 15 sowie Eitrem (1925) 2058: „In der patriotischen Rede vor dem Volke wurde gerne diese Geschichte als mahnendes Beispiel der alles aufopfernden Vaterlandsliebe hervorgeholt.“ Zu diesem Exemplum vgl. auch Eus. *laud. Const.* 13, 7. Die thematisch verwandte Geschichte von dem athenischen König Kodros, der ebenfalls den Opfertod auf sich nahm, (vgl. Lycurg. *Leocrat.* 84-87) findet sich weder bei Gregor von Nazianz noch bei den anderen beiden Kappadokiern.

ἡδέως ἐσπωμένην.[395] / Σὺ ταῦτ' ἐπαινεῖς; καί τι κἀγὼ, πλὴν ὅσον / ἐν τοῖς ἀφύκτοις ἦσαν ἀνδρεῖοι κακοῖς· / τοῖς γὰρ θέλουσιν οὐχ ὁρῶ σωτηρίαν.

gern getrunken wurde. Du lobst das? Und auch ich tue das, abgesehen davon, dass sie in ausweglosen Übeln tapfer waren: Denn ich sehe keine Rettung für sie, [selbst] wenn sie es gewollt hätten."[396]

3) Unrühmliche Geschlechter. Im gleichen Gedicht findet sich eine weitere Anspielung auf Athen, und zwar auf das athenische Alkmaionidengeschlecht.[397] Wiederum ist Sokrates in diesem Umfeld erwähnt, aber auch andere heidnische Philosophen, darunter einige aus Athen – es geht in diesem Abschnitt um die Mäßigung (*c.* 1, 2, 10, 285: ἡ δ' ἐγκράτεια μαρτυρεῖ τὸ ἔνθεον). Diese Beispiele sind vor dem (halb-) mythischen *Exemplum* des Alkmaion als *exempla negativa* erwähnt. Auch das Beispiel selbst ist unrühmlich für den athenischen Alkmaion. Ironisch wird den Verfehlungen des Alkmaion sein großer Ruhm als Athener – den er unter den Heiden genießt – gegenübergestellt:

Καλὸν Κλεάνθους τὸ φρέαρ,[398] καὶ Σωκράτους / τὸ ζῆν πενιχρῶς· τἄλλα δ' ὡς ἀσχήμονα! / οἱ Χαρμίδαι[399] τε καὶ σκέπη τριβωνίων, / ὑφ' ἧς[400] τὰ θεῖα τοῖς νέοις ὁ γεννάδας / συνῆν. Μόνοι γὰρ οἱ καλοὶ νοήμονες. / [...] 'Αλκμαίονος δὲ τίς τόδ' αἰνέσει ποτέ, / ὃς πρῶτ' 'Αθηναίων τῶν ἀοιδίμων[401] φέρων[402] /

„Schön ist der Brunnen des Kleanthes und das bescheidene Leben des Sokrates. Aber der Rest: wie grässlich! Die Jungen wie Charmides und der Schutz des Gewandes, unter dem der Edle den Jungen die göttlichen Lehren verkündete. Denn nur die Schönen haben Verstand. [...] Aber die Sache mit Alkmaion: Wer würde das je loben?

[395] Zum Ausdruck vgl. oben S. 213.

[396] Gr. Naz. *c.* 1, 2, 10, 676f. 692-696. In den Versen 678-691 werden genannt: Menoikeus, Kleombrotos, Epiktet und Anaxarchos. Vgl. Kertsch (1983) 176, der auf Parallelen bei Gregor von Nazianz hinweist. Kertsch beschäftigt sich vor allem mit der unterschiedlichen Darstellung des Sokrates und führt sie auf den Charakter der Diatribe zurück (175).

[397] Das Alkmaionidengeschlecht sowie Alkmaion werden hier zu den Mythen gezählt, da Gregor selbst die 'Αλκμαίωνες und andere Geschlechter wie Herakliden, Pelopiden usw. als auf leeren Mythen basierend bezeichnet (vgl. unten S. 246 zu Gr. Naz. *or.* 43, 3, 16-23).

[398] Zu Kleanthes vgl. D. L. 7, 168: Καὶ νύκτωρ μὲν ἐν τοῖς κήποις ἤντλει, μεθ' ἡμέραν δὲ ἐν τοῖς λόγοις ἐγυμνάζετο· ὅθεν καὶ Φρεάντλης ἐκλήθη („Und bei Nacht schöpfte er in den Gärten Wasser, bei Tag übte er sich in den Reden. Daher wurde er Phreantles [φρέαρ = „Brunnen"] genannt.").

[399] Vgl. Platons *Charmides* 155c 5-d 4: Ἐνταῦθα μέντοι, ὦ φίλε, ἐγὼ ἤδη ἠπόρουν, καί μου ἡ πρόσθεν θρασύτης ἐξεκέκοπτο, ἣν εἶχον ἐγὼ ὡς πάνυ ῥᾳδίως αὐτῷ διαλεξόμενος [...] τότε δή, ὦ γεννάδα, εἶδόν τε τὰ ἐντὸς τοῦ ἱματίου καὶ ἐφλεγόμην καὶ οὐκέτ' ἐν ἐμαυτοῦ ἦν („Da nun, mein Freund, war ich schon ratlos, und mein früherer Mut war dahin, den ich hatte, um mich mit ihm ganz leicht zu unterhalten [...]. Damals also, mein Bester, sah ich das unter dem Gewand und geriet in Wallung und war ganz außer mir.").

[400] Der Tribon als Gewand des Sokrates Pl. *Prot.* 335d 1; vgl. Pl. *Smp.* 219b 4-c 2.

[401] Vgl. Pi. *P.* 7, 1-4.

[402] Alkmaion, der Sohn des Alkmaioniden Megakles, ist vor allem durch Herodot bekannt. Neben der nun folgenden Episode aus seinem Leben – sie ist vermutlich als Ursache für den großen Einfluss und Reichtum der Familie zu sehen – ist die Tatsache, dass er „der erste Athener [war], der in Olympia einen Sieg im Wagenrennen errang," (Stein-Hölkeskamp [1996] 510) von Bedeutung (vgl. Isoc. 16, 25). Vgl. auch Toepffer (1894).

ἀνὴρ γένει[403] τε καὶ κράτει πνέων μέγα,[404] / τοσοῦτον ὤφθη χρημάτων ἡττώμενος, / ὅσον περ εἰκὸς ἦν φανῆναι κρείττονα;[405] / [...] τί δ' ὁ Πλάτων σοι, καίπερ ὢν σοφώτατος / ἀνδρῶν; τί δ' Ἀρίστιππος, τὸν ἥδιστον[406] λέγω; / τί δ' ὁ χαρίεις Σπεύσιππος,[407] ὥσπερ οἴομαι.

Er hatte den ersten Platz bei den berühmten Athenern inne, ein Mann, der sein Geschlecht und seine Macht sehr betonte, und er wurde offensichtlich so sehr von dem Geld beherrscht, wie man erwartet hätte, dass er darüber steht. [...] Was willst du mit Platon, wenngleich er der weiseste Mensch ist? Was mit Aristippos, den Lüstling meine ich. Was mit dem anmutigen Speusippos, wie ich ihn nenne?"[408]

Im Anschluss folgen Vorwürfe der Unmäßigkeit an diese Philosophen.

Erwähnt wird das Alkmaioniden-Geschlecht auch am Beginn der Trauerrede auf Basilius, erneut im Zusammenhang einer Synkrisis; hier steht es in einer Reihe mit weiteren berühmten Geschlechtern, die nur teilweise eine Beziehung zu Athen haben. Gregor von Nazianz spricht von den Familien der Eltern des Basilius, und im Folgenden speziell von der Familie der Mutter:

Στρατηγίαι τε καὶ δημαγωγίαι καὶ κράτος ἐν βασιλείοις αὐλαῖς, ἔτι δὲ περιουσίαι καὶ θρόνων ὕψη καὶ τιμαὶ δημόσιαι καὶ λόγων λαμπρότητες, τίνων ἢ πλείους ἢ μείζους; Ὧν ἡμῖν εἰ βουλομένοις εἰπεῖν ἐξῆν, οὐδὲν ἂν ἦσαν ἡμῖν οἱ Πελοπίδαι καὶ Κεκροπίδαι[409]

„Kommandos, Leitungsaufgaben, Einfluss bei Hofe, dazu Reichtum, Ehrenplätze, Ehrungen durch das Volk und Berühmtheit in Reden: Wer hatte davon mehr oder größere? Wenn uns erlaubt wäre, darüber zu sprechen, wie wir wollen: Nichts wären uns die Pelopiden und Kekropiden und Alkmai-

[403] Stein-Hölkeskamp (1996) 510: „Sowohl Perikles als auch Alkibiades stammten mütterlicherseits von den Alkmaioniden ab."

[404] Zum Ausdruck LSJ 1425 s. v. πνέω V 2, besonders den Hinweis auf E. *Andr.* 189.

[405] Es folgt (299-305) die aus Herodot (6, 125) bekannte Geschichte: Κροίσου γὰρ αὐτὸν πλείοσι δεξιουμένου / ὧν ἕν, ταμεῖα χρυσοῦ ἅπαντα προθεὶς, / ὡς ἂν δυνάστης τῇ τύχῃ μέγα φρονῶν, / ἔχειν ἐκέλευσεν ὅσον δυναίτο ψηγμάτων· / πλήσας δὲ κόλπους, καὶ γνάθους, καὶ τὴν κόμην / θεὶς χρυσόπαστον (τῆς ἀμετρίας ὅσηὰ) / προῆλθε Λυδοῖς πλούσιος γελώμενος („Denn als Kroisos ihn mit mehrerem beschenkte, worunter das eine war, dass er ihn aufforderte, nachdem er ihm alle Schatzkammern mit Gold vorgestellt hatte [wie ein Herrscher auf sein Glück wohl stolz ist], so viel an Gold mitzunehmen, wie er nur kann. Nachdem er sich das Gewand und den Mund mit Gold gefüllt hatte und auch das Haupthaar mit Gold bestückt hatte – welche eine Maßlosigkeit! – schritt der Reiche vor den Lydern her und wurde verlacht.").

[406] Zu ἥδιστον vgl. Clem. *str.* 2, 118, 2-5 (GCS Clem. 2, 176f.). Parallelüberlieferungen zu dieser Episode sind von Erich Mannebach zusammengestellt (Aristippi et Cyrenaicorum fragmenta, Leiden 1961, 14f.).

[407] Zu dieser Charakterisierung des Speusippos vgl. Chio *ep.* 10 (60 Düring) sowie Tarán (1981) 218 (zu Testimonium 28).

[408] Gr. Naz. *c.* 1, 2, 10, 286-290. 294-298. 306-308. Zur 'Tradition' der Philosophenkritik in diesen Versen bei den Kirchenvätern vgl. Düring (1941) 163-172 und bes. 167f.

[409] Hdt. 8, 44, 2: Ἀθηναῖοι δὲ ἐπὶ μὲν Πελασγῶν ἐχόντων τὴν νῦν Ἑλλάδα καλεομένην ἦσαν Πελασγοί, ὀνομαζόμενοι Κραναοί, ἐπὶ δὲ Κέκροπος βασιλέος ἐπεκλήθησαν Κεκροπίδαι („Die Athener waren zu der Zeit, als die Pelasger die heute sogenannte Hellas innehatten, Pelasger und wurden Kranaer genannt, zur Zeit des Königs Kekrops wurden sie

καὶ Ἀλκμαίωνες,[410] Αἰακίδαι τε καὶ Ἡρακλεῖδαι καὶ ὧν οὐδὲν ὑψηλότερον, οἵτινες ἐκ τῶν οἰκείων φανερῶς εἰπεῖν οὐκ ἔχοντες ἐπὶ τὸ ἀφανὲς καταφεύγουσι, δαίμονας δή τινας καὶ θεοὺς καὶ μύθους τοῖς προγόνοις ἐπιφημίζοντες,[411] ὧν τὸ σεμνότατον ἀπιστία καὶ ὕβρις τὸ πιστευόμενον.

oniden, die Aiakiden und Herakliden und die, als die es nicht Größeres gibt und die, um es offen zu sagen, nichts Eigenes haben und sich zu dem Unsichtbaren flüchten und den Vorfahren irgendwelche Dämonen und Götter und Geschichten beilegen, deren Heiligstes der Unglaube und Glaubwürdigkeit der Übermut ist."[412]

Gregor drückt hier Kritik an den heidnischen Mythen durch eine Auflistung von mythischen und halbmythischen Geschlechtern aus. Deren 'große' Vergangenheit, repräsentiert durch die obskuren Verbindungen mit Göttern und Dämonen, sei lediglich eine Erfindung von Angehörigen dieser Sippen, die keine ruhmreichen Taten aufzuweisen und daher ihren Vorfahren Derartiges angedichtet hätten. Anklänge an den Rhetor Himerios[413] zeigen, dass sich Gregor auf dem Feld rhetorischer Kunstfertigkeit bewegt, wenn er diese Geschlechter nennt. Es handelt sich dabei nicht ausschließlich um Athener Familien: Die bekanntesten Pelopiden beispielsweise, Agamemnon und Menelaos, haben keine Beziehung zu Athen. Die genannten Familien symbolisieren offenbar das Heidentum insgesamt. Dessen Ruhm gründe sich auf unsichtbare und unbeweisbare Märchen, während die Leistungen und der Mut, vor allem aber die Todesbereitschaft der christlichen Märtyrer noch aus Augenzeugenberichten gehört oder sogar in eigener Erfahrung wahrgenommen werden können.

4) Ein Christ in der Kekropsstadt. Eine Verbindung von Rhetorik und Mythos drückt auch das Epitaphium Gregors von Nazianz auf seinen Rhetoriklehrer Prohairesios aus:

Μηκέτι, Κεκροπίη,[414] μεγάλ' εὔχεο· οὐ θέμις ἐστὶν / Ἠελίου τυτθὴν ἄντα φέρειν δαΐδα, / οὐδὲ Προαιρεσίου ῥήτρῃ[415] βροτὸν ἄλλον ἐρίζειν / ὅς ποτε ἀρ-

„Kekropia: Rühme dich nicht mehr. Nicht mehr ist es Recht, der Sonne eine kleine Fackel entgegen zu tragen, und nicht, dass ein anderer Sterblicher mit der Rede des

Kekropiden genannt."). Vgl. Ampel. 15, 1 Arnaud-Lindet: *Cecrops rex qui urbem condidit Athenas et ex suo nomine Cecropidas appelavit cives* („Der König Kekrops, der die Stadt Athen gründete und ihre Bürger nach seinem Namen Kekropiden nannte."). Zu Kekrops vgl. oben Kapitel 3. 1. 2. 1.

[410] Vgl. oben Anm. 402.

[411] Vgl. z. B. E. *Med.* 824f.: Ἐρεχθεῖδαι τὸ παλαιὸν ὄλβιοι / καὶ θεῶν παῖδες μακάρων („Söhne des Erechtheus, früher glücklich und Kinder der seligen Götter").

[412] Gr. Naz. *or.* 43, 3, 13-23.

[413] Vgl. Bernardi (1992) 38f. 122f. Anm. 5.

[414] Vgl. Stephanus (1829/1865) 5, 1415 AB s. v. sowie Call. *Dian.* 227 (und dazu den Kommentar von Bornmann [1968]); ferner Cat. 64, 79: *Cecropiam solitam esse dapem dare Minotauro* („Kekropia pflegte, den Minotaurus zu füttern") und 64, 82f.: […] *quam talia Cretam / funera Cecropiae nec funera portarentur* („[…] als dass man solche Leichen, die noch keine Leichen waren, von Kekropia nach Kreta beförderte"). Vgl. A. R. 1, 95. 214; 4, 1779.

[415] Im übertragenen Sinn (vgl. LSJ 1570 s. v. III) erst seit Lukian (z. B. *Tox.* 35).

τιτόκοις κόσμον ἔσεισε λόγοις. / Βροντὴν Ἀτθὶς ἔνεικε νεόκτυπον· ἀλλὰ σοφιστῶν / πᾶν γένος ὑψιλόγων εἶκε Προαιρεσίῳ / εἶξε μέν· ἀλλά μιν ἔσχε μόρῳ φθόνος· οὐκέτ' Ἀθῆναι / κύδιμοι·[416] ὦ νεότης, φεύγετε Κεκροπίην.	Prohairesios wetteifert, der die Welt mit eben noch geborenen Worten erschütterte. Atthis trägt einen grade geschleuderten Donner; das ganze Geschlecht der hochredenden Sophisten wich Prohairesios. Es ist gewichen, aber Neid hält ihn schicksalgemäß. Nicht mehr ist Athen berühmt: O Jugend, fliehe Kekropia."[417]

Gregor von Nazianz stellt in diesem Gedicht kompakt dar, was er mit Athen verbindet: große Vergangenheit und große Gegenwart (das heißt aber für Gregor hier: jüngste Vergangenheit). Die große Vergangenheit wird durch die Bezeichnung Athens als Κεκροπίη angedeutet, ein Hinweis auf das Geschlecht des Kekrops, das er in der Trauerrede auf Basilius als nichtig bezeichnet hatte. Wichtiger ist ein zweiter Aspekt: Bis zum Zeitpunkt des Todes des Prohairesios stand Athen als *das* Zentrum der Rhetorik als erste Adresse für die Jugend da, die die höhere Ausbildung anstrebte. Die Bezeichnung Athens als Kekropsstadt weist hier ebenfalls auf die Rhetorik hin. Andererseits öffnet die Zugehörigkeit des Prohairesios zum Christentum eine weitere Interpretation: Nach dem Tod des Prohairesios ist Athen nur noch 'Kekropia', heidnische Vergangenheit. Mit ihm ist sowohl die Rhetorik als auch das christliche Athen 'untergegangen' und besitzt keinen Reiz mehr für die Jugend; sie soll diese Stadt jetzt meiden.

5) *Gregor auf Kolonos.* Die beiden Reden Gregors von Nazianz gegen Julian[418] sind eine der reichsten Quellen für die Mythologie im Werk der Kappadokier. Dies hängt mit dem „Mittel der Darstellung"[419] zusammen, das diese Reden beherrscht, der Synkrisis.[420] Die Synkrisis bezieht neben Erziehung, Ethik, Kirche, Märtyrern, Mönchtum, Theoria und Praxis auch die Mythen in den antithetischen Vergleich mit ein.

Das einzige greifbare Beispiel für einen Hinweis auf athenische Mythologie steht allerdings in einem anderen Zusammenhang. Es ist kein Vergleich der heidnischen mit den christlichen Errungenschaften oder Leistungen, und bringt zugleich gewisse Schwierigkeiten mit sich.

[416] An dieser Stelle ungewöhnlich. Das ohnehin seltene Wort wird an sich ausschließlich auf Götter bezogen; es findet sich nicht in *Ilias* und *Odyssee*, bei den großen Tragikern und den hellenistischen Dichtern Apollonios Rhodios und Kallimachos. Das verwandte und gleichbedeutende (vgl. LSJ 1005 s. v. κύδιμος) Wort κυδάλιμος, bei Homer ein stehendes Epitheton für Menelaos, wird auch auf Völker übertragen (*Il.* 6, 184; A. R. 1, 143; 4, 266).

[417] Gr. Naz. *epitaph.* 5 (PG 38, 13). Intertextuelle Bezüge zu frühen und klassischen griechischen Autoren, aber auch innerhalb des Werkes Gregors bei Criscuolo (1994) her.

[418] Allgemein zu den Gegnern Julians vgl. Geffcken (1908b).

[419] Kurmann (1988) 22.

[420] Vgl. Kurmann (1988) 20-24.

Gregor von Nazianz rügt Julian, da er angeordnet hatte, Christen sollten vom Unterricht ausgeschlossen sein, und es solle ihnen die Lehrerlaubnis entzogen werden.[421] Der Kirchenvater stellt Julian die Frage, was er getan hätte, wenn so, wie er den Christen die Bildung, auch einst die großen Kulturen ihre kulturellen Errungenschaften wie Zahlen, Schmiedekunst, Dichtkunst u. ä. der übrigen Menschheit vorenthalten hätten. In diesem Zusammenhang fragt er:[422]

Γεωργίας δὲ καὶ ναυπηγίας,[423] τί φήσομεν, ἂν ἀπελαύνωσιν ἡμᾶς Ἀθηναῖοι, τὰς Δήμητρας καὶ τοὺς Τριπτολέμους διηγούμενοι καὶ τοὺς δράκοντας,[424] ἔτι δὲ Κελεοὺς τε καὶ Ἰκαρίους καὶ πᾶσαν τὴν περὶ ταῦτα μυθολογίαν[425] ἣ καὶ μυστήριον ὑμῖν αἰσχρὸν ταῦτα ἐποίησε καὶ νυκτὸς ὄντως ἄξιον;

„Was sollen wir sagen, wenn uns die Atheiner auf einmal Landwirtschaft und Schiffbau verbieten und als Begründung Gestalten wie Demeter und Triptolemos anführen oder den Drachenwagen, und dazu noch Keleos und Ikarios und die ganzen Märchen darüber, die daraus auch noch einen von uns aufs Schärfste abgelehnten Kult gemacht haben, der wahrhaft in das Dunkel der Nacht gehört?“[426]

Mit dem Hinweis auf die Erfindung oder zumindest erste Anwendung des Ackerbaus durch die Athener bewegt sich Gregor, wie alle Kommentare erklären, auf

[421] Zum sogenannten ‘Rhetorenedikt’ Julians vgl. Pack (1986) 261-300; Klein (1981).

[422] Ausführlicher zum Folgenden Breitenbach (2000).

[423] Haeuser (1928) 144 *ad loc.* „Der Text liest ναυπηγία, doch möchte ich, da in folgendem nur auf Ackerbau und Weinbau verwiesen ist, vorschlagen: ἀμπελουργία.“ Von Lefherz (1957) 39 und Kurmann (1988) *ad loc.* als Konjektur abgelehnt.

[424] In die Räder des Wagens, auf dem Triptolemos den Völkern den Ackerbau bringt, waren teilweise Schlangen eingeflochten (zu archäologischen und literarischen Belegen vgl. Schwenn [1939]). Kurmann (1988) *ad loc.* weist auf eine andere Interpretationsmöglichkeit hin (er greift zurück auf Masson-Vincourt [1976]; es handelt sich um die parallele Stelle Gr. Naz. *or.* 39, 4), indem er in den Schlangen den verwandelten Zeus sieht, d. h. „die Vereinigung von Zeus als Schlange mit Persephone.“ Vgl. dazu auch Gr. Naz. *or.* 5, 31, 19-23.

[425] Die Mythologie geht auf den homerischen Demeter-Hymnus zurück.

[426] Gr. Naz. *or.* 4, 108, 14-19. Vgl. zu dieser Stelle Lefherz (1957) 39f., Kurmann (1988) *ad loc.* Vgl. auch Gr. Naz. *or.* 39, 4. Dort wird, in der „Rede auf das Fest der hl. Lichter,“ also Epiphanie, die christliche Feier den heidnischen Bräuchen – wieder in Form einer Synkrisis – gegenübergestellt. Gregor fragt *or.* 39, 3, 3f.: Μή τι τοιοῦτο μυσταγωγοῦσιν Ἕλληνες; und nach allgemeiner Kritik folgen einzelne Beispiele, darunter auch das folgende: Gr. Naz. *or.* 39, 4, 9-14: Οὐδὲ κόρη τις ἡμῖν ἁρπάζεται καὶ Δημήτηρ πλανᾶται καὶ Κελεοὺς τινας ἐπεισάγει καὶ Τριπτολέμους καὶ δράκοντας καὶ τὰ μὲν ποιεῖ, τὰ δὲ πάσχει. Αἰσχύνομαι γὰρ ἡμέρᾳ δοῦναι τὴν νυκτὸς τελετὴν καὶ ποιεῖν τὴν ἀσχημοσύνην μυστήριον. Οἶδεν Ἐλευσὶς ταῦτα καὶ οἱ τῶν σιωπωμένων καὶ σιωπῆς ὄντως ἀξίων ἐπόπται („Ist uns nicht das Mädchen (Kore) geraubt worden, und Demeter irrt umher und bringt irgendwelche Gestalten wie Keleos und Triptolemos und Drachen herbei und macht bald dies, leidet bald das. Ich schäme mich, diesen Brauch der Nacht dem Tag anzuvertrauen und die Unanständigkeit zu einem ‘Mysterion’ zu machen. Eleusis kennt das und die ‘Epopten’ der verschwiegenen und des Verschweigens wahrhaft würdigen [sc. Mysterien].“) und zu dieser Stelle Masson-Vincourt (1976). Kurmann (1988) sagt 360 zu 104: „Gregor arbeitet hier bewusst oder aus Unkenntnis ungenau und bekommt so die Möglichkeit, eine Polemik gegen das von ihm auch sonst angegriffene Eleusis mit seinem Kult anzufügen.“ Zur Formulierung vgl. Clem. *prot.* 22, 1 oben S. 88 Anm. 98.

traditionellem Boden.[427] Er kann außerdem durch die Erwähnung Demeters eine spitze Bemerkung gegen den eleusinischen Mysterienkult fallen lassen, indem er andeutet, dieses Geschenk der Demeter habe der Nachwelt, also Athen – Gregor sagt verallgemeinernd „uns" – zugleich auch die Eleusinischen Mysterien „verschafft" (ἐποίησε).

Die Unsicherheiten über die zweite 'Erfindung' fangen bereits in der Spätantike an. Der aus dem sechsten Jahrhundert stammende und unter dem Namen des Nonnos verfasste Kommentar[428] zu den Reden Gregors von Nazianz erklärt unter dem Stichwort zur Stelle περὶ τῆς γεωργίας καὶ ναυπηγίας die Sage über den Raub der Proserpina und den Besuch der Demeter bei Triptolemos nebst dem anschließenden Geschenk des Getreides. Zur Schifffahrt bemerkt der Kommentator, „der göttliche Gregor" schreibe zwar den Athenern die Erfindung des Schiffbaus zu, er geht aber davon aus, Gregor meine damit die Kriegsschifffahrt (οἶμαι δὲ αὐτὸν λέγειν περὶ τῆς ναυμαχικῆς τέχνης). Für den Schiffbau würden nämlich andere Erfinder überliefert.[429]

Die neueren Kommentatoren bestätigen diese Annahme und weisen auf eine Überlieferung bei Plinius hin, der *nat. hist.* 7, 207 erklärt, ein Hegesias habe den Parhalos als ersten auf einem Kriegsschiff segeln lassen.[430] Um die mythologische Ebene zu wahren, in der dieser Abschnitt gehalten ist, ist Parhalos als Sohn des Poseidon zu denken. Die Verehrung des Parhalos in Athen, zum einen kultischer Art, zum anderen durch die Benennung eines Staatsschiffes mit seinem Namen, habe auf diese Weise durch Analogiebildung zu einer Übertragung auch des Schiffbaus insgesamt auf die Athener durch Gregor geführt.[431] Ähnliches wäre zu denken bei der Erfindung des Schiffbaus durch Athene, die Kurmann in Erwägung zieht.[432]

[427] Lob der Fruchtbarkeit war ein Topos des Athenlobes, vgl. Kienzle (1936) 32 und 53 (Hinweis auf A. *Eum.* 903-911); Demeter hat den Athenern den Ackerbau geschenkt, vgl. Pflugmacher (1909) 22; Schröder (1914) 19ff.; Pl. *Mx.* 237e 5-238a 3; Isoc. 4, 28f.

[428] Vgl. darüber Lefherz (1957) 113-124.

[429] [Nonnos] 67, 15-19 (CCG 27, 134): Λέγει δὲ ὁ θεῖος Γρηγόριος ὅτι καὶ ἡ ναυπηγία παρὰ Ἀθηναίοις εὕρηται. οἶμαι δὲ αὐτὸν λέγειν περὶ τῆς ναυμαχικῆς τέχνης. ναύμαχοι γὰρ κατ' ἄκρον Ἀθηναῖοι. ναῦς γὰρ λέγονται πρῶτοι Φοίνικες ναυπηγῆσαι, τριήρεις δὲ ἡ Σεμίραμις („Der göttliche Gregor sagt, dass auch der Schiffbau bei den Athenern erfunden wurde. Allerdings glaube ich, er spricht über die Kriegsschifffahrt, denn hauptsächlich kämpfen die Athener zur See. Schiffe sollen nämlich zuerst die Phönizier gebaut haben und Trieren Semiramis.").

[430] Plin. *nat. hist.* 7, 207: *Longa nave Iasonem primum navigasse Philostephanus auctor est, Hegesias Parhalum, Ctesias Semiramin, Archemachus Aegaeonem* („Dass Jason zum ersten Mal auf einem Kriegsschiff gesegelt ist, behauptet Philostephanos; Hegesias behauptet dasselbe von Parhalos, Ktesias von Semiramis, und Archemachos von Aigaion"); vgl. Lefherz (1957) 40; Kurmann (1988) 360.

[431] Zu Parhalos und seiner Verehrung in Athen vgl. Höfer (1897/1902) 1567. Zur 'Analogie-Theorie' vgl. Lefherz (1957) 40, Kurmann (1988) 359f.

[432] Vgl. Kurmann (1988) 360.

Nicht erwähnt wird, dass neben dem Geschenk des Ackerbaus durch Demeter auch das Geschenk des Schiffbaus durch Poseidon[433] ein Topos des Athenlobes ist.[434] So preist Sophokles dieses Ereignis in den höchsten Worten, da Poseidon bei Athen seine Pferde erstmals gezügelt habe.[435] Sophokles scheut sich im selben Chorlied nicht, die Verbindung von Demeter und Dionysos, bei Gregor durch Ikarios vertreten, anzusprechen.[436] Unmittelbar vor der Stelle, an der dieses Göttergeschenk genannt ist, werden andere charakteristische Eigenschaften Athens angeführt, die auch Gregor von Nazianz häufig erwähnt: Sophokles beschreibt den Kolonosfelsen bei Athen und nennt den Reichtum an Nachtigallen (*OC* 670-673); „goldener" Krokos blühe da und Aphrodite mit ihrem „goldenem" Zügel meide den Ort ebensowenig wie der Chor der Musen (684-693). Schließlich lobt er in der letzten Chorstrophe vor dem Preis des Poseidon-Geschenks die ausgesprochene Fruchtbarkeit dieses Ortes. Betrachtet man die verschiedenen Epitheta, die Athen bei Gregor erhält, so kann man dieses Chorlied als zentrale Schlüsselstelle für die Athenbilder Gregors ansehen:

Auch Gregor nennt Athen das „wahrhaft goldene" (χρυσοῦς ὄντως), er weist auf die Gastfreundschaft (πρόξενοι) hin, er rühmt die Beherrschung und den Umgang mit den τέχναι in Athen, er bezeichnet Athen als die Ἀτθὶς ἀηδών[437] und er weist, wie zuletzt gesehen, in mythologischem Zusammenhang auf die Fruchtbarkeit Athens hin und auf den Schiffbau, der dort entstanden sein soll.[438]

433 Vgl. dazu Wüst (1953) 482f.

434 An der vorliegenden Stelle spielen verschiedene Aussageabsichten in eins. Gregor wählt dieses *Exemplum* auch deshalb aus, weil er so Julians (getadeltes) Verhalten dem (richtigen) Verhalten der Athener gegenüberstellen kann, die ihre kulturellen Errungenschaften an die ganze Welt weitergeben wollten (vgl. dazu auch Aristid. 1, 74 Lenz-Behr). Athen galt auch noch für Julian als Zentrum Griechenlands. Zum Athenbild Julians vgl. Bregman (1997). *Or.* 2, 12, 118d (1, 1, 92 Bidez) bezeichnet Julian Griechenland (gemeint ist aber Athen) als sein 'wahres Vaterland'; vgl. Van Dam (2002) 201f.

435 S. *OC* 709-719: Ἄλλον δ' αἶνον ἔχω μα- / τροπόλει τᾷδε κράτιστον, / δῶρον τοῦ μεγάλου δαίμονος, εἰπεῖν, / <χθονὸς> αὔχημα μέγιστον, / εὔιππον, εὔπωλον, εὐθάλασσον. / ὦ παῖ Κρόνου, σὺ γάρ νιν ἐς / τόδ' εἷσας αὔχημ', ἄναξ Ποσειδάν, / ἵπποισιν τὸν ἀκεστῆρα χαλινὸν / πρώταισι ταῖσδε κτίσας ἀγυιαῖς. / ἁ δ' εὐήρετμος ἔκπαγλ' ἁλία χερσὶ / †παραπτομένα† πλάτα / θρῴσκει, τῶν ἑκατομπόδων / Νηρῄδων ἀκόλουθος („Noch einen anderen Lobpreis weiß ich / Für diese meine Mutterstadt / Als kräftigsten zu nennen, / Die Gabe des großen Gottes, / Die guten Rosse, die guten Füllen, / Die gute Seefahrt. / O Sohn des Kronos – / Denn du hast sie, / Die Stadt, zu diesem Ruhm erhoben –, / Herrscher Poseidon, der du den Pferden / Den heilsamen Zügel hast bestellt / Zuerst auf unseren Straßen. / Und über die See / Springt gut geführt, den Händen eingepaßt, / Mächtig dahin das Blatt des Ruders, / Begleiter der hundertfüs-sigen / Meerestöchter." [Übersetzung Schadewaldt]). Vgl. Paus. 7, 21, 9 über Pamphos, der „den Athenern ihre ältesten Hymnen geschrieben hat" und ebenfalls sagt, Poseidon habe (sc. den Athenern) Schiffe geschenkt.

436 Zu der Verbindung Demeter-Dionysos vgl. McDevitt (1972) 233.

437 Zu diesen 'Bildern' bei Gregor siehe oben S. 150-153 (goldenes Athen; Athen als πρόξενοι), S. 232-233 (die τέχναι in Athen) und S. 186-187 (die 'Nachtigall' Athen).

438 Vgl. auch das Panathenäenschiff bei den Großen Panathenäen und dazu Göttlicher (1992) 108-110.

Blickt man mit der Schablone der Darstellung Athens in der Schilderung von der Ankunft des Oidipus durch Sophokles auf die Charakterisierung Athens durch Gregor von Nazianz zurück, wird deutlich, dass sowohl da, wo persönliche positive Erfahrungen geschildert werden (z. B. bei der Ankunft in Athen), als auch da, wo Kritik an der heidnischen Geschichte und dem heidnischen Mythos um diese Stadt geübt wird (z. B. Kritik an den großen Geschlechtern Athens, die sich auf eine heidnische Vergangenheit berufen), die eigene heidnisch-antike Bildung Gregors präsent ist.

4. 3 ERGEBNIS: STRATEGIEN IM UMGANG MIT ATHEN

In dem zweiten Hauptteil dieser Untersuchung wurden in erster Linie die Stellen behandelt, an denen die drei großen kappadokischen Kirchenväter Basilius von Caesarea, Gregor von Nazianz und Gregor von Nyssa die Stadt Athen explizit erwähnen.

Gregor von Nazianz konnte in jedem Abschnitt des Großkapitels angeführt werden, zunächst bei der Übersicht über die Korrespondenz, dann bei der Bewertung der Philosophie in Athen und der Rezeption des Kapitels über Athen in der *Apostelgeschichte*, schließlich bei der Untersuchung historischer und mythologischer *Exempla*. Oft war er sogar die einzige Quelle, etwa als 'Berichterstatter' über seines und des Basilius Athenaufenthalt.

Bei Basilius von Caesarea hingegen fällt die spärliche Erwähnung Athens auf. Als enger Freund Gregors von Nazianz während der Athener Studienzeit ist die Diskrepanz zwischen den beiden späteren Kirchenvätern so bemerkenswert, dass man nicht umhin kommt, nach Gründen dafür zu suchen, dass Basilius Athen als ehemaligen Studienort in seinen Schriften regelrecht verschweigt. Es ist sicher von Relevanz für diese Frage, dass seine Reden zum größten Teil Homilien oder Lobreden auf Märtyrer sind. Unter ihnen finden sich daher so gut wie keine Athen-Reminiszenzen, außer bei der Perikope aus der *Apostelgeschichte*. Die Unterweisung an die jungen Leute *Über den Nutzen aus der heidnischen Literatur* sowie seine Briefe waren in dieser Hinsicht ertragreicher, doch nur in gewisser Weise: Finden sich hier doch hauptsächlich *Exempla* aus der Geschichte, die im Rahmen dieser Unterweisung oder auch in Briefen an heidnische Würdenträger als Verdeutlichung der eigenen Lage angeführt werden. Ein 'Athenbild' kann daraus schwer gewonnen werden; allenfalls lässt die fehlende Erwähnung des zeitgenössischen Athen darauf schließen, dass er dieses Zentrum heidnischer Kultur bewusst ignoriert. Der einzige Beleg über den eigenen Aufenthalt dort stützt diesen Befund durch seine abwertende Tendenz.

Wieder anders Gregor von Nyssa: Er behandelt Athen vorwiegend im Zusammenhang der Rezeption des Athen-Abschnittes der *Apostelgeschichte* ausführlicher. Möglicherweise vermeidet er bewusst jede Athentopik im Stile Gregors von Nazianz und lehnt sich an die Verdrängungsstrategie seines Bruders Basilius an, oder es fehlen ihm persönliche Eindrücke für ein ausgiebigeres Interesse an der Stadt.

Die in thematischem Zusammenhang erfolgte Analyse der behandelten Texte in Verbindung mit der eben geschilderten Tatsache unterschiedlicher Häufigkeit der

Erwähnung Athens hat zu einer Reihe interessanter Beobachtungen und Ergebnisse geführt:

1) In Athen studiert zu haben, war für die Kirchenväter des vierten Jahrhunderts, die der höheren Gesellschaftsschicht entstammten, nicht ungewöhnlich.

2) In der Korrespondenz und Auseinandersetzung mit anderen Christen allerdings, die diese Ausbildung nicht genossen haben, kann ein Rechtfertigungsdruck entstehen, der selbst einen φιλαθήναιος wie Gregor von Nazianz dazu bringt, die in christlicher Literatur stereotyp angeführte Hilfsfunktion der heidnischen Bildung in der Auseinandersetzung mit Gegnern des Christentums zu betonen. Dies verursacht bei Gregor von Nazianz allerdings Widersprüche im Verhältnis zu anderen Darstellungen seiner Athener Zeit und auch der Motive, nach Athen zu gehen, die er sonst nicht so sehr in der Ausbildung apologetischer Fähigkeiten, sondern vielmehr in dem von Natur aus angelegten Bildungsdurst sieht. Deswegen war auch Athen sein Ziel, das 'Fundament der Rhetorik', das er in Anlehnung an traditionelle Topik des Athenlobes an verschiedenen Stellen seiner Schriften preist.

3) Ähnliche Widersprüche lassen sich auch bei Basilius von Caesarea aufdecken. Hier können diese Widersprüche nicht in seinen eigenen Schriften aufgezeigt werden, sondern durch einen Vergleich der einzigen eigenen Bezugnahme auf seine Athener Studienzeit mit den Zeugnissen der anderen beiden Kappadokier. Er stellt die Studienzeit als Fehlentwicklung dar, die er durch das Verlassen Athens korrigiert habe, bezeichnenderweise in Briefen an einen Verfechter strenger Askese.

4) Während Athen als Zentrum der Rhetorik seine Stellung zumindest bei Basilius und Gregor von Nazianz – bei Gregor von Nyssa fehlen die Zeugnisse – behaupten kann, so ist die Philosophie, die in Athen gelehrt wurde und wird, nur bedingt thematisiert. Meistens wird allgemein der Philosophie, die Athen repräsentiert, die christliche Lehre als Philosophie gegenübergestellt oder vielmehr: Sie wird durch diese ersetzt. Die heidnischen Philosophen aus Athen werden ganz nach dem jeweiligen Zusammenhang der Schrift – und losgelöst von ihrem Wirkungsort Athen, der nur selten andeutungsweise im Hintergrund steht – entweder als Vorbilder herangezogen oder unterschiedslos als 'Irrlehrer' oder inhaltliche oder literarische Vorbilder von Häretikern verurteilt.

5) Im Gegensatz dazu dient die *Apostelgeschichte* mit ihrem Abschnitt über den Besuch des Paulus in Athen weniger der Kritik der heidnischen Philosophen. Wenn diese Stelle angeführt wird, fungiert sie als Vergleichspunkt für Gegner aus den eigenen, d. h. christlichen Reihen, und das Szenario des ersten Zusammentreffens von Christentum und Heidentum in Athen wird als historische Schilderung abgesetzt von den aktuellen Ereignissen, die die Kappadokier beschäftigen.

6) Ungeachtet der genannten Indifferenz in der Bewertung Athens, ist es vor allem Gregor von Nazianz, der mit Athen seine Studienzeit verbindet. Dies zeitigt

nicht nur Auswirkungen bis in seine Gegenwart in dem Sinn, dass Bekanntschaften, die damals geschlossen wurden, durch das Stichwort des Studienortes wiederbelebt und Dienste im Namen des ehemaligen gemeinsamen Studiums beansprucht werden. Er weist auch die Jugend auf seinen eigenen wissenschaftlichen Werdegang hin und empfiehlt ihn ihr genauso, wie er in Kritik an den zeitgenössischen kirchlichen Würdenträgern diesen ihre mangelnde wissenschaftliche Ausbildung vorwerfen kann.

7) Diese wissenschaftliche Ausbildung ist es auch, die bei allen drei Kappadokiern dazu führt, dass historische und mythologische *Exempla* in ihre Schriften, Reden und Briefe eingestreut sind. Das historische Athen steht hier – erneut fehlen in diesem Zusammenhang Belege bei Gregor von Nyssa – für Demokratie und Selbstbestimmung, und es sind naturgemäß die Standesgenossen, d. h. die gebildete Oberschicht, die mit Beispielen aus diesem Umfeld auch auf die Bildung der Kirchenväter hingewiesen werden.

8) Während also die Geschichte Athens oder zumindest das ‘klassische’ Athen eine Vorbildfunktion erhält, werden die mit Athen verbundenen Mythen, wie die Mythen in den Schriften der Kirchenväter insgesamt, einer scharfen Kritik unterzogen, was erneut ausschließlich anhand der Schriften Gregors von Nazianz aufgezeigt werden konnte. Selbst in Zusammenhängen, die positive, traditionell mit Athen verbundene kulturelle Leistungen nennen, wird mit Kritik an Mythen, die im Gegensatz zu aktuellen großen christlichen Leistungen unwahres Fabulieren sind, nicht gespart. Während sich diese Kritik zum Teil auf den Mythos in seiner Gesamtheit bezieht, ist im besonderen die mit den Göttinnen des Mysterienkultes von Eleusis verbundene Sage für den Nazianzener ein Grund, eine besonders negative Charakterisierung der athenischen Mythologie vorzunehmen. Dass der Rahmen der Darstellung dieser Kritik sowie andere Werke, z. B. die Gedichte, sich zum einen selbst der Mythen als Mittel der Darstellung bedienen sowie auf Werke klassischer Autoren Bezug nehmen, die Mythen thematisieren, bringt einmal mehr zum Ausdruck, wie sehr insbesondere Gregor von Nazianz zwischen klassischer Bildung und christlichem Bekenntnis hin- und hergerissen ist.

Eine abwägende und vergleichende Bewertung der Bedeutung, die Athen in den Schriften der drei Kirchenväter einnimmt, ist unter den genannten Voraussetzungen problematisch.

Sicher ist es einfach, bei einer Vielzahl von Belegen, wie sie bei Gregor von Nazianz zu finden sind, Inkonsequentes und Widersprüchliches aufzudecken wie z. B. das eben dargestellte Schöpfen aus heidnischen Quellen und die gleichzeitige Kritik an ihren Themen. Derartiges hatte schließlich schon der Apostat Julian zum Anlass genommen, Christen literarische oder rhetorische Tätigkeit zu untersagen. Andererseits lässt sich bei Gregor von Nazianz durchgängig eine Bewunderung und auch Zuneigung zu seinem ehemaligen Studienort beobachten, die gerade im Alter in seinen Gedichten ihren Niederschlag findet.

Die rhetorische Ausbildung in Athen zumindest nicht explizit zum Thema zu machen, wie dies bei Basilius und Gregor von Nyssa anhand der vorliegenden Werke der Fall ist, bietet – vor allem innerkirchlich in Auseinandersetzung mit asketischen Strömungen – weniger Ansatzpunkte zu Kritik. Als Leiter einer Kirchenprovinz und im Umgang mit Christen verschiedener Richtungen wäre eine Überbetonung der eigenen Bildung und des eigenen Standes durch Basilius von Caesarea von Nachteil gewesen. Ungeachtet dessen ist sich Basilius des Nutzens der heidnischen Bildung und Literatur bewusst; er macht dies zum Thema einer Schrift, die er an die Jugend richtet, und weist somit indirekt in die gleiche Richtung wie Gregor von Nazianz, der ausdrücklich den eigenen Bildungsweg als vorbildlich darstellt. Dass gerade in dieser Schrift die *Exempla* in großer Zahl aus der Geschichte Athens genommen sind, liegt in der Tatsache begründet, dass die durch ihre Schulen bekanntesten Philosophen sowie bedeutende Politiker hier ihre Wirkungsstätte hatten.

Das Schweigen des Nysseners über Athen lässt sich nicht aus der gleichen Motivation wie das seines Bruders begründen. Bei ihm kommt der Aspekt hinzu, dass das Schweigen über eine Stadt, die er ausschließlich aus Berichten anderer kennt, weniger außergewöhnlich ist als das Schweigen seines Bruders über eine Stadt, in der er mehrere Jahre verbracht hat. Wenn Gregor von Nyssa also aus dem einzigen Bericht über Athen, den er in seinen Werken verarbeitet hat, nämlich dem der *Apostelgeschichte*, den Reichtum an heidnischen Heiligtümern betont sowie – unter Hinweis auf den historischen Zug der Erzählung – die dort gegebene Charakterisierung der Athener erwähnt, ist dies keine Kritik an Athen. Es ist die Anführung eines historischen *Exemplums* auf die Gegenwart des Schreibers, die als solche bewusst kenntlich gemacht wird.

5 AUSBLICK: EIN BISCHOF IN ATHEN – KONTINUITÄT ODER BRUCH?

5. 1 EINLEITUNG

Die Frommen warnen vor Athen, die Stadt ist in einem Götterwahn, sie ist Fundament der Rhetorik und immer noch Sitz der Wissenschaften, aber ihre Blütezeit ist vorbei, sie spielt historisch keine Rolle mehr und zehrt nur noch von den großen Tagen der Vergangenheit. Das war in Stichworten die Situation im vierten Jahrhundert n. Chr., wie sie sich in den Schriften des Eusebius von Caesarea und der großen Kappadokier dargestellt hat.

Es soll nun ein kühner Sprung gewagt werden, vom Ende des vierten an die Wende vom zwölften zum dreizehnten Jahrhundert, um zu sehen, welche Perspektive die Stadt Athen hat: Behält das christliche Athen denselben Stellenwert, wie ihn das heidnische hatte, oder wird Athen neben dem Kaisersitz Konstantinopel in der endgültigen Bedeutungslosigkeit versinken?

Hier kann keine politische, wirtschaftliche und soziale Geschichte der Stadt während des genannten Zeitraumes von acht Jahrhunderten gegeben werden. Man ist für eine Untersuchung dieser Zeit meist auf ältere Arbeiten verwiesen[1] und kann insgesamt zu dem Ergebnis kommen, dass die politische Bedeutung der Stadt keinen nennenswerten Zugewinn mehr erlebt hat. Das Urteil über die Zeit nach Justinian ist in den wenigen Darstellungen teilweise pathetisch, aber einheitlich: „Die edelste der Menschenstädte trat hoffnungslos in ihre dunkelste byzantinische Epoche ein, in welcher sie nichts mehr war als die ausgebrannte Schlacke des idealen Lebens ihrer Vergangenheit.“[2]

Verkürzt,[3] doch nicht unzutreffend kann man sagen, dass aus der Zeit zwischen der Schließung der Akademie[4] und dem Auftreten des Michael aus Chonai ledig-

[1] Vgl. Gregorovius (1889) 39-138.

[2] Gregorovius (1889) 58; vgl. 136: „Nach dem Sturze der Kaiserin Theophano verschwindet Athen, wie das ganze Hellas, für unsere Kenntnis so völlig vom Schauplatz der Geschichte, daß wir Mühe haben, den Namen der erlauchten Stadt irgendwo im Zusammenhange mit den Ereignissen der Zeit zu entdecken.“ Ähnliche Formulierungen liest man auch in anderen Darstellungen, z. B. Janin (1931) 18: „Athènes continua sa vie obscure pendant les sept siècles du régime byzantin.“

[3] Zu einigen Belegen über die Geschichte Athens von der Kaiserzeit bis zum 12. Jh. Setton (1944) 180-182.

[4] Frantz hat wiederholt ([1965] 38, [1975] 199) darauf hingewiesen, dass das Studium des Theodor von Tarsus, des späteren Erzbischofs von Canterbury, ein Beleg dafür sei, dass auch

lich folgende größeren Ereignisse, die mit Athen zusammenhängen, bekannt sind: die Einfälle der Slawen in Griechenland, die auch Athen betrafen (579-584),[5] der Besuch Konstans' II. in Athen (ca. 652/3),[6] die Proklamation eines Atheners zum Kaiser und dessen Vernichtung im Jahr 727,[7] die Vermählung der Irene (aus Athen) mit Leo (dem späteren Leo IV.),[8] dem Sohn des Konstantin Kopronymos, und ihrer Nichte Theophano mit Staurakios (Ende achtes/Anfang neuntes Jahrhundert), dem Sohn des Nikephoros I., der Besuch des Missionars Nikon in Athen und die Tatsache, dass ein Athener Metropolit in Sparta ist (zehntes Jahrhundert), sowie überhaupt die Erhebung Athens zum Metropolitensitz Anfang des neunten Jahrhunderts, die Steinigung eines unliebsamen Staatsbeamten durch die Bevölkerung der Stadt (zehntes Jahrhundert),[9] der Besuch des Basilius II. in Athen (elftes Jahrhundert) nach den Verwüstungen durch die Bulgaren und dem Sieg dieses Kaisers über die Feinde und schließlich die Klagen des Michael Psellos (1018-ca. 1097) über den Verfall der Stadt.[10]

Bis zu dem für uns als einschneidend empfundenen Akt der Schließung der Akademie durch Justinian im Jahr 529[11] gibt es noch diverse Zeugnisse, beispielsweise über die Diskrepanz zwischen dem Ruhm der Stadt und ihrem tatsächlichen Zustand[12] bei Synesios[13] sowie über einen teilweise blühenden Betrieb der neupla-

nach dem Edikt des Justinian ein Lehrbetrieb in Athen stattfand. Sie ist sich allerdings nicht sicher, welcher Schluss aus den Quellen gezogen werden kann: „Some slight scepticism might be retained as to whether Theodore actually studied at Athens, or whether the prestige of Athenian education was still so great as to cause its bestowal, *honoris causa*, on a man who had achieved such distinction." Frantz (1965) 200 Anm. 78.

5 Vgl. Metcalf (1962).

6 Vgl. Paulus Diaconus *Historia Langobardorum* 5, 6 (Monumenta Germaniae Historica; Scriptores rerum Langobardicarum et Italicarum 146); Janin (1931) 19.

7 Vgl. Janin (1931) 18f.

8 Vgl. Theophanes *Chronographia* 1, 444, 15-25 de Boor.

9 Vgl. Janin (1931) 19.

10 Zum Urteil des Johannes Geometres über Athen oben S. 24; Hunger (1990) 51f.

11 Vgl. Cameron (1969); af Hällström (1994); Fowden (1995) 565-567. Für archäologische Befunde und Fragestellungen zu Athen in der Zeit vom Herulereinfall 267 bis 529 vgl. Fowden (1995); Castrén (1994); Thompson (1959). Zum Herulereinfall vgl. Kettenhofen (1992).

12 Der Verfall der philosophischen Schulen, hier konkret der Schulgebäude, ist nach Cameron (1969) 8 dem Edikt Justinians vorausgegangen; dabei handelt es sich allerdings um „a matter of some dispute", Frantz (1975) 36-38.

13 Synes. *Ep.* 136, 7ff. Roques: Ὡς οὐδὲν ἔχουσιν αἱ νῦν Ἀθῆναι σεμνὸν ἀλλ' ἢ τὰ κλεινὰ τῶν χωρίων ὀνόματα [...] ἐνθένδε φιλοσοφίας ἐξῳκισμένης, λείπεται περινοστοῦντα θαυμάζειν τὴν Ἀκαδημίαν τε καὶ Λύκειον καὶ νὴ Δία τὴν Ποικίλην Στοάν, τὴν ἐπώνυμον τῆς Χρυσίππου φιλοσοφίας, νῦν οὐκέτ' οὖσαν ποικίλην. Ὁ γὰρ ἀνθύπατος τὰς σανίδας ἀφείλετο αἷς ἐγκατέθετο τὴν τέχνην ὁ ἐκ Θάσου Πολύγνωτος [...] αἱ δὲ Ἀθῆναι – πάλαι μὲν ἦν ἡ πόλις ἑστία σοφῶν, τὸ δὲ νῦν ἔχον σεμνύνουσιν αὐτὰς οἱ μελιττουργοί. Ταῦτ' ἄρα καὶ ἡ ξυνωρὶς τῶν Πλουταρχείων, οἵτινες οὐ τῇ φήμῃ τῶν λόγων ἀγείρουσιν ἐν τοῖς θέατροις τοὺς νέους, ἀλλὰ τοῖς ἐξ Ὑμηττοῦ σταμνίοις („So hat das Athen von heute nichts Großartiges außer den berühmten Namen der Gegend [...]; nachdem die 'Philosophie' von dort [sc. Athen] ausgesiedelt ist, bleibt dem, der herumgeht, nur noch, die Akademie zu bewundern und das Lykeion und, ja, die Stoa Poikile

tonischen Schule in der *Lebensbeschreibung des Proklos* durch Marinos (5. Jh.)[14] und in der *Lebensbeschreibung des Isidoros* durch Damaskios (ca. 462 bis nach 532), den letzten Leiter der Akademie.[15] In diesen Werken zeigt sich die ungebrochene Tradition in der Nachfolge Platons und des Sokrates, gleichzeitig aber auch der beginnende Wandel, wenn Marinos etwa von einem Sokrates-'Heiligtum' spricht und von der Lage des Hauses des Proklos, das sich unweit des Asklepios- und des Dionysiostempels befand,[16] und andererseits erwähnt, dass beispielsweise dieser Asklepiostempel *noch* nicht von den Christen okkupiert wurde,[17] und daran erinnert, wie die Athena-Statue des Parthenon durch die Christen entfernt worden ist.[18]

['bunte Stoa'], die Namengeberin für die 'Philosophie' des Chrysippos, die jetzt allerdings nicht mehr bunt ist. Der Statthalter hat nämlich die Tafeln entfernen lassen, auf denen die Kunstfertigkeit des Polygnot aus Thasos zu sehen war [...]. Athen – früher war es der Herd [die Heimstätte] der Weisen, heute preist man es wegen seiner Bienenzüchter. Daher auch das Zweigespann der weisen Anhänger Plutarchs: Sie versammeln in den 'Theatern' die Jugendlichen nicht wegen der Berühmtheit ihrer Reden, sondern mit den Töpfen vom Hymettos."). – Roques (1989) 162 datiert diesen Brief auf das Jahr 399. Sollte dieses Datum zutreffen, kann der Zustand Athens, so Cameron / Long (1993) 409f., auf die Verwüstung durch die Goten unter Alarich im Jahr 396 zurückgeführt werden (mit Hinweis auf Frantz [1988] 51-53). Eine fehlende Erwähnung dieses Ereignisses sowie Bezüge zu anderen Briefen (*Epp.* 54 und 94) führen Cameron / Long (1993) 410f. zur Datierung auf das Jahr 410 (dagegen wieder Roques [2000a] 162 Anm. 3]). Weitere Erläuterungen zu diesem Brief bei Roques (2000b) 395ff. Bereits in *Ep.* 56, kurz vor seinem Aufenthalt in Athen, äußert sich Synesios eher kritisch über die Menschen, die aus dieser Stadt kommen, und über die Ehrerbietung, die ihnen erwiesen wird oder die diese erwarten. Insofern ist seine Bewertung der Stadt, ohne sie gesehen zu haben, bereits vorgegeben. Bezeichnenderweise findet sich bereits in diesem Brief (*Ep.* 56) die Bemerkung, die Stoa sei nicht mehr bunt, in nahezu denselben Worten wie in *Ep.* 136, obwohl beide Briefe an seinen Bruder Euoptios gerichtet sind. Andererseits ist bemerkenswert, dass Athen von Synesios in *Ep.* 56, 3f. Roques als „heilige Stadt" bezeichnet wird (τὰς ἱερὰς Ἀθήνας).

[14] Zu Marinos vgl. Hult (1992) mit Literatur (176-178). Zur *Vita Procli* sowie ihrem Verhältnis zu anderen neuplatonischen Biographien siehe Blumenthal (1984).

[15] Zu Simplikios als Quelle für die Vorgänge in Athen vgl. Cameron (1969) 15-21.

[16] Marinos *Procl.* 10. 29 (66f. 85f. Masullo).

[17] Einen im Verhältnis zu anderen Arbeiten relativ starken Einfluss des Christentums in Athen stellt Fowden (1990) zur Diskussion.

[18] Marinos *Procl.* 30 (86f. Masullo): Ἡνίκα τὸ ἄγαλμα αὐτῆς [sc. τῆς Ἀθηνᾶς] τὸ ἐν Παρθενῶνι τέως ἱδρυμένον ὑπὸ τῶν καὶ τὰ ἀκίνητα κινούντων μετεφέρετο („[...] als ihr Standbild [sc. das der Athena], das bis dahin im Parthenon aufgestellt war, von denen, die auch das Unbewegliche bewegen, entfernt wurde").

5. 2 ATHEN IM ZWÖLFTEN JAHRHUNDERT

Im zwölften Jahrhundert[1] war Athen „zur kleinen Landstadt herabgesunken, die nur noch als Sitz eines Metropoliten und als Mittelpunkt des zum griechischen Thema Hellas[2] und Peloponnes gehörigen Steuerbezirkes eine bescheidene Rolle spielte."[3] Hingegen hatte die kirchliche Bedeutung erheblich zugenommen. Zum einen waren zahlreiche Kirchen, teilweise in den antiken Heiligtümern, entstanden; diese, allen voran die im Parthenon entstandene Marienkirche, zogen auch Pilger aus der Ferne an. Als Sitz eines Metropoliten nahm Athen ferner eine recht bedeutende Stellung in der Hierarchie der Reichskirche ein. Schließlich gehörten der Kirche von Athen ausgedehnte Ländereien und Besitzungen ('Kirchengüter') sowie Klöster an.[4]

Vereinzelt betonen neuere Arbeiten auch, dass es sich bei der Geschichte Athens bis in die byzantinische Zeit nicht um einen steten Abstieg gehandelt habe. Die wirtschaftliche Situation ist durch Rückschlüsse aus archäologischen Befunden als nicht so drastisch erkannt worden, wie sie die wenigen Erwähnungen Athens in der Literatur und die frühere Forschung nahelegen.[5]

[1] Einen Abriss der Geschichte Athens, hauptsächlich anhand der Baugeschichte, von der römischen Zeit bis zum 13./14. Jahrhundert findet sich bei Setton (1955). Vgl. auch Setton (1944).

[2] Siehe Charanis (1955) 164 mit Anm. 4 und 5.

[3] Stadtmüller (1934) 144 [22]. Vgl. zum Folgenden ebd. 144-154 [22-32]. Zu handwerklichen Berufen und der wirtschaftlichen Situation insgesamt in Athen vgl. Setton (1944) 195-197.

[4] Über Ursache und Entwicklung des Verfalls der zu Athen gehörenden Klöster seit dem elften Jahrhundert vgl. Stadtmüller (1934) 150f. [28f.].

[5] Vgl. z. B. Browning (1984) 299-303; Herrin (1975).

5. 3 MICHAEL VON CHONAI (CA. 1138-1222)

5. 3. 1 Forschung[1]

Die Forschung über Michael von Chonai hat bereits in der ersten Hälfte des 19. Jahrhunderts mit Adolf Ellissens Untersuchung „Michael Akominatos von Chonä. Erzbischof von Athen" eine Monographie hervorgebracht.[2]

Nach einer knappen Übersicht über die Geschichte Athens von der Kaiserzeit bis zum elften Jahrhundert stellt Ellissen das Leben Michaels in verschiedenen Abschnitten anhand zeitgenössischer Zeugnisse und der Werke Michaels selbst dar. Informationen über Familie und Jugend entnimmt er der Monodie auf den verstorbenen Bruder Niketas. Die Ereignisse in Athen zu der Zeit, als Michael sein Amt als Metropolit ausübte, stammen streckenweise aus der Darstellung des Niketas. Ellissen geht ferner auf die Zeit ein, in der der Metropolit infolge der Besatzung Athens sein Bischofsamt nicht mehr wahrnehmen konnte sowie auf dessen Lebensende. Ellissen fügt ein Verzeichnis der Schriften des Erzbischofs an, in das Original und Übersetzung der Vorrede zu den Schriften eingearbeitet sind sowie die Homilie am Palmsonntag (Εἰς τὴν ἑορτὴν τῶν βαΐων) in Original und Übersetzung, griechischer Text und deutsche Übersetzung der Briefe an Eustathios von Thessalonike sowie der Trauerrede auf seinen Tod, Original und Übersetzung der „Denkschrift" (Ὑπομνηστικόν) an den Kaiser Alexios Komnenos und schließlich Auszüge aus der Monodie auf seinen Bruder Niketas. Den Schluss der Darstellung bilden die Klage über den Verfall der Stadt Athen in Versform (griechischer Text und deutsche Übersetzung) sowie Verse des Petrus Morellus über Michael Choniates.

Der Teiledition der Werke Michaels durch Tafel[3] folgte 1879/80 die Ausgabe der erhaltenen Werke durch Spyridon Lampros. Diese Ausgabe ist, abgesehen von einigen nachträglich edierten Werken,[4] auch heute noch die maßgebliche Quelle für den Text der Reden.

Krumbacher behandelt Michael Choniates in seinem umfangreichen Handbuch zur „Geschichte der byzantinischen Literatur" auf ca. anderthalb Seiten.[5]

1 Ein Abriss über die ältere Forschungsgeschichte findet sich bei Stadtmüller (1934) 131-136 [9-14], eine knappe Übersicht über die Forschung unter Einschluss der Arbeit Stadtmüllers (1934) bei Kolovou (1999) 1-3.

2 Ellissen (1846).

3 Vgl. Krumbacher (1897) 470.

4 Vgl. Stadtmüller (1934) 213-223 [91-101]. Neben einer Übersicht über die handschriftliche Überlieferung finden sich dort auch Angaben über die Werke, die nicht durch Lampros, sondern durch andere ediert sind. Siehe auch ebd. 133f. [11f.]; Kolovou (2001) 24*.

5 Krumbacher (1897) 468-470.

Eine kürzere Abhandlung wurde Michael in den zwanziger Jahren des vorigen Jahrhunderts gewidmet.[6] Darin wird anhand der Schriften Michaels versucht, ein Bild von der Person, seinem Charakter und seinem Verhältnis zu Athen zu zeichnen. Ferner wird der Ruhm Athens im angelsächsischen Raum im Mittelalter, der archäologische Zustand Athens und besonders der Akropolis im zwölften Jahrhundert sowie der Stil Michaels und seine Orientierung an Autoren der griechischen Klassik behandelt.

1934 erschien mit Georg Stadtmüllers Abhandlung „Michael Choniates. Metropolit von Athen" eine weitere Monographie über den Bischof von Athen, die ausführlich anhand der Schriften das Leben Michaels nachzeichnet sowie detailliert die handschriftliche Überlieferung seiner Werke, deren Chronologie sowie weitere Einzelfragen behandelt.[7] Diese Arbeit wird bis heute als Standardwerk angesehen.

In seiner Einleitung stellt Stadtmüller die allmähliche Erschließung der Werke Michaels von Chonai dar und gibt damit gleichzeitig einen Abriss über die Forschungsgeschichte, deren Anfänge von der mangelhaften Kenntnis des Nachlasses beeinträchtigt waren. Im Anschluss bietet Stadtmüller dem Leser eine detaillierte, an den Quellen orientierte Biographie, das erklärte Hauptanliegen der Arbeit.[8] Die folgenden Exkurse sind Grundlagen für die vorangehende biographische Studie, aber auch für sich genommen eine wertvolle Hilfe. Dort hat Stadtmüller „die handschriftliche Überlieferung der Werke des Michael Choniates", die Beziehungen der Handschriften untereinander und ihre Entstehung, „die Chronologie der Werke des Michael Choniates", den Familiennamen 'Akominatos' und den Zeitpunkt des Amtsantritts in Athen untersucht, das *Hypomnestikon* an Alexios III. herausgegeben und zwei Zeitgenossen Michaels, Euthymios Malakes und Johannes Chrysanthos, behandelt.

Die bald international anerkannte Arbeit[9] bleibt bis heute einschlägig für die Biographie des Metropoliten von Athen. Ansonsten wurde das Werk Michaels vielfach benutzt, um das literarische Leben, aber auch die wirtschaftliche Lage in Athen im zwölften Jahrhundert zu illustrieren.

Mit Photine Kolovous Arbeit „Μιχαὴλ Χονιάτης. Συμβολὴ στὴ μελέτη τοῦ βίου καὶ τοῦ ἔργου του. Τὸ Corpus τῶν ἐπιστολῶν" ist 1999 eine Monographie erschienen, die den aktuellen Forschungsstand und eine Untersuchung der Briefe vorlegt.[10]

6 Thallon (1923). Für eine derartige Darstellung des „mittelalterlichen Athen" vgl. auch Setton (1944).
7 Stadtmüller (1934).
8 Stadtmüller (1934) 135f. [13f.].
9 Vgl. für die Rezeption z. B. Setton (1946).
10 Kolovou (1999).

Im ersten Teil dieser Arbeit folgt auf die Biographie (9-23) eine Übersicht über die Werke Michaels (25-44), die zu jedem Werk Titel mit Entstehungsort und -zeit (sofern bekannt), Incipit, Ausgaben (falls vorhanden), handschriftliche Überlieferung und Bibliographie anführt, und zwar getrennt in 'größere' Werke (also Reden, Homilien usw.), Briefe und Gedichte. Der zweite Teil der Arbeit konzentriert sich auf die Briefe. Dort wird die handschriftliche Überlieferung der Briefe und eine Beschreibung der Handschriften vorgelegt (47-77), woran sich eine jeweils knappe Darstellung des Inhalts der Briefe, geordnet nach den Empfängern, anschließt (78-173, gefolgt von Übersichten 175-184). Danach stellt die Verfasserin u. a. auch die Briefe zusammen, die an Michael gerichtet sind und sich in anderen Briefsammlungen befinden (185-190), sowie die Verwandtschaftsbeziehungen der Adressaten Michaels und die geographische Verteilung der Briefe. In einem letzten Abschnitt des zweiten Teils wird die sprachliche Gestalt der Briefe Michaels untersucht (201-285).

Diese Arbeit war die Grundlage für eine Neuedition der Briefe durch dieselbe Autorin, die im Jahr 2001 erschienen ist.

Dieser Edition sind 'Prolegomena' vorgeschaltet (3*-150*), in denen Kolovou zunächst die Vita des Michael Choniates darstellt (3*-8*) sowie eine Übersicht über das Werk (9*f.) gibt. Es folgt (9*-23*) eine Beschreibung der handschriftlichen Überlieferung der Briefe (Verzeichnis der Handschriften mit detaillierter Beschreibung; Erarbeitung von Handschriftengruppen und Stemmata; Textgeschichte) sowie (24*f.) eine Übersicht über vorhandene Editionen und Übersetzungen, Anmerkungen über die Sprache und Stil (26*-29*) und den Prosarhythmus (30*). Es schließen sich Hinweise zu der dargebotenen Edition an (31*-43*). Sehr hilfreich sind schließlich 'die Regesten der Briefe' (49*-150*), die den Inhalt des edierten Briefcorpus Brief für Brief paraphrasieren. Die Edition wird durch zahlreiche Indices (nominum propriorum, verborum ad res Byzantinas spectantium, graecitatis [Übersicht über sprachliche und stilistische Erscheinungen], verborum memorabilium, locorum, eorum ad quos Choniatae epistulae scriptae sunt und epistularum [Initia]) ergänzt.

5. 3. 2 Leben

Michael[11] stammt aus der Stadt Chonai, nahe der Stadt Kolossai.[12] Sein jüngerer Bruder ist der spätere Geschichtsschreiber Niketas (ca. 1150-1215). Angehöriger einer angesehenen Familie, wurde er zunächst von dem Metropoliten der Stadt,

[11] Vgl. zu diesem Abschnitt Stadtmüller (1934) 138-212 [17-90]; Tomadake (1955/56) 89ff.; Angold (1995) 197-212; Kolovou (1999) 9-23; Kolovou (2001) 3*-8*.

[12] Zur Entwicklung von Kolossai / Chonai siehe Beck (1959) 171f.

Niketas, unterrichtet und schlug die „geistliche Laufbahn" ein.[13] Er besuchte anschließend die Hochschule von Konstantinopel, wo er unter Eustathios[14] (ca. 1115-1196, dem späteren Metropoliten von Thessalonike[15]) Grammatik, klassische Literatur, Rhetorik und Philosophie lernte;[16] anschließend arbeitete er als Sekretär (ὑπογραμματεύς) in der Kanzlei des Patriarchen Theodosios Borradiotes. 1182 wurde er auf den Metropolitensitz in Athen gerufen. Während seiner Zeit als Metropolit, die in die Jahre 1182 bis 1204 fällt, waren mehrere Herrscher an der Macht: Alexios II. und Andronikos I., Isaak II. Angelos und Alexios III. Angelos. Unter dem Praitor Nikephoros Prosuch erfuhr Athen einen wohltuenden Steuernachlass. Nikephoros sowie dessen Nachfolger Demetrios Drimys begrüßte der Metropolit jeweils mit einer Rede. Wirtschaftlich und kulturell[17] ist Athen, glaubt man den Schilderungen Michaels, sehr stark gesunken. Über Michaels Amtszeit sind ferner einige Differenzen mit dem Klerus bekannt. Beherrschende politische Themen sind hingegen die Steuerlast und die Piraten, die beide den Niedergang und die Not der Bevölkerung verstärken, besonders als Attika allein eine Steuer zur Finanzierung des Flottenbaus aufgebürdet wurde. In den Wirren des beginnenden 13. Jahrhunderts war auch Athen in die Politik der Usurpatoren einzelner griechischer Städte verwickelt; unter anderem war es dem Metropoliten zu verdanken, dass Athen in diesen Auseinandersetzungen keiner Partei zugefallen war. Als im Jahr 1204 die Franken ganz Byzanz eingenommen hatten, musste auch Michael die Stadt übergeben. Das Herzogtum Athen entstand, und der Bischof verließ die Stadt, die 1206 mit Berardus einen neuen lateinischen Erzbischof bekam.[18] Nach Aufenthalten in Thessalonike, Euripos und Aulis sowie kürzerer Station in Eretria und Zarex (Karystos) begab sich Michael auf die Insel Keos, von wo aus er als der rechtmäßige Metropolit Athens die Zustände seiner ehemaligen Gemeinde beobachten sowie einen gewissen Einfluss auf die innerkirchliche Ämtervergabe in Athen ausüben konnte. Gegen Ende seines Aufenthaltes auf Keos konnte er auch Athen noch einmal besuchen. 1217 begab er sich nach Euböa und von dort aus nach Muntinitza in das Prodromos-Kloster in der Nähe der Thermopylen, wo er 1222 starb.

[13] Stadtmüller (1934) 139 [17].

[14] Zu Eustathios vgl. Kazhdan / Franklin (1984) 115-195.

[15] Vgl. unten S. 267 zu *Ep.* 2.

[16] Stadtmüller (1934) 140f. [18f.].

[17] Die Möglichkeit einer Hochschule in Athen im zwölften Jahrhundert diskutiert Stadtmüller (1934) 159f. [37f.] Anm. 1 und kommt zu einem negativen Ergebnis. Zeugnisse über ein Studium in Athen werden von Stadtmüller mit einer Verwechslung erklärt: Es handele sich nicht um Athen, „sondern um die georgische Stadt Ateni (westlich von Tiflis, südlich von Gori), die in jener Zeit ein Brennpunkt georgischer Kultur war." (ebd. 160 [38]). Andere vor ihm (u. a. Gregorovius) hatten eine Verwechslung „mit dem Athos" angenommen, „auf dem längst georgische Mönche lebten und studierten" (ebd.).

[18] Zu Bildern von Athen in dieser Zeit im Westen vgl. Koder (1977) 129f.

5. 4 ATHEN IN DEN WERKEN DES MICHAEL CHONIATES

Der folgende Ausblick, der vornehmlich Predigten, Reden und Briefe, die in der Zeit um den Amtsantritt entstanden sind, berücksichtigt, setzt sich zunächst zum Ziel, ein Athenbild zu erschließen, das vor dem Eintreffen in der Stadt vorhanden war. Dieses Bild kann repräsentativ für das Athenbild der Zeit stehen. Die Modifikation dieses Bildes durch die Konfrontation mit der Realität zu zeigen, ist das zweite Ziel dieses Abschnitts.

Die Sammlung der Werke[1] Michaels ist höchstwahrscheinlich vor seiner Verbannung, also vor 1204 entstanden.[2] Sie wurde von Michael selbst herausgegeben, versehen mit einer Vorrede (προθεωρία) und einem Widmungsschreiben an seinen Bruder Niketas. Die dort gegebene Einteilung seiner Werke ist für eine Selbsteinschätzung des Metropoliten von Bedeutung. Anschließend sollen einige Reden, darunter die Antrittsrede und die „erste Katechese", und kurz nach 1182 entstandene Briefe berücksichtigt werden.

5. 4. 1 In Athen entstandene Werke im Rückblick

Die Vorrede zu den Schriften Michaels trennt die Werke in eine Gruppe, die vor der Übernahme des Bischofsamtes in Athen (1182) entstanden ist, und eine, die danach entstanden ist. Der Bischof gibt drei Gründe dafür an, dass die während

[1] Die Werke des Michael Choniates (MiChon) werden mit abgekürztem Werktitel und Kapitel angegeben; in Klammern folgen Angabe des Bandes, der Seite und der Zeile in der Ausgabe von Lampros. Die nachstehenden Abkürzungen werden verwendet:
1Cat = Erste katechetische Rede (Κατήχησις πρώτη).
EncNic = Enkomion auf den Metropoliten von Chonai, Niketas (Ἐγκώμιον εἰς τὸν μακάριον μητροπολίτην Χωνῶν κύριον Νικήταν).
Leonid = Rede auf den Märtyrer Leonides (Εἰς τὸν ἅγιον ἱερομάρτυρα Λεωνίδην καὶ τὴν συνοδίαν αὐτοῦ).
MonEust = Monodie auf Eustathios von Thessalonike (Μονῳδία εἰς τὸν ἁγιώτατον Θεσσαλονίκης κῦρ Εὐστάθιον).
MonNic = Monodie auf den Bruder Niketas (Μονῳδία εἰς τὸν ἀδελφὸν αὐτοῦ κῦρ Νικήταν τὸν Χωνιάτην).
OrAth = Antrittsrede als Metropolit von Athen (Εἰσβατήριος ὅτε πρώτως ταῖς Ἀθήναις ἐπέστη).
OrDem = Rede an den Praitor Demetrios Drimys (Προσφώνημα εἰς τὸν πραίτωρα κῦρ Δημήτριον τὸν Δριμὺν ταῖς Ἀθήναις ἐπιστάντα).
OrNic = Rede an den Praitor Nikephoros Prosouchos (Προσφώνημα εἰς τὸν πραίτωρα κῦρ Νικήφορον τὸν Προσοῦχον ταῖς Ἀθήναις ἐπιστάντα).
Proth. = Protheoria / Vorrede (Προθεωρία εἰς τὴν παροῦσαν βίβλον τοῦ ἁγιωτάτου μητροπολίτου Ἀθηνῶν κυροῦ Μιχαὴλ τοῦ Χωνιάτου).
Die Briefe (*Ep.*; Ἐπιστολαί) werden nach der Ausgabe Kolovou (2001) zitiert.

[2] Stadtmüller (1934) 229 [107].

des Episkopats entstandenen Schriften an Eifer den zeitlich früheren Werken nachstünden:[3] Das erste Argument lautet, dass solcher Eifer für die Sprache nicht zum Bischofsamt passe, das letzte, dass ihn die Arbeit zu sehr in Beschlag genommen habe.[4] Dazwischen wird sein neuer Wirkort als Grund genannt:

Τοῦτο δὲ τῶν ἀκροωμένων Ἀθήνησιν οὐκέτ' ὄντων φιλομαθῶν οὐδὲ προσεκκαιόντων τὴν τοῦ λόγου θερμότητα, μᾶλλον δὲ ποιούντων ἐπινυστάζειν οἷς ὑπόκωφον ἐνδείκνυνται τὴν ἀκρόασιν, ἵνα μὴ λέγω ὅτι ὅσα καὶ λύρας ὄνος,[5] κατὰ τὴν παροιμίαν, τοῦ περισσόν τι λέγοντος ἐπιστρέφονται.

„Zweitens, weil die Zuhörer in Athen nicht mehr so lernbegierig sind und die warme Liebe zu den Reden nicht mehr entfachen, sondern vielmehr einschlafen, was sie als schwerhörig erweist, um nicht zu sagen, dass sie sich um jemanden, der etwas Großes sagt, soviel kümmern wie ein Esel um die Lyra, wie es im Sprichwort heißt.“[6]

Die Abfassung der *Protheoria* wird von Stadtmüller auf 1208 angesetzt.[7] Sie ist also nach der 'Verbannung' Michaels aus Athen entstanden und blickt auch auf seine Amtszeit in Athen zurück. Wenn es sich bei den anderen Entschuldigungen auch um „die traditionelle Bescheidenheitsfloskel des byzantinischen Rhetors [handelt], der sich verpflichtet fühlt, stets über die Unzulänglichkeiten seines Stiles zu klagen,“[8] so ist doch bemerkenswert, dass Michael der Beschaffenheit des Publikums in Athen eine wichtige Rolle für die Ausarbeitung seiner Reden beimisst. Dies ist aus zweierlei Gründen von Bedeutung: Zunächst hat Michael in der Rede, die seine Beschäftigung mit der Wissenschaft begründet, eine Unabhängigkeit von jeder Außenwirkung für sich in Anspruch genommen,[9] zum anderen ist die fehlende Bildung der Athener kein Grund für ihn, sich nicht nach einer Rückkehr nach Athen zu sehnen.[10] Man kann verschiedene Gründe für diese Unentschlossenheit zwischen Kritik an Bildungslosigkeit, freiem künstlerischen Wirken und dem Wunsch nach Rückkehr in die 'barbarische Einöde' Athen (siehe unten) suchen, vielleicht die pastorale Sorge des Bischofs neben seiner von der Kindheit

[3] Vgl. Stadtmüller (1934) 228 [106].

[4] Das wichtigste Argument, wie er bekennt (MiChon *Proth.* 4 [1, 4, 22 Lampros]): [...] τρίτον ὂν τῇ ἀπαριθμήσει, πρῶτον τῇ δυνάμει φαίνεται („[...] der Aufzählung nach an dritter Stelle, scheint das der Bedeutung nach doch an erster Stelle zu stehen.“).

[5] Siehe dazu Köhler (1881) 38 nr. 35f.; Prittwitz-Gaffron (1912) 27 (zu *AP* 6, 307); Clem. *str.* 1, 2, 2 (GCS Clem. 2, 4). Zu weiteren Belegen für diese Wendung bei Michael Choniates sowie zur Entstehung des Sprichwortes vgl. Karathanasis (1936) 105f.

[6] MiChon *Proth.* 4 (1, 4, 15-19 Lampros). Die Übertragungen der Stellen aus Michael versuchen mehr, den Sinn zu treffen als das Griechische wörtlich wiederzugeben. Bereits Ellissen (1846) VII bewertete die ihm vorliegenden Schriften als „wegen des seltsam geschrobenen Styls mitunter etwas dunkel.“

[7] Stadtmüller (1934) 230 [108]. Sie muss auf jeden Fall vor dem Tod des Niketas (ca. 1215) geschrieben sein, dem die ganze Sammlung gewidmet ist.

[8] Stadtmüller (1934) 228 [106].

[9] Vgl. die Rede (oder Schrift?) „an die, die das Bescheidene tadeln“ (πρὸς τοὺς αἰτιωμένους τὸ ἀφιλένδεικτον; MiChon 1, 7-23 Lampros) und dazu Magdalino (1993) 337-339.

[10] Vgl. z.B. MiChon *MonNic.* 36 (1, 357, 17-358, 8 Lampros).

an erworbenen Bildung, die Erinnerung an die Zeit der Studien in Konstantinopel und die mühsam zusammengestellte und jetzt verlorene Bibliothek in Athen. Rationale Gründe dürften hier keine Rolle spielen, denn dann könnte man ernsthaft die Frage Ellissens stellen, warum Michael keinen anderen Zufluchtsort als „die kleine Felseninsel des Ägeischen Meeres“ wählte.[11]

5. 4. 2 Das Bild von Athen vor dem Amtsantritt

5. 4. 2. 1 Briefe und Reden vor 1182 – Athen als Topos und *Exemplum*

Im zweiten Brief der Sammlung[12] (ca. 1175 entstanden[13]), gerichtet an Eustathios von Thessalonike,[14] klagt Michael darüber, dass er von dem Adressaten, seinem ehemaligen Lehrer, nach einer Reise – es handelt sich um die Reise zum Amtsantritt des Eustathios als Bischof von Thessalonike – noch keine Nachrichten erhalten habe. Michael geht dann darauf ein, dass das Ausbleiben von Nachrichten die Wirkung habe, dass man das, was man vermisst, erst richtig schätzen lerne.[15] So sei es auch den Athenern mit Sokrates ergangen:

Οὕτω καὶ Ἀθηναῖοι Σωκράτην ἔχοντες μὲν ἐβάσκαινον, μετὰ δὲ τὴν κύλικα ὡς σοφὸν ἐθαύμαζον καί, ὅπερ οὐκ ᾔδεσαν ἔχοντες ἀγαθόν, τοῦτο ἀποβαλόμενοι ἐπόθουν ἀνακαλούμενοι.

„So verlästerten die Athener den Sokrates, solange sie ihn hatten, nachdem er aber den Schierlingsbecher getrunken hatte, konnten sie seine Weisheit nicht genug bewundern, und das Gut, das sie, da sie es hatten, als solches nicht erkannt, wünschten sie, nachdem sie es verworfen, sehnlichst wieder herbei.“[16]

Das Enkomion des Michael auf den Metropoliten von Chonai, Niketas, geht auf dessen asketische Lebensführung ein und betont u. a., dass er versuchte, mit möglichst wenig Schlaf auszukommen; sei er doch einmal vom Schlaf übermannt worden, habe er sich geschämt, „da er in der Akropolis seiner Wahrnehmungen be-

[11] Vgl. Ellissen (1846) 43f.
[12] Zum Inhalt vgl. Kolovou (2001) 49*f.
[13] Stadtmüller (1934) 238 [116]; Kolovou (2001) 50* datiert ihn auf „ca. 1176“.
[14] Zur Korrespondenz zwischen Eustathios von Thessalonike und Michael Choniates vgl. auch Dräseke (1913), hier bes. 488f.; zu Athen bei Eustathios von Thessalonike vgl. Macrides / Magdalino (1992) 146f.; vgl. etwa den *Ilias*-Kommentar zu *Il.* 18, 490-540 (4, 228f. van der Valk) sowie die dort folgenden Erläuterungen, die des Öfteren Bezüge zu Athen herstellen. Zur Tradition, eine der beiden Städte auf dem Schild des Achill mit Athen zu identifizieren, vgl. die Scholien zur Stelle (4, 528-531 Erbse).
[15] Zum Topos der Sehnsucht nach einer Nachricht vom Freund in der byzantinischen Briefliteratur und bei Michael von Chonai vgl. Traversa (1991) 45.
[16] MiChon *Ep.* 2, 2 (4f. Kolovou). Übersetzung Ellissen (1846) 60.

stohlen war, wo, wie früher das Feuer auf dem Hügel von Athen, so das Licht der Wachsamkeit unauslöschlich von ihm gehütet worden war."[17]

Dies sind die beiden einzigen Stellen in dem Werk des Michael vor 1182, an denen Athen eine Erwähnung findet. Brauchtum und berühmte Personen werden als Vergleichspunkte angegeben, um dem gebildeten Leser oder Hörer eine bekannte und daher aussagekräftige Parallele für die eigentliche Aussageabsicht anzubieten.[18]

5. 4. 2. 2 Die Antrittsrede

Von besonderer Bedeutung für eine Einschätzung Athens durch Michael ist seine Antrittsrede als Bischof von Athen. Er begrüßt die Stadt als eine φιλόλογος πόλις, als „der Weisheit Mutter" (σοφίας μητρί), und beginnt nach diesen leiseren Andeutungen mit einem Schwall an gelehrten Reminiszenzen heidnischer und biblischer Herkunft:

Φέρε δὴ φέρε, ὦ λάχος ἐμὸν στερκτὸν καὶ θεόσδοτον, ὦ κληρονομία κρατίστη μοι, προσδιαλέξωμαι ὑμῖν τὰ εἰσιτήρια εἴτ' οὖν ἐμβατήρια, Ἀθηναίοις οὖσι καὶ ἐξ Ἀθηναίων αὐθιγενῶν τῶν εἰς οὐδὲν ἕτερον εὐκαιρούντων ἢ λέγειν τι καὶ ἀκούειν καινότερον[19]· εἴ περ μὴ ὁ πάντα καινοτομῶν καὶ ὑποφθείρων χρόνος τῆς πόλεως τὴν ἀττικὴν φωνήν, τὴν εὐγενῆ, τὴν σοφὴν ὡς ὁ Θρᾷξ ἐκεῖνος ὁ ἀσελγὴς τῆς Πανδιονίδος κόρης τὴν γλῶτταν ἀπέτεμεν[20] ἢ τὰ ὦτα κυ-

„Wohlan, o mein geliebtes und gottgegebenes Schicksal, o mir stärkste Erbschaft, ich werde euch meine Antrittsworte oder Einstiegsworte verkünden, den Athenern, die von einheimischen (autochthonen) Athenern abstammen, die nichts anderes wollen als etwas Neueres sprechen oder hören. Wenn nicht die Zeit, die alles verändert und nach und nach zerstört, der Stadt die attische Sprache, die hochgeborene, die weise Zunge abgeschnitten hat, wie jener zügellose Thraker die Zunge des Mädchens

[17] MiChon *EncNic* 31 (1, 33, 20-27 Lampros): Τῆς κενῆς οὖν γαστρὸς ἐπιτειχιζούσης τῷ ὕπνῳ ἐπέμυεν, ὅσον τῇ φύσει τὸ καθεύδειν ἀφοσιώσασθαι καὶ τὴν ἀναγκαίαν διακοπὴν τῶν φροντισμάτων σοφίσασθαι· μετ' οὐ πολὺ δὲ κοῦφος καὶ εὐδερκὴς αὖθις ἀνίστατο, αἰδούμενος ὅτι τῷ ἀπαραιτήτῳ καὶ παγκρατεῖ τυράννῳ ἐπιβρίσαντι καὶ κλίναντι τὸν αὐχένα δεδούλευκε, κλαπεὶς τὴν ἀκρόπολιν τῶν αἰσθήσεων, ἐφ' ἧς, ὡς ἐπὶ τῆς ἄκρας πάλαι τῶν Ἀθηνῶν τὸ πῦρ (vgl. Paus. 1, 26, 7; MiChon *OrAth* 33 [1, 104, 18f. Lampros]), οὕτω τὸ φῶς τῆς ἐγρηγόρσεως ἄσβεστον αὐτῷ τεταμίευτο („Der leere Magen hatte eine Festung angelegt, und so schlief er ein, aber nur so viel, dass das Schlafen der Natur genüge tat und die notwendige Unterbrechung der Überlegungen berücksichtigte; nach kurzer Zeit stand er wieder leicht und scharfsichtig auf, denn er schämte sich, dem unerbittlichen und allherrschenden Tyrannen, der schwer auf dem Menschen lastet und das Genick senkt, gedient zu haben, da die Akropolis seiner Wahrnehmungen gestohlen war, wo, wie früher das Feuer auf dem Hügel von Athen, so das Licht der Wachsamkeit unauslöschlich von ihm gehütet worden war.").

[18] Zu Reminiszenzen an antike Autoren in dem zitierten Brief (*Ep.* 2) an Eustathios (4f. Kolovou) vgl. Ellissen (1846) 59 Anm. 44; Kolovou (1999) 206.

[19] Zu diesem Zitat aus der *Apostelgeschichte* (17, 21) vgl. oben Kapitel 4. 2. 3.

[20] Vgl. oben S. 242-244.

ψελίδι[21] χρονίας ἀμουσίας ἀπέβυσε, κἀντεῦθεν, εἰ καὶ μὴ ἐκ Φοινίκης, ἀλλ' ἑτέρωθεν γοῦν δόξω κομίζειν τὰ γράμματα. Καί τοι πρότερον 'Αθήναζε ἥκειν πεπαιδευμένον ἢ σοφίας οἱασδηποτοῦν ἐπιστήμονα ταὐτὸν ἦν καὶ γλαῦκα, ὅ φασιν, εἰς 'Αθήνας ὁθενοῦν κομίζεσθαι.[22] Οὕτως ἡ πόλις ἥδε μητρόπολις ἦν ὅτε τῶν ὁπηδήποτε φιλολόγων πόλεων καὶ σοφίας τροφὸς ἐγνωρίζετό τε καὶ ἐκαλεῖτο ὡς ἡ Δαβὴρ πόλις γραμμάτων τὸ παλαιὸν ὠνομάζετο.

des Pandion abschnitt, oder die Ohren mit dem Wachs der musenlosen Zeit gestopft hat, dann werde ich von dort, wenn auch nicht aus Phönizien, sondern anderswoher die Rede mitzubringen scheinen. Wahrlich: Als ein Gebildeter oder Verständiger in vielerlei Art von Wissenschaft nach Athen zu kommen, war früher dasselbe wie Eulen, so heißt es doch, von wo auch immer nach Athen zu bringen. So war diese Stadt damals die Mutterstadt der 'gebildeten' Städte und wurde als die Ernährerin der Weisheit erkannt und auch genannt, wie die Stadt Daber von alters her die Stadt der Buchstaben genannt wurde."[23]

Anschließend kündigt er an, er werde sich bemühen, attisch zu sprechen: Jedem sei ja das Eigene lieb.

In dem eben zitierten und paraphrasierten Abschnitt wird deutlich, dass Michael ein 'romantisches' Bild von Athen hat. Diese Stadt ist für ihn Sitz der Musen, Sitz der Weisheit, Ort mythischer Ereignisse, eine stolze Stadt. Was die gelehrte Welt in Athen noch bis ins vierte Jahrhundert hinein beschäftigte, reines Attisch zu sprechen, wird als die Volkssprache der Gegend betrachtet.

Wie sich Michael die Stadt als Ergebnis der Ereignisse vergangener Zeiten vorstellt, so glaubt er auch, dass seine Einwohner sich bewusst in die Tradition ihrer Vorfahren, der früheren Bürger Athens stellen. Als Ausgangspunkt für seine folgenden Ausführungen berichtet Michael nämlich von einem Fackellauf als Staffel im 'alten Athen':

'Αθηναίοις μὲν οὖν τοῖς πάλαι, φιλοθύται γὰρ οἱ τότε καὶ φιλεορτασταὶ κομιδῇ, πάγκοινος ἐτελεῖτο πανήγυρις καὶ ἡ πανήγυρις λαμπαδηδρόμος ἀγὼν καθ' ὃν ἐν ἀποστάσεσι συμμέτροις ἑστῶτες στοιχηδὸν ἔφιπποι διαδιδόντες λαμπάδιον ἀλλήλοις ὁ πρῶτος τῷ δευτέρῳ καὶ ὁ δεύτερος τῷ μετ' αὐτὸν κἀκεῖνος τῷ ἐφεξῆς, οὕτως ἡμιλλῶντο τοῖς ἵπποις καὶ τὸν λαμπαδικὸν ἀγῶνα τοῦτον διέθεον.

„Die alten Athener – denn sie waren damals ein überaus opfer- und feierfreudiges Volk – feierten ein allgemeines Fest, und das Fest war ein Wettkampf im Fackeltragen, bei dem, in gleichmäßigen Abständen stehend, reihenweise die Teilnehmer zu Pferde einander Fackeln übergaben, der erste dem zweiten, der zweite dem nach ihm und jener dem nächsten, und so wetteiferten sie mit Pferden und durchliefen diesen Fackelwettkampf."[24]

[21] Vgl. Lib. *Decl.* 26, 25.
[22] Vgl. Karathanasis (1936) 53f. und oben S. 241.
[23] MiChon *OrAth* 2 (1, 93, 15-94, 10 Lampros).
[24] MiChon *OrAth* 4 (1, 94, 14-21 Lampros). Zu Fackelläufen in Form einer Staffel vgl. Weiler

Heiliger, so Michael, sei der Wettkampf, den die Christen als Auftrag erhalten haben und in dem die Vorfahren ihnen vorangegangen sind. Gleichzeitig muss er jedoch die Einschränkung machen, er könne sich auf seinem neuen Bischofsthron nicht zur Ruhe setzen, so wie auch ein Wettkämpfer nicht ruhen könne, bis er die Palme davongetragen hat. Bescheiden sagt Michael weiter von sich, er sei von vielen wegen seiner neuen Wirkstätte glücklich gepriesen worden, halte sich selbst jedoch, ohne Leistung erbracht zu haben, noch nicht für glücklich:

Ὡς νῦν γε, ἀλλ' ἐμαυτὸν γοῦν οὐκ ἂν εὐδαίμονα ὀνομάσαιμι τοῦ θρόνου τοῦδε τῆς ἱερουργίας, ὡς οὐδ' ἀθλητὴν πρὶν ἢ τὸν ἀγῶνα κρατήσει καὶ στεφανώσεται. Κἂν τινες ἡμᾶς ἐμακάρισαν τῆς προστασίας τῶν πολυθρυλήτων καὶ χρυσῶν 'Αθηνῶν,[25] καὶ ταῦτα εὖ εἰδότες τὰ καθ' ἡμᾶς, ὡς οὔτε τηλύγετος ἐγὼ καὶ ὑστερότοκος πάντων τῶν ἀδελφῶν μου, ἵνα μὴ λέγω ὅτι καὶ ἐν τοῖς μικροῖς ἔσθ' ὅτε μᾶλλον ἢ τοῖς καλοῖς καὶ μεγάλοις ἡ χάρις ηὐδόκησεν, οὔτε τὸ παρ' ἅπαν ἐξουδενωμένος, εἰ καὶ ἐνίων ἤμην νεώτερος.

„So verhält es sich jetzt, aber ich dürfte mich wohl niemals selbst als glücklich bezeichnen aufgrund dieses Sitzes der heiligen Wirkstätte, wie auch nicht jemanden einen Athleten nennen dürfte, bevor er im Kampf gesiegt hat und bekränzt worden ist. Und wenn irgendwelche uns selig gepriesen haben als Vorsteher des vielgerühmten und goldenen Athen, so wussten sie doch auch dieses von mir, dass ich weder der Jüngste und zuletzt Geborene aller meiner Brüder bin, was nicht heißen soll, dass auch im Kleinen manchmal mehr Gunst liegt als im Schönen und Großen, noch völlig verachtet bin, wenn ich auch jünger war als manche andere."[26]

Nachdem er seine harte und entbehrungsreiche Ausbildung dargestellt hat, wiederholt er die Äußerungen seiner Bekannten über Athen und seine eigenen Empfindungen:

Ἐμακάρισάν με τῆς λαχούσης ἡμᾶς κατὰ θεῖον ταυτησὶ προεδρίας διά τε τὸ ἀπραγμάτευτον[27] τῆς χάριτος καὶ θεόσδοτον καὶ τὸ τοῦ θρόνου περίπυστον ὄνομα, ὡς ἐπ' αὐτὸν τὸ δὴ λεγόμενον τὸν τῆς εὐδαιμονίας ἄκρον βατῆρα πατήσαντα.[28]

„Sie priesen mich selig, weil dieser Bischofssitz nach göttlichem Ratschluss mich erwählt hat und wegen dieser nicht zu übertreffenden, von Gott gegebenen Gnade und des weithin berühmten Namens dieses Sitzes, so, als ob ich auf den sogenannten Nagel der Glückseligkeit geschlagen hätte."[29]

(1981) 155f. mit Literatur; Decker (1999) mit Literatur; zu Fackelläufen im Rahmen der Großen Panathenäen vgl. Robertson (1985) 258-269. Vgl. auch *1 Ep. Cor.* 9, 24-27.

25 Vgl. zu diesem Ausdruck oben S. 150-153.

26 MiChon *OrAth* 8 (1, 95, 24-96, 2 Lampros).

27 Zur Bedeutungsvielfalt dieses Wortes vgl. Trapp (2001) 187 s. v. ἀπραγμάτευτος. Die vorliegende Stelle ist bei Trapp (ebd.) nicht aufgeführt; vgl. zur Bedeutung auch LSJ 229 s. v. V.

28 Vgl. Karathanasis (1936) 70: „Michael Choniates hat für dieses Sprichwort eine besondere Vorliebe und gebraucht es oft in seinen Briefen"; ebd. weitere Belege.

29 MiChon *OrAth* 11 (1, 97, 3-7 Lampros).

Er gibt vor, er sei skeptisch und wolle erst die Gesinnung der Athener kennenlernen. Dabei sei er sich durchaus über den Stellenwert des Bischofsamtes und eines Bischofssitzes im Klaren.

Die archäologischen Befunde, die darauf hindeuten, dass er sich in dem 'Athen der Geschichte' befindet, nimmt er wahr:

Οὐκ οἶδα σαφῶς εἰ ᾿Αθηναίων ἀληθῶς τῶν γενναίων προστάτης προβέβλημαι, ὅτι μηδὲ τὰς ᾿Αθήνας ἔτι μεμάθηκα καθαρὰς καθαρῶς σώζεσθαι, εἶναί τε αὐτὰς τὰς ποτὲ καὶ μὴ ὄνομα μόνον ἄλλως θρυλούμενον, κἂν περιάγων τις δείκνυσιν ἐναργῆ γνωρίσματα «οὑτοσὶ μὲν ὁ Περίπατος, αὕτη δὲ ἡ Στοά, ἡ δ' ᾿Ακρόπολις ἥδε, ὁ Πειραιεύς ἐστιν αὖ ἐκεῖνος, ὅδ' ὁ Δημοσθένους λύχνος»,[30] πείθοι ἄν με τοὺς πάλαι ποτὲ προσορᾶν ᾿Αθηναίους, οὐδ' ἂν τῶν ἐλλυχνίων ἀτεχνῶς πάντες ἀπόζοντες φαίνοισθε.

„Ich weiß nicht genau, ob ich als Vorsteher der wahrhaft edlen Athener eingesetzt worden bin, weil ich von Athen noch nicht erkannt habe, dass es als das Reine rein bewahrt worden ist und dass es das Athen von damals ist und nicht nur der Name, der auch sonst berühmt ist. Und wenn einer mich herumführte und mir eindeutige Erkennungsmerkmale zeigte: 'Dies ist der Peripatos, dies die Stoa, das hier die Akropolis, jenes ist der Piräus, dies die Lampe des Demosthenes', dann dürfte er mich wohl überzeugen, die alten Athener zu sehen, ihr würdet aber nicht einmal alle deutlich nach Lampendocht duften.“[31]

Denn es waren nicht die offensichtlichen Zeichen ihrer Wissbegier, was die alten Athener in erster Linie auszeichnete:

Οὐ γὰρ διὰ ταῦτα ᾿Αθῆναι καὶ πολῖται ταύτης ὀνομαστότατοι, ἀλλὰ δι' ἀρετὴν καὶ σοφίαν παντοδαπήν. Ἐφ' αἷς τοσοῦτον ἁπάντων Ἑλλήνων ᾿Αθηναῖοι διήνεγκαν ὅσον βαρβάρων ἁπάντων Ἕλληνες. Πρῶτα μὲν οὖν οὐδέπω ἔγνων, εἰ τὰ πάτρια καλὰ ταῖς ᾿Αθήναις ἀνόθευτα ἐγένοντο.

„Denn nicht deshalb sind Athen und die Bürger dieser Stadt weithin berühmt, sondern wegen der Tugendhaftigkeit und der umfassenden Weisheit. Darin unterscheiden sich die Athener von allen Griechen so sehr wie die Griechen von allen Barbaren. Zunächst also habe ich noch nicht erkannt, ob das von den Vätern ererbte Gute bei den Athenern unverfälscht geblieben ist.“[32]

Ein weiterer Grund dafür, dass er (noch) nicht glücklich ist, sei, so Michael, die Tatsache, dass er noch nichts geleistet habe. Vor eigener Leistung und vor der Begutachtung des Ergebnisses seiner seelsorgerlichen Tätigkeit könne er kein Glücksgefühl verspüren.

[30] Dieser Ausdruck geht auf Pytheas zurück, einen Zeitgenossen und Widersacher des Demosthenes. Zu Pytheas vgl. Blass (1898) 283-288; Gärtner (1963). Zu Parallelen vgl. Albers (1910) 68 (zu Luc. *Dem.Enc.* 15); Caiazza (1993) 214f. (zu Plu. *Praecepta gerendae reipublicae* 6, 802E). Siehe auch Lib. *Arg.D.* praef. 12 (8, 604, 8-16 Förster).

[31] MiChon *OrAth* 14 (1, 97, 25-98, 4 Lampros).

[32] MiChon *OrAth* 14f. (1, 98, 4-9 Lampros).

Anschließend erklärt er, dass jedes Volk und selbst die Tiere die Sitten und Gebräuche der Vorfahren behalten und nachahmen, und er erklärt auch, warum die alten Athener so sehr nachahmenswert seien:

Ἀκολούθως οὖν τούτοις εὔλογον καὶ ὑμᾶς τὰ πατρῷα φυλάττειν καὶ χρηστὰ ἤθη παρ' ἅπαν ἀδιαλώβητα. Οἶδα γάρ, πάλαι μαθὼν ἐκ βιβλίων εἰκονιζόντων ἀκριβῶς ἀνδρῶν ἤθη, τοὺς ἀρχηγέτας τοῦ γένους ὑμῶν φιλανθρωποτάτους ἁπάντων Ἑλλήνων καὶ φιλοτίμους, ἐπιεικεῖς καὶ δεξιοὺς τὰ περὶ τοὺς ξένους ἀπ' ἐναντίας Λάκωσι καὶ Λυκούργῳ, ξενηλασίαν νομοθετήσαντι καὶ τῶν δεομένων ἀντιληπτικούς, ἐπὶ δὲ τοῖς προσκεκρουκόσιν οὐκ ἀμυντικοὺς οὐδὲ φιλαπεχθήμονας. Ἡρακλεῖδαι μαρτυροῦσι τῷ λόγῳ, φυγάδες τῇ πόλει ταύτῃ προσπεφευγότες καὶ σεσωσμένοι, καὶ πόλεις, αἱ μέν, ἐπειδὰν κακῶς πάσχοιεν, παρ' Ἀθηναίων προσβοηθούμενοι, αἱ δὲ δρῶσαι κακῶς Ἀθηναίους, καί, ῥᾴδιον ὄν, οὐδ' ὁτιοῦν ἀντιπάσχουσαι. Ἀλλὰ καὶ τὸ ἐπὶ καταλύσει τῶν τριάκοντα τυράννων μὴ μνησικακῆσαι μέγα μεγαλοψυχίας τεκμήριον. Ἐπὶ τούτοις ἀκουσματικούς τε εἶναι καὶ φιλολόγους ἀκούω· καί μοι δοκεῖ κἀκεῖνο τὸ ἐν ταῖς ἀποστολικαῖς ἱστορούμενον πράξεσιν εἰς τοῦτο βλέπειν, τὸ μηδενὶ ἄλλῳ ἐνευκαιρεῖν Ἀθηναίους ἢ τῷ λέγειν τι καὶ ἀκούειν καινότερον. Φιλοπευστῶν τοῦτο καὶ φιλομαθῶν ἀνδρῶν γνώρισμα καὶ λόγῳ μόνῳ πειθομένων καὶ δουλουμένων.

„Dementsprechend vernünftig ist es, dass auch ihr das von den Vätern Ererbte und die guten Sitten ganz unversehrt bewahrt. Denn ich weiß, da ich es früh aus Büchern erfahren habe, die ausführlich den Charakter der Menschen darstellen, dass die Begründer eures Geschlechtes die menschenfreundlichsten und ehrgeizigsten von allen Griechen waren, anständig und Fremde aufnehmend, ganz im Gegensatz zu den Spartanern und Lykurg, der gesetzlich vorgeschrieben hat, dass die Fremden vertrieben werden. Sie waren den Bedürftigen gegenüber hilfsbereit, aber denjenigen gegenüber, mit denen sie aneinander geraten waren, waren sie weder abwehrend noch liebten sie es, sie zu Feinden zu machen. Die Herakliden in der Geschichte sind Zeugen dafür: Verbannt, flohen sie zu dieser Stadt und wurden gerettet; auch Städte wurden teils, als es ihnen schlecht ging, von den Athenern unterstützt, teils, obwohl sie den Athenern übel mitgespielt hatten, nicht von ihnen zur Rechenschaft gezogen, obwohl es ein Leichtes gewesen wäre. Aber auch, dass man nach der Auflösung der Herrschaft der dreißig Tyrannen eine Amnestie erließ, ist ein Zeichen äußerster Großherzigkeit. Außerdem sollen sie, wie ich höre, lernfreudig und wissbegierig gewesen sein: Und mir scheint auch jene Erzählung der *Apostelgeschichte* darauf zu zielen, dass die Athener auf nichts anderes aus seien als etwas Neues zu lesen oder zu hören. Ein Zeichen wissbegieriger und lernbegieriger Menschen ist das und solcher, die dem Verstand (λόγος) allein vertrauen und dienen."[33]

Die natürliche Neigung, die geschickte Rede zu lieben und sich ihrer Wirkung hinzugeben, stellt Michael auch noch anhand einiger Ereignisse und Personen aus

[33] MiChon *OrAth* 21f. (1, 100, 12-101, 1 Lampros).

der Geschichte Griechenlands dar.[34] Von besonderem Interesse dürfte in diesem Zusammenhang die Tatsache sein, dass neben unbestritten positiven Eigenschaften auch speziell christliche negative Charakterisierungen umgedeutet werden: Wer zweifelte daran, dass die Bemerkung des Verfassers der *Apostelgeschichte*, die Athener seien nur darauf aus, etwas Neueres zu lesen oder zu hören, im negativen Sinn gemeint ist?[35] Michael deutet diese Bemerkung jedoch dahingehend, dass Wissbegierde gerade für das Neue, und zwar kann hier auch das Neue des Christentums gemeint sein, aufnahmebereit macht und gemacht hat. Im Übrigen erinnern die Formulierungen und auch die angeführten Beispiele an das klassische Athenlob: die Betonung der Philanthropie, der Wissbegierde und Weisheit, die Bereitschaft, Fremde aufzunehmen und die Beispiele dafür (Herakliden), und auch die Fähigkeit, untreuen Verbündeten vergeben zu können.[36]

Doch Michael kennt auch die negativen Seiten des antiken Athen, etwa den Götterkult:

Μᾶλλον μὲν οὖν καὶ τελεώτερον ἐκείνων καὶ ἀκριβέστερον ταῦτα κατορθοῦν ὑμᾶς βούλομαι, καθότι ἐκεῖνοι μέν, φαύλαις προληφθέντες δόξαις καὶ διαλελωβημένων τῶν περὶ τοῦ θείου ἀναπλησθέντες ὑπολήψεων, ὡς καὶ θεοὺς εὑρετὰς καὶ ἐπιστάτας παθῶν προστήσασθαι, ἀκαθέκτως καὶ ἀδεῶς ἐξημάρτανον οἷς οὐ κεκολασμένον, ὅτι μὴ καὶ θεῖον τὸ ἁμαρτάνειν ἐνόμιζον, εἰς τὸ θρησκευόμενον ἀναφέροντες τὴν ἐμπάθειαν.

„Mehr aber und vollkommener als jene und sorgfältiger will ich euch in dieser Sache bessern, denn jene, ergriffen von schlechten Annahmen und erfüllt von völlig widersinnigen Angaben über das Göttliche, so dass sie die Götter als Erfinder und Lenker der Empfindungen darstellten, versündigten sich unaufhaltsam und schamlos, wobei ihnen kein Zügel auferlegt wurde, dass sie nicht auch das Sündigen für göttlich hielten und die Leidenschaft auf eine fromme Haltung verwiesen.“[37]

Und später kommt er erneut auf die *Apostelgeschichte* zu sprechen, diesmal aber in einem ‘realistischeren’ Sinn als zuvor:

Ὄντως ὅπου τὸ τῆς πλάνης ἐπλεόνασε σκότος· τίνας γὰρ ἄλλους δεισιδαιμονεστέρους τῶν Ἀθήνησι Παῦλος ἑώρακεν; ἐκεῖ τὸ τῆς ἀληθείας ὑπερεκκέχυται φῶς κἀκεῖ γνωστὸς ὁ θεὸς καὶ μέγα τὸ ὄνομα αὐτοῦ, ἔνθα τὸ πρότερον

„Wahrlich: Wo war der Schatten der Verirrung grösser? Welche anderen sah Paulus, die noch abergläubischer waren als die in Athen? Dort wurde das Licht der Wahrheit ausgeschüttet und dort wurde Gott bekannt und sein Name groß, wo er früher als Un-

[34] So auch des Perikles: MiChon *OrAth*. 23 (1, 101, 2-8 Lampros). Zu Perikles vgl. auch *MonEust*. 19 (1, 291, 11-19 Lampros).

[35] Zur Anwendung dieses Exemplums im vierten Jahrhundert vgl. oben Kapitel 4. 2. 3.

[36] So beispielsweise für den Beginn des vorliegenden Abschnitts: Zur ‘Philanthropie’ vgl. Jul. *Misop*. 18, 348b/c (2, 2, 171 Bidez); zur Ehrliebe vgl. Th. 2, 44, 4; zur Fremdenliebe vgl. Isoc. 4, 41.

[37] MiChon *OrAth* 26 (1, 102, 5-12 Lampros).

ἄγνωστος[38] ὡς ἀνώνυμος ὠνομάζετο.

bekannter wie ein Namenloser genannt wurde."[39]

Bereits vorher hatte er den Wandel vom Heiden- zum Christentum erwähnt: Auf der Akropolis brenne nicht mehr das Feuer der Athene, sondern das der Gottesmutter. Im Folgenden geht er auf eine Vision ein, die Athen zu einem Zentrum der christlichen Welt und auch der christlichen Eintracht werden lässt.

Michael begrüßt mit seiner streckenweise panegyrisch gehaltenen Antrittsrede das heidnische Athen, das mittlerweile christlich geworden ist. Heidnisch ist die Vergangenheit der Stadt, die er seiner Gemeinde vor Augen führt und die er als bekannt voraussetzt. Diese Vergangenheit, die vom Mythos, vor allem aber von Philosophie geprägt ist, war der Grund dafür, dass man ihn zu diesem Amtssitz beglückwünschte und er diese Glückwünsche mit der bescheidenen Skepsis auffangen musste: Er will erst seine neue Herde in Augenschein nehmen und prüfen, inwieweit sie dem Ruf der Stadt gerecht wird.

5. 4. 3 Reden und Briefe nach der Antrittsrede

Die Antrittsrede muss ein merkwürdiges Echo bei der Herde Michaels gefunden haben:[40] Jedenfalls sah sich Michael gezwungen, seinen Stil zu ändern. Dass er damit nicht gerechnet hat, wird in der als „erste Katechese" (Κατήχησις πρώτη) überlieferten Predigt deutlich. Dort behandelt er am Ende das Verhältnis zwischen Predigtstil und Auditorium:

Ἔχετε τῶν ἡμετέρων λόγων τὰς ἀπαρχάς, ὦ φιλόχριστον λάχος ἐμόν, ὦ κλῆρε Χριστοῦ καὶ λαὲ θεοῦ περιούσιε, οὐ φιλοτίμους οὐδ' ἐπιδεικτικὰς οὐδ' οἵας προσαγαγεῖν παρεσκευαζόμην, ἡνίκα διδάσκαλος ὑμῶν παρὰ τοῦ πνεύματος προκεχείρισμαι, ἀλλ' εὐτελεῖς τε καὶ πενιχρὰς καὶ καταλλήλους τῇ περὶ λόγους ὑμῶν ἀνασκησίᾳ καὶ ἀγροικίᾳ τῆς πόλεως.

„Ihr habt die Erstlingsgaben meiner Redekunst, o mein Los, das Christus liebt, o Erbe Christi und auserwähltes Volk Gottes; diese Erstlingsgaben sind nicht mit Ehrgeiz hergestellt, nicht darauf aus, zu beeindrucken, nicht solche, die ich zu verfassen mich anschickte, als ich vom Heiligen Geist als euer Lehrer ausgewählt war, sondern sparsame, schlichte und eurer mangelnden Vertrautheit mit Rhetorik und dem provinziellen Charakter der Stadt angepasst."[41]

Dann beginnt er eine Klage auf den Wandel, der sich in Athen vollzogen hat:

Ὦ πόλις Ἀθῆναι ποῦ ποτε ἀμαθίας περιέστης ἡ τῆς σοφίας τροφός[42]! Ἐγὼ

„O Stadt Athen, wie hast du dich doch von der Nährmutter der Weisheit zur Nährmut-

[38] Zu dem 'Unbekannten Gott' vgl. oben S. 222 mit Anm. 289.
[39] MiChon *OrAth* 34 (1, 104, 23-27 Lampros).
[40] Vgl. Setton (1944) 190; Euangelattou-Notara (1993) 304f.
[41] MiChon *1Cat* 49 (1, 124, 6-12 Lampros).
[42] Zum Ausdruck vgl. oben S. 147.

μὲν ἤσκουν τὴν διάνοιαν καὶ τὴν γλῶτταν παρέθηγον καὶ πρὸς ἀκροατὰς Ἀθηναίων ἀπογόνους ἐνεγυμναζόμην, οἵτινες, λιμῷ ποτε σφοδροτάτῳ πιεζόμενοι, οὐκ ἠξίωσαν δανείσασθαι παρά τινος ἀνδρὸς ἀφνειοῦ, ἀπαιδεύτου δὲ ἄλλως καὶ βαρβαρίσαντος ἐν τῷ εἰπεῖν παρὰ τοὺς γραμματικοὺς κανόνας «ἐγὼ ὑμῶν δανειῶ, ὦ ἄνδρες Ἀθηναῖοι», ἀλλ' εἵλοντο θανεῖν λιμῷ πρότερον ἢ παρὰ βαρβαριστοῦ δανείσασθαι, ὡς οὐκ ἔχοντες πάτριον ἀπὸ βαρβαριζόντων τρέφεσθαι.[43] Τοιούτων ἀνδρῶν φιλολόγων ἀπογόνους ἐλπίζων ἔχειν ἀκροατάς, ἤσκουν ἐμαυτὸν ὡς ἔνι μάλιστα καὶ πρὸς τὸ σοφώτερον ἐβιαζόμην τι καὶ οὐ κεκομψευμένον, μὴ οὐκ ἀνάξιος τροφεὺς τὰ ἐς λόγους τοιᾶσδε φανήσομαι πόλεως. Ἀλλ' ἔψευσμαι τῶν ἐλπίδων[44] καὶ τῆς προσδοκίας ἐκπέπτωκα. Ἔναγχος γάρ, τὰ εἰσιτήρια ὑμῖν προσφθεγξάμενος σχέδιά τινα καὶ ἀπέριττα πάνυ τι καὶ ἀφιλότιμα, ὅμως ἔδοξα μὴ συνετὰ λέγειν ἢ ἄλλως ὁμόγλωττα, ἀλλ' ὡς ἀπὸ διαλέκτου περσικῆς ἢ σκυθικῆς. Διὰ ταῦτα οὐ μόνον τῶν νοημάτων ἐκλύσας τὸν τόνον τελέως, ἀλλὰ καὶ τὴν ἁρμονίαν τῆς ἑρμηνείας χαλάσας, οὕτως ἀφελῶς ὑμῖν καὶ σαφῶς ὡμίλησα καὶ τὴν τροφὴν παρεθέμην ἀληλεσμένην, μᾶλλον δὲ διεμασησάμην ὑμῖν ὡς αἱ τίτθαι τοῖς βρέφεσι.

ter der Unkenntnis gewandelt! Ich habe meinen Verstand geübt und meine Zunge gewetzt und für die Hörer trainiert, die Nachkommen der Athener sind, die, als sie einst von einer sehr schlimmen Hungersnot gequält wurden, sich kein Geld von einem zwar reichen, aber völlig ungebildeten Mann leihen wollten, der kein richtiges Griechisch sprach und wider die Regeln der Grammatiker sagte 'Ich werde euer Geld ausleihen, Männer von Athen', sondern lieber Hungers starben als sich von einem Barbaren Geld zu leihen, weil es nicht von den Vätern ererbte Sitte sei, von Barbaren ernährt zu werden. Die Nachkommen solcher Männer, die die Redekunst lieben, erwartete ich als Zuhörer zu haben, und so übte ich aufs Eifrigste und zwang mich zu einer noch weiseren Rede und nichts Gekünsteltem, und ich werde hinsichtlich der Worte wohl als kein unwürdiger Nährvater dieser Stadt erscheinen. Aber ich bin in meinen Hoffnungen getäuscht worden und aus meinen Erwartungen herausgefallen. Neulich nämlich, als ich meine Antrittsrede vor euch hielt, eine unvorbereitete, ganz schlichte und gar nicht ehrgeizige Rede, schien ich doch nicht Verständliches zu sagen oder gar in derselben Sprache zu sprechen, sondern als ob ich in persischem oder skythischem Dialekt redete. Daher habe ich [diesmal] nicht nur die Spannung der Gedanken völlig aufgelöst, sondern auch die 'Harmonie' des Ausdrucks gelockert und so einfach und verständlich zu euch gesprochen und euch die Speise gemahlen dargereicht, oder eher zerkaut, wie es die Ammen den Säuglingen geben."[45]

In diesen Zusammenhang passen auch die Äußerungen in einigen Briefen Michaels, die er wohl kurz nach seinem Amtsantritt (1182) in Athen an Bekannte ge-

[43] Vgl. Sud. s. v. Θεριῶ: 1, 2, 707 Adler.

[44] Zu einer solchen Enttäuschung bei Basilius von Caesarea vgl. oben S. 155. Für die Kenntnis der kappadokischen Kirchenväter und Zitate speziell aus der Leichenrede auf Basilius vgl. MiChon *Ep.* 113, 13 (187 Kolovou) und *Ep.* 131, 6 (214 Kolovou).

[45] MiChon *1Cat* 50-52 (1, 124, 12-125, 3 Lampros); vgl. Thallon (1923) 4ff.

schrieben hat, so in einem Brief[46] an Michael Autoreianos,[47] der folgendermaßen beginnt:

Ἀθήνηθεν τὸ γράμμα, ἀλλ' οὐ παρὰ τοῦτο περισσότερον καὶ σοφώτερον, ἀγαπητὸν δὲ μᾶλλον, εἰ μὴ καὶ λίαν ἀγροικικώτερον· οὕτως οὐ μόνον οὐκ ἐπιδέδωκέ μοι τὰ τοῦ λόγου εἰς τὴν μητέρα τῶν σοφῶν[48] μεταναστεύσαντι, ἀλλὰ κἀπὶ τὸ χεῖρον προχωρεῖν κεκινδύνευκεν, ὅτι τοσοῦτον σπανίζει, οὐ λέγω φιλοσόφων ἀνδρῶν, ἀλλ' ἤδη καὶ βαναύσων αὐτῶν [...].

„Aus Athen kommt der Brief, aber nicht aus dem übergroßen und ziemlich weisen, aus dem Athen, das ich noch mehr liebte, wenn es nicht so bäurisch wäre. Und so habe ich nicht nur keine Fortschritte bei den Reden gemacht, der ich doch zu der Mutter der Weisen übergesiedelt bin, sondern bin sogar in Gefahr geraten, schlechter zu werden, da hier ein so großer Mangel herrscht, ich meine gar nicht an 'Philosophen', sondern schon an Handwerksleuten."[49]

Und er kommt im selben Brief noch öfters auf seine Erwartungen vor seinem Dienstantritt in Athen sowie auf die wirtschaftliche Lage in Athen[50] zu sprechen:

Ἐγὼ μὲν οὖν ὁ μάταιος ᾤμην, ὡς εἰ μὴ καὶ Δημοσθένους ζηλωτὰς τοὺς ἐκείνου πολίτας εὕροιμι, ἀλλά γε τοῦ κριθίνου Δημοσθένους[51] πάντως, οἶδας δήπου τὸν Δείναρχον, οἱ δὲ οὐ μόνον λιμὸν τοῦ ἀκοῦσαι λόγον, ἀλλὰ καὶ λιμὸν ἄρτου κριθίνου δυστυχοῦσιν οἱ τλήμονες.

„Ich, der Tor, glaubte doch, wenn ich auch nicht die Bürger als Nacheiferer des Demosthenes anträfe, doch wenigstens als solche des Lebkuchen-Demosthenes – du kennst ja den Deinarchos. Diese aber haben nicht nur Hunger danach, Reden zu hören, sondern diese Dulder haben sogar Mangel an schlichtem Brot aus Getreide."[52]

Ἡ μὲν γὰρ χάρις τῆς γῆς ἡ αὐτή, τὸ εὐκραές,[53] τὸ ὀπωροφόρον, τὸ πάμφορον, ὁ μελιχρὸς Ὑμηττός,[54] ὁ εὐγάληνος

„Die Gunst des Landes ist zwar dieselbe, das milde Klima, der Reichtum an Obst, ja die Fruchtbarkeit an sich, der honigsüße

46 Zum Inhalt des Briefes vgl. Kolovou (2001) 53*f.

47 Zur Datierung vgl. Stadtmüller (1934) 241 [119]; Kolovou (1999) 83; Kolovou (2001) 54*. Zu den sieben Briefen Michaels an Michael Autoreianos vgl. Kolovou (1999) 83-87. Zur Person vgl. Talbot (1991), zur Familie vgl. Kazhdan (1991a).

48 Zum Ausdruck vgl. oben S. 147.

49 MiChon *Ep.* 8, 1, 2-6 (11 Kolovou).

50 Zu dem Topos der Klage eines Bischofs über die wirtschaftliche Situation seiner Stadt vgl. Magdalino (1993) 135: „[...] these letters belonged to a tradition of rhetorical complaint which exaggerated the inconveniences of a situation [...]. The complaining letter was particularly cultivated by bishops crying poverty to the secular authorities." Vgl. auch Macrides / Magdalino (1992) 141f.

51 Zu diesem Ausdruck, der wohl auf eine unzureichende Nachahmung des Demosthenes durch Deinarchos hindeutet, vgl. Hermog. *Id.* 2, 11 (399, 2 Rabe).

52 MiChon *Ep.* 8, 2, 24-27 (12 Kolovou).

53 Zum guten Klima in Athen vgl. oben S. 233 Anm. 338; siehe auch schon Pl. *Ti.* 24b 7-c 7.

54 Zum Honig vom Hymettos vgl. oben S. 258f. Anm. 13. Der Honig vom Hymettos war in der Antike berühmt, vgl. Lohmann (1998) 787 mit Quellenangaben.

Πειραιεύς, ἡ μυστηριῶτις Ἐλευσὶς ἦν ὅτε, ἡ τῶν Μαραθωνομάχων ἱππήλατος πεδιὰς ἥ τε Ἀκρόπολις αὕτη, ἐφ' ἧς ἐγὼ νῦν καθήμενος αὐτὴν δοκῶ πατεῖν τὴν ἄκραν τοῦ οὐρανοῦ· ἡ δε φιλολόγος ἐκείνη γενεὰ καὶ περιττὴ τὴν σοφίαν οἴχεται, ἐπεισῆλθε δὲ ἡ ἄμουσος, πτωχὴ τὸν νοῦν, πτωχὴ τὸ σῶμα, κούφη μεταναστεῦσαι καὶ ἄλλοτε ἄλλης ἐπιβῆναι τροφὴν μαστεύουσα, κἀκεῖθεν αὖθις ἀναπτῆναι κατὰ τοὺς ἀβεβαίους καὶ πλάνητας ὄρνιθας. κἀντεῦθεν ἡ μεγάλη πόλις ἐρείπιον μέγα καὶ ἄλλως θρυλλούμενον.

Hymettos, der ruhige Piräus, das einst geheimnisvolle Eleusis, die leicht zu befahrende Ebene der Marathonkämpfer, die Akropolis selbst, auf der ich nun sitze und den Rand des Himmels zu betreten scheine; jenes redeliebende und in Weisheit übergroße Geschlecht ist aber gegangen, gekommen das musenlose, das an Verstand arme, arm am Körper, leicht in der Bewegung und bald hier, bald dort auf der Suche nach Nahrung, und von da fliegt es wieder zurück wie die leichten und beweglichen Vögel. Daher ist die große Stadt jetzt ein großer Trümmerhaufen, der sonst weithin besungen wird.“[55]

Oder auch an einen Theognostos Phurnitarios:[56]

Συγγνώσεται οὖν τωτέως μὴ ἐπιστέλλοντι· σοφὸς γὰρ ὢν τά τε ἄλλα καὶ δὴ τὰ πολιτικά, οὐκ ἀγνοεῖ πῶς τὰ τῶν Ἀθηναίων ἄρτι νοσεῖ καὶ πῶς ὁ τούτους λαχὼν ὀδυνᾶται, οὐχ' ἡδὺς ὢν καὶ ἄλλως ἀνάλγητος, ἀλλὰ καὶ λίαν ὑπ' εὐαισθήτου καρδίας δαπανώμενος.

„Er wird ihm, der bisher noch nicht geschrieben hat, verzeihen. Er ist ja weise, vor allem was das ‘Politische’ angeht, und weiß ganz genau, wie krank gerade die Sache der Athener steht und welche Schmerzen der, der sie bekommen hat, empfindet; ihm geht es nicht gut und er ist auch sonst nicht schmerzfrei, sondern wird aufgezehrt von einem allzu empfindungsreichen Herzen.“[57]

Die Briefe nach dem Amtsantritt in Athen sind geprägt von der Klage über die schlechte Bildung, aber auch die schlechte wirtschaftliche Situation der Stadt.

So beschwert sich Michael auch in einem Brief[58] an den μέγας σκευοφύλαξ Georgios Xiphilinos[59] darüber, erst spät Nachrichten zu erhalten, und dann auch nur zufällig.[60] Er fühlt sich wie der reiche Prasser des Evangeliums zum Aufenthalt in der Hölle verurteilt:[61]

55 MiChon *Ep.* 8, 3f., 29-37 (12f. Kolovou).
56 Zum Inhalt des Briefes vgl. Kolovou (2001) 55*; zum Empfänger sowie der Datierung des Briefes vgl. ebd. Anm. 28 und 29.
57 MiChon. *Ep.* 10, 3, 32-35 (15 Kolovou). Vgl. Kolovou (1999) 171f. Zu vergleichbaren Aussagen siehe etwa MiChon *Ep.* 20 (23-26 Kolovou).
58 Zum Inhalt vgl. Kolovou (2001) 56*f.; zur Datierung auf ca. 1183 vgl. ebd. 57* mit Anm. 38; zur Person ebd. 56* Anm. 36 (mit Literatur).
59 Zur Person vgl. Kazhdan (1991d).
60 Vgl. Kolovou (1999) 122.
61 Vgl. das Gleichnis vom reichen Prasser und dem armen Lazarus in *Ev.Luc.* 16, 19-31; die Wortwahl entstammt dieser Perikope (16, 22: ἐν τῷ ᾅδῃ; 16, 26: μεταξὺ ἡμῶν καὶ ὑμῶν χάσμα μέγα ἐστήρικται, ὅπως οἱ θέλοντες διαβῆναι ἔνθεν πρὸς ὑμας μὴ δύνωνται;

Φεῦ τῆς ὑπερορίου καταδίκης ἡμῶν, φεῦ τῆς κατωτάτης ταύτης ἐσχατιᾶς, εἰς ἣν ὡς εἰς ἄλλον Ἅιδου κευθμῶνα κατήλθομεν καὶ μέγα χάσμα μεταξὺ ἡμῶν τῶν βασανιζομένων δεῦρο καὶ ὑμῶν τῶν ἐν τοῖς Ἀβραμιαίοις κόλποις ἀναπαυομένων ἐστήρικται,[62] ὡς μὴ μόνον μὴ οἵους τε εἶναι διαβαίνειν ἔνθεν πρὸς ὑμᾶς, ἀλλὰ μηδὲ τοὺς ὀφθαλμοὺς ἐπαίρειν καὶ μακρόθεν ὁρᾶν, ὅπως περὶ τὴν μακαρίαν ἐστὲ λῆξιν παρακαλούμενοι.

„O dieses grenzenlose, uns widerfahrene Unrecht, o diese tiefste Fremde, in die wir wie in ein anderes Jammertal des Hades gegangen sind, und ein tiefer Abgrund ist aufgebrochen zwischen uns, den hier Geprüften, und euch, die ihr euch in Abrahams Schoß erholt, so dass wir nicht mehr nur nicht von hier zu euch übertreten, sondern nicht einmal mehr die Augen erheben und aus der Ferne sehen können, wie es um das Glück bestellt ist, da ihr zu eurem Schicksal gerufen worden seid."[63]

Auch an den Patriarchen Theodosios (Borradiotes),[64] der selbst eine persönliche Niederlage hinnehmen musste – er hatte abgedankt und sich auf die Insel Terebinthos zurückgezogen –, richtet Michael seine Klagen, denn, so der Bischof, er erfahre ja nichts von seinem Schicksal, deshalb müsse Theodosios auch die stets finster blickenden Briefe aus Athen aushalten.[65] Er vergleicht sich in diesem Brief,[66] der um das Gebet des Patriarchen bittet, mit einem Hirten, dessen Herde in einem schlechten Zustand ist:

Ἴστω γοῦν ἡ μεγάλη ἁγιωσύνη σου, ὡς ὑγιῶς μὲν τωτέως τοῦ σώματος ἔχομεν, οὕτω δὲ διακείμεθα ὡς διακέοιτ' ἂν ποιμὴν ὁρῶν τὸ αὑτοῦ ποίμνιον λιμῷ καὶ δίψει κακούμενον καὶ σπαραττόμενον κλέπταις, λῃσταῖς, πειραταῖς καὶ θηρσί, πρὸς δὲ καὶ ὑπὸ τῶν ἰσχυροτέρων τῆς ἀγέλης διακυριττόμενον οὕτω κραταιῶς, ὡς καὶ προσκατάγνυσθαι καὶ τρεπόμενον οἴχεσθαι.

„Es wisse also Deine große Heiligkeit, dass wir hinsichtlich des Körpers gesund sind, uns aber so fühlen, wie sich ein Hirt fühlen wird, wenn er sieht, dass seine Herde von Hunger und Durst gequält und von Dieben, Räubern, Piraten und wilden Tieren gerissen wird, außerdem wird sie von den stärkeren Tieren der Herde dermaßen bekämpft, dass sie sich vernichtet umwendet und weggeht."[67]

Ähnliche Klagen treten immer wieder, nahezu in jedem Brief dieser Zeit auf.[68]

16, 23: ἐπάρας τοὺς ὀφθαλμούς; 16, 23: ὁρᾷ Ἀβραὰμ ἀπὸ μάκροθεν καὶ Λάζαρον ἐν τοῖς κόλποις αὐτοῦ).

62 Vgl. zu diesem Bild MiChon *MonEust* 54-56 (1, 305, 14-306, 9 Lampros) und Kolovou (1999) 224.

63 MiChon *Ep.* 13, 6, 30-36 (18 Kolovou).

64 Zur Person vgl. Kazhdan (1991c) und Kolovou (2001) 54* Anm. 25 und 26.

65 MiChon *Ep.* 14, 2, 9f. (19 Kolovou).

66 Zum Inhalt vgl. Kolovou (2001) 57*.

67 MiChon *Ep.* 14, 4, 25-30 (19 Kolovou).

68 Vgl. MiChon über sein Schicksal *Ep.* 17, 3, 15-18 (21 Kolovou): ἀλλὰ Σταγειρίτην εἰπών, τῶν προτέρων ἡμερῶν ἀνεμνήσθην καί μοι τὸ αἷμα εὐθὺς ἅπαν ἄλλοσέ πη τῶν σπλάγχνων μετέρρευσεν, ἀναλογισαμένῳ ἡλίκης εὐδαιμονίας ἐξεκυλίσθην καὶ εἰς τὴν κοιλάδα τοῦ τῇδε κλαυθμῶνος πῶς κατενήνεγμαι. („Aber, da ich 'Stageirit' sagte, habe ich mich an die früheren Tage erinnert, und mein ganzes Blut ist mir sofort aus meinem

Wenn Persönlichkeiten von Rang in Athen ankommen, kann Michael erneut seine Bildung und seine rhetorischen Fähigkeiten zur Geltung bringen. So setzt er seine Hoffnung, dass Athen aus der prekären wirtschaftlichen Lage befreit werde, auf den Praitor Nikephoros Prosouchos, der um 1182/3 Athen besuchte.[69] Ihn begrüßt er überschwänglich und bringt seine Gefühle mit folgenden Worten zum Ausdruck:

Τοιούτων ἀγαθῶν καὶ πᾶσα μὲν Ἑλλὰς καὶ μέσον Ἄργος οἶδ' ὅτι ἐπαπολαύσουσιν, ἐπὶ πλέον δὲ ἡ ἐμὴ Ἀττικὴ καὶ ἡ χρυσῆ ποτε πόλις Ἀθῆναι, ἥτις σε ὡς δώρημα θεῖον καὶ τέλειον ὑποδέχεται καὶ ὡς ὥριμον ὑετὸν γῆ διψῶσα καὶ ἄνυδρος, ὡς τὸν Ἰησοῦν καὶ Κύριον οἱ μαθηταὶ βαπτιζόμενοι κύμασιν, ὡς ἄγγελον Κυρίου οἱ ἐν τῇ καμίνῳ πυρούμενοι.[70]

„Ganz Griechenland und in der Mitte Argos wird gewiss solcher Güter teilhaftig werden, mehr aber noch mein Attika und die einst goldene Stadt Athen, die dich wie ein göttliches und gewünschtes Geschenk aufnimmt, rechtzeitig wie ein nach Regen dürstendes und unbewässertes Land, wie die Jünger, in den Fluten getauft, Jesus den Herrn aufnehmen, wie den Engel des Herrn die im Ofen Gerösteten aufnehmen."[71]

Und in einer feierlich eingeleiteten Rede der Stadt Athen an den neuen Praitor wird ihre ruhmreiche Vergangenheit als Argument angeführt, ihr eine besondere Hilfe zukommen zu lassen:

Ἡ γὰρ δικαία σου φωνὴ Κυρίου φωνή, φλόγα πυρὸς διακόπτουσα, ταύτην τὴν ἐν ταῖς πόλεσι μὲν ὑπερλάμπουσαν ἦν ὅτε ὅσον καὶ σελήνη ἐν τοῖς περὶ αὐτὴν ἄστρασι, νῦν δὲ κειμένην ἀμαυρὰν καὶ σχῆμα περικειμένην πενθικὸν καὶ τὰς χρυσᾶς ἀποκειραμένην κόμας[72] τούτους τοὺς λόγους ποιεῖσθαι πρὸς σὲ δι' ἡμῶν νόμισον· «Ὡς εἰς καιρὸν ἐπέστης μοι, δικαιότατε ἀνδρῶν καὶ πραότατε· ὡς εἰς καιρὸν ἐπέστης μοι ἐλευθερωτὴς καὶ λυτὴρ τῶν ἐμῶν συμφορῶν. Ὁρᾷς με τὴν θρυλουμένην τῶν πόλεων, ὅπως ὁ μὲν χρόνος ἀνάλωσε, τοῖς δὲ λειψάνοις τοῦ χρόνου συνεπέθετο κακία πολύτροπος καὶ κατέλιπε χωρίον

„Deine gerechte Stimme ist die Stimme des Herrn, die die Flamme des Feuers auslöscht: Nimm an, dass diese Stadt, die einst unter allen Städten hervorragte, wie auch der Mond unter den Sternen um ihn herum hervorragt, die nun aber schwach darniederliegt und ein ärmliches Aussehen hat und die ihre goldenen Locken abgeschnitten hat, durch uns diese Worte an dich richtet: 'Wie rechtzeitig bist du zu mir gekommen, gerechtester und freundlichster Mann, wie rechtzeitig bist du zu mir gekommen als Befreier und Erlöser von meinem Unglück. Du siehst, wie mich, die vielbesprochene Stadt, die Zeit dahingerafft hat, und wie das vielgewandte Übel der Zeit die

Innersten weggeflossen, da ich mir überlegte, aus welchem Glück ich mich entfernt habe und wie ich in die Höhle dieses Jammertales geraten bin."); *Ep*. 18, 1f. (22 Kolovou); *Ep*. 19, 1 (22f. Kolovou); *Ep*. 20, 2 (23f. Kolovou); über den wirtschaftlichen Zustand Athens *Ep*. 19, 3, 16-19 (23 Kolovou).

[69] Zu dieser Funktion der 'Begrüßungsreden' vgl. Angold (1995) 204.

[70] Vgl. *Dan*. 3, 49.

[71] MiChon *OrNic* 14 (1, 146, 21-26 Lampros).

[72] Vgl. zu diesem Bild oben S. 150-153.

μικροῦ καὶ ἀοίκητον, ὀνόματι μόνῳ καὶ σεμνοῖς ἐρειπίοις γνωριζομένην. Ἥδε ἐγὼ ἡ τλήμων, ἡ πάλαι μὲν μήτηρ σοφίας παντοδαπῆς καὶ πάσης καθηγεμὼν ἀρετῆς, ἡ πεζομαχίαις καὶ ναυμαχίαις Πέρσας πολλάκις καταστρατηγήσασα, νῦν δὲ σκαφιδίοις ὀλίγοις πειρατικοῖς καταπολεμουμένη καὶ ληϊζομένη τὰ ἐπὶ θαλάττῃ πάντα· ἡ πιοῦσα τὸ ἐκ χειρὸς Κυρίου ποτήριον κἀντεῦθεν λιμῷ καὶ δίψει καὶ πτωχείᾳ προσταλαιπωρήσασα. Ἥδε ἐγὼ ἡ δυστυχοῦσα τά τ' ἔνδον τά τε θύραζε· [...] Ἄγε γοῦν δός μοι χεῖρα χαμαὶ κειμένῃ, κινδυνευούσῃ βοήθησον, νεκρουμένην ἀναζωπύρωσον, ἵνα τῷ Θεμιστοκλεῖ καὶ Μιλτιάδῃ καὶ τῷ δικαίῳ Ἀριστείδῃ[73] ἐγγράψω σε, οἳ πάλαι τὰ κατ' ἐμὲ πλημμελῶς φερόμενα ἐπηνώρθουν καὶ μετερρύθμιζον. Ἀνάστησόν μοι καὶ τὸν τοῦ Ἐλέου βωμὸν πάλαι καταβεβλημένον καὶ περιφρονούμενον. Μᾶλλον δ' ἔχω ἤδη τοῦ παλαιοῦ ἐκείνου ἕτερον κρείττονα, αὐτόν φημι σὲ τὸν σπλάγχνα θεοῦ μιμούμενον ἐλεήμονος, ᾧ πᾶς τις προσφεύγων ἀνώτερος τῶν ἐπηρεαζόντων συντηρηθήσεται.»

Überbleibsel angegriffen hat und als Feld und beinahe unbewohnt zurückgelassen hat, bekannt nur noch durch den Namen und die berühmten Trümmer. Ich Unglückliche, die ich einst die Mutter aller Weisheit war und Wegweiserin in jeder Tugend, die ich im Krieg zu Land und zu Wasser die Perser oft überwunden habe, werde nun von kleinen Piratenschiffchen auf dem ganzen Meer bekriegt und beraubt; die aus der Hand des Herrn den Kelch trinkt, wird auch danach noch mit Hunger und Durst und Armut geplagt. Ich bin im Unglück sowohl in meinen Mauern als auch außerhalb. [...] Wohlan, gib mir, die am Boden liegt, die Hand, der Bedrängten komm zu Hilfe, die im Sterben Liegende erwecke zu neuem Leben, dass ich dich zu Leuten wie Themistokles, Miltiades und dem gerechten Aristides zählen kann, die früher meine missliche Lage gerichtet und verbessert haben. Richte mir auch wieder den Altar des Mitleids auf, der schon lange niedergerissen und verachtet ist. Ich habe noch einen anderen Besseren als jenen alten, ich meine dich selbst, der du das Herz des barmherzigen Gottes nachahmst, von dem jeder, der zu ihm Zuflucht nimmt, mehr geschützt wird als die Übermütigen.' "[74]

Ein Epitaphios auf den athenischen Märtyrer Leonides[75] bietet für Michael die Gelegenheit, auf die Leichenrede im klassischen Athen zu verweisen:

Εἶτα πάλαι μὲν Ἀθήνησιν ἔκειτο νόμος δημοσίας ἀξιοῦσθαι ταφῆς τοὺς ἐν πολέμοις ἄριστα πίπτοντας καὶ τοῖς τε ἄλλοις, ἀλλὰ δὴ καὶ λόγοις ἐπιταφίοις κοσμεῖσθαι· ἀμφότερον γέρας τε ἀρετῆς τοῖς καλῶς ἀπιοῦσι καὶ τοῖς περιοῦσιν ἐπ' ἀρετὴν παράκλησις.

„Seit langem ist es in Athen Brauch, die am tapfersten im Krieg Gefallenen durch einen öffentlichen Leichengang zu ehren, und sie vor allem mit Leichenreden zu schmücken; dies ist zum einen eine Ehrengabe für die Tapferkeit der in guter Weise von uns Gegangenen und gleichzeitig auch eine Ermahnung zur Tapferkeit für die Hinterbliebenen."[76]

[73] Zu Militades vgl. oben S. 238.
[74] MiChon *OrNic* 15-18 (1, 147, 5-148, 7 Lampros).
[75] Vgl. oben S. 66.
[76] MiChon *Leonid.* 1 (1, 150, 1-5 Lampros).

Daraufhin begründet er die Verehrung der Märtyrer: Ihre Todesverachtung im Kampf gegen die Mächte der Finsternis (πρὸς πολεμίους μὲν τὰς ἀσάρκους τοῦ σκότους ἀράς) mache es allein schon deshalb notwendig, ihnen Ehre zu erweisen, weil doch schon die heidnischen Griechen ihre Helden „mit Standbildern, aufwendigen Ehrenmälern und jährlichen Festen" (ἀνδριάσι καὶ πολυτελέσιν ἡρῴοις καὶ πανηγύρεσιν ἐπετείοις) gefeiert haben. Es wäre darüber hinaus im Hinblick auf die Standhaftigkeit der Märtyrer im Glauben und ihre Liebe für das Heil der Hinterbliebenen geradezu ein Zeichen der Degeneration,[77] wenn sie, die Nachkommen, auch nur zögerten, „nur ein paar Schritte vor die Stadt zu gehen," um die heilige Begräbnisstätte aufzusuchen und „sich Erleuchtung zu verschaffen."[78]

Darauf wird die Geschichte des Leonides und der Jungfrauen in seinem Gefolge erzählt: Sie waren Griechen (Ἑλλάδος μὲν γεννήματα καὶ θρέμματα), lehnten trotzdem den Vielgötterglauben ab und wurden von den Heiden festgenommen. Sie leisteten keinen Widerstand mit Waffengewalt, sondern durch Leiden. Leonides wird gehäutet (ὠμότατα ξέεται), doch er kann in diesem größten Leid ein Loblied auf sein Martyrium singen, indem er seine Folter als Befreiung der Seele von dem Kleid des Körpers preist (γυμνούσθω τοῦ φυσικοῦ χιτῶνος ἡ ἀκαμπὴς ψυχή), und verärgert sein, dass sein Leiden nicht noch größer ist. Auch die Frauen in seiner Begleitung und an erster Stelle unter ihnen Charissa verleugnen ihr Geschlecht und zeigen eine männliche Tapferkeit (μὰ τοὺς ὑπὲρ εὐσεβείας ἀνδρικοὺς ἀγῶνας ἐκείνων): Mutig wendet die Wortführerin sich an den Richter und macht ihm klar, dass sie keine Frauen der traditionellen Art sind,[79] sich der Liebe zu Christus verschrieben haben und durch den Märtyrertod mit ihrem Geliebten vereint werden. Der Tyrann befiehlt aus Angst über ihren Mut, sie im Meer zu versenken, um ihnen keinen Ruhm zuteil werden zu lassen. Unter Gesang kommen sie an der Stelle des Meeres an, an der sie versenkt wer-

77 Vgl. MiChon *Leonid.* 5 (1, 151, 18f. Lampros): Ὦ τῆς ἐκείνων μὲν φιλαδελφίας, ἡμῶν δὲ μαλακίας („O deren Liebe zum Nächsten, o unsere Weichlichkeit").

78 Vgl. MiChon *Leonid.* 5 (1, 151, 22-24 Lampros): [...] μικρὸν πρὸ τῆς πόλεως δεῦρο βαδίζειν [...] καὶ τῷ ἱερῷ τούτῳ πολυανδρίῳ προστρέχειν καὶ τὸν ἐντεῦθεν φωτισμὸν ἀρύεσθαι. Wie das Folgende zeigt, war der Märtyrerkult in Athen zeitweise vernachlässigt worden: MiChon *Leonid.* 6 (1, 151, 25f. Lampros): Ἀλλ᾽ εἰ μέχρι καὶ ἐς δεῦρο περὶ τοὺς μάρτυρας ἀμελῶς. ὀκνῶ γὰρ εἰπεῖν ἀστόργως („Aber bis hier und heute war die Sache um die Märtyrer vernachlässigt, ich scheue mich nämlich zu sagen: lieblos gehandhabt worden."). Ebd. *Leonid.* 7 (1, 152, 9f. Lampros): ἀγνοεῖν γάρ μοι δοκεῖτε, εἰ καὶ μὴ πάντες, τὸν ἀπόθετον ὄλβον ἡμῶν („denn ihr, wenn auch nicht alle von euch, scheint mir den bei uns aufbewahrten Schatz gar nicht zu kennen"). Zur Kirche des Leonides Janin (1975) 322f.

79 Vgl. MiChon *Leonid.* 11 (1, 153, 29-31 Lampros): Εἰ καὶ γυναῖκες ἡμεῖς τὸ φαινόμενον, γενναιότεραι δὲ τῆς φύσεως πολλῷ („wenn wir auch aussehen wie Frauen, sind wir doch um vieles edler als unsere Natur"). Vgl. auch die Bemerkung Michaels *Leonid.* 15 (1, 155, 14f. Lampros): γυναῖκες εὐσεβεῖς, πέρα τῆς φύσεως ἀνδριζόμεναι („fromme Jungfrauen, die über ihr Geschlecht hinausgewachsen sind und sich als Männer erwiesen haben").

den. Der Stolz auf diese griechischen Märtyrer um Leonides ist viel größer als der auf den Spartaner Leonidas, der einst bei den Thermopylen fiel:

Ἐφ᾽ ᾧ μᾶλλον μέγα φρονεῖτο ἡ νῦν εὐσεβὴς Ἑλλὰς ἥ περ ἡ πάλαι ἐπὶ τοῖς περὶ Λεωνίδην τὸν Λάκωνα, ἀντισχοῦσι μὲν πρὸς τὰς τῶν Περσῶν δυνάμεις περὶ τὰ στενὰ τῶν Θερμοπυλῶν, πεσοῦσι δ᾽ ἐκεῖσε παρὰ τῶν βαρβάρων ὑπὲρ ἐλευθερίας Ἑλλήνων κοινῆς, ὡς καὶ τὰ ἐπιγεγραμμένα τῷ πολυανδρίῳ ἐκείνων ἐπιμαρτύρεται· [...].

„Um wieviel mehr ist doch das jetzt heilige Griechenland über ihn [sc. den Märtyrer Leonides] stolz als das alte über die Leute des Spartaners Leonidas, die sich zwar der Macht der Perser bei der Landenge der Thermopylen entgegenstellten, dort aber durch Barbaren für die Freiheit ganz Griechenlands fielen, wie die Aufschrift auf ihrer Gedenkstätte bezeugt: [...].“[80]

Es folgt eine weitergehende Synkrisis zwischen den Taten, der Leistung wie dem Erfolg des Spartaners Leonidas und der Frauen um den christlichen Märtyrer Leonides und ein Vergleich der Frauen mit den Israeliten, die auf dem Weg in das Gelobte Land das Rote Meer durchquerten, sowie ein abschließendes Lob ihres Gottvertrauens.

Abschließend soll die ‘Ansprache’ (προσφώνημα) an den Praitor Demetrios Drimys[81] anlässlich seines Besuches in Athen behandelt werden.[82] Bereits in den ersten Worten wird das Programm dieser Rede deutlich:

Τὸν Θησέα φασὶν ἐκεῖνον συνοικιστὴν τῶν ἐμῶν Ἀθηνῶν· δεξιωτέον γὰρ ἀττικοῖς διηγήμασιν ἄνδρα Μουσῶν καὶ λόγου θεράποντα καὶ σοφὸν ὑποφήτην Θέμιδος, ἐπεὶ νῦν πρώτως ἧκεν Ἀθήναζε ταμίας εὐνομίας[83] καὶ σωτὴρ Ἑλλάδος καὶ τῆς τοῦ Πέλοπος.

„Jenen Theseus nannte man den Gründer (‘Synoikisten’) meines Athen: Man muss ja mit einer Geschichte aus Attika einen Mann begrüßen, der den Musen ergeben und Verehrer der Rede und weiser Verwalter des Rechts ist, wenn er nun zum ersten Mal nach Athen kommt als Hüter der Wohlgesetzlichkeit (‘Eunomie’) und Retter Griechenlands und der Insel des Pelops.“[84]

Theseus, so erzählt Michael, sei bei seiner Rückkehr von Marathon von einer alten armen Frau mit Namen Hekale[85] aufgenommen worden; trotz ihrer Armut sei ihre einmalige Gastfreundschaft unvergessen geblieben.

Es schließt sich erneut eine lange Klage über den gegenwärtigen Zustand der einst großen Stadt an.[86]

80 MiChon *Leonid.* 14 (1, 154, 30-155, 4 Lampros).
81 Zur Person und seiner Familie vgl. Kazhdan (1991b).
82 Vgl. Stadtmüller (1934) 158 [36] und 242f. [121f.].
83 Vgl. Sol. *Frg.* 4, 32 West².
84 MiChon *OrDem* 1 (1, 157, 1-5 Lampros).
85 Zu Hekale vgl. Call. *Hec.*
86 Obwohl es reizvoll wäre, die lange (wenn auch mitunter etwas ausgedehnt erscheinende) Passage ganz wiederzugeben, sollen um der Kürze willen die entscheidenden Stichworte erwähnt werden. Es handelt sich um eine lange Reihe von Gegenüberstellungen des alten,

Nach dieser Schilderung der athenischen Kargheit wendet sich Michael direkt an den Praitor:

Ἄγε δὴ τοίνυν, ἀνδρῶν ἄριστε, τίμησον Ἀθήνας καταλύσας δεῦρο· ἄσπασαι τὸ τῶν λόγων ἔδαφος[87] ὁ σοφός, τὴν τοῦ Σόλωνος μητέρα ὁ ἐννομώτατος δικαστής, τὴν τῶν ῥητόρων καὶ σοφιστῶν τιθηνὸν[88] ὁ τῆς δημοσθενικῆς ἠχοῦς ἐραστής. Ἀγάπησον εἴ που ἴχνος τῆς παλαιᾶς εὐδαιμονίας θεάσαιο.

„Wohlan, bester Mann, ehre das bis jetzt zerstörte Athen: Der Weise umarme das Fundament der Worte, der gesetzestreueste Richter die Mutter Solons, der Liebhaber der Klänge des Demosthenes die Nährmutter der 'Rhetoren' und 'Sophisten'. Zeige Liebe, wenn du irgendwo noch eine Spur des alten Glücks erkennen kannst."[89]

Michael fährt fort, die Zeit, da die Schönheit Athens verlorengegangen ist, sei lang. Daher sehe er auch, dass der Praitor die Tränen nicht verhehlen könne (οὐ ἀδακρυτὶ βλέπεις). Selbst die Bauwerke seien dahin, die Mauern zerstört (τείχη τὰ μὲν περιῃρημένα, τὰ δὲ καθῃρημένα), die Häuser lägen darnieder (οἰκίας δὲ κατεσκαμμένας καὶ γεωργουμένας), die Stadt sei leer wie einst bei der Evakuierung in der Zeit der Perserkriege, keine Zeichen mehr der Heliaia, des Peripatos, des Lykeions. Man sehe, weil er hoch, aber nicht mehr erhaben sei, den Areopag, und vielleicht noch etwas von der Stoa, die Weideplatz ist und vom Zahn der Zeit erheblich mitgenommen. Musen und Chariten hätten Attika verlassen, Athen habe stattdessen bäurisches Wesen und barbarische Sprache erlost.

Doch Michael bricht ab: Nun ist der Praitor gekommen, die Zeit wird sich wandeln, eine Hoffnung, die durch enkomiastischen Preis der Tugenden des neuen Statthalters ihren Ausdruck findet:

Ὃς τῶν σπουδαίων ἐκείνων ἀνδρῶν καὶ πολιτευσαμένων ἐπὶ σωτηρίᾳ τῶν

„Du trägst zusammenfassend die ganze Tugend dieser ehrenwerten Männer, die zum

glücklichen und des zeitgenössischen armen Athen. Das alte Athen: ἡ πάλαι μὲν εὐδαίμων καὶ πᾶσι καλοῖς ἐννεάσασα – τὰ τῆς παλαιᾶς φιλοξενίας καὶ φιλοφροσύνης γνωρίσματα – [ἐν ᾗ] Περικλῆς δὲ ὁ Ὀλύμπιος ἠξιοῦτο καλεῖσθαι ἀστράπτων καὶ βροντῶν ἐν τοῖς λόγοις καὶ ξυγκυκῶν ἅπαν τὸ προσιστάμενον, Δημοσθένης δὲ τῶν ὁποιδήποτε ῥητόρων σφοδρότερον ἔπνευσεν, ἵνα μὴ Λυσίου τὰς χάριτας καὶ γλυκύτητας Ξενοφῶντος καὶ σειρῆνας Ἰσοκράτους λέγωμεν. – Das zeitgenössische, ärmliche Athen: νῦν δὲ χρόνῳ γεγηρακυῖα καὶ πρὸς γῆν καταρεύσασα – πάλαι γὰρ τὰς ἀνδριαντοποιοὺς ἐξεκόπη χεῖρας τῷ χρόνῳ, δι' ὧν τοὺς ἀγαθοὺς περὶ αὐτὴν ἄνδρας ἐδεξιοῦτο – οὐδὲ τὴν γλῶτταν ἐκείνην ἔτι τὴν εὐγενῆ, τὴν σοφὴν εὐτυχεῖ ... Φθάσας γὰρ καὶ ταύτην ὁ χρόνος ἐξέτεμεν, ὡς τῆς Πανδιονίδος κόρης ὁ Θρᾷξ ἐκεῖνος ὁ ἀσελγής. – ἐν ᾗ Στοὰ μὲν τῶν οὐρανοῦ νώτων παρέψαυσε σοφίας τῷ θαύματι, Περίπατος δὲ διέδραμε τῇ φήμῃ ὅσην καὶ ἥλιος – τὴν ταύτην μεγαλοφωνίαν ἡ πόλις πάλαι ποτὲ πρὸς τοῖς λοιποῖς ἄλλοις σεμνώμασιν ἀπεβάλετο – τῇ τε δυστυχούσῃ περὶ λόγους πόλει – τῆς ἦν ὅτε μεγάλης πόλεως πάνυ δυστυχὲς καὶ βραχὺ νέμων ποίμνιον – ὡς ἀγροικισθῆναι κινδυνεύειν ἐξ οὗ περ τὰς σοφὰς παροικεῖν Ἀθήνας ἐλάχομεν.

87 Zum Ausdruck vgl. oben S. 145.

88 Zu vergleichbaren Ausdrücken siehe oben S. 147 mit Anm. 118.

89 MiChon *OrDem* 4 (1, 159, 11-15 Lampros).

πόλεων τὴν πᾶσαν συνελὼν ἀρετὴν φέρεις ἐν σεαυτῷ, καὶ τὴν νομοθετικὴν ἠκριβώσω μᾶλλον Λυκούργου καὶ Σόλωνος, τὴν δὲ δικαστικὴν τοῦ Μίνωος κρεῖττον καὶ Ῥαδαμάνθυος, τοῦ δὲ δικαίου Ἀριστείδου τοσούτῳ διήνεγκας, ὅσῳ τῆς ἀδικίας τὸ δίκαιον· ἐς τοσοῦτον γὰρ ἐγὼ τῆς ἑλληνικῆς εὐθυδικίας οἶδα τὴν κατὰ Χριστὸν ὑπερφέρουσαν· Θεμιστοκλέους δὲ τοσοῦτον ἀγχινούστερος ἦσθα ὅσον καὶ παιδὸς ἀνὴρ ἐντελής. Τό γε μὴν Περικλέους ἐν δημηγορίαις καταπλῆττον καὶ Δημοσθένους τὸ ἐν ῥητορείαις ἐνθουσιάζον, πάλαι βίβλοις μανθάνων, νῦν ἐν σοὶ δι' ἔργων ἐγνώρισα, Ἱππολύτου δὲ τὸ σῶφρων καὶ Αἰακοῦ.

Heil die Städte verwalteten, in dir selbst. Und du hast die Kunst der Gesetzgebung besser kennengelernt als Lykurg und Solon, die der Rechtsprechung mehr als Minos und Radamanthys, den gerechten Aristides übertriffst du so, wie das Gerechte vom Unrechten entfernt ist – ich weiß, dass die gute Verwaltung des Rechts nach den Weisungen Christi um so viel die griechische übertrifft –, du warst um so viel vernünftiger als Themistokles wie ein erwachsener Mann vernünftiger ist als ein Kind. Das Mitreißende in der öffentlichen Rede, das Perikles beherrschte, und das Begeisternde in der Rhetorik, das Demosthenes eigen war, kenne ich schon lange aus Büchern; in dir habe ich es durch Taten jetzt ebenso erlebt wie die Besonnenheit des Hippolytos und des Aiakos."[90]

Im Folgenden wird in einer sehr ausgedehnten Passage die Gestalt des Herrschers Andronikos Komnenos gepriesen. Am Ende dieses panegyrischen Abschnitts kommt auch die Weisheit des Herrschers zur Sprache, die sich darin geäußert habe, jeder Stadt einen angemessenen Verwalter zuzuteilen; daher habe auch das einst weise Griechenland einen weisen Herrscher erhalten (σὲ δὲ τὸν σοφὸν τῇ σοφῇ ἦν ὅτε Ἑλλάδι [sc. ἐπέστησε]). Michael gibt schließlich erneut seiner Hoffnung Ausdruck, dass Demetrios die Lage der griechischen Städte verbessern werde.

5. 4. 4 Christliche Verse über den Verfall Athens

Das bekannteste Werk des Michael Choniates ist die sogenannte Klage über das im Verfall befindliche Athen; sie ist während des Athen-Aufenthalts verfasst.[91] Die Verse sollen hier abschließend ganz wiedergegeben und übersetzt werden:

Ἔρως Ἀθηνῶν τῶν πάλαι θρυλουμένων / ἔγραψε ταῦτα ταῖς σκιαῖς προσαθύρων / καὶ τοῦ πόθου τὸ θάλπον ὑπαναψύχων. / Ἐπεὶ δ' ἔτ' οὐκ ἦν οὐδαμοῦ φεῦ! προσβλέπειν / αὐτὴν ἐκείνην τὴν ἀοίδιμον πόλιν[92] / τὴν, δυσαρίθμου καὶ μακραίωνος χρόνου / λήθης βυθοῖς

„Die Liebe zu Athen, dem früher viel besungenen, schrieb dies und treibt so ihren Scherz mit den Schatten und kühlt so die Glut ihrer Sehnsucht. Da nicht mehr – weh! – möglich ist, jene berühmte Stadt selbst anzuschauen, sie, die eine zahllose und ewige Zeit in den Tiefen des Vergessens

[90] MiChon *OrDem* 7 (1, 160, 20-161, 3 Lampros).
[91] Vgl. Stadtmüller (1934) 268 [146].
[92] Zum Ausdruck vgl. oben S. 12 Anm. 9.

κρύψαντος, ἠφαντωμένην, / ἐρωτολήπτων ἀτεχνῶς πάσχω πάθος· / οἵ τὰς ἀληθεῖς τῶν ποθουμένων θέας / ἀμηχανοῦντες ὡς παρόντων προσβλέπειν, / τὰς εἰκόνας ὁρῶντες αὐτῶν, ὡς λόγῳ [v. l. λόγος],[93] / παραμυθοῦνται τῶν ἐρώτων τὴν φλόγα. / Ὡς δυστυχὴς ἔγωγε, καινὸς Ἰξίων,[94] / ἐρῶν Ἀθηνῶν, ὡς ἐκεῖνος τῆς Ἥρας, / εἶτα λαθὼν εἴδωλον ἠγκαλισμένος. / Φεῦ! οἷα πάσχω καὶ λέγω τε καὶ γράφω. / Οἰκῶν Ἀθήνας οὐκ Ἀθήνας που βλέπω, / κόνιν δὲ λυπρὰν καὶ κενὴν μακαρίαν.[95] / Ποῦ νῦν τὰ σεμνά, τλημονεστάτη πόλις; / Ὡς φροῦδα πάντα καὶ κατάλληλα μύθοις, / δίκαι, δικασταί, βήματα, ψῆφοι, νόμοι, / δημηγορίαι <τε> πειθανάγκη ῥητόρων, / βουλαί, πανηγύρεις τε καὶ στρατηγίαι / τῶν πεζομάχων ἅμα καὶ τῶν ναυμάχων, / ἡ παντοδαπὴ Μοῦσα, τῶν λόγων κράτος. / Ὄλωλε σύμπαν τῶν Ἀθηνῶν τὸ κλέος· / γνώρισμα δ' αὐτῶν οὐδ' ἀμυδρόν τις ἴδῃ. / Συγγνωστὸς οὐκοῦν, εἴπερ οὐκ ἔχων βλέπειν / τῶν Ἀθηναίων τὴν ἀοίδιμον πόλιν, / ἴνδαλμα ταύτης γραφικὸν ἐστησάμην.

begräbt und die so verschwunden ist, leide ich gewaltig unter Liebesleid. Die nicht den wahren Anblick des Ersehnten gegenwärtig sehen können, trösten die Liebesglut, indem sie wie im Geist dessen Bilder ansehen. Wie unglücklich bin ich, ein neuer Ixion, der ich Athen liebe, wie jener Hera, und heimlich ein Bild von ihr umarme. Weh! Was leide ich und sage ich und schreibe ich! Ich bewohne Athen, doch sehe nirgends Athen, nur traurigen Staub und eine leere Seligkeit. Wo ist jetzt deine Würde, leidgeprüfteste Stadt? Wie nichtig alles und gleich 'Mythen': Gerichte, Richter, Tribünen, Abstimmungen, Gesetze, Volksreden, die Volksverhetzung der Rhetoren, Volksversammlungen, feierliche Reden und Oberbefehle zu Lande und zu Wasser, die vielseitige Muse, die Stärke der Worte. Zugrunde ging der gesamte Ruhm Athens. Keine Spur davon, nicht einmal eine dunkle, kann man noch sehen. Verzeihlich also, da ich die berühmte Stadt der Athener nicht sehen kann, dass ich ein schriftliches Bild von ihr hergestellt habe."[96]

Dieser Text veranschaulicht in einzigartiger Weise die Divergenz zwischen Lesewelt, dem Monument, und Lebenswelt, den eigenen Erfahrungen. Ob dem Text eine bildliche Darstellung zugrundeliegt[97] oder ob er als „Exordium eines größeren

[93] Die häufig belegte Lesart λόγῳ scheint hier sinnvoller zu sein.

[94] Ixion, ein thessalischer König, wird nach einem Verwandtenmord von Zeus entsühnt. Er wird zur Götterwelt zugelassen, begehrt Hera und zeugt mit einem von Zeus geschaffenen Trugbild, einer Wolke, den ersten Kentauren.

[95] Zum Ausdruck vgl. oben S. 155 mit Anm. 165.

[96] MiChon 2, 397f. Lampros.

[97] Gleichwohl sei angemerkt, dass diese These von P. Speck (1975) m. E. sehr spekulativ ist. Gerade die Tatsache, dass der Text in Athen abgefaßt ist, verbunden mit den zahlreichen Anmerkungen Michaels in seinen Briefen, in denen er auf konkrete Sachverhalte in der Stadt Athen und der Landschaft Attika hinweist, lassen es durchaus plausibel erscheinen, dass dieser Text ohne 'Vorlage' geschrieben ist. Die Argumente bei Speck (ebd.) sind nicht stichhaltig: Warum „kann ταῦτα [in Vers 2; A. B.] kaum das Gedicht selbst bedeuten"? (ebd. S. 415). Muss tatsächlich „γράφω in Vers 16 das vorliegende Gedicht" meinen, dagegen „ἔγραψε sicher auf ein anderes Werk, das man im Zusammenhang mit den übrigen Gegebenheiten nur als Bild verstehen kann" deuten (ebd. 416 Anm. 1)? Und die Bemerkung „Eine Interpretation in dem Sinne, daß mit diesem Bild das Gedicht selbst gemeint ist […], läßt sich weder mit ἐστησάμην vereinbaren, noch damit, daß in dem Gedicht ja mein Bild

Gedichts“ oder einer „antiquarischen Schrift über die Monumente Athens“[98] gedacht war, kann für den vorliegenden Zusammenhang unberücksichtigt bleiben. Er fasst das zusammen, was sich durch alle vorher genannten Äußerungen Michaels wie ein roter Faden zieht: Die Klage darüber, dass das Positive, das man über Athen weiß, sich in dem realen Athen nicht mehr findet: Vielmehr herrscht dort mit wirtschaftlichem und kulturellem Verfall das genaue Gegenteil. Die Lebenswelt zerstört das Monument, das als Imagination entlarvt ist.

Athens entworfen ist“ (ebd. 416 Anm. 4) ist unzutreffend: Das ganze Gedicht zeichnet ein Bild von Athen, oder genauer gesagt ein negatives oder Gegen-Bild zum ‘alten Athen“.

98 Zu diesen Überlegungen vgl. ebd. (Speck [1975]) 415f. Anm. 4.

5. 5 ERGEBNIS: DER VERLUST DES 'ALTEN ATHEN' – KLAGE UND APPELL

Der Ausblick ist eine Sammlung von Zitaten aus der Korrespondenz und den Reden des Michael von Chonai. In welchem Verhältnis stehen diese Äußerungen zu den Beobachtungen bei Eusebius und den kappadokischen Kirchenvätern?

1) Das Athenbild, mit dem Michael Choniates nach Athen kommt, ist zwar nur aus ganz wenigen Stellen zu erschließen; diese Stellen zeigen aber ein aus Topoi und Exempla zusammengesetztes Bild, das die großen Orte und Personen der Vergangenheit auswählt und sie als Metaphern für die eigene Lebenssituation heranzieht.

2) Aus den zahlreichen Belegen aus der Zeit in Athen selbst kann man folgende Aussagen über das Athenbild des Michael Choniates machen: Athen ist nicht mehr gefährlich für Christen: Es ist mittlerweile selbst christlich geworden. Es ist aber gefährlich für Gebildete: Die mangelnde Bildung der Bürger, der Verfall der Wirtschaft und der Gebäude macht es für einen Mann der gehobenen Schicht wie Michael Choniates zu einer Qual, sich dort aufzuhalten. Während bei den Kirchenvätern der Spätantike die heidnische Vergangenheit, Mythen und Philosophen, meist als Feinde und Gegner bekämpft wurden, beklagt Michael gerade den Verlust all dessen, was Athen berühmt gemacht hat, und das war das Heidentum. Die christlichen Athener verstehen aber den 'heidnisch' gebildeten byzantinischen Gelehrten nicht mehr. Wie die Christen Basilius und Gregor von Nazianz im heidnischen Athen von den Zeugnissen des heidnischen Kults und Glaubens umringt waren, ist der gelehrte Christ Michael umringt von 'barbarischen' christlichen Athenern. Die Maßstäbe, mit denen Athen gemessen wird, haben sich verändert.

3) Der alte Mythos von der Bildungsstätte Griechenlands kann gleichwohl nutzbar gemacht werden. Michael führt ihn ins Feld, um die politisch Einflussreichen davon zu überzeugen, Athen wenigstens finanziell und wirtschaftlich zu unterstützen. Er appelliert bei seinen hochrangigen Gästen an ein romantisches Athenbild, das Michael selbst vielleicht vor seinem eigenen Erleben Athens hatte, das aber der Realität offensichtlich nicht mehr entspricht. Und er hält sie dazu an, sich an den großen Gestalten Athens zu orientieren und wie diese für das Wohl seiner Bischofsstadt zu sorgen.

6 DIE EROBERUNG EINER CHIFFRE

Im Umgang der Christen mit der Chiffre Athen spiegelt sich ihre Haltung zur antiken Bildung insgesamt wider. Eusebius und die Kappadokier stehen in dieser Hinsicht vor demselben Problem: Als Mitglieder der kirchlichen Führungselite kennen und vertreten sie die alten Vorbehalte gegen alles Heidnische inklusive der Bildung: das christliche Athenbild. Als Mitglieder der noch pagan geprägten Bildungselite ist ihnen der alte Stolz auf die Errungenschaften der griechischen Kultur aber ebenso innig vertraut und wichtig: das pagane Athenbild. Die Zusammenfassungen der einzelnen Abschnitte haben gezeigt, welcher Strategien sich die Kirchenväter bedienen, um diese Spannung aufzulösen.

Sie tun dies auf unterschiedliche Weise, weil sie dem Konflikt in unterschiedlichen Kontexten begegnen. Eusebius führt die Auseinandersetzung an seinem Schreibtisch. Er geht systematisch daran, das Problem seiner zugleich griechischen und christlichen Identität zu bewältigen, seiner doppelten Vorgeschichte. Er steht dabei vor der Antithese Athen – Jerusalem. Den Kappadokiern hingegen begegnet das Problem gewissermaßen mitten im Leben. Immer wieder müssen sie im Dialog, in ihrer Korrespondenz, durch Reden und dogmatische Traktate oder durch einen aktiven Austausch mit Zeitgenossen darauf eingehen. Dabei ist die doppelte Identität für sie keine Frage der Kulturgeschichte, sondern der eigenen Biographie. Sie müssen damit leben, dass sie in Athen eine heidnisch geprägte Ausbildung genossen haben und dass dies ihrem theologischen Niveau gewiss nicht abträglich war. Sie schwanken zwischen Athenlob und Athenkritik. Aus der Vermittlung dieser beiden Antithesen entsteht ein gemeinsames neues, christliches Athenbild.

6. 1 ATHEN VERSUS JERUSALEM

Eusebius wollte die unterschiedlichen Entwicklungen in den Kulturen und Gesellschaften des Altertums möglichst stark miteinander kontrastieren. Eigens dafür hat er die Form der Tabelle in der Chronographie etabliert: Athen ist eine Spalte für sich. Daneben steht das Volk der Hebräer bzw. Juden, aus dem die Christen hervorgehen sollten. Aber auch in seiner Kultur- oder Religionsgeschichte, der *Praeparatio Evangelica*, will er nicht etwa nach heutigen religionswissenschaftlichen Maßstäben *sine ira et studio* Gemeinsamkeiten und Unterschiede zwischen griechischer Religion und Philosophie und dem jüdisch-christlichen Glauben aufzeigen: Er will vielmehr den Nachweis erbringen, dass der heidnische Polytheismus und die heidnische Philosophie unzureichende Antworten auf die Fragen der menschlichen Existenz geben und für ein Zusammenleben in Gemeinschaften untauglich sind. Wie in der *Chronik* in einer Spalte die Geschichte Athens und in einer anderen Spalte die Geschichte der Juden aufgestellt ist, so präsentiert er in der *Praeparatio Evangelica* dem Leser zuerst die heidnische Religion und dann die der Hebräer und Juden; ebenso verfährt er mit der heidnischen und hebräisch-jüdischen Philosophie. Vor allem in diesem Kontext, der Philosophie, macht Eusebius deutlich: Der Konkurrenzkampf zwischen beiden Systemen geht deutlich zugunsten Jerusalems aus.

6. 2 ATHENLOB VERSUS ATHENKRITIK

Die Kappadokier arbeiteten nicht mehr, wie Eusebius, im Dienste einer Apologetik des christlichen Glaubens, so dass für sie eigentlich nicht mehr die Entscheidung zwischen Athen und Jerusalem gefällt werden musste. Umso erstaunlicher ist es, dass auch für sie Athen der Gegenspieler Jerusalems ist. Nur eine Absage an die geistige Heimat Athen ermöglicht eine ernsthafte Umkehr; Athen ist verlorene Zeit, denn die Weisheit dieser Welt ist durch den christlichen Gott entmachtet worden. Die Weisheit dieser Welt wird etwa an den Philosophen Athens deutlich: Wie verdorben waren doch Solon, Sokrates und Platon, wie gottlos Epikur. Für die Wahrheit waren sie schon zur Zeit des Paulus unzugänglich. Und in der Gegenwart der Kappadokier ist das Ergebnis verheerend: Sie sind es, die Athener Philosophen, die einen gottlosen Julian als äußeren Feind der Kirche schaffen, und sie leben in der Kirche in den Häretikern weiter, die sich in ihren Argumenten an die heidnischen Philosophen anlehnen. Die Frommen haben schon immer vor Athen gewarnt, und auch für die Kappadokier ist und bleibt Athen das Gegenteil von Jerusalem.

Athen ist und bleibt aber auch das 'goldene Athen', der 'Ruhm Griechenlands', das 'liebe Athen', und Sokrates ist gewissermaßen ein Typos Christi, wenn er mit seinen Schülern in der Gefängniszelle sitzt und man ihm den Schierlingsbecher reicht. Auch die Agora Athens, auf der sich die Menschen und Philosophen treffen, ist ein Idealbild, das man sich für seine eigene Stadt wünscht. Man ist doch schließlich 'attisch' von der Erziehung her, man ist Athener. Und wer effektiv studieren will, der sollte auch zu der 'attischen Nachtigall' gehen. Einen guten Ausbilder, einen Rhetor zu finden, ist unter Athenern kein Problem: Die Stadt reicht gewissermaßen bis nach Kappadokien, und als Mitbürger hilft man sich gegenseitig.

6. 3 VERSUCHE EINER SYNTHESE

In der Tabelle des Eusebius wird die vertikale Gegenüberstellung dann aufgehoben, wenn auf der horizontalen Ebene Gemeinsamkeiten auftreten, das heißt: zeitliche und inhaltliche Koinzidenz besteht. Die Linie für eine solche Übereinstimmung zwischen dem Volk der Juden und Athen gibt Eusebius schon im Vorwort zu seiner *Chronik* vor: In beiden Kulturen finden gleichzeitig bedeutende kultische Entwicklungen statt. Kekrops und Moses stehen für diese Entwicklungsstufe. Auch in der Folgezeit sind Synchronismen in beiden Kulturen nicht selten; historische Parallelen lassen die griechische Geschichte zum Leitfaden für die hebräische / jüdische werden. Schließlich erweisen sich sowohl die griechische als auch die hebräische / jüdische Geschichte als vorläufig: Sie brechen in vorchristlicher Zeit ab. Diese formalen Parallelen erstaunen zunächst, weil sie in der *Chronik* nicht begründet werden. Doch die *Praeparatio Evangelica* liefert die Interpretation nach: Eusebius ist Grieche, er fühlt sich als Grieche, und er will erklären, wie er als Grieche gleichzeitig Christ sein kann. Die Geschichte Athens ist die formale Seite, die Philosophie Athens ist die inhaltliche. In Athen wurde erstmals von einer Ordnung in der Schöpfung gesprochen, in Athen lebte der einzige wahre Freund des Eusebius unter den griechischen Philosophen: Platon. Dessen Philosophie, in Athen entstanden trotz der Anfeindungen der Athener, vermittelte die hebräische Philosophie den Griechen. Das Verdienst Platons ist ja vor allem das der Vermittlung, denn er hat seine Philosophie nur zum Teil eigenständig entwickelt, vieles ist von den Hebräern übernommen worden. Platon ist der attische Moses. Und er hatte seit Anaxagoras in Athen Vorgänger, die diese Entwicklung ankündigten. Die Geschichte und die Geistesgeschichte zeigen, wie die wichtigsten Elemente der Chiffre Athen in die Entwicklung zum Christentum hingeordnet werden: der Kult und die Kultur Athens.

Das Leben der Kappadokier ist in zwei Phasen geteilt, erst kommt Athen, dann die Kirche. Aber bereits Athen ist von der Kirche durchdrungen. Schon hier führt ein Weg zu den Rhetorik-Lehrern und ein anderer in die Kirche. Die Kirche hilft, das gefährliche Athen unbeschadet zu überleben. Vor allem lebt aber die Kirche von Athen. Ein Christ geht ja nicht nach Athen um Athens willen, sondern für die Kirche. Und er geht nicht nur von sich aus nach Athen: Gott schickt ihn dorthin. Wer einem gebildeten Bischof vorwirft, übermäßige Bildung sei unangebracht für einen Christen, der schaue sich die Heiligen der *Apostelgeschichte* an. Man muss die Heiden überzeugen, man muss sie mit ihren eigenen Waffen schlagen; wer das nicht versucht, obwohl er die Gelegenheit dazu hat, der lebt nicht nach christlicher Tradition. Bildung ist eines der höchsten Güter, auch heidnische Bildung. Wer das nicht wahrhaben will, hat keine Ahnung.

In der Athener Gemeinde Kappadokiens befinden sich natürlich mehrere Christen. Wenn diese, z. B. Gregor von Nazianz und Basilius von Caesarea, miteinander korrespondieren, tauschen sich zwei ehemalige Rhetorik-Schüler und Rhetorik-Lehrer aus. Sie sprechen möglicherweise über Christliches, aber die Chiffre ist dann nicht weniger lebendig als bei Libanios.

6. 4 ANCILLA ECCLESIAE

Versteht man die Geschichte richtig, erkennt man, dass auch Athen seine nicht unbedeutende Funktion im Plan Gottes hat. Geht man mit den richtigen Absichten nach Athen, lebt man christlich im realen und geistigen Athen, ist Athen eine Hilfe zur Verbreitung des Glaubens.

Beides erkannt zu haben, ist die Leistung der Kirchenväter der Spätantike. Dass sie diese Erkenntnis gegenüber Kritikern vertreten haben, hat zu einer nachhaltigen Veränderung des Athenbilds der Christen geführt: Historisch und kulturgeschichtlich entsteht nach dem Untergang so vieler Kulturen ein neues Volk, das den wahren Glauben und die wahre Philosophie hütet und das mit Konstantin auch das Römische Reich bekehrt hat. Die Welt wird christlich. Die beiden Kappadokier, die geistige und wirkliche Schüler Athens sind, werden nach ihrem kirchenpolitisch und dogmengeschichtlich bedeutenden Wirken bald zu unangefochtenen christlichen Autoritäten, zu „dem Theologen“ (Gregor von Nazianz) und „dem Großen“ (Basilius von Caesarea), sie werden Heilige. In ihren Werken und in ihrem Leben haben diese Kirchenväter es geschafft, eine Synthese zwischen der positiven Chiffre, dem Athenlob ihrer paganen Wurzeln, und der negativen Chiffre, der Gegenspielerin Jerusalems aus christlich-apologetischer Sicht, herzustellen. Diese Synthese, das neue Athen, wird für die byzantinische Zukunft des östlichen Christentums maßgeblich.

Die Chiffre Athen hat ihre Dornen und Stacheln verloren. Man kann sich gefahrlos Grieche nennen, und man kann dieses Griechentum auch mit der Chiffre Athen umschreiben, denn dort wurde der Grundstein für die Christianisierung der Griechen gelegt. Auch der Vorwurf, ein gebildeter Grieche, ein in Athen ausgebildeter Grieche zu sein, wird ausgehebelt. Wer sich im Zentrum griechischer Bildung eine Unterstützung für die Verteidigung des Christentums aneignet, versucht, den ersten Christen der *Apostelgeschichte* besonders nahe zu kommen. In Athen konkretisiert sich die Vorstellung, dass παιδεία „eine notwendige Vorstufe im Lebenslauf eines christlichen Würdenträgers“ wird (Brown [1995] 159).

Athen selbst hat keine Eigenberechtigung. Heidnische Kulte und Philosophie, die ohne das Wissen um Gott und ohne Gott als ihr Ziel betrieben wurde: Beides mag seine Berechtigung gehabt haben, als die Wahrheit des Christentums noch nicht erkannt werden konnte. Wer aber im 4. Jahrhundert noch Mysterienkulte feiert, der fällt der schärfsten Kritik anheim. Und wer Philosophie treibt ohne Rücksicht auf die wahre Philosophie, ohne den Glauben an den christlichen Gott, den kann man mit dem Schimpfwort „Athener“ belegen, egal wo er lebt.

Man wusste jetzt also ganz genau, wann die Chiffre Athen unter Christen positiv belegt war, und wann die Chiffre Athen immer noch das Gegenbild zu Jerusalem bedeutete.

So hat vielleicht Michael von Chonai im 12. Jahrhundert in Athen zusammen mit den anderen Athenern die an die Gottesmutter gerichteten Verse des sogenannten Akathistos-Hymnos (ca. 6. Jh.) gesungen:

Χαῖρε, τῶν 'Αθηναίων τὰς πλοκὰς διασπῶσα.
Χαῖρε τῶν ἁλιέων τὰς σαγήνας πληροῦσα.
„Sei gegrüßt, die du die Lügen-Geflechte der Athener zerreißt,
Sei gegrüßt, die du die Netze der Fischer füllst."

Ohne zu zögern konnten die Athener diese Verse singen, denn sie wussten genau: Diese Athener gab es vielleicht noch im vierten Jahrhundert, aber inzwischen sind sie schon lange ausgestorben. Die Welt ist christlich. Und der italienische Übersetzer Raffaele Cantarella (Poeti Bizantini. Zwei Bände. Mailand 1948. Text: 1, 90. Übersetzung: 2, 128) wird daher das Richtige treffen, wenn er die Verse mit folgenden Worten wiedergibt:

„Salve, Tu che spezzi gl'intrighi dei pagani;
Salve, Tu che colmi le reti dei pescatori."

LITERATURVERZEICHNIS

A. ABKÜRZUNGEN

Allgemein

Abkürzungen für griechische nichtchristliche Autoren und ihre Werke sowie für das Alte und Neue Testament orientieren sich an LSJ, die für griechische christliche Autoren und ihre Werke an Lampe, die für lateinische Autoren und ihre Werke am Thesaurus linguae Latinae. Abweichend davon werden die *Chronik* des Eusebius mit *Chr.*, die *Praeparatio Evangelica* mit *PE*, die Gedichte Gregors von Nazianz (Gr. Naz.) mit *c.* und das *Leben der Heiligen Makrina* Gregors von Nyssa (Gr. Nyss.) mit *VSM* abgekürzt. Zu den Abkürzungen der Werke des Michael Choniates (MiChon) vgl. oben S. 265 Anm. 1.

Reihen und Nachschlagewerke

BGL	Bibliothek der Griechischen Literatur. Stuttgart 1971ff.
BKV	Bibliothek der Kirchenväter. Alte Folge: Auswahl der vorzüglichsten patristischen Werke in deutscher Übersetzung. Hg. unter der Oberleitung von Franz X. Reithmayr. Kempten 1869ff. – Neue Folge: Eine Auswahl patristischer Texte in deutscher Übersetzung. 2 Reihen. Hg. von Otto Bardenhewer u. a. Kempten, München 1911ff.
CCG	Corpus Christianorum Series Graeca. Turnhout 1977ff.
CCL	Corpus Christianorum Series Latina. Turnhout 1954ff.
CSEL	Corpus Scriptorum Ecclesiasticorum Latinorum. Wien 1866ff.
DNP	Der Neue Pauly. Enzyklopädie der Antike. Hg. von Hubert Cancik / Helmuth Schneider. Stuttgart 1996ff.
FGrHist	Die Fragmente der griechischen Historiker. Hg. von Felix Jacoby. Berlin 1923ff.
GCS	Die griechischen christlichen Schriftsteller der ersten Jahrhunderte. Leipzig 1897ff. Neue Folge: Berlin 1995ff.
GNO	Gregorii Nysseni Opera. Hg. von Werner Jäger u. a. Leiden u. a. 1921ff.
HdA	Handbuch der Altertumswissenschaften (ursprünglich: Handbuch der klassischen Altertums-Wissenschaft). Begründet von Iwan von Müller. Erweitert von Walter Otto. Fortgeführt von Herrmann Bengtson. Nördlingen, später München 1885ff.
Lampe	Lampe, Geoffrey W., A Patristic Greek Lexicon. Oxford 1961.
LSJ	A Greek-English Lexicon, compiled by Henry G. Liddell and Robert Scott, revised and augmented throughout by Henry S. Jones. With a revised supplement. Oxford 1996.
PG	Patrologiae cursus completus. Series Graeca. Hg. von Jacques-Paul Migne. Paris 1857ff.
PL	Patrologiae cursus completus. Series Latina. Hg. von Jacques-Paul Migne. Paris 1844ff.

PTS Patristische Texte und Studien. Im Auftrag der Patristischen Kommission der Akademien der Wissenschaften in der Bundesrepublik Deutschland hg. Berlin, New York 1964 (1963) ff.

RAC Reallexikon für Antike und Christentum. Sachwörterbuch zur Auseinandersetzung des Christentums mit der antiken Welt. Hg. von Theodor Klauser u. a. Stuttgart 1950ff.

RE Paulys Realencyclopädie der classischen Altertumswissenschaften. Neue Bearbeitung. Hg. von Georg Wissowa u. a. Stuttgart, München 1893ff.

Roscher Roscher, Wilhelm Heinrich (Hg.), Ausführliches Lexikon der griechischen und römischen Mythologie. Leipzig 1884ff.

SC Sources chrétiennes. Paris 1941ff.

Trapp Lexikon zur byzantinischen Gräzität, besonders des 9.-12. Jahrhunderts. Erstellt von Erich Trapp unter Mitarbeit von Wolfram Hörander u. a. 1. Band A-K. Wien 2001 (Österreichische Akademie der Wissenschaften. Veröffentlichungen der Kommision für Byzantinistik 6, 1-4 = Denkschriften der Österreichischen Akademie der Wissenschaften. Philosophisch-historische Klasse 238. 250. 276. 293).

TRE Theologische Realenzyklopädie. Hg. von G. Krause / G. Müller. Berlin 1974ff.

B. TEXTAUSGABEN UND ÜBERSETZUNGEN (AUSWAHL)

Im Folgenden sind nur Textausgaben und Übersetzungen zu den in der vorliegenden Arbeit ausführlich behandelten Autoren sowie ausdrücklich im Text zitierte Übersetzungen anderer Autoren aufgeführt. Editionen anderer Texte und Autoren sind in Auswahl im Stellenregister vermerkt.

Basilius von Caesarea

Die Briefe des Basilius werden nach Courtonne zitiert, *De Spiritu Sancto* nach Pruche, *Ad adolescentes* nach Wilson (siehe unten Traktate).

Werke

PG 29-32.

Briefe

Courtonne, Yves (Hg.), Saint Basile. Lettres (3 Bände). Paris 1957-1966.

Deferrari, Roy J. (Hg.), Saint Basil. The Letters (4 Bände). London 1926-1934.

Basilius von Caesarea. Briefe. Erster Teil. Eingeleitet, übersetzt und erläutert von Wolf-Dieter Hauschild. Stuttgart 1990 (BGL 32).

Basilius von Caesarea. Briefe. Zweiter Teil. Eingeleitet, übersetzt und erläutert von Wolf-Dieter Hauschild. Stuttgart 1973 (BGL 3).

Basilius von Caesarea. Briefe. Dritter Teil. Eingeleitet, übersetzt und erläutert von Wolf-Dieter Hauschild. Stuttgart 1993 (BGL 37).

Traktate

Ad adolescentes de legendis libris gentilium

Boulanger, Fernand (Hg.), Basile de Césarée. Aux jeunes gens sur la manière de tirer profit des lettres helléniques. Paris 1965.

Basilio di Cesarea, Discorso ai Giovani. A cura di Mario Naldini. Florenz 1984 (Biblioteca Patristica 3).

Wilson, Nigel G., Saint Basil on the Value of Greek Literatur. London 1975.

Adversus Eunomium

Sesboué, Bernard (Hg.), Basile de Césarée. Contre Eunome. 2 Bände. Paris 1982 (SC 299); Paris 1983 (SC 305).

De Spiritu Sancto

Pruche, Benoît (Hg.), Basile de Césarée. Sur le Saint-Esprit. Paris [2]1968 (SC 17bis).

Basilius von Cäsarea. De Spiritu Sancto – Über den Heiligen Geist. Übersetzt und eingeleitet von Hermann-Josef Sieben SJ. Freiburg i. Br. 1993 (Fontes Christiani 12).

Eusebius von Caesarea

Die *Praeparatio Evangelica* wird nach den Ausgaben der Sources Chrétiennes zitiert.

Chronik

lateinische Übersetzung (Hieronymus)

Helm, Rudolf (Hg.), Eusebius Werke. 7. Band: Die Chronik des Hieronymus. Berlin 1956 (GCS); 3. unveränderte Auflage Berlin 1984.

armenische Übersetzung

Karst, Josef, Eusebius Werke. 5. Band: Die Chronik aus dem Armenischen übersetzt mit textkritischem Kommentar. Leipzig 1911 (GCS).

Contra Hieroclem

Forrat, Marguerite / des Places, Édouard (Hgg.), Eusèbe de Césarée. Contre Hiéroclès. Paris 1986 (SC 333).

Contra Marcellum

Klostermann, Erich (Hg.), Eusebius Werke. 4. Band. Gegen Marcell. Über die kirchliche Theologie. Die Fragmente Marcells. Berlin [3]1991 (GCS).

Demonstratio Evangelica

Heikel, Ivar A. (Hg.), Eusebius Werke. 6. Band. Die Demonstratio Evangelica. Leipzig 1913 (GCS).

De vita Constantini

Winkelmann, Friedhelm (Hg.), Eusebius Werke. 1. Band. Erster Teil. Über das Leben des Kaisers Konstantin. Berlin [2]1991.

Historia ecclesiastica

Schwartz, Eduard / Mommsen, Theodor (Hgg.), Eusebius Werke. 2. Band. 1. Teil: Die Kirchengeschichte. Berlin [2]1999 (GCS).

Eusebius von Caesarea, Kirchengeschichte. Hg. und eingeleitet von Heinrich Kraft. Übersetzung von Philipp Haeuser. München [3]1989 (Ndr. Darmstadt 1997).

Laudes Constantini

Heikel, Ivar A. (Hg.), Eusebius Werke. Erster Band. Über das Leben Constantins. Constantins Rede an die heilige Versammlung. Tricennatsrede an Constantin. Leipzig 1902.

Praeparatio Evangelica

(in der Reihenfolge des Werks)

Sirinelli, Jean / des Places, Édouard (Hgg.), Eusèbe de Césarée. La Préparation Évangélique. Introduction Générale. Livre I. Paris 1974 (SC 206).

Des Places (1976) = Des Places, Édouard (Hg.), Eusèbe de Césarée. La Préparation Évangélique. Livres II-III. Paris 1976 (SC 228).
Zink / des Places (1979) = Zink, Odile / des Places, Édouard (Hg.), Eusèbe de Césarée, La Préparation Évangélique. Livres IV-V, 1-17. Paris 1979 (SC 262).
Des Places, Édouard (Hg.), Eusèbe de Césarée. La Préparation Évangélique. Livres V, 18-36-VI. Paris 1980 (SC 266).
Schrœder (1975) = Schrœder, Guy (Hg.), Eusèbe de Césarée, La Préparation Évangélique. Livres VII. Paris 1975 (SC 215).
Schrœder, Guy / des Places, Édouard (Hgg.), Eusèbe de Césarée. La Préparation Évangélique. Livres VIII-IX-X. Paris 1991 (SC 369).
Favrelle, Geneviève / des Places, Édouard (Hgg.), Eusèbe de Césarée. La Préparation Évangélique. Livre XI. Paris 1982 (SC 292).
Des Places, Édouard (Hg.), Eusèbe de Césarée. La Préparation Évangélique. Livres XII-XIII. Paris 1983 (SC 307).
Des Places, Édouard (Hg.), Eusèbe de Césarée. La Préparation Évangélique. Livres XIV-XV. Paris 1987 (SC 338).

Gesamtausgabe der Praeparatio Evangelica

Mras, Karl (Hg.), Eusebius Werke. 8. Band. Die Praeparatio Evangelica. 1. Teil: Einleitung, die Bücher I bis X. Berlin ^{2}1982. 2. Teil: Die Bücher XI bis XV, Register. Berlin ^{2}1983 (GCS).

Theophania

Gressmann, Hugo (Hg.), Eusebius Werke. 3. Band 2. Hälfte: Die Theophanie. Die griechischen Bruchstücke und Übersetzung der syrischen Überlieferungen. Berlin ^{2}1992 (GCS).

Gregor von Nazianz

Die Briefe werden nach Gallay (GCS) zitiert, die Reden nach den Ausgaben der Sources chrétiennes oder nach PG (wenn keine Ausgabe bei SC vorliegt), die Gedichte nach PG mit Ausnahme der unten angegebenen Einzeleditionen.

Werke

PG 35-38.

Briefe

Gallay, Paul (Hg.), Saint Grégoire de Nazianze. Lettres (2 Bände). Paris 1964-1967.
Gregor von Nazianz, Briefe. Hg. von Paul Gallay. Berlin 1969 (GCS).
Gregor von Nazianz, Briefe. Eingeleitet, übersetzt und mit Anmerkungen versehen von Michael Wittig. Stuttgart 1981 (BGL 13).

Gedichte (die Zählung erfolgt nach den Abteilungen der PG)

Beckby, Herrmann (Hg.), Anthologia Graeca. Buch VII-VIII. München ^{2}1965.
Gregorii Nazianzeni Σύγκρισις βίων, carmen ed., apparatu critico munivit, quaestiones peculiares adiecit Henricus M. Werhahn. Wiesbaden 1953 (Klassisch-philologische Studien 15) *(=c. 1, 2, 8)*.
Gregorio Nazianzeno, Poesie/1. Introduzione di Claudio Moreschini. Traduzione e note a cura di Claudio Moreschini, Ivano Costa, Carmelo Crimi, Giovanni Laudizi. Rom 1994 (Collana di testi patristici 115).

Gregorio Nazianzeno, Poesie/2. Introduzione di Carmelo Crimi. Traduzione e note di Carmelo Crimi (*carmi* II, 1, 1-10. 12-50) e di Ivano Costa (*carmi* II, 1, 51-99 e II, 2). Rom 1999 (Collana di testi patristici 150).

Gregorio Nazianzeno, Sulla virtù. Carme giambico [I, 2, 10]. Introduzione, testo critico e traduzione di Carmelo Crimi. Commento di Manfred Kertsch. Pisa 1995 (Poeti Cristiani 1).

Jungck, Christoph (Hg.), Gregor von Nazianz: De vita sua, Heidelberg 1974 *(= c. 2, 1, 11)*.

Knecht, Andreas (Hg.), Gregor von Nazianz: Gegen die Putzsucht der Frauen. Heidelberg 1972 *(= c. 1, 2, 29)*.

Meier, Beno (Hg.), Gregor von Nazianz: Über die Bischöfe (Carmen 2, 1, 12). Einleitung, Text, Übersetzung, Kommentar. Paderborn 1989 (Studien zur Geschichte und Kultur des Altertums N. F. 2, 7).

Reden

Gesamtausgabe

Moreschini, Claudio (Hg.), Gregorio di Nazianzo. Tutte le orazioni. Mailand 2000.

Sources chrétiennes (nummerische Reihenfolge)

Bernardi, Jean (Hg.), Grégoire de Nazianze. Discours 1-3. Paris 1978 (SC 247).

Bernardi, Jean (Hg.), Grégoire de Nazianze. Discours 4-5. Contre Julien. Paris 1983 (SC 309).

Calvet-Sebasti, Marie-Ange (Hg.), Grégoire de Nazianze. Discours 6-12. Paris 1995 (SC 405).

Mossay, Justin (Hg.), Grégoire de Nazianze. Discours 20-23. Paris 1980 (SC 270).

Mossay, Justin (Hg.), Grégoire de Nazianze. Discours 24-26. Paris 1981 (SC 284).

Gallay, Paul (Hg.), Grégoire de Nazianze. Discours 27-31 (discours théologiques). Paris 1978 (SC 250).

Moreschini, Claudio / Gallay, Paul (Hgg.), Grégoire de Nazianze. Discours 32-37. Paris 1985 (SC 318).

Moreschini, Claudio / Gallay, Paul (Hgg.), Grégoire de Nazianze. Discours 38-41. Paris 1990 (SC 358).

Bernardi, Jean (Hg.), Grégoire de Nazianze. Discours 42-43. Paris 1992 (SC 384).

Theologische Reden (27-31)

Barbel, Joseph (Hg.), Gregor von Nazianz. Die fünf theologischen Reden. Text und Übersetzung mit Einleitung und Kommentar. Düsseldorf 1963 (Testimonia 3).

Norris, Frederick W. / Wickham, Lionel / Williams, Frederick, Faith gives fullness to reasoning. The Five Theological Orations of Gregory Nazianzen. Intr., comment., transl. Leiden 1991 (Supplements to Vigiliae Christianae 13).

Übersetzungen ins Deutsche

Ausgewählte Schriften des hl. Gregor von Nazianz. Von Johann Röhm (2 Bände; BKV A. F.). Kempten 1874/77.

Gregor von Nazianz. Reden 1-20. Übersetzt von Philipp Haeuser (BKV). München 1928.

Gregor von Nyssa

Die Briefe des Gregor von Nyssa werden nach Maraval (1990) zitiert.

Werke

PG 44-46; GNO.

Briefe

Maraval, Pierre (Hg.), Grégoire de Nysse. Lettres. Paris 1990 (SC 363).

Pasquali, Georgius (Hg.), GNO 8, 2. Epistulae. 2. Auflage mit Addenda und Corrigenda. Leiden 1998.

Teske, Dörte, Gregor von Nyssa. Briefe. Stuttgart 1997 (BGL 43).

Traktate

Maraval, Pierre (Hg.), Grégoire de Nysse. Vie de Sainte Macrine. Paris 1971 (SC 178).

Michael Choniates

Michaelis Choniatae Epistulae rec. Foteini Kolovou. Berlin 2001 (Corpus Fontium Historiae Byzantinae 41 Series Berolinensis).

Lampros, Spyridon P., Μιχαὴλ Ἀκομινάτου τοῦ Χωνιάτου τὰ σωζόμενα. 2 Bände. Athen 1879/80 (Ndr. Groningen 1968).

Übersetzungen anderer Autoren

Aischylos

Aischylos, Die Tragödien und Fragmente. Übertragen von Johann Gustav Droysen. Stuttgart 1939.

Aristophanes

Des Aristophanes Werke. Übersetzt von Johann Gustav Droysen. Zwei Bände. Leipzig ^{2}1869.

Herakleides (Kretikos/Kritikos)

Pfister, Friedrich, Die Reisebilder des Herakleides. Einleitung, Text, Übersetzung und Kommentar. Österreichische Akademie der Wissenschaften. Philosophisch-historische Klasse. Sitzungsberichte 227, 2. Wien 1951.

Homer

Homer, Ilias. Neue Übertragung von Wolfgang Schadewaldt. Frankfurt (Main) 1975.

Homer, Odyssee. Deutsch von Wolfgang Schadewaldt. Hamburg 1958 (Rowohlts Klassiker der Literatur und Wissenschaft 2).

Libanios

Wolf, Peter, Libanios. Autobiographische Schriften. Zürich 1967.

Pindar

Wolde, Ludwig, Pindar. Die Dichtungen und Fragmente. Leipzig 1942.

Sophokles

Schadewaldt, Wolfgang, Sophokles. Ödipus auf Kolonos. Frankfurt (Main), Leipzig 1996.

Thukydides

Thukydides, Geschichte des Peloponnesischen Krieges. Griechisch-deutsch. Übersetzt [...] von Georg Peter Landmann. Zwei Bände. München 1993.

C. SEKUNDÄRLITERATUR

Ackermann (1903): Ackermann, Walter, Die didaktische Poesie des Gregorius von Nazianz. Leipzig 1903.

Adler (1989): Adler, William, Time Immemorial. Archaic History and its Sources in Christian Chronography from Julius Africanus to George Syncellus. Dumbarton Oaks (Washington) 1989.

Adler (1992) Adler, William, Eusebius' Chronicle and Its Legacy. In: Attridge / Hata (1992) 467-491.

Af Hällström (1994): Af Hällström, Gunnar, The Closing of the Neoplatonic School in A. D. 529: An Additional Aspect. In: Castrén (1994) 141-160.

Ahrweiler (1966): Ahrweiler, Hélène, Byzance et la mer. Paris 1966 (Bibliothèque Byzantine. Études 5).

Ahrweiler (1996): Ahrweiler, Hélène, Eusebius of Caesarea and the Imperial Christian Idea. In: Raban / Holum (1996) 541-546.

Albers (1910): Albers, Ferdinand, Luciani quae fertur Demosthenis laudatio. Leipzig 1910.

Alexander (1999): Alexander, Loveday, The Acts of the Apostles as an Apologetic Text. In: Edwards / Goodman / Price (1999) 15-44.

Alonso-Núñez (1990): Alonso-Núñez, José Miguel M., The Emergence of Universal Historiography from the 4th to the 2nd centuries B. C. In: Verdin (1990) 173-192.

Altaner / Stuiber (1978): Altaner, Berthold / Stuiber, Alfred, Patrologie, Freiburg 81978 (Ndr. 1993).

Altenburger / Mann (1988): Altenburger, Margarete / Mann, Friedhelm, Bibliographie zu Gregor von Nyssa. Editionen – Übersetzungen – Literatur. Leiden u. a. 1988.

Amand (1945): Amand, David, Fatalisme et liberté dans l'antiquité grecque. Louvain 1945 (Ndr. Amsterdam 1973).

Amata (1993): Amata, Biagio, *Decor, mediocritas, consolatio* nelle lettere di S. Gregorio Nazianzeno. In: Ders. (Hg.), Cultura e lingue classiche 3. Rom 1993. 965-985.

Angold (1995): Angold, Michael, Church and Society in Byzantium under the Comneni, 1081-1261. Cambridge 1995.

Asmus (1910): Asmus, Rudolf, Die Invektiven des Gregorius von Nazianz im Lichte der Werke des Kaisers Julian. In: Zeitschrift für Kirchengeschichte 31, 1910, 325-367.

Athanassiadi-Fowden (1981): Athanassiadi-Fowden, Polymnia, Julian and Hellenism. Oxford 1981.

Attridge / Hata (1992): Attridge, Harold W. / Hata, Gohei (Hgg.), Eusebius, Christianity, and Judaism. Leiden, New York, Köln 1992 (Studia Post-Biblica 42).

Barbel (1963): *Siehe Textausgaben und Übersetzungen.*

Bardy (1949): Bardy, Gustave, „Philosophie" et „philosophe" dans le vocabulaire chrétien des premiers siècles. In: Révue d'Ascétique et de Mystique 25, 1949, 97-108.

Barnes (1981): Barnes, Timothy D., Constantine and Eusebius. Cambridge (Ma.), London 1981.

Barnes (1987): Barnes, Timothy D., Himerius and the Fourth Century. In: Classical Philology 82, 1987, 206-225.

Bauck (1919): Bauck, Siegfried, De laudibus Italiae. Königsberg 1919.

Bauernfeind (1939): Bauernfeind, Otto, Kommentar und Studien zur Apostelgeschichte. Leipzig 1939 (Ndr. Tübingen 1980. Wissenschaftliche Untersuchungen zum Neuen Testament 22).

Baumeister (1983): Baumeister, Theofried, 'Anytos und Meletos können mich zwar töten, schaden jedoch können sie mir nicht.' Platon, Apologie des Sokrates 30c/d bei Plutarch, Epiktet, Justin Martyr und Clemens Alexandrinus. In: Blume, Horst-Dieter / Mann, Friedhelm (Hgg.),

Platonismus und Christentum (FS Heinrich Dörrie). Münster 1983 (Jahrbuch für Antike und Christentum. Ergänzungsband 10). 58-63.

Baumgart (1874): Baumgart, Hermann, Aelius Aristides als Repräsentant der sophistischen Rhetorik des 2. Jahrhunderts der Kaiserzeit. Leipzig 1874.

Bayet (1878): Bayet, Charles, De titulis Atticae Christianae antiquissimis commentatio historica et epigraphica. Lyon 1878.

Beck (1959): Beck, Hans-Georg, Kirche und theologische Literatur im byzantinischen Reich. München 1959 (HdA 12, 2, 1).

Beck (1977): Beck, Hans-Georg, Rede als Kunstwerk und Bekenntnis. Gregor von Nazianz. München 1977 (Bayerische Akademie der Wissenschaften. Philosophisch-historische Klasse. Sitzungsberichte 1977, 4).

Beck (2002): Beck, Marcus, Art. Quadratus. In: Döpp / Geerlings (2002) 605.

Beckby (1965): *Siehe Textausgaben und Übersetzungen.*

Becker (1910): Becker, Erich, Konstantin der Große, der „neue Moses". Die Schlacht am Pons Milvius und die Katastrophe am Schilfmeer. In: Zeitschrift für Kirchengeschichte 31, 1910, 161-171.

Benz (1950): Benz, Ernst, Christus und Sokrates in der alten Kirche. In: Zeitschrift für die neutestamentliche Wissenschaft 43, 1950/51, 195-224.

Bernardi (1968): Bernardi, Jean, La prédication des Pères Cappadociens. Paris, Marseille 1968.

Bernardi (1976): Bernardi, Jean, Grégoire de Nazianze critique de Julien. In: Studia Patristica 16, 1976, 282-289.

Bernardi (1983): *Siehe Textausgaben und Übersetzungen.*

Bernardi (1984): Bernardi, Jean, Nouvelles perspectives sur la famille de Grégoire de Nazianze. In: Vigiliae Christianae 38, 1984, 352-359.

Bernardi (1990): Bernardi, Jean, Un regard sur la vie étudiante à Athènes au milieu du IVe S. après J.-C. In: Revue des Études Grecques 103, 1990/91, 79-94.

Bernardi (1992): *Siehe Textausgaben und Übersetzungen.*

Bernardi (1993): Bernardi, Jean, Trois autobiographies de Grégoire de Nazianze. In: Baslez, Marie-Françoise / Hoffmann, Philippe / Pernot, Laurent (Hgg.), L'invention de l'autobiographie d'Hésiode à Saint Augustin. Paris 1993. 155-165.

Bernardi (1995): Bernardi, Jean, Saint Grégoire de Nazianze. Paris 1995.

Bernardi (1996): Bernardi, Jean, Remarques sur le texte et l'interprétation de quelques passages des discours 42 et 43 de Grégoire de Nazianze. In: Revue des Études Grecques 109, 1996, 275-281.

Bessierès (1923): Bessierès, Marius, La tradition manuscrite de la correspondance de S. Basile. Oxford 1923 (zuerst Journal of Theological Studies 21-23, 1919-1922).

Beuckmann (1988): Beuckmann, Ulrich, Gregor von Nazianz: Gegen die Habsucht (Carmen 1, 2, 28). Einleitung und Kommentar. Paderborn 1988 (Studien zur Geschichte und Kultur des Altertums. N. F. 2, 6).

Biblia (1987): Biblia Patristica. Index des citations et allusions bibliques dans la littérature patristique 4. Eusèbe de Césarée, Cyrille de Jérusalem, Épiphane de Salamine. Hg. vom Centre d'analyse et de documentation patristiques (Paris). Paris 1987.

Bickermann (1980): Bickerman, Elias J., Chronology of the ancient world. London ²1980.

Bidez (1940): Bidez, Joseph, Julian der Abtrünnige (dt. von Hermann Rinn). München 1940 (Orig.: La vie de l'empereur Julien. Paris 1930).

Bittel (1951): Bittel, Kurt, Art. Podandus. In: RE XXI 1. Stuttgart 1951. 1136-1139.

Blass (1898): Blass, Friedrich, Die attische Beredsamkeit 3, 2. Leipzig ^{3}1898 (Ndr. Hildesheim, New York 1979).
Blass / Debrunner (1990): Blass, Friedrich / Debrunner, Albert, Grammatik des neutestamentlichen Griechisch. Göttingen ^{17}1990.
Blumenthal (1984): Blumenthal, Henry J., Marinus' Life of Proclus: Neoplatonist Biography. In: Byzantion 54, 1984, 469-494.
Boatwright (2000): Boatwright, Mary T., Hadrian and the Cities of the Roman Empire. Princeton 2000.
Bonnechère (1994): Bonnechère, Pierre, Le sacrifice humain en Grèce ancienne. Athen, Lüttich 1994 (Kernos Supplement 3).
Bornmann (1968): Bornmann, Fritz (Hg.), Callimachi Hymnus in Dianam. Florenz 1968.
Børtnes (2000): Børtnes, Jostein, Eros Transformed: Same-Sex Love and Divine Desire. Reflections on the Erotic Vocabulary in St. Gregory of Nazianzus's Speech on St. Basil the Great. In: Hägg / Rousseau (2000). 180-193.
Bouffartigue (1992): Bouffartigue, Jean, L'Empereur Julien et la culture de son temps. Paris 1992 (Collection des Études Augustiniennes. Série Antiquité 133).
Bounoure (1982): Bounoure, Gilles, Eusèbe citateur de Diodore. In: Revue des Études Grecques 95, 1982, 433-439.
Boyancé (1973/74): Boyancé, Pierre, Cicéron et Athènes. In: Ἐπιστημονικὴ ἐπετηρὶς τῆς φιλοσοφικῆς σχολῆς τοῦ Πανεπιστημίου Ἀθηνῶν 24, 1973/74, 156-169.
Brand (1968): Brand, Charles M., Byzantium Confronts the West. 1180-1204. Cambridge, Ma. 1968.
Bregman (1997): Bregman, Jay, The Emperor Julian's View of Classical Athens. In: Hamilton, Charles D. / Krentz, Peter (Hgg.), Polis and Polemos. Essays on Politics, War, and History in Ancient Greece in Honor of Donald Kagen. Claremont 1997. 347-361.
Breitenbach (2000): Breitenbach, Alfred, Der Schiffbau – eine Erfindung der Athener. Zu Gregor von Nazianz or. 4,108. In: Würzburger Jahrbücher für die Altertumswissenschaft 24, 2000, 123-137.
Breitenbach (im Druck): Breitenbach, Alfred, Der unfreiwillige Hochzeitsgast. Die verschiedenen Berufungen des Gregor von Nazianz und das Schweigen über seine Taufe. In: Harwardt, Sabine / Schwind, Johannes (Hgg.), Corona Coronaria. Festschrift Hans-Otto Kröner. 2003/04.
Brennecke (1993): Brennecke, Hanns C., Art. Amphilochios. In: LThK 1. Freiburg u. a. ^{3}1993. 540f.
Brésard (1991): Brésard, Luc u. a. (Hgg.), Origène. Commentaire sur le Cantique des Cantiques. Tome I. Paris 1991 (SC 375).
Brincken (1957): Brincken, Anna Dorothee van den, Studien zur lateinischen Weltchronistik bis in das Zeitalter Ottos von Freising. Düsseldorf 1957.
Brisson (1996): Brisson, Luc, Art. Amelios Gentilianos. In: DNP 1. Stuttgart 1996. 585-587.
Broneer (1958): Broneer, Oscar, Athens, „City of Idol Worship". In: The Biblical Archaeologist 21, 1958, 2-28.
Brown (1995): Brown, Peter, Macht und Rhetorik in der Spätantike (dt. von Victor von Ow). München 1995 (Orig.: Power and Persuasion in Late Antiquity. Wisconsin 1992).
Browning (1984): Browning, Robert, Athens in the 'Dark Age'. In: Smith, Bernard (Hg.), Culture and History. Essays presented to Jack Lindsay. Sydney 1984. 297-303 (Ndr. in: Browning, Robert, History, Language and Literacy in the Byzantine World. Northampton 1989. Nr. IV).
Bruce (1990): Bruce, Frederick F., The Acts of the Apostles. Grand Rapids, Leicester ^{3}1990.

Buck (1987): Buck, D. F., Prohaeresius' recruitment of students. In: Liverpool Classical Monthly 12. 5, 1987, 77f.

Bühler (1982): Zenobii Athoi proverbia ed. Winfried Bühler. 4. Band. Göttingen 1982.

Bühler (1999): Zenobii Athoi proverbia ed. Winfried Bühler. 5. Band. Göttingen 1999.

Büttner (1908): Büttner, Georg, Basileios des Grossen Mahnworte an die Jugend über den nützlichen Gebrauch der heidnischen Literatur. München 1908.

Burgess (1997): Burgess, Richard W., The Dates and Editions of Eusebius' Chronici Canones and Historia Ecclesiastica. In: Journal of Theological Studies N. S. 48, 1997, 471-504.

Burgess (1999): Burgess, Richard W., Studies in Eusebian and Post-Eusebian Chronography. Stuttgart 1999 (Historia Einzelschriften 135).

Burkert (1990): Burkert, Walter, Antike Mysterien. Funktionen und Gehalt. München 1990.

Burstein (1978): Burstein, Stanley M., The *Babyloniaca* of Berossus. Malibu 1978 (Sources and Monographs. Sources from the Ancient Near East 1, 5).

Burton (1972): Burton, Anne, Diodorus Siculus. Book I. A Commentary. Leiden 1972 (Études préliminaires aux religions orientales dans l'empire Romaine 29).

Butts (1947): Butts, Herman R., The Glorification of Athens in Greek Drama. Ann Arbor 1947 (Iowa Studies in Classical Philology 11).

Caduff (1986): Caduff, Gian Andrea, Antike Sintflutsagen. Göttingen 1986 (Hypomnemata 82).

Caiazza (1993): Plutarco, Precetti Politici. Introduzione, testo critico, traduzione e commento a cura di Antonio Caiazza. Neapel 1993 (Corpus Plutarchi Moralium 14).

Caltabiano (1974): Caltabiano, Matilde, La propaganda di Giuliano nella 'Lettera agli Ateniesi'. In: Sordi, Marta (Hg.), Contributi dell'Istituto di storia antica 2. Propaganda e persuasione occulta nell'antichità. Mailand 1974. 123-138.

Cameron (1969): Cameron, Alan, The Last Days of the Academy at Athens. In: Proceedings of the Cambridge Philological Society 195, 1969, 7-29.

Cameron / Long (1993): Cameron, Alan / Long, Jacqueline, Barbarians and Politics at the Court of Arcadius. Berkeley u. a. 1993 (The Transformation of the Classical Heritage 19).

Cameron (1983): Cameron, Averil, Eusebius of Caesarea and the Rethinking of History. In: Gabba, Emilio (Hg.), Tria Corda. Scritti in onore di Arnaldo Momigliano. Como 1983. 71-88.

Cameron (1991): Cameron, Averil, Christianity and the Rhetoric of Empire. Berkeley, Los Angeles 1991.

Cameron (1994): Cameron, Averil, Das späte Rom (dt. von Kai Brodersen). München 1994 (Orig.: The Later Roman Empire. London 1993).

Cameron (1998): Cameron, Averil, Education and literary culture. In: Cameron, Averil / Garnsey, Peter (Hgg.), The Cambridge Ancient History Vol. XIII. The Late Empire, A. D. 337-425. Cambridge 1998. 665-707.

Cameron / Hall (1999): Cameron, Averil / Hall, Stuart G., Eusebius. Life of Constantine. Introduction, translation, and commentary. Oxford 1999.

Campbell (1879): Campbell, Lewis, Sophocles. The Plays and Fragments. Vol I. Oxford 1879 (Ndr. Hildesheim 1969).

Capboscq (2000): Capboscq, Alberto, Schönheit Gottes und des Menschen. Theologische Untersuchung des Werkes In Canticum Canticorum von Gregor von Nyssa aus der Perspektive des Schönen und des Guten. Frankfurt (Main) 2000 (Regensburger Studien zur Theologie 55).

Capelle / Marrou (1957): Capelle, Wilhelm / Marrou, Henri-Irénée, Art. Diatribe. In: RAC 3. Stuttgart 1957. 990-1009.

Cardauns (1976): Cardauns, Burkhart, M. Terentius Varro. Antiquitates Rerum Divinarum. Teil I. Die Fragmente – Teil II. Kommentar. Wiesbaden 1976.

Caspar (1926): Caspar, Erich, Die älteste römische Bischofsliste. Berlin 1926 (Schriften der Königsberger Gelehrten Gesellschaft 2, 4).

Castrén (1994): Castrén, Paavo (Hg.), Post-Herulian Athens. Aspects of Life and Culture in Athens A. D. 267-529. Helsinki 1994 (Papers and Monographs of the Finnish Institute at Athens 1).

Cavallo (1988): Cavallo, Guglielmo, Scuola, scriptorium, biblioteca a Cesarea. In: Cavallo, Guglielmo (Hg.), Le biblioteche nel mondo antico e medievale. Bari 1988 (Biblioteca universale Laterza 250). 67-78.

Cavarra (1992): Cavarra, Berenice, La città e gli intelletuali a Gaza, Alessandria ed Atene nel V e VI secolo d. C. In: Rivista di Bizantinistica 2 (1992) 137-150.

Ceresa-Gastaldo (1988): Ceresa-Gastaldo, Aldo (Hg.), Gerolamo, Gli uomi illustri. Florenz 1988.

Chadwick (2001): Chadwick, Henry, The Church in Ancient Society. From Galilee to Gregory the Great. Oxford 2001.

Charanis (1955): Charanis, Peter, The Significance of Coins as Evidence for the History of Athens and Corinth in the Seventh and Eighth Centuries. In: Historia 4, 1955, 163-172 (Ndr. in: Charanis, Peter, Studies on the Demography of the Byzantine Empire. Collected Studies. London 1972. Nr. XII).

Chatzidakis (1951): Chatzidakis, Manolis, Remarques sur la basilique de l'Ilissos. In: Cahiers archéologiques 5, 1951, 61-74.

Christe (1978): Christe, Yves, La figure de Moïse dans l'art chrétien des IIIe-IVe siècles. In: Martin-Achard u. a. (1978) 99-107.

Classen (1986): Classen, Carl J., Die Stadt im Spiegel der Descriptiones und Laudes urbium. Hildesheim [2]1986 (Beiträge zur Altertumswissenschaft 2).

Cohen (2001): Cohen, Ada, Art, Myth, and Travel in the Hellenistic World. In: Alcock, Susan E. / Cherry, John F. / Elsner, Jas (Hgg.), Pausanias. Travel and Memory in Roman Greece. Oxford 2001. 93-126 (Anm. 283-289).

Coman (1981): Coman, J., Utilisation des Stromates de Clément d'Alexandrie par Eusèbe de Césarée dans la Préparation Evangélique. In: Paschke (1981) 115-134.

Consolino (1989): Consolino, Franca E., ΣΟΦΙΗΣ 'ΑΜΦΟΤΕΡΗΣ ΠΡΥΤΑΝΙΝ: Gli epigrammi funerari di Gregorio Nazianzeno (*AP* VIII). In: Athenaeum N. S. 65, 1989, 407-425.

Conzelmann (1972): Conzelmann, Hans, Die Apostelgeschichte. Tübingen [2]1972.

Costanza (1976): Costanza, Salvatore, Su alcune risonanze classiche nel carme I 2, 10 di Gregorio di Nazianzo. In: Sileno 2, 1976, 203-219.

Costanza (1984): Costanza, Salvatore, Gregorio di Nazianzo e l'attività letteraria. In: Lirica Greca da Archiloco a Elitis. Studi in onore di Filippo Maria Pontani. Padua 1984 (Università di Padova. Studi Bizantini e neogreci 14). 219-242.

Coulie (1982): Coulie, Bernard, Chaînes d'allusions dans les discours IV et V de Grégoire de Nazianze. In: Jahrbuch der österreichischen Byzantinistik 32/3, 1982, 137-143.

Coulie (1983): Coulie, Bernard, Méthode d'amplification par citation d'auteurs dans les Discours IV et V de Grégoire de Nazianze. In: Mossay, Justin (Hg.), II. Symposium Nazianzenum. Paderborn 1983 (Studien zur Geschichte und Kultur des Altertums. N. F. 2). 41-46.

Courtonne (1934): Courtonne, Yves, Saint Basile et l'Hellénisme. Paris 1934.

Courtonne (1957/66): *Siehe Textausgaben und Übersetzungen.*

Courtonne (1973): Courtonne, Yves, Un témoin du IVe siècle oriental. Saint Basile et son temps d'après sa correspondance. Paris 1973.

Covolo (1988): Covolo, Enrico dal, La filosofia tripartita nella „Praeparatio Evangelica" di Eusebio di Cesarea. In: Rivista di storia e letteratura religiosa 24, 1988, 515-523.

Creaghan / Raubitschek (1947): Creaghan, John S. / Raubitschek, Antony E., Early Christian Epitaphs from Athens. In: Hesperia 16, 1947, 1-54.

Crimi / Costa (1999): *Siehe Textausgaben und Übersetzungen.*

Crimi / Kertsch (1995): *Siehe Textausgaben und Übersetzungen.*

Criscuolo (1994): Criscuolo, Ugo, Sull'„Epitafio" di Gregorio di Nazianzo per il retore Proeresio. In: Curti, Carmelo / Crimi, Carmelo (Hgg.), Scritti classici e cristiani offerti a Francesco Corsaro. Catania 1994. 189-195.

Cristiani / Pizzolato / Siniscalco (1992): Sant'Agostino, Confessioni. Vol. I (Libri I-III). Introduzione generale di J. Fontaine. Bibliografia generale di J. Guirau. Testo a cura di M. Simonetti. Traduzione di G. Chiarini. Commento a cura di Marta Cristiani, Luigi F. Pizzolato, Paolo Siniscalco. Mailand 1992.

Croke (1982): Croke, Brian, The Originality of Eusebius' Chronicle. In: American Journal of Philology 103, 1982, 195-200.

Croke (1983): Croke, Brian, The Origins of the Christian World Chronicle. In: Croke / Emmet (1983) 116-131.

Croke (1990): Croke, Brian, The early development of Byzantine chronicles. In: Jeffreys (1990) 27-38.

Croke / Emmet (1983): Croke, Brian / Emmet, Alanna M. (Hgg.), History and Historians in Late Antiquity. Sydney, Oxford 1983.

Crouzel (1983): Crouzel, Henri, Art. Gregor I (Gregor der Wundertäter). In: RAC 12, Stuttgart 1983, 779-791.

Davies / Kathirithamby (1986): Davies, Malcolm / Kathirithamby, Jeyaraney, Greek Insects. London 1986.

Day (1942): Day, John, An economic History of Athens under Roman domination. New York 1942 (Ndr. 1973).

Decharme (1898): Decharme, Paul, Un fragment des „Dædala" de Plutarque. In: Mélanges Henri Weil. Paris 1898. 111-116.

Decker (1999): Decker, Wolfgang, Art. Laufwettbewerbe (Dromos). In: DNP 6. Stuttgart 1999. 1187f.

Deferrari (1926/34): *Siehe Textausgaben und Übersetzungen.*

Deger-Jalkotzy (1999): Deger-Jalkotzy, Sigrid, Art. Kolonisation II. Ionische Wanderung. In: DNP 6. Stuttgart 1999. 648-651.

De Jonge (1910): De Jonge, Ludovicus F., De Gregorii Nazianzeni carminibus quae inscribi solent περὶ ἑαυτοῦ. Amsterdam 1910.

Deman (1944): Deman, Thomas, Socrate et Jésus. Paris 1944.

Demandt (1989): Demandt, Alexander, Die Spätantike. München 1989 (HdA 3, 6).

Demandt (1995): Demandt, Alexander, Spätrömisches Hochschulwesen. In: Atti dell'Accademia Romanistica Constantiniana. X Convegno internazionale in onore di Arnaldo Biscardi. Neapel 1995. 651-686.

Demoen (1993): Demoen, Kristoffel, The Attitude towards Greek Poetry in the Verse of Gregory Nazianzen. In: Boeft, Jan den / Hilhorst, A. (Hgg.), Early Christian Poetry. A Collection of Essays. Leiden u. a. 1993 (Supplements to Vigiliae Christianae 22). 235-252.

Demoen (1996): Demoen, Kristoffel, Pagan and Biblical Exempla in Gregory Nazianzen. A Study in Rhetoric and Hermeneutics. Turnhout 1996 (Corpus Christianorum. Lingua Patrum 2).

Demoen (1997): Demoen, Kristoffel, Gifts of friendship that will remain for ever. Personae, addressed Characters and intended audience of Gregory Nazianzen's epistolary poems. In: Jahrbuch der österreichischen Byzantinistik 47, 1997, 1-11.

Des Places (1956): Des Places, Édouard, Eusèbe de Césarée juge de Platon dans la *Préparation Évangélique*. In: Mélanges de philosophie Grecque offerts à Mgr Diès. Paris 1956.
Des Places (1971): Des Places, Édouard, Les fragments de Numénius d'Apamée dans la *Préparation Évangélique* d'Eusèbe de Césarée. In: Comptes rendus des séances de l'Académie des Inscriptions et Belles-Lettres 1971, 455-462.
Des Places (1973): Des Places, Édouard (Hg.), Numénius. Fragments. Paris 1973.
Des Places (1975): Des Places, Édouard, Numénius et Eusèbe de Césarée. In: Studia Patristica 13, 1975, 19-28.
Des Places (1976): *Siehe Textausgaben und Übersetzungen.*
Des Places (1982): Des Places, Édouard, Eusèbe de Césarée commentateur. Platonisme et Écriture Sainte. Paris 1982 (Théologie historique 63).
Desroussaeux / Astruc (1956): Desrousseaux, Alexandre M. / Astruc, Charles (Hgg.), Athénée de Naucratis. Les Deipnosophistes. Livres I et II. Paris 1956.
Detienne (1970): Detienne, Marcel, L'olivier: un mythe politico-religieux. In: Revue de l'histoire des religions 178, 1970, 5-23.
Deubner (1966): Deubner, Ludwig, Attische Feste. Berlin [2]1966 (Ndr. Hildesheim, New York 1969).
Dibelius (1968): Dibelius, Martin, Paulus auf dem Areopag. In: Dibelius, Martin, Aufsätze zur Apostelgeschichte. Hg. von Heinrich Greeven. Göttingen 1968. 29-70.
Diels (1879): Diels, Hermann, Doxographi Graeci. Berlin, Leipzig 1879 (Ndr. 1958).
Dihle (1966): Dihle, Albrecht, Art. Ethik. In: RAC 6, Stuttgart 1966, 646-795.
Dihle (1989): Dihle, Albrecht, Die griechische und lateinische Literatur der Kaiserzeit. München 1989.
Döpp / Geerlings (2002): Döpp, Siegmar / Geerlings Wilhelm (Hgg.), Lexikon der antiken christlichen Literatur. Freiburg u. a. [3]2002.
Doergens (1915): Doergens, Heinrich, Eusebius als Darsteller der phönizischen Religion. Paderborn 1915 (Forschungen zur christlichen Literatur- und Dogmengeschichte 12, 5).
Doergens (1922): Doergens, Heinrich, Eusebius als Darsteller der griechischen Religion. Eine Studie zur Geschichte der altchristlichen Apologetik. Paderborn 1922 (Forschungen zur christlichen Literatur- und Dogmengeschichte 14, 3).
Döring (1979): Döring, Klaus, Exemplum Socratis. Wiesbaden 1979 (Hermes Einzelschriften 42).
Dörrie (1975): Dörrie, Heinrich, Art. Diogenes [14]. In: Der Kleine Pauly 2. München 1975. 47f.
Dörrie / Baltes (1993): Dörrie, Heinrich / Baltes, Matthias, Der Platonismus im 2. und 3. Jahrhundert nach Christus. Stuttgart-Bad Cannstatt 1993 (Der Platonismus in der Antike 3).
Dorandi (1997): Dorandi, Tiziano, Art. Diogenianos [1]. In: DNP 3. Stuttgart 1997. 605.
Dräseke (1913): Dräseke, Johannes, Eustathios und Michael Akominatos. In: Neue Kirchliche Zeitschrift 24, 1913, 485-502.
Drecoll (1996): Drecoll, Volker H., Die Entwicklung der Trinitätslehre des Basilius von Cäsarea. Göttingen 1996.
Droge (1989): Droge, Arthur J., Homer or Moses? Early Christian Interpretations of the History of Culture. Tübingen 1989 (Hermeneutische Untersuchungen zur Theologie 26).
Droge (1996): Droge, Arthur J., Josephus between Greeks and Barbarians. In: Feldmann / Levison (1996) 115-142.
Dueck (2000): Dueck, Daniela, Strabo of Amasia. A Greek Man of Letters in Augustan Rome. London, New York 2000.

Dunbar (1983): Dunbar, David G., The Delay of the Parousia in Hippolytus. In: Vigiliae Christianae 37, 1983, 313-327.

Düring (1941): Düring, Ingemar, Herodicus the Cratetean. A Study in Anti-Platonic Tradition. Stockholm 1941 (Kungl. Vitterhets Historie och Antikvitets Akademiens Handlingar 51, 2).

Duval (1976): Duval, Yves-Marie, Temps antique et temps chrétien. In: Aiôn: le temps chez les Romains. Paris 1976 (Caesarodunum 10). 253-259. Wieder abgedruckt in: Ders., Histoire et historiographie en Occident aux IVe et Ve siècles. Great Yarmouth 1997. Nr. VI.

Edwards u. a. (1999): Edwards, Mark / Goodman, Martin / Price, Simon / Rowland, Christopher, Introduction: Apologetics in the Roman World. In: Edwards / Goodman / Price (1999) 1-13.

Edwards / Goodman / Price (1999): Edwards, Mark / Goodman, Martin / Price, Simon (Hgg.), Apologetics in the Roman Empire. Oxford 1999.

Effe (1977): Effe, Bernd, Dichtung und Lehre. Untersuchungen zur Typologie des antiken Lehrgedichts. München 1977 (Zetemata 69).

Eggersdorfer (1903): Eggersdorfer, Franz Xaver, Die großen Kirchenväter des 4. Jahrhunderts auf den heidnischen Hochschulen ihrer Zeit. In: Theologisch-praktische Monats-Schrift 13, 1903, 335-345 und 426-432.

Ego (1998): Ego, Beate, Art. Judith. In: DNP 5. Stuttgart 1998. 1205.

Eitrem (1925): Eitrem, Samson, Art. Leos. In: RE XII 2. Stuttgart 1925. 2058f.

Ellissen (1846): Ellissen, Adolf, Michael Akominatos von Chonä. Erzbischof von Athen. Göttingen 1846.

Englhofer (1998): Englhofer, Claudia, Art. Geburtstag. In: DNP 4. Stuttgart 1998. 843-845.

Enßlin (1938): Enßlin, Wilhelm, Art. Philagrius [5]. In: RE XIX 2. Stuttgart 1938. 2107.

Enßlin (1950): Enßlin, Wilhelm, Art. Pistos [6]. In: RE XX 2. Stuttgart 1950. 1836.

Euangellatou-Notara (1993): Euangellatou-Notara, Florentia, Μορφές επικοινωνίας στο έργο του Μιχαήλ Χονιάτη. In: Moschonas, Nikos G. (Hg.), Η επικοινωνία στο Βυζάντιο. Athen 1993 (Πράκτικα του Β' διέθνους συμποσίου). 303-322.

Fabricius (1962): Fabricius, Cajus, Zu den Jugendschriften des Johannes Chrysostomus. Untersuchungen zum Klassizismus des vierten Jahrhunderts. Lund 1962.

Farina (1966): Farina, Raffaele, L'impero e l'imperatore Cristiano in Eusebio di Cesarea. Zürich 1966.

Farina (1986): Farina, Raffaele, Eusebio di Cesarea e la „svolta constantiniana". In: Augustinianum 26, 1986, 313-322.

Fatouros / Krischer (1980): Fatouros, Georgios / Krischer, Tilman, Libanios. Briefe. In Auswahl hg., übersetzt und erläutert. München 1980.

Fedwick (1979): Fedwick, Paul J., The Church and the Charisma of Leadership in Basil of Caesarea. Toronto 1979.

Fedwick (1981a): Fedwick, Paul J. (Hg.), Basil of Caesarea: Christian, Humanist, Ascetic. A Sixteen-Hundredth Anniversary Symposium (2 Bände). Toronto 1981.

Fedwick (1981b): Fedwick, Paul J., A Chronology of the Life and Works of Basil of Caesarea. In: Fedwick (1981a) 3-19.

Feldman / Levison (1996): Feldman, Louis H. / Levison, John R. (Hgg.), Josephus' *Contra Apionem*. Leiden 1996.

Fenster (1968): Fenster, Erwin, Laudes Constantinopolitanae. München 1968 (Miscellanea Byzantina Monacensia 9).

Ferrante (1993): Ferrante, Domenico, Storia della letteratura Greca. Neapel 1993.

Fiedrowicz (2000): Fiedrowicz, Michael, Apologie im frühen Christentum. Die Kontroverse um den christlichen Wahrheitsanspruch in den ersten Jahrhunderten. Paderborn 2000.

Fiedrowicz (2002): Fiedrowicz, Michael, Die Rezeption und Interpretation der paulinischen Areopag-Rede in der patristischen Theologie. In: Trierer Theologische Zeitschrift 111, 2002, 85-105.

Fischer (1993): Fischer, Joseph A., Die Apostolischen Väter. Darmstadt [10]1993 (Schriften des Urchristentums 1).

Fisher (1982): Fisher, Elizabeth, Greek translations of Latin literature. In: Yale Classical Studies 27, 1982, 173-215.

Fitzmyer (1998): Fitzmyer, Joseph A., The Acts of the Apostles. New York 1998 (The Anchor Bible 31).

Fleury (1930): Fleury, Eugène, Hellénisme et christianisme. Saint Grégoire de Nazianze et son temps. Paris 1930.

Flower (1994): Flower, Michael A., Theopompus of Chios. History and Rhetoric in the Fourth Century BC. Oxford 1994.

Foakes-Jackson (1933): Foakes-Jackson, Frederick J., Eusebius Pamphili. Cambridge 1933.

Follet (1976): Follet, Simone, Athènes au IIe et au IIIe siècle. Études chronologiques et prosopographiques. Paris 1976.

Follet (1994): Follet, Simone, Lucien et l'Athènes des Antonins. In: Billault, André (Hg.), Lucien de Samosate. Actes du colloque international de Lyon organisé au centre d'Études Romaines et Gallo-Romaines les 30 septembre-1er octobre 1993. Lyon 1994. 131-139.

Forlin Patrucco (1979): Forlin Patrucco, Marcella, Vocazione ascetica e paideia greca (a proposito di Bas. Ep. 1). In: Rivista di Storia e Letteratura Religiosa 15, 1979, 54-62.

Fotheringham (1905): The Bodleian Manuscript of Jerome's Version of the Chronicle of Eusebius reproduced in Collotype with an introduction by John K. Fotheringham. Oxford 1905.

Fowden (1990): Fowden, Garth, The Athenian agora and the progress of Christianity. In: Journal of Roman Archeology 3, 1990, 494-501.

Fowden (1995): Fowden, Garth, Late Roman Achaea: identity and defence. In: Journal of Roman Archeology 8, 1995, 549-567.

Frank (1980): Frank, Karl Suso, Monastische Reform im Altertum. Eustathius von Sebaste und Basilius von Caesarea. In: Bäumer, Remigius (Hg.), Reformatio Ecclesiae (FS Erwin Iserloh). Paderborn 1980. 35-49.

Frank (1996): Frank, Karl Suso, Lehrbuch der Geschichte der Alten Kirche. Paderborn 1996.

Frantz (1965): Frantz, Alison, From Paganism to Christianity in Athens. In: Dumbarton Oaks Papers 19, 1965, 187-207.

Frantz (1975): Frantz, Alison, Pagan Philosophers in Christian Athens. In: Proceedings of the American Philosophical Society 119, 1975, 29-38.

Frantz (1985): Frantz, Alison, Art. Athen II (stadtgeschichtlich). In: RAC Supplement I. Stuttgart 2000. 668-692.

Frantz (1988): Frantz, Alison, The Athenian Agora XXIV: Late Antiquity A. D. 267-700. Princeton 1988.

Frazier / Froidefond (1990): Plutarque. Œuvres morales. Tome V 1re partie. Texte établi et traduit par Françoise Frazier et Christian Froidefond, Paris 1990.

Frede (1999): Frede, Michael, Eusebius' Apologetic Writings. In: Edwards / Goodman / Price (1999). 223-250.

Fredouille (1988): Fredouille, Jean-Claude, La théologie tripartite, modèle apologétique (Athénagore, Théophile, Tertullien). In: Porte, Danielle / Néraudau, J.-P. (Hgg.), Hommages à Henri Le Bonniec. Res Sacrae. Brüssel 1988 (Collection Latomus 201). 220-235.

Freise (1983): Freise, Rickmer, Zur Metaphorik der Seefahrt in den Gedichten Gregors von Nazianz. In: Mossay, Justin (Hg.), II. Symposium Nazianzenum. Paderborn 1983 (Studien zur Geschichte und Kultur des Altertums. N. F. Forschungen zu Gregor von Nazianz 2). 159-163.

Freudenberger (1967): Freudenberger, Rudolf, Christenreskript. Ein umstrittenes Reskript des Antoninus Pius. In: Zeitschrift für Kirchengeschichte 78, 1967, 1-14.

Freydank (1999): Freydank, Helmut, Art. Königsliste(n). In: DNP 6. Stuttgart 1999. 624f.

Frisk (1973): Frisk, Hjalmar, Griechisches etymologisches Wörterbuch. 3 Bände. Heidelberg [2]1973.

Fuhrmann (1984): Fuhrmann, Manfred, Die antike Rhetorik. München, Zürich 1984.

Gärtner (1963): Gärtner, Hans, Art. Pytheas [3]. In: RE XXIV. Stuttgart 1963. 366-368.

Gager (1972): Gager, John G., Moses in Greco-Roman Paganism. Nashville 1972 (Society of Biblical Literature. Monograph Series 16).

Gain (1985): Gain, Benoît, L'Église de Cappadoce au IVe siècle d'après la correspondance de Basile de Césarée (330-379). Rom 1985 (Orientalia Christiana Analecta 225).

Gaiser (1968): Gaiser, Konrad, Ein Lob Athens in der Komödie (Menander, Fragmentum Didotianum b). In: Gymnasium 75, 1968, 193-219.

Gaiser (1983): Gaiser, Konrad, Der Ruhm des Annikeris. In: Händel, Paul / Meid, Wolfgang (Hgg.), FS Robert Muth. Innsbruck 1983 (Innsbrucker Beiträge zur Kulturwissenschaft 22). 111-128.

Gallagher (1993): Gallagher, Eugene V., Eusebius the Apologist: The Evidence of the *Preparation* and the *Proof.* In: Studia Patristica 26, 1993, 251-260.

Gallay (1943): Gallay, Paul, La vie de Grégoire de Nazianze. Lyon, Paris 1943.

Gallay (1964/67): *Siehe Textausgaben und Übersetzungen.*

Gallo / Mocci (1992): Gallo, Italo / Mocci, Maria (Hgg.), Plutarco. La Gloria di Atene. Neapel 1992 (Corpus Plutarchi Moralium 11).

Geffcken (1908a): Geffcken, Johannes, Sokrates und das alte Christentum. Heidelberg 1908.

Geffcken (1908b): Geffcken, Johannes, Kaiser Julianus und die Streitschriften seiner Gegner. In: Neue Jahrbücher für das Klassische Altertum, Geschichte und deutsche Literatur 21, 1908, 162-195.

Gelzer (1898): Gelzer, Heinrich, Sextus Julius Africanus und die byzantinische Chronographie. Leipzig 1898.

Gentz (1950): Gentz, Günther, Art. Athanasius. In: RAC 1. Stuttgart 1950. 860-866.

Gerber (1997): Gerber, Christine, Ein Bild des Judentums für Nichtjuden von Flavius Josephus. Untersuchungen zu seiner Schrift *Contra Apionem*. Leiden u. a. 1997 (Arbeiten zur Geschichte des antiken Judentums und des Urchristentums 40).

Gernentz (1918): Gernentz, Wilhem, Laudes Romae. Rostock 1918.

Giet (1941): Giet, Stanislas, Sasimes – une méprise de Saint Basile. Paris 1941.

Giet (1965): Giet, Stanislas, Basile était-il sénateur? In: Revue d'histoire ecclésiastique 60, 1965, 429-444.

Gill (1994): Gill, David W. J. / Gempf, Conrad (Hgg.), The Books of Acts in its First Century Setting. Band 2. Graeco-Roman Setting. Carlisle 1994.

Göttlicher (1992): Göttlicher, Arvid, Kultschiffe und Schiffskulte im Altertum. Berlin 1992.

Gomme (1945): Gomme, Arnold W., A Historical Commentary on Thucydides vol. 1. Oxford 1945.

González (1974): González, Justo L., Athens and Jerusalem Revisited: Reason and Authority in Tertullian. In: Church History 43, 1974, 17-25.

Goossens (1962): Goossens, Roger, Euripide et Athènes. Brüssel 1962.

Gossen (1921a): Gossen, Hans, Art. Schwalben und Segler. In: RE II A 1, Stuttgart 1921. 768-777.

Gossen (1921b): Gossen, Hans, Art. Schwan. In: RE II A 1. Stuttgart 1921. 782-792.

Gotteland (2001): Gotteland, Sophie, Mythe et rhétorique. Les exemples mythiques dans le discours politique de l'Athènes classique. Paris 2001.

Goulet (1977): Goulet, Richard, Porphyre et la datation de Moïse. In: Revue de l'histoire des religions 192, 1977, 137-163.

Graf (1998): Graf, Fritz, Art. Hera. In: DNP 5. Stuttgart 1998. 357-360.

Grant (1975): Grant, Robert M., The Case against Eusebius or, Did the Father of Church History write History? In: Studia Patristica 12, 1975 (Texte und Untersuchungen zur Geschichte der altchristlichen Literatur 115), 413-421.

Grant (1977): Grant, Robert M., Quadratus, the First Christian Apologist. In: Fischer, Robert H. (Hg.), A Tribute to Arthur Vööbus. Chicago 1977. 177-183.

Gregorovius (1889): Gregorovius, Ferdinand, Geschichte der Stadt Athen im Mittelalter. Stuttgart ^{3}1889 (Ndr. Darmstadt 1962).

Gregory / Ševcenko (1991): Gregory, Timothy E. / Ševcenko, Nancy Patterson, Art. Athens. In: The Oxford Dictionary of Byzantium 1. New York, Oxford 1991. 221-223.

Gribomont (1959): Gribomont, Jean, Eustathe le Philosophe et les voyages du jeune Basile de Césarée. In: Revue d'histoire ecclésiastique 54, 1959, 115-124.

Gross (1967): Gross, Walter H.: Art. Gold. In: Der Kleine Pauly 2, München 1967, 841f.

Gschnitzer (1973): Gschnitzer, Fritz, Art. Proxenos. In: RE Supplement XIII. München 1973. 629-730.

Gstrein (1966): Gstrein, Heinz, Amphilochius von Ikonion – Der vierte „Große Kappadokier". In: Jahrbuch der österreichischen Byzantinistik 15, 1966, 133-145.

Guyot / Klein (1993): Guyot, Peter / Klein, Richard (Hgg.), Das frühe Christentum bis zum Ende der Verfolgungen. Eine Dokumentation (2 Bände). Darmstadt 1993/1994 (Ndr. 1997).

Haas (1997): Haas, Christopher, Alexandria in Late Antiquity. Topography and Social Conflict. Baltimore, London 1997.

Habicht (1995): Habicht, Christian, Athen. Die Geschichte der Stadt in hellenistischer Zeit. München 1995.

Hadot (1984): Hadot, Ilsetraut, Arts libéraux et philosophie dans la pensée antique. Paris 1984.

Hägg (1992): Hägg, Tomas, Hierocles the Lover of Truth and Eusebius the Sophist. In: Symbolae Osloenses 67, 1992, 138-150.

Hägg / Rousseau (2000): Hägg, Tomas / Rousseau, Philip (Hgg.), Greek Biography and Panegyric in Late Antiquity. Berkeley u.a. 2000 (The Transformation of the Classical Heritage 31).

Haenchen (1977): Haenchen, Ernst, Die Apostelgeschichte. Göttingen ^{16}1977.

Haeuser (1928): *Siehe Textausgaben und Übersetzungen.*

Hahn (1989): Hahn, Johannes, Der Philosoph und die Gesellschaft. Selbstverständnis, öffentliches Auftreten und populäre Erwartungen in der hohen Kaiserzeit. Stuttgart 1989 (Heidelberger Althistorische Beiträge und Epigraphische Studien 7).

Halkin (1971): Halkin, François, Recherches et documents d'hagiographie Byzantine. Brüssel 1971 (Subsidia hagiographica 51). 60-67.

Hamm (2002): Hamm, Ulrich, Art. Dionysius von Korinth. In: Döpp / Geerlings (2002) 207f.

Hammerstaedt (1988): Hammerstaedt, Jürgen, Die Orakelkritik des Kynikers Oenomaus. Frankfurt (Main) 1988 (Beiträge zur Klassischen Philologie 188).

Hanslik (1963): Hanslik, Rudolf, Art. Quinctilius [24]. In: RE XXIV. Stuttgart 1963. 985f.

Hardwick (1996): Hardwick, Michel, *Contra Apionem* and Christian Apologetics. In: Feldman / Levison (1996) 369-402.

Harl (1962): Harl, Marguerite, L'histoire de l'humanité racontée par un écrivain chrétien au début du IVe siècle. In: Revue des Études Grecques 75, 1962, 522-531.

Harnack (1906): Harnack, Adolf von, Sokrates und die alte Kirche. In: Harnack, Adolf von, Reden und Aufsätze I. Gießen ²1906. 27-48.

Harnack (1926): Harnack, Adolf von, Die Briefsammlung des Apostels Paulus und die anderen vorkonstantinischen christlichen Briefsammlungen. Leipzig 1926.

Harris (1989): Harris, William V., Ancient Literacy. London 1989.

Hauschild (1973): *Siehe Textausgaben und Übersetzungen.*

Hauschild (1982): Hauschild, Wolf-Dieter, Art. Eustathius von Sebaste. In: TRE 10. Berlin 1982. 547-550.

Hauschild (1990): *Siehe Textausgaben und Übersetzungen.*

Hauschild (1993): *Siehe Textausgaben und Übersetzungen.*

Hauser-Meury (1960): Hauser-Meury, Marie-Madeleine, Prosopographie zu den Schriften Gregors von Nazianz. Bonn 1960 (Theophaneia 13).

Heckenbach (1912): Heckenbach, Joseph, Art. Hekate. In: RE VII 2 Stuttgart 1912. 2768-2782.

Heitsch (1997): Heitsch, Ernst, Platon, Phaidros. Übersetzung und Kommentar. Göttingen ²1997 (Platon, Werke, Übersetzung und Kommentar 3, 4).

Helleman (1990): Helleman, Wendy E., Basil's *Ad Adolescentes*: Guidelines for Reading the Classics. In: Helleman, Wendy E. (Hg.), Christianity and the Classics. The Acceptance of a Heritage. Lanham u.a. 1990. 31-51.

Helm (1924): Helm, Rudolf, Eusebius' Chronik und ihre Tabellenform. Abhandlungen der Preußischen Akademie der Wissenschaften 1923. Philosophisch-historische Klasse Nr. 4. Berlin 1924.

Helm (1956): *Siehe Textausgaben und Übersetzungen.*

Hemer (1989): Hemer, Colin J., The Book of Acts in the Setting of Hellenistic History. Tübingen 1989 (Wissenschaftliche Untersuchungen zum Neuen Testament 49).

Herrin (1975): Herrin, Judith, Realities of Byzantine Provincial Government: Hellas and Peloponnesos 1180-1205: In: Dumbarton Oaks Papers 29, 1975, 253-289.

Herter (1975): Herter, Hans, Athen im Bilde der Römerzeit. Zu einem Epigramm Senecas. In: Serta Philologica Aenipontana, 7/8, 1961, 347-358. Auch in: Ders., Kleine Schriften. Hg. von Ernst Vogt. München 1975. 514-527 (danach zitiert).

Hertzberg (1875): Hertzberg, Gustav F., Die Geschichte Griechenlands unter der Herrschaft der Römer 3. Halle 1875 (Ndr. Hildesheim, New York 1990).

Hirsch (1926): Hirsch, Marga, Die athenischen Tyrannenmörder in Geschichtsschreibung und Volkslegende. In: Klio 20, 1926, 129-167.

Hirzel (1895): Hirzel, Rudolf, Der Dialog. Zweiter Teil. Leipzig 1895 (Ndr. Hildesheim 1963).

Hock / O'Neil (1986): Hock, Ronald F. / O'Neil, Edward N., The Chreia in Ancient Rhetoric. Volume I. The Progymnasmata. Atlanta 1986 (Texts and Translations 27. Graeco-Roman Religion Series 9).

Höfer (1897/1902): Höfer, O., Art. Paralos. In: Roscher 3, 1. Leipzig 1897-1902 (Ndr. Hildesheim 1965). 1567.

Höfer (1916/24): Höfer, O., Art. Tereus. In: Roscher 5. Leipzig 1916-1924 (Ndr. Hildesheim 1965). 371-376.

Hofmann (1997): Hofmann, Heinz, Die Geschichtsschreibung. In: Engels, Lodewijk J. / Hofmann, Heinz (Hgg.), Spätantike mit einem Panorama der byzantinischen Literatur. Wiesbaden 1997 (Neues Handbuch der Literaturwissenschaft 4). 403-467.

Holford-Strevens (1977): Holford-Strevens, Leofranc, Towards a Chronology of Aulus Gellius. In: Latomus 36, 1977, 93-109.

Holladay (1983): Holladay, Carl R. (Hg.), Fragments from Hellenistic Jewish Authors. Vol. I: Historians. Chico 1983 (Texts and Translations 20. Pseudepigrapha 10).

Holladay (1995): Holladay, Carl R. (Hg.), Fragments from Hellenistic Jewish Authors. Vol. III: Aristobulus. Atlanta 1995 (Texts and Translations 39. Pseudepigrapha 13).

Hollerich (1989): Hollerich, Michael J., The Comparison of Moses and Constantine in Eusebius of Caesarea's *Life of Constantine*. In: Studia Patristica 19, 1989, 80-85.

Hontoir (1905): Hontoir, Camille, Comment Clément d'Alexandrie a connu les mystères d'Eleusis. In: Le Musée Belge 9, 1905, 180-188.

Horn (1981): Horn, Hans-Jürgen, Art. Gold. In: RAC 11. Stuttgart 1981. 895-930.

Hossenfelder (1985): Hossenfelder, Malte, Die Philosophie der Antike 3. Stoa, Epikureismus und Skepsis. München 1985.

Hürth (1907): Hürth, Xaver, De Gregorii Nazianzeni orationibus funebribus. Straßburg 1907 (Dissertationes Philologicae Argentoratenses selectae 12. Straßburg 1908).

Hughes (1991): Hughes, Dennis D., Human Sacrifice in Ancient Greece. London, New York 1991.

Hult (1992): Hult, Karin, Marinus the Samaritan. A Study of Damascius *Vit. Isid.* fr. 141. In: Classica et Mediaevalia 43, 1992, 163-178.

Hunger (1990): Hunger, Herbert, Athen in Byzanz. Traum und Realität. In: Jahrbuch der österreichischen Byzantinistik 40, 1990, 43-61.

Husson (1970): Husson, Geneviève, Lucien. Le navire ou les souhaits. Commentaire. Paris 1970.

Ingenkamp (1978): Ingenkamp, Heinz Gerd, Art. Geschwätzigkeit. In: RAC 10. Stuttgart 1978. 829-837.

Inglebert (1996): Inglebert, Hervé, Les Romains chrétiens face à l'histoire de Rome. Paris 1996 (Collection des Études Augustiniennes. Série Antiquité 145).

Irmscher (1992): Irmscher, Johannes, Inhalte und Institutionen der Bildung in der Spätantike. In: Colpe, Carsten / Honnefelder, Ludger / Lutz-Bachmann, Matthias (Hgg.), Spätantike und Christentum. Beiträge zur Religions- und Geistesgeschichte der griechisch-römischen Kultur und Zivilisation der Kaiserzeit. Berlin 1992. 159-172.

Jacoby (1902): Jacoby, Felix, Apollodors Chronik. Eine Sammlung der Fragmente. Berlin 1902 (Philologische Untersuchungen 16; Ndr. New York 1973).

Jacoby (1904): Jacoby, Felix, Das Marmor Parium. Berlin 1904.

Jacoby (1949): Jacoby, Felix, Atthis. The Local Chronicles of Ancient Athens. Oxford 1949.

Janin (1931): Janin, Raymond, Art. Athènes. In: Dictionnaire d'histoire et de géographie ecclésiastique 5. Paris 1931. 15-42.

Janin (1975): Janin, Raymond, Les églises et les monastères des grands centres byzantins. Paris 1975.

Jansen-Winkeln (2001): Jansen-Winkeln, Karl, Art. Saïs. In: DNP 10. Stuttgart 2001. 1234.

Jebb (1928): Jebb, Richard C., Sophocles. The Plays and Fragments. Part II. Cambridge 1928 (Ndr. Amsterdam 1965).

Jeffreys (1990): Jeffreys, Elizabeth u. a. (Hgg.), Studies in John Malalas. Sydney 1990 (Byzantina Australiensia 6).

Judeich (1931): Judeich, Walther, Topographie von Athen. München 1931 (HdA 3, 2, 2).

Jülicher (1897): Jülicher, Adolf, Art. Basileios „der Große“ (Basileios [15]). In: RE III 1. Stuttgart 1897. 52-54.

Jungck (1974): *Siehe Textausgaben und Übersetzungen.*

Kaerst (1894): Kaerst, Julius, Art. Anaxarchos (1). In: RE I 2. Stuttgart 1894. 2080.

Kahrstedt (1934): Kahrstedt, Ulrich, Staatsgebiet und Staatsangehörige in Athen. Studien zum öffentlichen Recht Athens. Teil 1. Stuttgart, Berlin 1934 (Göttinger Forschungen 4).

Kamerbeek (1984): Kamerbeek, Jan C., The Plays of Sophocles. Commentaries 7. The Oedipus Coloneus. Leiden 1984.

Kamlah (1974): Kamlah, Ehrhard, Frömmigkeit und Tugend. Die Gesetzesapologie des Josephus in c Ap 2,145-295. In: Betz, Otto / Haacker, Klaus / Hengel, Martin (Hgg.), Josephus-Studien. Untersuchungen zu Josephus, dem antiken Judentum und dem Neuen Testament (Otto Michel zum 70. Geburtstag). Göttingen 1974.

Karathanasis (1936): Karathanasis, Demetrios K., Sprichwörter und sprichwörtliche Redensarten des Altertums in den rhetorischen Schriften des Michael Psellos, des Eustathios und des Michael Choniates sowie in anderen rhetorischen Quellen des XII. Jahrhunderts. Speyer 1936.

Karst (1911): *Siehe Textausgaben und Übersetzungen.*

Kaster (1983): Kaster, Robert A., Notes on „Primary“ and „Secondary“ Schools in Late Antiquity. In: Transactions of the American Philological Association 113, 1983, 323-346.

Kazhdan (1991a): Kazhdan, Alexander, Art. Autoreianos. In: The Oxford Dictionary of Byzantium 1. New York, Oxford 1991. 235f.

Kazhdan (1991b): Kazhdan, Alexander, Art. Drimys. In: The Oxford Dictionary of Byzantium 1. New York, Oxford 1991. 661f.

Kazhdan (1991c): Kazhdan, Alexander, Art. Theodosios Boradiotes. In: The Oxford Dictionary of Byzantium 3. New York, Oxford 1991. 2052.

Kazhdan (1991d): Kazhdan, Alexander, Art. Xiphilinos. In: The Oxford Dictionary of Byzantium 3. New York, Oxford 1991. 2210f.

Kazhdan / Franklin (1984): Kazhdan, Alexander in collaboration with Franklin, Simon, Studies on Byzantine Literature of the Eleventh and Twelfth Centuries. Cambridge u. a. 1984.

Kearns (1997): Kearns, Emily, Art. Buzyges [1]. In: DNP 2. Stuttgart 1997. 862.

Keenan (1941): Keenan, Mary E., St. Gregory of Nazianzus and Early Byzantine Medicine. In: Bulletin of the History of Medicine 9, 1941, 8-30.

Keller (1913): Keller, Otto, Die antike Tierwelt II. Leipzig 1913 (Ndr. Hildesheim 1963).

Kennedy (1983): Kennedy, George A., Greek Rhetoric under Christian Emperors. Princeton 1983.

Kenner (1952): Kenner, Hedwig, Art. Polybos [2]. In: RE XXI 2. Stuttgart 1952. 1583.

Kertsch (1979): Kertsch, Manfred, Zum Motiv des Blitzes in der griechischen Literatur der Kaiserzeit. In: Wiener Studien 93 (N. F. 13), 1979, 166-174.

Kertsch (1983): Kertsch, Manfred, Stilistische und literarische Untersuchungsergebnisse aus carm. de virt. II. In: Mossay, Justin (Hg.), II. Symposium Nazianzenum, Paderborn 1983 (Studien zur Geschichte und Kultur des Altertums. N. F. 2). 165-178.

Kettenhofen (1992): Kettenhofen, Erich, Die Einfälle der Heruler ins Römische Reich im 3. Jh. n. Chr. In: Klio 74, 1992, 291-313.

Keydell (1962): Keydell, Rudolf, Art.: Epigramm. In: RAC 5. Stuttgart 1962. 539-577.

Kienast (1993): Kienast, Dietmar, Antonius, Augustus, die Kaiser und Athen. In: Dietz, Karlheinz / Hennig, Dieter / Kaletsch, Hans (Hgg.), Klassisches Altertum, Spätantike und frühes Christentum (FS Adolf Lippold). Würzburg 1993. 191-222.

Kienzle (1936): Kienzle, Emanuel, Der Lobpreis von Städten und Ländern in der älteren griechischen Dichtung. Kallmünz 1936.

Kinzig (1994): Kinzig, Wolfram, Novitas Christiana. Die Idee des Fortschritts in der Alten Kirche bis Eusebius. Göttingen 1994 (Forschungen zur Kirchen- und Dogmengeschichte 58).

Kirk (1985): Kirk, G. S., The Iliad. A Commentary. Volume I, books 1-4. Cambridge 1985.

Kirsten (1954): Kirsten, Ernst, Art. Cappadocia. In: RAC 2. Stuttgart 1954. 861-891.

Klein (1981): Klein, Richard, Kaiser Julians Rhetoren- und Unterrichtsgesetz. In: Römische Quartalschrift für christliche Altertumskunde und Kirchengeschichte 76, 1981, 73-94.

Klein (1997): Klein, Richard, Die Bedeutung von Basilius' Schrift „ad adolescentes" für die Erhaltung der heidnisch-griechischen Literatur. In: Römische Quartalschrift für christliche Altertumskunde und Kirchengeschichte 92, 1997, 162-176.

Klein (2000): Klein, Richard, Die Haltung der kappadokischen Bischöfe Basilius von Caesarea, Gregor von Nazianz und Gregor von Nyssa zur Sklaverei. Stuttgart 2000 (Forschungen zur antiken Sklaverei 32).

Kleinknecht (1940): Kleinknecht, Hermann, Herodot und Athen. In: Hermes 75, 1940, 241-264.

Knecht (1972): *Siehe Textausgaben und Übersetzungen.*

Koder (1977): Koder, Johannes, Der Schutzbrief des Papstes Innozenz III. für die Kirche Athens. In: Jahrbuch der österreichischen Byzantinistik 26, 1977, 129-141.

Köhler (1881): Köhler, Carl Sylvio, Das Tierleben im Sprichwort der Griechen und Römer. Leipzig 1881 (Ndr. Hildesheim 1967).

König-Ockenfels (1976): König-Ockenfels, Dorothee, Christliche Weltdeutung bei Euseb von Cäsarea. In: Saeculum 27, 1976, 348-365.

Koets (1929): Koets, Peter J., Δεισιδαιμονία. A contribution to the knowledge of the religious terminology in Greek. Purmerend 1929.

Kötting (1958): Kötting, Bernhard, Endzeitprognosen zwischen Lactantius und Augustinus. In: Historisches Jahrbuch 77, 1958, 125-139.

Kofsky (1996): Kofsky, Aryeh, Eusebius of Caesarea and the Christian-Jewish Polemic. In: Limor, Ora / Stroumsa, Guy G. (Hgg.), Contra Iudaeos. Ancient and Medieval Polemics between Christians and Jews. Tübingen 1996 (Texts and Studies in Medieval and Early Modern Judaism 10). 59-83.

Kofsky (2000): Kofsky, Aryeh, Eusebius of Caesarea against Paganism. Leiden u. a. 2000 (Jewish and Christian Perspectives Series 3).

Kohl (1915): Kohl, Richard (Ricardus), De scholasticorum declamationum argumentis ex historia petitis. Paderborn 1915.

Kolovou (1999): Kolovou, Fotine Ch., Μιχαὴλ Χονιάτης. Συμβολὴ στὴ μελέτη τοῦ βίου καὶ τοῦ ἔργου του. Τὸ Corpus τῶν ἐπιστολῶν. Athen 1999 (Πονήματα 2).

Kolovou (2001): *Siehe Textausgaben und Übersetzungen.*

Konstan (2000): Konstan, David, How to Praise a Friend. St. Gregory of Nazianzus's Funeral Oration for St. Basil the Great. In: Hägg / Rousseau (2000). 160-179.

Korenjak (1998): Korenjak, M., Le Noctes Atticae di Gellio: i misteri della 'paideia'. In: Studi Italiani di Filologia Classica 16, 1998, 80-82.

Korenjak (2000): Korenjak, Martin, Publikum und Redner. Ihre Interaktion in der sophistischen Rhetorik der Kaiserzeit. München 2000 (Zetemata 104).

Kron (1976): Kron, Uta, Die zehn attischen Phylenheroen. Berlin 1976 (Mitteilungen des Deutschen Archäologischen Instituts. Athenische Abteilung. 5. Beiheft).

Krumbacher (1897): Krumbacher, Karl, Geschichte der byzantinischen Literatur. I. ^{2}1897 (HdA 9; Ndr. New York 1958 = Burt Franklin Bibliographical Series 13).

Kuch (1965): Kuch, Heinrich, ΦΙΛΟΛΟΓΟΣ. Untersuchung eines Wortes von seinem ersten Auftreten in der Tradition bis zur ersten überlieferten lexikalischen Festlegung. Berlin 1965 (Deutsche Akademie der Wissenschaften zu Berlin. Schriften der Sektion für Altertumswissenschaft 48).

Kühnert (1979): Kühnert, Wilhelm, Dionysius von Korinth – eine Bischofsgestalt des zweiten Jahrhunderts. In: Schmidt-Lauber, Hans-Christoph (Hg.), Theologia scientia eminens practica (FS F. Zerbst). Wien 1979. 273-289.

Kurmann (1988): Kurmann, Alois, Gregor von Nazianz. Oratio 4 gegen Julian. Ein Kommentar. Basel 1988 (Schweizerische Beiträge zur Altertumswissenschaft 19).

Kustas (1981): Kustas, George L., Basil and the Rhetorical Tradition. In: Fedwick (1981a) 221-279.

Landes (1988): Landes, Richard, Lest the Millenium Be Fulfilled: Apocalyptic Expectations and the Pattern of Western Chronography 100-800 CE. In: Verbeke, Werner / Verhelst, Daniel / Welkenhuysen, Andries (Hgg.), The Use and Abuse of Eschatology in the Middle Ages. Leuven 1988. 137-211.

Landfester (1966): Landfester, Manfred, Das griechische Nomen ‘philos’ und seine Ableitungen. Hildesheim 1966 (Spudasmata 11).

Larsen (1954): Larsen, Jakob A. O., The Judgment of Antiquity on Democracy. In: Classical Philology 49, 1954, 1-14.

Latacz / Nünlist / Stoevesandt (2000): Latacz, Joachim / Nünlist, Rene / Stoevesandt, Magdalene, Homers Ilias 1, 2. München, Leipzig 2000 (Homers Ilias Gesamtkommentar 1, 2).

Lau (1985): Lau, Dieter, Art. Athen I (Sinnbild). In: RAC Supplement 1. Stuttgart 2000. 639-668.

Laube (1913): Laube, Adolf, De litterarum Libanii et Basilii commercio. Breslau 1913.

Laurin (1954): Laurin, Joseph-Rhéal, Orientations maîtresses des apologistes chrétiens de 270 à 361. Rom 1954 (Analecta Gregoriana 61).

Lausberg (1990): Lausberg, Heinrich, Handbuch der literarischen Rhetorik. Eine Grundlegung der Literaturwissenschaft. 2 Bände. München ³1990.

Leaf (1971): The Iliad, ed. with app. criticus, Prolegomena, notes and appendices by Walter Leaf. 2 Bände. Amsterdam ²1971.

Leclerq (1907): Leclerq, Henri, Art. Athènes. In: Dictionnaire d’archéologie chrétienne et de liturgie 1, 2. Paris 1907 Ndr. Paris 1924. 3039-3103.

Leeman / Pinkster / Wisse (1996): Leeman, Anton D. / Pinkster, Harm / Wisse, Jakob, M. Tullius Cicero. De oratore libri III. Kommentar. 4. Band: Buch II, 291-367; Buch III, 1-95. Heidelberg 1996.

Lefèvre (1993): Lefèvre, Eckard, Horaz. Dichter im augusteischen Rom. München 1993.

Lefherz (1958): Lefherz, Friedhelm. Studien zu Gregor von Nazianz. Mythologie, Überlieferung, Scholiasten. Bonn 1958.

Lehmann (1997): Lehmann, Yves, Varron théologien et philosophe romain, Brüssel 1997 (Collection Latomus 237).

Leisten (1997): Leisten, Thomas, Art. Berytos B. Hellenistische und byzantinische Zeit. In: DNP 2. Stuttgart 1997. 584f.

Lendle (1992): Lendle, Otto, Einführung in die griechische Geschichtsschreibung. Darmstadt 1992.

Leopardi / Moreschini (1997): Leopardi, Giacomo, Giulio Africano. Introduzione, edizione critica e note a cura di Claudio Moreschini. Neapel 1997 (Testi storici, filosofici e letterari – Istituto Italiano per gli studi storici 7).

Leppin (1996): Leppin, Hartmut, Von Constantin dem Großen zu Theodosius II. Das christliche Kaisertum bei den Kirchenhistorikern Socrates, Sozomenus und Theodoret. Göttingen 1996 (Hypomnemata 110).

Lequeux (2001): Gregorii Presbyteri vita Sancti Gregorii Theologi ed. Xavier Lequeux. Turnhout 2001 (CCG 44. Corpus Nazianzenum 11).

Leutsch / Schneidewin (1839): Leutsch, Ernst L. von / Schneidewin, Friedrich W. (Hgg.), Corpus Paroemiographorum Graecorum. 1. Band. Göttingen 1839 (Ndr. Hildesheim 1965).

Lieberg (1973): Lieberg, Godo, Die 'theologia tripartita' in Forschung und Bezeugung. In: Aufstieg und Niedergang der römischen Welt 1, 4. Berlin, New York 1973. 63-115.

Liebeschuetz (1991): Liebeschuetz, Wolfgang, Art. Hochschule. In: RAC 15. Stuttgart 1991. 858-911.

Lohmann (1998): Lohmann, Hans, Art. Hymettos. In: DNP 5. Stuttgart 1998. 787f.

Loofs (1898): Loofs, Friedrich, Eustathius von Sebaste und die Chronologie der Basilius-Briefe. Halle 1898.

Loraux (1986): Loraux, Nicole, The Invention of Athens. The Funeral Oration in the Classical City (engl. von Alan Sheridan). Cambridge (Ma.), London 1986 (Orig.: L'invention d'Athènes: Histoire de l'oraison funèbre dans la 'cité classique'. Paris 1981).

Lorenz (1979): Lorenz, Bernd, Zur Seefahrt des Lebens in den Gedichten des Gregor von Nazianz. In: Vigiliae Christianae 33, 1979, 234-241.

Lugaresi (1993): Gregorio di Nazianzo. Contro Giuliano l'Apostata. Orazione IV. A cura di Leonardo Lugaresi. Florenz 1993 (Biblioteca patristica 23).

Lugaresi (1997): Gregorio di Nazianzo. La morte di Giuliano l'Apostata. Orazione V. A cura di Leonardo Lugaresi. Florenz 1997 (Biblioteca patristica 29).

Lukinovich (1997): Grégoire de Nazianze, Le dit de sa vie. Traduit, presentée et annoté par Alessandra Lukinovich, mis en vers libres par Claudio Martingay. Introduction du Père Thomas Spidlik. Genf 1997.

Lyman (1993): Lyman, J. Rebecca, Christology and Cosmology: models of divine activity in Origen, Eusebius, and Athanasius. Oxford 1993.

Lynch (1960): Lynch, Kevin, The Image of the City. Cambridge (Ma.) 1960.

Maas (1912a): Maas, Paul, Zu den Beziehungen zwischen Kirchenvätern und Sophisten. I. Drei neue Stücke aus der Korrespondenz des Gregorios von Nyssa. Berlin 1912 (Sitzungsberichte der Akademie der Wissenschaften 43). 988-999.

Maas (1912b): Maas, Paul, Zu den Beziehungen zwischen Kirchenvätern und Sophisten. II. Der Briefwechsel zwischen Basileios und Libanios. Berlin 1912 (Sitzungsberichte der Akademie der Wissenschaften 49). 1112-1126.

Macrides / Magdalino (1992): Macrides, Ruth / Magdalino, Paul, The Fourth Kingdom and the Rhetoric of Hellenism. In: Magdalino, Paul (Hg.), The Perception of the Past in Twelfth-Century Europe. London, Rio Grande 1992. 117-156.

MacDowell (1971): MacDowell, Douglas M., Aristophanes' Wasps. Oxford 1971.

Magdalino (1993): Magdalino, Paul, The empire of Manuel I Komnenos, 1143-1180. Cambridge 1993 (Ndr. 1997).

Maiuri (1925): Maiuri, Amadeo, Nuova Silloge Epigrafica di Rodi e Cos. Florenz 1925.

Malingrey (1961): Malingrey, Anne-Marie, „Philosophia". Étude d'un group de mots dans la littérature grecque, des Présocratiques au IVe siècle après J.-C. Paris 1961.

Malingrey (1975): Malingrey, Anne-Marie, Le personnage de Socrate chez quelques auteurs chrétiens du IVe siècle. In: Forma futuri (FS Michele Pellegrino). Turin 1975. 158-178.

Mansfeld (1983): Mansfeld, Jaap, Rez. Mosshammer (1979). In: Mnemosyne 36, 1983, 202-207.

Maraval (1971): *Siehe Textausgaben und Übersetzungen.*

Maraval (1990): *Siehe Textausgaben und Übersetzungen.*

Markowski (1910): Markowski, Hieronymus, De Libanio Socratis defensore. Breslau 1910 (Breslauer philologische Abhandlungen 40; Ndr. Hildesheim 1970).

Markowski (1913): Markowski, Hieronymus, Zum Briefwechsel zwischen Basileios und Libanios. In: Berliner Philologische Wochenschrift 36, 1913, 1150-1152.

Markus (1975): Markus, Robert A., Church history and early church historians. In: The Materials, Sources and Methods of Ecclesiastical History. Oxford 1975 (Studies in Church history 11). 1-17.

Marrou (1957): Marrou, Henri-Irénée, Geschichte der Erziehung im klassischen Altertum. Freiburg 1957.

Martin-Achard u. a. (1978): Martin-Achard u. a., La figure de Moïse. Ecriture et relectures. Genf 1978.

Masqueray (1924): Sophocle. Tome II. Texte établi et traduit par Paul Masqueray. Paris 1924.

Masson-Vincourt (1976): Masson-Vincourt, Marie-Paule, Interprétation d'un passage du discours 39 de Grégoire de Nazianze. In: Mélanges de Science Religieuse 33, 1976, 155-162.

May (1971): May, Gerhard, Die Chronologie des Lebens und der Werke des Gregor von Nyssa. In: Harl, Marguerite (Hg.), Écriture et culture philosophique dans la pensée de Grégoire de Nysse (Actes du colloque de Chevotogne, 22-26 septembre 1969). Leiden 1971. 51-67.

McDevitt (1972): McDevitt, A. S., The Nightingale and the Olive. In: Hanslik, Rudolf / Lesky, Albin / Schwabl, Hans (Hgg.), Antidosis. FS Walther Kraus (Wiener Studien Beiheft 5). Graz 1972. 227-237.

McGuckin (2001a): McGuckin, John A., Autobiography as Apologia in St. Gregory of Nazianzus. In: Studia Patristica 37, 2001, 160-177.

McGuckin (2001b): McGuckin, John A., St Gregory of Nazianzus. An Intellectual Biography. New York 2001.

Meehan (1987): Meehan, Denis Molaise, Saint Gregory of Nazianzus. Three Poems. Washington D. C. 1987.

Meier (1989): *Siehe Textausgaben und Übersetzungen.*

Meister (1998): Meister, Klaus, Art. Hellanikos [1] H. aus Mytilene. In: DNP 5. Stuttgart 1998. 295f.

Mendels (1990): Mendels, Doron, The Polemic Character of Manetho's *Aegyptiaca*. In: Verdin (1990) 91-110.

Metcalf (1962): Metcalf, David M., The Slavonic Threat to Greece *circa* 580: Some Evidence from Athens. In: Hesperia 31, 1962, 134-157.

Metzler (1997): Metzler, Karin, Art. Athanasios. In: DNP 2. Stuttgart 1997. 157f.

Miltner (1949): Miltner, Franz, Art. Paralos [8]. In: RE XVIII 3. Stuttgart 1949. 1209-1211.

Misch (1950): Misch, Georg, Geschichte der Autobiographie 1, 2. Bern [3]1950.

Momigliano (1964): Momigliano, Arnaldo, Pagan and Christian Historiography in the Fourth Century A. D. In: Momigliano, Arnaldo (Hg.), The Conflict between Paganism and Christianity in the Fourth Century. Oxford 1964. 79-99.

Momigliano (1978): Momigliano, Arnaldo, Greek Historiography. In: History and Theory 17, 1978. 1-28.

Momigliano (1985): Momigliano, Arnaldo, The Life of St. Macrina by Gregory of Nyssa. In: Eadie, John W. / Ober, Josiah (Hgg.), The Craft of the Ancient Historian. Studies in Honor of Chester G. Starr. Lanham 1985. 443-458.

Mommsen (1886): Mommsen, Tycho, Beiträge zu der Lehre von den griechischen Präpositionen. 1. Heft. Frankfurt 1886.
Moraux (1984): Moraux, Paul, Der Aristotelismus bei den Griechen. Zweiter Band. Berlin, New York 1984 (Peripatoi. Philologisch-historische Studien zum Aristotelismus 6).
Morawski (1905): Morawski, Kasimir von, De Athenarum gloria et gloriositate Atheniensium. Krakau 1905.
Moreau (1966): Moreau, Jacques, Art. Eusebius von Caesarea. In: RAC 6. Stuttgart 1966. 1052-1088.
Morelli (1963): Morelli, Giuseppe, Il Solone di Basilio di Cesarea. In: Rivista di filologia e di istruzione classica 41, 1963, 182-196.
Moreschini (1975): Moreschini, Claudio, L'opera e la personalità dell'imperatore Giuliano nelle due 'Invectivae' di Gregorio Nazianzeno. In: Forma Futuri (FS Michele Pellegrino). Turin 1975. 416-430.
Moreschini u. a. (1994): *Siehe Textausgaben und Übersetzungen.*
Moreschini (1997): Moreschini, Claudio, Filosofia e letteratura in Gregorio di Nazianzo. Mailand 1997 (Pubblicazioni del Centro di ricerche di metafisica, Collana Platonismo e filosofia patristica. Studi e testi 12).
Mossay (1980): *Siehe Textausgaben und Übersetzungen.*
Mossay (1988): Mossay, Justin, Art. Grégoire de Nazianze dit l'Ancien. In: Dictionnaire d'histoire et de géographie ecclésiastique 22. Paris 1988. 14f.
Mosshammer (1976): Mosshammer, Alden A., Geometrical Proportion and the Chronological Method of Apollodorus. In: Transactions of the American Philological Association 106, 1976, 291-306.
Mosshammer (1979): Mosshammer, Alden A., The Chronicle of Eusebius and Greek Chronographic Tradition. London 1979.
Mosshammer (1984): Mosshammer, Alden A. (Hg.), Georgius Syncellus. Ecloga chronographica. Leipzig 1984.
Mras (1944): Mras, Karl, Ein Vorwort zur neuen Eusebiusausgabe (mit Ausblicken auf die spätere Gräcität). In: Rheinisches Museum 92, 1944, 217-233.
Mras (1955): Mras, Karl, Ariston von Keos. In: Wiener Studien 68, 1955, 88-98.
Mras (1956): Mras, Karl, Die Stellung der Praeparatio Evangelica des Eusebius im antiken Schrifttum. In: Anzeiger der österreichischen Akademie der Wissenschaften. Philosophisch-historische Klasse. Nr. 93, 1956, 209 -217.
Mras (1982): *Siehe Textausgaben und Übersetzungen.*
Muehll (1952): Muehll, Peter von der, Kritisches Hypomnema zur Ilias. Basel 1952 (Schweizerische Beiträge zur Altertumswissenschaft 4).
Müller (1910): Müller, Albert, Studentenleben im 4. Jahrhundert n.Chr. In: Philologus 69 (N. F. 23), 1910, 292-317.
Muhlberger (1990): Muhlberger, Steven, The Fifth-Century Chronicles. Leeds 1990.
Musurillo (1970): Musurillo, Herbert, The Poetry of Gregory of Nazianzus. In: Thought 45, 1970, 45-55.
Musurillo (1972): Musurillo, Herbert (Hg.), The Acts of the Christian Martyrs. Oxford 1972.
Näf (1998): Näf, Beat, Die attische Demokratie in der römischen Kaiserzeit. Zu einem Aspekt des Athenbildes und seiner Rezeption. In: Kneissl, Peter / Losemann, Volker (Hgg.), Imperium Romanum. Studien zu Geschichte und Rezeption. Festschrift für Karl Christ zum 75. Geburtstag. Stuttgart 1998. 552-570.
Naldini (1984): *Siehe Textausgaben und Übersetzungen.*

Nautin (1961): Nautin, Pierre, Lettres et écrivains chrétiens des IIe et IIIe siècles. Paris 1961 (Patristica 2).

Nautin (1977): Nautin, Pierre, Origène. Sa vie et son œuvre. Paris 1977.

Nautin (1994): Nautin, Pierre, L'éloge funèbre de Basile par Grégoire de Nazianze. Remarques sur le texte et l'interprétation. In: Vigiliae Christianae 48, 1994, 332-340.

Nenci (1970/71): Nenci, Giuseppe, Atene. ΠΑΙΔΕΥΣΙΣ ΕΛΛΑΔΟΣ (Thuc., II 41,1). In: Studi classici e orientali 19-20, 1970-71, 450-452.

Neymeyr (1989): Neymeyr, Ulrich, Die christlichen Lehrer im zweiten Jahrhundert. Ihre Lehrtätigkeit, ihr Selbstverständnis und ihre Geschichte. Leiden u.a. 1989 (Supplements to Vigiliae Christianae 4).

Niedermeier (1919): Niedermeier, Lorenz, Untersuchungen über die antike poetische Autobiographie. München 1919.

Niese (1888): Niese, Benedictus, Die Chronographie des Eratosthenes. In: Hermes 23, 1888, 92-102.

Niesler (1981): Niesler, Johannes, Proxenos und Proxenie in frühen literarischen und epigraphischen Zeugnissen. München 1981.

Nilsson (1974): Nilsson, Martin P., Geschichte der griechischen Religion 2. München ^{3}1974 (HdA 5, 2, 2).

Nock (1954): Nock, Arthur Darby, The Praises of Antioch. In: Journal of Egyptian Archeology 40, 1954, 76-82.

Norden (1913): Norden, Eduard, Agnostos Theos. Stuttgart 1913 (Ndr. Darmstadt ^{6}1974).

Norden (1958): Norden, Eduard, Die antike Kunstprosa. 2 Bände. Darmstadt ^{5}1958.

Norris (1991): *Siehe Textausgaben und Übersetzungen.*

Norris (2000): Norris, Frederick W., Your Honor, My Reputation. St. Gregory of Nazianzus's Funeral Oration on St. Basil the Great. In: Hägg / Rousseau (2000). 140-159.

North (1966): North, Helen, Sophrosyne. Self-Knowledge and Self-Restraint in Greek Literature. Ithaca, New York 1966 (Cornell Studies in Classical Philology 35).

Nutton (1977): Nutton, Vivian, *Archiatri* and the medical profession in Antiquity. In: Papers of the British School at Rome 45. London 1977. 191-226. Auch in: Nutton, Vivian, From Democedes to Harvey. Studies in the History of Medicine. London 1988. Nr. V.

Oberhaus (1991): Oberhaus, Michael, Gregor von Nazianz: Gegen den Zorn (Carmen 1, 2, 25). Einleitung und Kommentar. Paderborn 1991 (Studien zur Geschichte und Kultur des Altertums N. F. 2, 8).

Ohme (2001): Ohme, Heinz, Art. Kanon I (Begriff). In: RAC 20. Stuttgart 2001. 1-28.

Olivier (1980): Olivier, Jean-Marie (Hg.), Diodori Tarsensis *Commentarii in Ps.* Tom. I. Turnhout 1980 (CCG 6).

Opelt (1980): Opelt, Ilona, Das Bild Solons in der christlichen Spätantike. In: Vigiliae Christianae 34, 1980, 24-35.

Oppel (1937): Oppel, Herbert, ΚΑΝΩΝ. Zur Bedeutungsgeschichte des Wortes und seiner lateinischen Entsprechungen (regula-norma). Leipzig 1937 (Philologus Supplement 30, 4).

Oudot (1992): Oudot, Estelle, Images d'Athènes dans les romans Grecs. In: Baslez, Marie-Françoise / Hoffmann, Philippe / Trédé, Monique (Hgg.), Le monde du roman grec. Paris 1992 (Études de Littérature ancienne 4). 101-111.

Oudot-Lutz (1994): Oudot-Lutz, Estelle, La représentation des Athéniens dans l'œuvre de Lucien. In: Billault, André (Hg.), Lucien de Samosate. Actes du colloque international de Lyon organisé au Centre d'Études Romaines et Gallo-Romaines les 30 septembre-1er octobre 1993. Lyon 1994. 141-148.

Pack (1986): Pack, Edgar, Städte und Steuern in der Politik Julians. Brüssel 1986 (Collection Latomus 194).

Page (1972): Page, Denys L., History and the Homeric Iliad. Berkeley u. a. 1972.

Palla (1989): Palla, D. I., Ἡ Ἀθήνα στὰ χρόνια τῆς μεταβάσης ἀπὸ τὴν ἀρχαῖα λατρεία στὴ χριστιανική. In: Ἐπιστημονικὴ ἐπετηρὶς τῆς θεολογικῆς σχολῆς τοῦ Πανεπιστημίου Ἀθηνῶν 28, 1989, 851-925.

Paschke (1981): Paschke, Franz (Hg.), Überlieferungsgeschichtliche Untersuchungen. Berlin 1981 (Texte und Untersuchungen 125).

Pasquali (1998): *Siehe Textausgaben und Übersetzungen.*

Penella (1990): Penella, Robert J., Greek Philosophers and Sophists in the Fourth Century A. D. Leeds 1990.

Pépin (1955): Pépin, Jean, Le „challenge" Homère-Moise aux premiers siècles chrétiens. In: Revue des sciences religieuses 29, 1955, 105-122.

Pépin (1976): Pépin, Jean, Mythe et allégorie. Les origins grecques et les contestations judéo-chrétiennes. Paris [2]1976.

Perlzweig (1961): Perlzweig, Judith, Lamps of the Roman Period. Princeton 1961 (The Athenian Agora 7).

Perrin (1994): Perrin, Éric, Héracleidès le Crétois à Athènes: Les plaisirs du tourisme culturel. In: Revue des Études Grecques 107, 1994, 192-202.

Perrone (1996): Perrone, Lorenzo, Eusebius of Caesarea as a Christian Writer. In: Raban / Holum (1996) 515-530.

Peter (1911): Peter, Hermann, Wahrheit und Kunst. Geschichtschreibung und Plagiat im klassischen Altertum. Leipzig, Berlin 1911 (Ndr. Hildesheim 1965).

Peterson (1935): Peterson, Erik, Der Monotheismus als politisches Problem. Leipzig 1935.

Petit (1957): Petit, Paul, Les étudiants de Libanius. Paris 1957.

Petty (1993): Petty, Robert Dale, The fragments of Numenius. Text, translation, and commentary. Santa Barbara 1993.

Pfeiffer (1978): Pfeiffer, Rudolf, Geschichte der Klassischen Philologie. Von den Anfängen bis zum Ende des Hellenismus. München 1978 (Titel des engl. Originals: History of Classical Scholarship. Oxford 1968. Dt. von Marlene Arnold).

Pfister (1951): Pfister, Friedrich, Die Reisebilder des Herakleides. Einleitung, Text, Übersetzung und Kommentar. Wien 1951 (Österreichische Akademie der Wissenschaften. Philosophisch-historische Klasse. Sitzungsberichte 227, 2).

Pflugmacher (1909): Pflugmacher, Ernst, Locorum communium specimen. Greifswald 1909.

Pietsch (1996): Pietsch, Christian, Art. Anaxagoras [2]. In: DNP 1. Stuttgart 1996. 667f.

Pilhofer (1990): Pilhofer, Peter, Presbyteron kreitton. Der Altersbeweis der jüdischen und christlichen Apologeten und seine Vorgeschichte. Tübingen 1990 (Wissenschaftliche Untersuchungen zum Neuen Testament 2, 39).

Plepelits (1976): Plepelits, Karl, Chariton von Aphrodisias. Kallirrhoe. Eingeleitet, übersetzt und erläutert. Stuttgart 1976 (BGL 6).

Podskalsky (1981): Podskalsky, Gerhard, Die Herleitung des Millenarismus (Chiliasmus) in den antihaeretischen Traktaten. In: Paschke (1981) 455-458.

Pohlenz (1943): Pohlenz, Max, Klemens von Alexandreia und sein hellenisches Christentum: Nachrichten von der Akademie der Wissenschaften in Göttingen 1943, 3, 103-180 (31-108)

Pollard (1977): Pollard, John, Birds in Greek Life and Myth. Plymouth 1977.

Pouchet (1992): Pouchet, Robert, Basile le Grand et son univers d'amis d'après sa correspondance. Rom 1992 (Studia Ephemeridis Augustinianum 36).

Pouderon (1989): Pouderon, Bernard, Athénagore d'Athènes. Philosophe chrétien. Paris 1989 (Théologie historique 82).

Pouderon (1998): Pouderon, Bernard, Réflexions sur la formation d'une élite intellectuelle chrétienne au IIe siècle: les «écoles» d'Athènes, de Rome et d'Alexandrie. In: Pouderon, Bernard / Doré, Joseph (Hgg), Les apologistes chrétiens et la culture grecque. Paris 1998 (Théologie historique 105). 237-269.

Prittwitz-Gaffron (1912): Prittwitz-Gaffron, Erich von, Das Sprichwort im griechischen Epigramm. Gießen 1912.

Pyykkö (1991): Pyykkö, Vappu, Die griechischen Mythen bei den großen Kappadokiern und bei Johannes Chrysostomus (Ann. Univ. Turk. Ser. B 193). Turku 1991.

Quatember (1946): Quatember, Friedrich, Die christliche Lebenshaltung des Klemens von Alexandrien nach seinem Pädagogus. Wien 1946.

Raban / Holum (1996): Raban, Avner / Holum, Kenneth G. (Hgg.), Caesarea Maritima. A Retrospective after Two Millenia. Leiden u.a. 1996 (Documenta et monumenta orientis antiqui 21).

Radermacher (1968): Radermacher, Ludwig, Mythos und Sage bei den Griechen. Darmstadt [3]1968.

Ranke (1977): Ranke, Kurt, Art. Ariadne-Faden. In: Enzyklopädie des Märchens 1. Berlin 1977. 773f.

Rhodes (1990): Rhodes, Peter J., The Atthidographers. In: Verdin (1990). 73-81.

Richardson (1889): Richardson, Rufus B., Aeschines against Ctesiphon. Boston, London 1889 (Ndr. New York 1979).

Richter (1975): Richter, Will, Art. Nachtigall. In: Der Kleine Pauly 3. München 1969. 1555f.

Ridings (1989): Ridings, Daniel, Μωυσῆς ἀττικίζων. In: Studia patristica 20, 1989, 132-136.

Ridings (1995): Ridings, Daniel, The Attic Moses. The Dependency Theme in Some Early Christian Writers. Göteborg 1995 (Studia Graeca et Latina Gothoburgensia 59).

Riedweg (1987): Riedweg, Christoph, Mysterienterminologie bei Platon, Philon und Klemens von Alexandrien. Berlin, New York 1987 (Untersuchungen zur antiken Literatur und Geschichte 26).

Risch (1959): Risch, Ernst, Griechische Determinationskomposita. In: Indogermanische Forschungen 59, 1959, 1-61 und 251-294.

Rist (1981): Rist, John M., Basil's „Neoplatonism". In: Fedwick (1981a) 137-220.

Rist (1997): Rist, Josef, Art. Dionysios [51]. In: DNP 3. Stuttgart 1997. 646.

Ritter (1982): Ritter, Adolf M., Art. Eunomius. In: TRE 10. Berlin, New York 1982. 525-528.

Rives (1995): Rives, J., Human Sacrifice among Pagans and Christians. In: Journal of Roman Studies 85, 1995, 65-85.

Robertson (1985): Robertson, Noel, The Origin of the Panathenaea. In: Rheinisches Museum 128, 1985, 231-295.

Röhrich (1991): Röhrich, Lutz, Das große Lexikon der sprichwörtlichen Redensarten 1. Freiburg i. Br. 1991.

Roques (1989): Roques, Denis, Études sur la Correspondance de Synésios de Cyrène. Brüssel 1989 (Collection Latomus 205).

Roques (2000a): Synésios de Cyrène. Tome II. Correspondance. Lettres I-LXIII. Texte établi par Antonio Garzya. Traduit et commenté par Denis Roques. Paris 2000.

Roques (2000b): Synésios de Cyrène. Tome III. Correspondance. Lettres LXIV-CLVI. Texte établi par Antonio Garzya. Traduit et commenté par Denis Roques. Paris 2000.

Rousseau (1990): Rousseau, Philip, Basil of Caesarea: Choosing a Past. In: Clarke, Graeme u. a. (Hgg.), Reading the Past in Late Antiquity. Rushcutters Bay 1990. 37-58.

Rousseau (1994): Rousseau, Philip, Basil of Caesarea. Berkeley u. a. 1994 (The Transformation of the Classical Heritage 20).

Routh (1846): Routh, Martin J., Reliquiae Sacrae. Band 2. Oxford 1846.

Ruether (1969): Ruether, Rosemary R., Gregory of Nazianzus. Rhetor and Philosopher. Oxford 1969.

Ruschenbusch (1968): Ruschenbusch, Eberhard, Untersuchungen zur Geschichte des athenischen Strafrechts. Köln 1968 (Gräzistische Abhandlungen 4).

Russel / Wilson (1981): Russel, Donald A. / Wilson, Nigel G. (Hgg.), Menander Rhetor. Oxford 1981.

Rutherford (2001): Rutherford, Ian, Tourism and the Sacred. Pausanias and the Traditions of Greek Plgrimage. In: Alcock, Susan E. / Cherry, John F. / Elsner, Jas (Hgg.), Pausanias. Travel and Memory in Roman Greece. New York 2001. 40-52 (Anm. 270-273).

Sacks (1990): Sacks, Kenneth S., Diodorus Siculus and the first Century. Princeton 1990.

Said / Trédé-Boulmer (1984): Said, Suzanne / Trédé-Boulmer, Monique, L'éloge de la cité du vainqueur dans les épinicies de Pindare. In: Ktema 9, 1984, 161-170.

Samuel (1972): Samuel, Alan E., Greek and Roman Chronology. Calendars and Years in Classical Antiquity. München 1972 (HdA 1, 7).

Sandbach (1967): Sandbach, F. H. (Hg.), Plutarchi Moralia vol. VII. Leipzig 1967.

Sandy (1993): Sandy, Gerald N., West Meets East: Western Students in Athens in the Mid-Second Century. In: Groningen Colloquia on the Novel 5. Groningen 1993. 163-174.

Schäublin (1981): Schäublin, Christoph, Art. Diodor von Tarsus. In: TRE 8. Berlin, New York 1981. 763-767.

Schäublin (1982): Schäublin, Christoph, Josephus und die Griechen. In: Hermes 110, 1982, 316-341.

Schemmel (1908): Schemmel, Fritz, Die Hochschule von Athen im IV. und V. Jahrhundert p. Ch. n. In: Neue Jahrbücher für das klassische Altertum, Geschichte und deutsche Literatur und für Pädagogik 22, 1908, 494-513.

Schemmel (1922): Schemmel, Fritz, Basilius und die Schule von Caesarea. In: Philologische Wochenschrift 42, 1922, 620-624.

Schille (1989): Schille, Gottfried, Die Apostelgeschichte des Lukas. Berlin [3]1989 (Theologischer Handkommentar zum Neuen Testament 5).

Schmitz (1997): Schmitz, Thomas, Bildung und Macht. Zur sozialen und politischen Funktion der zweiten Sophistik in der griechischen Welt. München 1997 (Zetemata 97).

Schmoller (1953): Schmoller, Alfred, Handkonkordanz zum griechischen Neuen Testament. Stuttgart [10]1953.

Schnabel (1923): Schnabel, Paul, Berossos und die babylonisch-hellenistische Literatur. Leipzig, Berlin 1923 (Ndr. Hildesheim 1968).

Schneider (1994): Schneider, Thomas, Lexikon der Pharaonen. Zürich 1994.

Schneidewin / Nauck (1909): Schneidewin, Friedrich W. / Nauck, Alfred, Sophokles. Drittes Bändchen: Oidipus auf Kolonos (neue Bearbeitung von Ludwig Radermacher). Berlin [9]1909.

Schröder (1914): Schröder, Otto, De laudibus Athenarum a poetis tragicis et ab oratoribus epidicticis excultis. Göttingen 1914.

Schrœder (1975): Schrœder, Guy (Hg.), Eusèbe de Césarée, La Préparation Évangélique. Livres VII. Paris 1975 (SC 215).

Schwarte (1966): Schwarte, Karl-Heinz, Die Vorgeschichte der augustinischen Weltalterlehre. Bonn 1966.

Schwenn (1939): Schwenn, Friedrich, Art. Triptolemos. In: RE VII A 1. Stuttgart 1939. 213-230.

Schwyzer (1988): Schwyzer, Eduard, Griechische Grammatik. Band 2: Syntax und syntaktische Stilistik. Bearbeitet von Albert Debrunner. München [5]1988.

Seeck (1906): Seeck, Otto, Die Briefe des Libanius. Leipzig 1906 (Ndr. Hildesheim 1966).

Setton (1944): Setton, Kenneth M., Athens in the Later Twelfth Century. In: Speculum 19, 1944, 179-208 (auch in: Setton, Kenneth M., Athens in the Middle Ages. London 1975. Nr. III).

Setton (1946): Setton, Kenneth M., A Note on Michael Choniates, Archbishop of Athens (1182 to 1204). In: Speculum 21, 1946, 234-236.

Setton (1955): Setton, Kenneth M., The Archeology of Medieval Athens. In: Essays in Medieval Life and Thought, presented in Honor of Austin Patterson Evans. New York 1955 (auch in: Setton, Kenneth M., Athens in the Middle Ages. London 1975. Nr. I).

Sherwin-White (1966): Sherwin-White, Adrian N., The Letters of Pliny. A historical and social commentary. Oxford 1966.

Sider (1981): Sider, David, The Fragments of Anaxagoras. Meisenheim (Glan) 1981 (Beiträge zur Klassischen Philologie 118).

Sieben (1993): *Siehe Textausgaben und Übersetzungen.*

Sievers (1868): Sievers, Gottlob R., Das Leben des Libanius. Berlin 1868 (Ndr. Amsterdam 1969).

Simon (1981):Simon, Marcel, Art. Gottesfürchtiger. In: RAC 11. Stuttgart 1981. 1060-1070.

Sirinelli (1961): Sirinelli, Jean, Les vues historiques d'Eusèbe de Césarée durant la période prénicéenne. Dakar 1961.

Sirinelli / des Places (1974): *Siehe Textausgaben und Übersetzungen.*

Sironen (1997): Sironen, Erkki, The Late Roman and Early Byzantine Inscriptions of Athens and Attika. Helsinki 1997.

Slusser (1998): St. Gregory Thaumaturgus. Life and Works. Translated by Michael Slusser. Washington 1998 (The Fathers of the Church 98).

Smith (1993): Smith, Andrew (Hg.), Porphyrius. Fragmenta. Stuttgart, Leipzig 1993.

Soteriou (1927): Soteriou, Georgios A., Εὑρετήριον τῶν μεσαιωνικῶν μνημείων τῆς Ἑλλάδος. A.1. Μεσαιωνικὰ μνήμεια Ἀττικῆς. A. Ἀθηνῶν. Athen 1927.

Spanneut (1962): Spanneut, Michel, Art. Epiktet. In: RAC 5. Stuttgart 1962. 599-681.

Speck (1975): Speck, Paul, Eine byzantinische Darstellung der antiken Stadt Athen. In: Ἑλληνικά 28, 1975, 415-418.

Spieser (1976): Spieser, Jean-Michel, La christianisation des sanctuaires païens en Grèce. In: Jantzen, Ulf (Hg.), Neue Forschungen in griechischen Heiligtümern. Symposion in Olympia 10.-12. Oktober 1974. Tübingen 1976. 309-320.

Ssymank (1912): Ssymank, Paul, Das Hochschulwesen im römischen Kaiserreich bis zum Ausgang der Antike. Posen 1912 (Ndr. Amsterdam 1956).

Stadtmüller (1934): Stadtmüller, Georg, Michael Choniates. Metropolit von Athen. Rom 1934 (Orientalia Christiana 33, 2 = 91).

Stählin (1972): Stählin, Otto (Hg.), Clemens Alexandrinus I. Protrepticus und Paedagogus. 3. Auflage von Ursula Treu. Berlin 1972.

Stambaugh (1974/5): Stambaugh, John E., The Idea of the City: Three Views of Athens. In: Classical Journal 69, 1974/5, 309-321.

Stanton (1973): Stanton, G. R., Quid ergo Athenis et Hierosolymis?, Quid mihi tecum est? And τί ἐμοὶ καὶ σοί. In: Rheinisches Museum 116, 1973, 84-90.

Starkie (1909): Starkie, William J. M., The Acharnians of Aristophanes. London 1909 (Ndr. Amsterdam 1968).

Steier (1927): Steier, August, Art. Luscinia. In: RE XIII 2. Stuttgart 1927. 1854-1865.

Stein-Hölkeskamp (1996): Stein-Hölkeskamp, Elke, Art. Alkmaionidai. In: DNP 1. Stuttgart 1996. 509-511.

Stemplinger (1912): Stemplinger, Eduard, Das Plagiat in der griechischen Literatur. Leipzig, Berlin 1912.

Stephanus (1831/1865): Θησαυρὸς τῆς Ἑλληνικῆς γλώσσης. – Thesaurus Graecae Linguae ab Henrico Stephano constructus. Edd. Carolus B. Haase, G. Dindorf, L. Dindorf. 8/9 Bände. Paris ^{3}1829/1865. (Ndr. Graz 1954).

Sterling (1992): Sterling, Gregory E., Historiography and Self-Definition. Leiden 1992.

Stern (1974): Stern, Menahem, Greek and Latin Authors on Jews and Judaism. Edited with Introductions, Translations and Commentary. Vol. 1. From Herodotus to Plutarch. Jerusalem 1974.

Stern (1980): Stern, Menahem, Greek and Latin Authors on Jews and Judaism. Edited with Introductions, Translations and Commentary. Vol. 2. From Tacitus to Simplicius. Jerusalem 1980.

Steuding (1890/94): Steuding, H., Art. Itys. In: Roscher 2, 1. Tübingen 1890-1894 (Ndr. Hildesheim 1965). 569-573.

Stoll (1897/1902): Stoll, H. W., Art. Pandion 1 A. In: Roscher 3, 1, Leipzig 1897-1902 (Ndr. Hildesheim 1965). 517.

Strasburger (1958): Strasburger, Hermann, Thukydides und die politische Selbstdarstellung der Athener. In: Hermes 86, 1958, 17-40.

Strobel (1997): Strobel, Karl, Art. Cappadocia. In: DNP 2. Stuttgart 1997. 974f.

Strutwolf (1999): Strutwolf, Holger, Die Trinitätstheologie und Christologie des Euseb von Caesarea. Göttingen 1999 (Forschungen zur Kirchen- und Dogmengeschichte 72).

Sundermann (1991): Sundermann, Klaus, Gregor von Nazianz: Der Rangstreit zwischen Ehe und Jungfräulichkeit (Carmen 1, 2, 1, 215-732). Einleitung und Kommentar. Paderborn 1991 (Studien zur Geschichte und Kultur des Altertums N. F. 2, 9).

Sykes (1982): Sykes, David A., The Bible and Greek Classics in Gregory Nazianzen's Verse. In: Studia Patristica 17, 3, 1982, 1127-1130.

Sykes (1985): Sykes, David A., Gregory of Nazianzus as Didactic Poet. In: Studia Patristica 16, 2, 1985, 433-437.

Sykes (1989): Sykes, David A., Reflections on Gregory Nazianzen's *Poemata quae spectant ad alios*. In: Studia Patristica 18, 3, 1989, 551-556.

Szymusiak-Affholder (1971): Szymusiak-Affholder, Carmen-Marie, Psychologie et histoire dans le rêve initial de Grégoire le Théologien. In: Philologus 115, 1971, 302-310.

Talbot (1991): Talbot, Alice-Mary, Art. Michael IV Autoreianos. In: The Oxford Dictionary of Byzantium. 2. New York, Oxford 1991. 1365.

Tarán (1981): Tarán, Leonardo, Speusippus of Athens. Leiden 1981 (Philosophia Antiqua 39).

Teja (1974): Teja, Ramon, Organización economica y social de Capadocia en el siglo IV, segun los Padres Capadocios. Salamanca 1974 (Acta Salmanticensia. Filosofia y Letras 78).

Teske (1997): *Siehe Textausgaben und Übersetzungen.*

Thallon (1923): Thallon, Ida Carlton, A Mediaeval Humanist: Michael Akominatos. In: Fiske, Christabel F. (Hg.), Vassar Mediaeval Studies. New York 1923. 275-314; Ndr. (Einzelausgabe) New York 1973, danach zitiert.

Thiolier (1985): Thiolier, Jean C., Plutarque. De Gloria Atheniensium. Edition critique et commentée. Paris 1985.

Thomson (1957): Thomson, G., Aischylos und Athen. Berlin 1957 (Orig.: Aeschylus and Athens. London 1941).

Thompson (1936): Thompson, D'Arcy W., A Glossary of Greek Birds. London, Oxford 1936 (Ndr. Hildesheim 1966).

Thompson (1959): Thompson, Homer A., Athenian Twilight: A. D. 267-600. In: Journal of Roman Studies 49, 1959, 61-72.

Thraede (1962): Thraede, Klaus, Art. Erfinder II (geistesgeschichtlich). In: RAC 5. Stuttgart 1962. 1192-1278.

Thraede (1968): Thraede, Klaus, Einheit – Gegenwart – Gespräch. Zur Christianisierung antiker Brieftopoi. Bonn 1968.

Thraede (1970): Thraede, Klaus, Grundzüge griechisch-römischer Brieftopik. München 1970.

Thümmel (1988): Thümmel, Hans Georg, Die Kirche des Ostens im 3. und 4. Jahrhundert. Berlin 1988 (Kirchengeschichte in Einzeldarstellungen 1, 4).

Thür (1997): Thür, Gerhard, Art. Atimia. In: DNP 2. Stuttgart 1997. 215.

Timpe (1989): Timpe, Dieter, Was ist Kirchengeschichte? Zum Gattungscharakter der Historia Ecclesiastica des Eusebius. In: Dahlheim, Werner / Schuller, Wolfgang / Ungern-Sternberg, Jürgen von (Hgg.), Festschrift Robert Werner. Konstanz 1989 (Xenia. Konstanzer Althistorische Vorträge und Forschungen 22). 171-204.

Toepffer (1894): Toepffer, Johannes, Art. Alkmaion [3]. In: RE I 2. Stuttgart 1894. 1555f.

Tomadake (1956/57): Tomadake, Nikolau, Ἦσαν βάρβαροι αἱ Ἀθῆναι ἐπὶ Μιχαὴλ τοῦ Χονιάτου; In: Ἐπιστημονικὴ ἐπετηρὶς τῆς φιλοσοφικῆς σχολῆς τοῦ Πανεπιστημίου Ἀθηνῶν 7, 1956-57, 88-109.

Traube (1902): Hieronymi Chronicorum codicis Floriacensis fragmenta Leidensia Parisina Vaticana phototypice edita praefatus est Ludovicus Traube. Leiden (Lugduni Batavorum) 1902 (Codices Graeci et Latini Supplementum 1).

Traversa (1991): Traversa, Claudia, Teoria dell'amicizia e cultura letteraria nell'epistolario di Michele Coniata sino al 1204. In: Quaderni medievali 1991, 37-58.

Treucker (1961): Treucker, Barnim, Politische und sozialgeschichtliche Studien zu den Basilius-Briefen. Bonn 1961.

Trisoglio (1999): Trisoglio, Francesco, San Gregorio Nazianzeno 1966-1993. Lustrum 38 (Jahrgang 1996). Göttingen 1999.

Trompf (2000): Trompf, G. W., Early Christian Historiography. Narratives of retributive justice. London, New York 2000.

Ullmann (1867): Ullmann, Carl, Gregorius von Nazianz der Theologe. Gotha [2]1867.

Ulrich (1996): Ulrich, Jörg, Euseb, HistEccl III,14-20 und die Frage nach der Christenverfolgung unter Domitian. In: Zeitschrift für die neutestamentliche Wissenschaft 87, 1996, 269-289.

Ulrich (1999): Ulrich, Jörg, Euseb von Caesarea und die Juden. Berlin, New York 1999 (Patristische Studien und Texte 49).

Valgiglio (1975): Valgiglio, Ernesto, Basilio Magno *Ad adulescentes* e Plutarco *De audiendis poetis*. In: Rivista di Studi Classici 23, 1975, 67-86.

Van Dam (1986): Van Dam, Raymond, Emperor, Bishops, and Friends in Late Antique Cappadocia. In: Journal of Theological Studies 37, 1986, 53-76.

Van Dam (1982): Van Dam, Raymond, Hagiography and history: the life of Gregory Thaumaturgus. In: Classical Antiquity 1, 1982, 272-308.

Van Dam (1996): Van Dam, Raymond, Governors of Cappadocia during the Fourth Century. In: Mathisen, Ralph W. (Hg.), Medieval Prosopography. Special Issue (17, 1): Late Antiquity and Byzantium. Kalamazoo 1996. 7-93.

Van Dam (2002): Van Dam, Raymond, Kingdom of Snow. Roman Rule and Greek Culture in Cappadocia. Philadelphia 2002.

Van den Hoek (1990): Van den Hoek, Annewies, How Alexandrian was Clement of Alexandria? Reflections on Clement and his Alexandrian Background. In: The Heythrop Journal 31, 1990, 179-194.

Van Hook (1934): Van Hook, Larue, The Praise of Athens in Greek Tragedy. In: Classical Weekly 27, 1934, 185-188.

Vardi (1993): Vardi, Amiel D., Why *Attic Nights*? *or* What's in a Name. In: Classical Quarterly 43, 1993, 298-301.

Verdin (1990): Verdin, Herman u. a. (Hgg.), Purposes of History. Studies in Greek Historiography from the 4th to the 2nd Centuries B. C. Louvain 1990.

Vermès (1963): Vermès, Géza, Die Gestalt des Moses an der Wende der beiden Testamente. In: Moses in Schrift und Überlieferung. Düsseldorf 1963. 61-93.

Vernière / Bertrac (1993): Vernière, Yvonne / Bertrac, Pierre (Hgg.), Diodore de Sicile. Bibliothèque historique. Livre 1. Texte établi par Pierre Bertrac et traduit par Yvonne Vernière. Introduction générale par François Chamoux. Paris 1993.

Völker (2002): Völker, Harald, Spätantike Professoren und ihre Schüler. In: Goltz, Andreas / Luther, Andreas / Schlange-Schöningen, Heinrich (Hg.), Gelehrte in der Antike. A. Demandt zum 65. Geburtstag. Köln 2002. 169-185.

Voss (1970): Voss, Bernd Reiner, Der Dialog in der frühchristlichen Literatur. München 1970.

Walden (1909): Walden, John W. H., The Universities of Ancient Greece. New York 1909 (Ndr. 1970).

Wallraff (1999): Wallraff, Martin, Art. Kirchengeschichte. In: DNP 6. Stuttgart 1999. 479-482.

Wankel (1976): Wankel, Hermann, Demosthenes. Rede für Ktesiphon über den Kranz. 2. Halbband. Heidelberg 1976.

Wayte (1893): Wayte, William, Demosthenes against Androtion and against Timocrates. Cambridge 1893 (Ndr. New York 1979).

Wehrli (1967): Wehrli, Fritz, Aristoxenos. Basel ²1967 (Die Schule des Aristoteles 2).

Weiler (1981): Weiler, Ingomar, Der Sport bei den Völkern der Alten Welt. Darmstadt 1981.

Weiser (1985): Weiser, Alfons, Die Apostelgeschichte. Kapitel 13-28. Gütersloh, Würzburg 1985 (Ökumenischer Taschenbuchkommentar zum Neuen Testament 5/2).

Werhahn (1953): *Siehe Textausgaben und Übersetzungen.*

Werhahn (1962): Werhahn, Heinrich M., Dubia und Spuria unter den Gedichten Gregors von Nazianz. In: Studia Patristica 7, 1962, 337-347.

White (1992): White, Carolinne, Christian Friendship in the Fourth Century. Cambridge 1992.

White (1996): Gregory of Nazianzus, Autobiographical poems. Translated and edited by Carolinne White. Cambridge 1996 (Cambridge Medieval Classics 6).

Wilken (1979): Wilken, Robert L., Pagan Criticism of Christianity: Greek Religion and Christian Faith. In: Schoedel, William R. / Wilken, Robert L. (Hgg.), Early Christian Literature and the Classical Tradition (in honorem Robert M. Grant). Paris 1979. 117-134.

Wilamowitz (1884): Wilamowitz-Moellendorff, Ulrich von, Homerische Untersuchungen. Berlin 1884 (Philologische Untersuchungen 7).

Willers (1990): Willers, Dietrich, Hadrians panhellenisches Programm. Archäologische Beiträge zur Neugestaltung Athens durch Hadrian. Basel 1990 (Antike Kunst, 16. Beiheft).

Williams (1995): Williams, Rowan, Art. Origenes/Origenismus. In: TRE 25. Berlin, New York 1995, 397-420.

Winkelmann (1991a): Winkelmann, Friedhelm, Art. Historiographie. In: RAC 15. Stuttgart 1991. 724-765.

Winkelmann (1991b): Winkelmann, Friedhelm, Euseb von Kaisareia. Der Vater der Kirchengeschichte. Berlin 1991.

Winkelmann (1992): Winkelmann, Friedhelm, Grundprobleme christlicher Historiographie in ihrer Frühphase. In: Jahrbuch der österreichischen Byzantinistik 42, 1992, 13-27.

Winkelmann (2001): Winkelmann, Friedhelm, Art. Iulius Africanus. In: RAC 19. Stuttgart 2001. 508-518.

Wittig (1981): *Siehe Textausgaben und Übersetzungen.*

Wöhrle (1995): Wöhrle, Georg, Libanius' Religion, Études classiques 7, 1995, 71-89.

Wolf (1967): Wolf, Peter, Libanios. Autobiographische Schriften. Zürich 1967.

Wüest (1978): Wüest, Franz, La figure de Moïse comme préfiguration du Christ dans l'art paléochrétien. In: Martin-Achard u. a. (1978) 109-127.

Wüst (1953): Wüst, Ernst, Art. Poseidon. In: RE 22, 1. Stuttgart 1953. 446-557.

Wulff (1892): Wulff, Oskar, Zur Theseussage. Archäologische Untersuchungen und mythologische Beiträge. Dorpat 1892.

Wyss (1962): Wyss, Bernhard, Gregor von Nazianz. Ein griechisch-christlicher Denker des 4. Jahrhunderts, Darmstadt 1962 (zuerst in: Museum Helveticum 6, 1949, 177-210).

Wyss (1983): Wyss, Bernhard, Art. Gregor II (Gregor von Nazianz). In: RAC 12. Stuttgart 1983. 793-863.

Zangara (1983): Zangara, Vincenza, Art. Quadrato. In: Dizionario patristico e di antichità cristiana. Band 2. Turin 1983. 2957f.

Zehles / Zamora (1996): Zehles, Frank E. / Zamora, Maria J., Gregor von Nazianz: Mahnungen an die Jungfrauen (Carmen 1, 2, 2). Kommentar. Mit Einleitung und Beiträgen von Martin Sicherl. Paderborn 1996 (Studien zur Geschichte und Kultur des Altertums N. F. 2, 13).

Zelzer (1997): Zelzer, Michaela, Die Briefliteratur. In: Engels, Lodewijk J. / Hofmann, Heinz (Hgg.), Spätantike mit einem Panorama der byzantinischen Literatur. Wiesbaden 1997 (Neues Handbuch der Literaturwissenschaft 4). 321-353.

Ziegler (1937): Ziegler, Konrat, Art. Timycha. In RE VI A 2. Stuttgart 1937. 1371.

Ziegler (1980): Ziegler, Adolf W., Gregor der Ältere von Nazianz, seine Taufe und Weihe. Ein Beitrag zur Kirchengeschichte des 4. Jahrhunderts. In: Münchener Theologische Zeitschrift 31, 1980, 262-283.

Zink / des Places (1979): *Siehe Textausgaben und Übersetzungen.*

REGISTER

A. TEXTSTELLEN

I. BIBELSTELLEN

II. SCHRIFTSTELLER UND TEXTE

B. NAMEN (AUSWAHL)

C. ORTSNAMEN UND SACHEN (AUSWAHL)

Ebenfalls im Philo – Verlag erschienen

Andreas LÖW
Hermes Trismegistos als Zeuge der Wahrheit
Die christliche Hermetikrezeption von Athenagoras bis Laktanz
Theophaneia Band 36
293 Seiten, Geb.
ISBN 3-8257-0322-3

Karl BAUS
Das Gebet zu Christus beim heiligen Ambrosius
Eine frömmigkeitsgeschichtliche Untersuchung
Theophaneia Band 35
152 Seiten, Geb.
ISBN 3-8257-0211-1

Gabriele DISSELKAMP
»Christiani Senatus Lumina«
Zum Anteil römischer Frauen der Oberschicht im 4. und 5. Jahrhundert nach der Christianisierung der stadtrömischen Senatsaristokratie
Theophaneia Band 34
268 Seiten, Geb.
ISBN 3-8257-0001-1

Jens HOLZHAUSEN
Der »Mythos vom Menschen« im hellenistischen Ägypten
Eine Studie zum „Poimandres“ (=CH I), zu Valentin und dem gnostischen Mythos
Theophaneia Band 33
312 Seiten, Geb.
ISBN 3-8257-0800-3